法律文化导论

刘进田
李少伟　著

中国政法大学出版社

前　言

卢梭在其所著《社会契约论》中将法律分为四类，其中最为重要的是作为法律文化的法律。他写道："在这三种法律（政治法、民法、刑法——引者注）之外，还要加上一个第四种，而且是一切之中最重要的一种；这种法律既不是铭刻在大理石上，也不是铭刻在铜表上，而是铭刻在公民们的内心里；它形成了国家的真正宪法；它每天都在获得新的力量；当其他的法律衰老或消亡的时候，它可以复活那些法律或代替那些法律，它可以保持一个民族的创制精神，而且可以不知不觉地以习惯的力量代替权威的力量。我说的就是风尚、习俗，而尤其是舆论；这个方面是我们的政论家所不认识的，但是其他一切方面的成功全都有系于此。"[1] 卢梭所说的"风尚"、"习俗"、"舆论"其实就是法律文化的表现形式。

法律文化之所以重要是因为它有力量，而且这种力量异常强大。法律文化之所以力量强大，是因为它不是一个民族少数思想家、理论家头脑中的"思想"、"理论"，而是一个民族全体成员心中赋有的集体无意识或集体意向[2]，是"文化"。不少论者常将"思想"或"理论"与"文化"混为一谈，相互等同，这是错误的。"思想"或"理论"是少数思想家、理论家自觉理性建构而成的，它可能是充满理性的，美好的，但它同"文化"比较起来，

---

[1]〔法〕卢梭：《社会契约论》，商务印书馆1980年版，第73页。
[2] 参见刘进田：《文化哲学导论》，法律出版社1999年版。

一是缺乏力量，二是可在短时间内发生变化。譬如以"阶级斗争为纲""理论"，我们在几年内就可以使其变化。但"文化"就不同了，它是相当稳定的，并因其主体的众多（全民族成员）而非常有力量。"文化"的有力量特征使得"其他一切方面的成功全都有系于此。"因而，作为中国新型社会结构形式的法治能否成功，也可以说就系于一种新的法律文化能否在中国这块古老的土地上建构起来。没有写在民族全体成员心中的法律文化的支撑，作为制度的法治是不稳固的。

因此，必须对法律文化加以理性自觉。对法律文化进行理性自觉显然属于"思想"或"理性"活动。尽管"理论"的力量有限，但"理论"、"思想"可以转化为"文化"。"思想"转化为"文化"，"思想"的力量才会变得强大起来。我们对"法律文化"进行理论研究，就是想使我们的"思想"能够转化为"文化"，成为法治强大的文化心理和精神支撑。

中国建构法治社会所遇到的法律文化有两套，一套是中国传统法律文化，一套是西方法律文化，而中国的法治更多地须从西方移植，这是中国人不可避免的宿命，就好像市场经济，中国人避了几十年仍避不过去一样。然而，西方法律文化在西方是"文化"，但在中国仍然是"思想"或"理论"。如何在中国将西方法律文化从"思想"转化为"文化"，这是知识分子所要做的一项重要工作，也是颇有文化启蒙、文明更新意义的工作。

《法律文化导论》所要做的工作就是这样一项重要工作。我们这项"理论"工作所依据的哲学基础，是我们近数十年来思考的"一体双元哲学"。"一体"即人是本体，特别是有个性的个人是本体，"双元"则指个人的感性经验存在和理性超验存在。在此种哲学看来，社会的一切制度建构之终极目的是成全个人自由，当然这里的个人是平等的个人。一切有背于个人自由这一终极目的的制度建构都可以叫"异化"。"法律文化"也可以说是人们心中的内隐性制度，因而它也应以个人自由为终极价值，个人自由正是我们在本书中所围绕的轴心性价值。我们力图在中国人心目中建构起这一核心价值，并使这一价值从"思想"转化为"文化"。文化是人的内在本质和结构的对象化，而人的存在结构是由经验的人和超验的人构成的双元性存在结构，因而文化也就有经验外显的层面和超验内隐的层面。书中对法律文化的讨论既注重了其外显经验层面，又倚重超验内隐层面。从前者看我们在书中讨论了法律文化的经验性基础和条件，如法律文化的社会、经济、政治基础和条件，这些讨论展开于第十、十二、十三诸章；从后者看我们讨论了法律文化的超验性根据和前提，如哲学的、文化观念的根据和前提，这些讨论展开于第二、三、四、五、六、七诸章中。对法律文化概念本身我们在第六、七两章作了不同视域的讨论。两种视域中的文化概念当然是有一些差异的，其中文化学视域中的法律文化概念侧重于狭义的文化概念，这样的法律文化是内在的、隐型的、精神性的存在。在最后三章中讨论了法律文化的变迁和现代化问题。这是本书的大体内容架构，在此向读者略作介绍。

目 录

1	前 言
1	第一章　法律与文化
1	一、求本真于法外
3	二、情感主义文化和理智主义文化对法律的影响
6	三、特殊主义文化和普遍主义文化对法律的影响
10	四、分析主义文化和整体主义文化对法律的影响
11	五、个人主义文化和权利主义文化对法律的影响
13	第二章　法律文化概念的哲学基础
13	一、哲学与法律文化
18	二、"一体双元哲学"与法律文化
21	三、法学的奥秘是哲学
48	第三章　法律文化概念的形成背景
48	一、背景之一：中国社会结构现代化
53	二、背景之二：中国法制现代化
58	三、背景之三：全球法律统一化趋势
59	第四章　法律文化概念之学缘梳理
59	一、法律文化与法律社会学

60	二、法律文化与法律哲学
61	三、法律文化与文化人类学
62	四、法律文化与比较法学
64	**第五章 法律文化研究的主体态度和意义**
64	一、法律文化研究的主体态度
66	二、法律文化研究的意义
72	**第六章 实践唯物主义视域中的法律文化描述**
72	一、文化概念通俗界说
78	二、法律文化描述
97	**第七章 文化学视域中的法律文化阐释**
97	一、作为文化学术语的文化概念
102	二、法律文化的文化学释义
112	三、法律文化的超自然性特质
117	**第八章 法律文化之结构分析**
117	一、法律文化结构及要素
120	二、法律文化要素之功能结构
143	三、法律文化结构的特征
145	**第九章 法律文化之矛盾探讨**
146	一、法律文化的矛盾及其根据
154	二、法律文化矛盾探讨之意义
164	**第十章 法律文化之社会基础**
164	一、人群共同体与法律文化
186	二、政治现代化与法制现代化

195	三、法律与社会的相互催动
207	**第十一章 法律文化之人性根据**
207	一、法律文化史上的人性预设
213	二、人性——法律文化中不容回避的问题
221	三、人性与相关理论问题的诠释
230	**第十二章 法律文化与现代性社会**
232	一、从血缘关系到业缘关系
235	二、从身份关系到契约关系
239	三、从依赖关系到独立关系
241	四、从封闭关系到开放关系
244	**第十三章 法律文化与现代性政治**
245	一、现代民主政治的内涵
250	二、现代民主政治与现代法制
266	三、几个值得探究的问题
278	四、现代法制呼唤民主主体
286	**第十四章 法律文化与现代性文化**
287	一、现代文化的价值意蕴
293	二、现代文化与现代法的精神
304	三、现代文化与国家现代化及法制现代化
311	四、现代文化与法律和伦理的分离
316	五、现代文化与法律的理性化、形式化
326	**第十五章 法律文化与现代性价值**
327	一、价值与法的价值

334	二、现代法的价值——个人自由和普遍正义的统一
346	三、现代法的价值的内涵与地位
358	四、重视现代法的价值之意义

363	**第十六章　本土传统法律文化之特质**
364	一、本土传统法律文化之立足点
367	二、本土传统法律文化之价值取向
371	三、本土传统法律文化之功能选择
373	四、本土传统法律文化之特征
378	五、本土传统法律文化之结构
382	六、本土传统法律文化之精神

387	**第十七章　本土法律文化转型之历程**
387	一、中国现代法律文化的孕育
390	二、中国现代法律文化的开端
394	三、中国现代法律文化的发展与迂回
398	四、中国当代法律文化状况及反思

405	**第十八章　中国法制现代化之构想**
405	一、法制现代化的含义
409	二、中国法制现代化之模式选择
418	三、中国法制现代化之途径探讨
430	四、中国现代法律体系的建构

451	**主要参考文献**
461	**后　　记**

第一章　法律与文化

一、求本真于法外

要合理有效地解释和说明法律，只从法律自身、法律内部是难以达到的，必须从法律之外来进行。要寻求法律的本质、本源必须跳出法律，到法律之外去探索才能达到目的。这叫求本真于其外。因为"不识庐山真面目，只缘身在此山中"。马克思上大学的时候学的是法律专业，但当他意识到从法律自身并不能探知法律的本质时，他就换了专业，改学哲学、经济学。在古今中外法学史上，许多著名的法学家都不是单纯的法学家，他们同时是哲学家、政治学家、经济学家。当代美国的罗尔斯、诺齐克同时是哲学家和法学家。波斯纳是从经济学来研究法学的，诺奖获得者科斯是从法学来研究经济学的。康德、黑格尔是从哲学来理解说明法学的，萨维尼是从历史、民族精神、文化来说明法律的，文化人类学家是从文化来说明法律的。分析法学派是用逻辑来说明法律的，社会法学派是用社会来说明法律的。总之，他们都是从法律之外来理解法律，探寻法律的本质的。上世纪30年代美国著名数理逻辑学家、哲学家哥德尔提出了一个有名的定律，叫哥德尔不完全性定律。这一定律说明在一个内部协调的系统之中存在着不能在该系统内部证明的命题。这个命题的证明需要到该系统之外去证明。法律也是一个系统，这个系统中的核心概念——法律及其本质——按哥德尔定律也难以在法律内部得到证明和说明，因而要到法律之外去证明。这同我们说的法律要求本质于其外是一致的。

　　法律之外的因素很多，但对法律有重大作用的因素有这么几项，这就是经济、政治、理性（思想、理论）、文化。经济和政治可以再归为经验因素，理性和文化可以再归为超验因素。这样，对法律产生重大作用的因素就成了两项，即经验因素和超验因素。

　　法律一般来说是由人创造出来的。创造是人的行为。由于人是一体双元性的存在，即人既有经验的肉体，又有超验的精神，因此，人的行为及其结果总是由经验和超验、物质和精神两种因素的结合所产生的。对此，卢梭这样写道："一切自由的行为，都是由两种原因的结合产生的：一种是精神的原因，亦即决定这种行为的意志；另一种是物理的原因，亦即执行这种行动的力量。"[1]当一个人要朝向一个目标前进时，首先必须是他想要走到那里去，这是行为的精神动力，其次必须是他的腿脚能有力量带动他到那里去，这是行为的物质动力。一个想跑而瘫痪的人和一个矫健而不想跑的人都不会产生行动。人的行为的决定因素是精神和物质、超验和经验两种因素综合的事物，作为行为结果的法律自然也是精神和物质、超验和经验两种因素综合的产物。因此，只有从经验和超验两种因素的结合上来理解法律，才能全面地把握法律的本质。

　　经验因素对法律的作用问题，当代中国法学界较为熟悉，超验因素对法律的作用，法学界则重视不够。例如，我们说法律是"统治阶级意志"的体现，统治阶级意志是由"社会物质生活条件"决定的。在此"统治阶级意志"（政治）和"社会物质生活条件"（经济）都是经验因素。决定法律的超验因素包括"理性"和"文化"。本研究课题主要探讨作为超验因素的文化同法律的关系。

　　作为法律的形式化象征，在西方有"司法女神"，在中国有

---

[1] 卢梭：《社会契约论》，商务印书馆1980年版，第75页。

"司法神兽"。司法女神雕塑在西方法院建筑中会经常看到。司法女神一手执宝剑,一手拿天平,最值得注意的是女神的眼睛是闭着的或是用布蒙着的,所以也叫蒙目女神。宝剑表示力量,天平表示公平,额发表示诚实,闭眼表示"用心灵观察"。造像背面往往刻着古罗马法颜:"为实现正义哪怕天崩地裂"。(Fiat justitia, ruat caelum.)。中国的"司法神兽",是一只像牛或羊的独角兽。它是中国的司法神,最值得注意的是它的眼睛不仅睁着,且睁得很大,怒目圆睁。它是中国第一位法官皋陶在办案时如双方争执不下,就将这叫做獬豸兽牵出来,它会用那只独角去抵触真正的罪犯。西方和中国的司法神有一个显著区别,就是司法女神的眼睛是闭着或用布蒙着的,而中国的司法神兽眼睛是怒目圆睁。这一显著区别体现着中西司法理念的不同,从根本上看则是由于中西方文化的不同。

二、情感主义文化和理智主义文化对法律的影响

西方的司法女神在司法中的职能是"裁断是非",而不是"发现"罪犯,她是被动的,所以思维很重要。中国的司法神兽的职能则是发现罪犯,是主动的,所以眼睛很重要。"判断是非",思维很重要,眼睛并不重要。睁着眼睛发现罪犯的法官主要是用眼睛察看,所以察觉、察看很重要。司法官很像现在的检察官,古代官府衙门大堂上总是挂着"明察秋毫"的匾额。中西司法神睁眼和闭眼的差异从直接性上看表现的是司法理念上的差异,即西方法官司法的职能是"裁断是非",中国法官司法的职能是"发现"罪犯。西方法官主要用理性思维,中国法官主要用感性观察。

为什么中西方司法理念会有这样的不同呢?我们认为这是由中西方两种不同的文化所决定的。中国文化具有情感主义特征,西方文化具有理性主义特征。蒙培元先生说:"中国哲学很重视心灵的情感意向性活动,这同西方哲学理智化、智能化主流传统形成鲜明对比。"[1] 在中国文化中情感高于理性、是非，当情和理发生矛盾时，理性、事非要给情感让路。父亲偷了别人的羊，儿子知道了应怎么办呢？是依情办事，还是依法办事？孔子是这样回答的："父为子隐，子为父隐，直在其中矣。"[2] 就是说儿子应为父亲隐瞒其犯罪。孟子也有父亲杀人，儿子（舜）可以携父逃亡的说法。可见，儒家的先师、亚圣都主张情感高于法律、是非。父子之情是高于其他一切的。人的情感包括喜、怒、哀、乐、憎、恶等。这些情感是高于其他的。情感与感官是密切相关的。当人用眼睛去看某人某事时总会产生情感，触景生情，如当法官看到了当事人时往往会产生各种情感，如喜爱、同情、厌恶等情感。如果不用眼睛看，而用思维去思，那情感就很难发生。由于中国传统文化带有情感主义特征，所以，体现在法律上就是多用眼睛少用思维，司法神兽就可以睁大双眼。而西方文化重理智，所以重思维不重眼睛，其司法神是蒙着睛眼的。因为睁着眼睛产生情感，而情感会干扰理性思维和是非判断。

　　睁着眼睛会产生情感，会产生什么样的情感呢？就司法神兽的形象看，其产生的是愤怒、凶狠的情感，因为它是怒目圆睁。这种愤怒情感又表现出一种中国传统法律观念，就是中国传统法律不是依法保护罪犯、尊重罪犯，而是怒斥、打击、攻击、蔑视罪犯。神兽的怒目中有杀机。这正好同中国古代法的实质相合。《管子·心术》上说："杀戮禁诛之谓法"。古音法、伐相近，法借为伐。伐者，攻也，击也。《说文解字》说："法、刑也"。而刑的含义是刀兵相加。[3] 獬豸圆睁的怒目就是杀机、杀伐，这就是法律的实质。中国古代的法律主要是刑法，而刑法就是杀戮禁诛，就是刀兵相加。攻击杀伐，这样的法理念决定于中国古代文化的一些特征。在

---

[1] 蒙培元：《心灵超越与境界》，人民出版社1998年版，第12页。
[2] 《论语·子路》。
[3] 《国语·鲁语上》："大刑用甲兵，其次用斧钺，中刑用刀锯，其次用钻窄……。"

中国传统政治文化中始终存在着一种暴力主义特征。国家是通过暴力手段建立起来的，政权是再经由暴力的手段夺得的，直到当代人们还说枪杆子里面出政权。相信、迷信暴力在政治上的决定性作用。这种暴力主义政治文化表现在法律中，那就是倚重刑法，注重杀戮攻击。将罪犯杀伐攻击之后，使之在社会中消失。所以老一辈法律史家蔡枢衡先生解释法字的水含义为"把罪者置于水上，随流漂去，即令之所谓驱逐。"[1] 蔡先生对法的水旁的这一读解，在总体上是合乎中国传统政治文化的暴力主义特征的。司法神兽之所以怒目圆睁，对罪犯充满愤怒的感情和攻击的动势，正是由中国传统政治和法律文化的暴力主义特征所决定的。

　　与中国传统文化的情感主义不同，西方文化是理智主义的。它认为合理的行为和事物是建立在理性、理智基础之上的。按理智、知识办事，这行为和事情就是合理的，按情感办事，其行为就会失去理性。苏格拉底、柏拉图、亚里士多德、黑格尔等哲学家都认为理智应该治理情感。西哲认为人在认识事物的过程中，情感会干扰理智作出正确的判断，因而在认识、思维过程中应当排除情感等非理性因素的干扰，保证思维获得正确、客观的结论。这种理性主义文化体现在法律上就是重视人的思维、理性的地位和作用。因此，西方的司法女神眼睛是闭着的或是用布蒙着的。其实质是运用理智、理性来判断是非，防止情感干扰法官的思维。思维过程应是没有情感参与的认识过程，这样的认识过程才能保证思维结果的正确性、真理性和客观性。因此，在西方古今的法律制度中，裁判、审判与发现、取证是分开的。法官没有发现、取证、调查的职能。法官的职能是对证据进行鉴别、衡量和判断。这些都是主要运用思维进行判断推理，而不是用眼睛看。中国现在的司法机构是公、检、法分离，这是学习西方的审判和发现分开的作法。法院和检察院都

---

[1] 蔡枢衡：《中国刑法史》，广西人民出版社1983年版，第170页。

规定法官和检察官不能私下会见当事人，这也是要把思维、理性同情感分离开来，要求法官要闭上眼睛，用自己理性思维来判断是非。

三、特殊主义文化和普遍主义文化对法律的影响

中西方司法神的睁眼和闭眼差异背后还隐藏着一个文化消息，那就是特殊主义文化和普通主义文化及其差异。中国文化的一个重要特点是特殊主义，西方文化的一个显著特点是普遍主义。用眼睛看属于感性认识，感性认识的特点是形象性、具体性，即特殊性。闭眼用思维判断是非属于理性思维，理性思维的特征是抽象性，所把握到的是事物的本质和规律，这说明理性思维是普遍性的。因而，中西司法神睁、闭睛的差异的实质是文化上特殊主义和普遍主义的差异。

中国文化是特殊主义文化。儒家是中国文化的主干，孔子是儒家学派的鼻祖。孔子思想体系的核心概念是"仁"。在仁这一儒家核心观念中就体现着中国文化的特殊主义特征。什么是仁，孔子说："仁者，爱人"。但儒家讲的爱不同于墨家的"兼爱"和基督教的"博爱"。兼爱和博爱都带有普遍性和平等性，强调只要是人都应当给予爱，而儒家的爱是有差等的爱，即爱有差等。这样爱就有了特殊性、具体性和不平等性。仁爱具体化就是"亲亲"，"尊尊"。亲就是爱，亲亲是说亲和爱的对象不能随便什么人都行，须是自己的亲人，尊尊是说，尊的对象不是随便什么人都可以尊，须是尊大人、君子。就是说对于不同的人要有不同的态度，对不同的人不能有相同的态度。这就是中国文化的特殊主义特征。直到今天我们在哲学上还讲具体问题具体分析是马克思主义活的灵魂、毛泽东的《矛盾论》主要讲的是矛盾的特殊性问题。这表明特殊主义已成为中国人根深蒂固的文化传统。特殊主义文化体现在法律中，就是忽视法律的普遍性、形式性，强调具体问题区别对待，相同问

题不同对待。如在中国古代官与民犯同样的罪处罚不同，父和子犯同样的罪处罚不同，男和女犯同样的罪处罚不同。《礼记·典礼上》中有"刑不上大夫，礼不下庶人"的原则规定。大夫以上的贵族犯有罪行，允许他不出庭受审，可以不下狱。《唐律》中有"八议"、"七出"的法律规范。"八议"要求亲、故、能等八种人的犯罪要不同对待。"七出"则体现出男女、夫妇在法律中的不平等规定。中国古代的法主要是礼法。礼的基本功能就是别贵贱、分亲疏、明远近。中国传统的法是等级法。这种等级法从文化根源上看，来自特殊主义文化传统。

与此相反，西方文化则具有普遍主义特征。西方哲学和文化的特征是重事物的一般形式，而把特殊的内容看作是次要的。这个特征与古希腊赫拉克利特、柏拉图、亚里士多德哲学内在相关。赫拉克利特哲学的主要概念是逻格斯，而逻格斯就是规范一切感性事物的一般形式、尺度；柏拉图哲学把世界两重化为一般的理念世界和具体的感觉世界，而理念世界就是形式性的世界，具体感觉世界只有"分有"和"摹仿"理念世界才有意义；亚里士多德认为事物是由形式和质料构成的，形式是能动的，能赋予事物的结构，而质料则是被动的。在此，逻格斯、理念、形式都是一般的形式性的存在，它们是最真实、最重要的。因而西方哲学家论证事物主要谈论的是事物的形式，而非内容，如他们谈到房子，主要不是谈各种各样的房子、个别的房子，而是谈论房子本身，即一般的房子、房子的形式，尽管房子也离不开具体的房子，但所有具体的房子加起来也无法超过房子一词的含义和外延。西方哲学家谈认识，主要不是谈认识的内容，而是谈认识的形式；西方哲学家谈正义，主要不是谈正义的内容和实质，而是谈正义的形式或形式正义；他们谈平等主要不是谈平等的内容和实质，而是谈平等的形式或形式平等。这种哲学和文化特征决定了西方法学家谈论法律，主要不是谈法律的内容和实质，而是谈法律的形式或形式化的法律。

柏拉图在讨论法时，注意力集中在建立一般的正义原则和国家"模型"[1]，即亚里士多德讲的国家的"通用形式"[2]。形式作为一般的东西是超越具体内容的，它是规范它下面的多要素和内容的，因而国家内的各阶级、国王都要服从国家的形式"模型"，不能在其上。因此，柏拉图说："我们的立法不是为城邦任何一个阶级的特殊幸福，而是为了造成全国作为一个整体的幸福。"[3]"我们建立这个国家的目标并不是为了某一个阶级的单独突出的幸福，而是为了全体公民的最大幸福。"[4]亚里士多德作为柏拉图的学生，主张形式高于内容，因而强调政治学应研究国家的一般的"通用形式"。罗马法的精神来源于古希腊哲学，希腊哲学重形式的特征被罗马法所继承，因此，罗马法表现出鲜明的形式化倾向。这种形式化倾向表现在，一是注重对法的定义和法的基本原则的界定，并把法和人的理性联系起来，强调理性、自然法是至高无上的，所有具体法的效力、制约力都来自理性、自然法。罗马法虽然肯定皇帝的地位，认为皇帝的诏令就是法律，但皇帝的诏令之所以有法律效力，根据并不在皇帝本人及其权力，而在于位于其上的法，即理性和自然法。罗马法学家盖尤斯明确指出皇帝最高权力的根据是法律[5]。乌尔比安说，皇帝决定的法律效力是由人民赋予其权力的缘故[6]。中国古代皇帝也是口含天宪，但这天宪的根据在皇帝及其权力自身，而不在皇帝及其权力之上。这是人高于法，权高于法，前者则是法高于人、高于权。二是罗马法对具体法律制度有非常严格的规定。这种规定的逻辑严密程度和繁细程度是空前的。这种规定力图使法律制度保持明确性、严密性，避免模糊性、

---

[1] 柏拉图：《理想图》，商务印书馆1986年版，第133页。
[2] 亚里士多德：《政治学》，商务印书馆1986年版，第177页。
[3] 柏拉图：《理想图》，商务印书馆1986年版，第279页。
[4] 柏拉图：《理想图》，商务印书馆1986年版，第133页。
[5] 查士丁尼：《法学总论》，商务印书馆1989年版，第8页。
[6] 同上书，第5页。

含混性。这是知性的特征，是形式化的表现。如果说第一点是从上层保证法律的形式，那么，第二点就是要从下层保证法律的形式化。因为，具体法律制度和规范的严格规定意在对经验内容作一般的概括。这样法的形式化就既有来自自然法的价值意义，又有来自法的经验事实的事实内含。西方中世纪的法主要是基督教法。基督教法学理论通过亚里山大里亚学派继承了柏拉图的两个世界划分模式，区别在于它在自然法之上加了一个神法。自然法之下仍然是实在法（或人法），自然法就是理性，是一套形式化的价值体系。神法是托马斯·阿奎那加上去的。他为什么要在自然法之上加上神法呢？理由是既然自然法是理性，而理性如果为情欲、利益和恶习所干扰就会失去公正，理性判断并非都是高明无误的。因此要在自然法，即理性之上加上神法，用神的智慧来保证理性的公正性。实在法的正当性由理性来保证，即由自然法来保证，而理性、自然法的正当性则由神来保证。就实在法仍然要以自然法、理性来指导来说，中世纪的法仍具有形式化特征，只是神法的存在使这种形式化受到影响。近代西方法律把柏拉图加于自然法之上的神法拿掉了，又回到了以往自然法和实在法二分的老传统。自然法是理性自身，实在法必须符合理性，因而实在法必须理性化。实在法的理性化表现为近代法的规则主义，表现为民法典的发达，体现于刑法中的罪刑法定主义等原则上。马克思·韦伯说，西方近代法律现代化的实质就是法律理性化，而理性化的集中表现，就是法律的形式化。因而，西方法律就非常重视形式、程序。他们对法的核心价值，如自由、平等、正义、法治等的理解以形式化为特征。在这种法律体系中，个人的权利和义务是由某种普遍的并能被证实的原则决定的，而不是由个人的某种特殊身份、地位、情感决定的。因此"司法的形式主义使法律体系能够象合理性机器一样运行。这就保证了个人和群体在这一体系内获得相对最大限度的自由，并极大地提高了预言他们行为的法律后果的可能性。程序变成了以固定的和不可逾越的'游戏规则'为限的,特殊类型的和平竞争"。[1]

中西方司法神的睁眼和闭眼所象征的正是上述特殊主义和普遍主义文化倾向。

四、分析主义文化和整体主义文化对法律的影响

中国司法神兽的睁睛与西方司法女神的闭眼还体现着中西文化、中西法律文化的另一差异,这就是西方文化及其法律文化注重分清是非,明辨曲直,这属于分析主义文化,而中国文化及其法律文化则注重调解纠纷,解决矛盾,而并不注重明辨是非,这属于整体主义文化。因为蒙眼的目的是用思维分析问题,而思维,特别是知性思维其作用正是分析、分别,是明辨是非。所以,用思维分析案件时,首要的任务是搞清楚各当事人谁是谁非,谁对谁错。对此美国法学家亚伯拉罕·艾德尔和伊丽莎白·费罗尔指出:"我们的法律是决断性的。它一般总要给出是或否的回答。一部法典可能明确禁止法官以法律没有提供解答为由而拒绝就某一事项作出判决;他必须设法作出判决,他不能说,'你们俩都是对的,去调解吧。'"[2] 在西方法学家看来"你的"、"我的"应该是界限很清楚的,不能马虎。康德讲法哲学就是从"我的"、"你的"这两个观念为起点的。与此相反,中国传统法律由于重整体和谐,重感性情感,所以对当事人之间的是非对错并不特别重视。中国法律所看重的是怎样解决矛盾,调和矛盾,调解纠纷。在中国古代社会法律实践中有许多"兄弟争田"、"争财"的案子,对于这样的案件,法官是用兄弟手足之情来化解纠纷,使双方各让一步,而不是通过分清是非来解决矛盾。其目的是让家庭这个整体维持和谐。清朝法官蓝鼎元办理阿明、阿定兄弟争田案时就是这样。阿明和阿定的父亲

---

[1] 马克思、韦柏:《经济与社会》,商务印书馆1997年版,第811页。
[2] 梁治平编:《法律的文化解释》,第271页。

死后留下七亩田,兄弟二人为争此田到官府打官司。蓝官人就训斥他们说"田产比起兄弟亲情,实在是区区小事,为此打官司不值得。"他还让兄弟二人相互呼叫哥哥弟弟,以化解纠纷。

五、个人主义和权利主义文化对法律的影响

西方法律文化主张法律应当分清是非,而中国法律文化则不注重分清是非,强调调解。在这种法律观念背后隐藏着一种更深的中西文化差异,这就是西方文化是个人主义的文化而中国文化是群体主义的文化。分清是非的重要目的是明确财产是你的还是我的。如果财产判明是我的,那就满足了"我的"个人利益,不是"你的"就是说你不要侵犯"我的"利益。也就是说个人主义文化决定了司法活动的特征。相反,中国社会中的法律的功能不在于满足个人利益,而在于维护群众的和睦、团结,防止动乱。因为不注意对你的我的区分,人们之间也就不会争了,不争了也就不乱了,家庭和国家社会就会安定团结。所以,在中国文化中道家主张不争,儒家主张无讼、贱讼。怎样才能不争、无讼呢?那就是不要把"我的"、"你的"区分的那么清楚,不要那么生分。这种文化主张体现在法律上就是不强调用冰冷的理智去分清是非,而是用情感去化解纠纷。

西方的个人主义文化决定了西方法律是决断性的,(当然个人主义文化对法律的作用是全方位的。譬如,在法律责任的归属问题上,力求严格地确定责任的归属,把当事人个人的责任同与当事人相关的亲属等人的关系严格区别开来。等)而这种决断性法律所表现的是一种文化,一种权利文化。亚伯拉罕·艾德尔说:"这也表明这样一个事实,即我们是一种权利意识很强的文化。"[1] 因为法律的决断性的目的是要分清"你的"和"我的"。而"我的"

---

[1] 梁治平编:《法律的文化解释》,三联书店1998年版,第271页。

和"你的"观念就是权利观念、权利意识。一件东西当我说它是"我的"的时候，意味着我对它拥有了权利，他人不得侵犯，他人有尊重"我的"东西的义务。西方文化特别重视"我的"这一观念，因此，他们的法律的基本价值理念、原则和出发点都是"我的"这一观念。罗马人把法律分为公法和私法，私法的目的是保护个人利益。就是说私法的价值理念是个人利益。而个人利益这一价值的核心要素是"我的"价值观念。因为"我的"所表达的是个人和财产之间的一种"为我"关系，财产的"为我"性是个人利益的实质所在。因此"我的"这一权利概念是"私人利益"的核心，从而是私法价值的核心。

第二章　法律文化概念的哲学基础

一、哲学与法律文化

法律文化概念在人类思想观念和思想阶梯中并不是一个处于顶级的终极性概念，就是说它具有自己的上位概念或上位观念体系。法律文化概念作为人类观念阶梯中的下位概念须从它的上位观念和思想中得到最终解释。这个能够解释法律文化概念并构成法律文化概念理论支撑和意义依据的理论便构成法律文化概念的思想基础或哲学形上学基础。

研究法律文化概念和理论的大家们都非常自觉地在探讨法律文化时注意建立适合自己思趣的思想基础。我们在这里试举几例。

美国华盛顿大学法理学教授格雷·多西（Gray Lonkford Dorsey, 1918—）是研究法律文化的著名学者。他指出，法律文化"是组织和维护人类合作诸事例中安排秩序的方面。"就是说法律文化所涉及的是人类社会生活及其组织中的秩序安排问题。

人类社会生活中的秩序安排是和这个社会中人们的终极性信念相联系的，或者说是和这个社会中人们对什么是终极实在的问题的看法相联系的。人们对终极实在的看法不同，则对社会中秩序安排问题的态度不同，即对法律文化的看法和态度不同。显然，法律文化是同某种形上学思想密切相关的，这种形上学思想，即哲学思想正是法律文化的思想基础。

格雷·多西认为，他的法文化的思想基础是建立在赫胥黎等人进化论哲学之上的。根据进化论哲学,"所有生命形式都竭力要获得对于地球上生命机遇的充分利用;进化的方向始终是指向愈来愈复杂的组织,对生命机遇更加有效地利用因之变得可能;社会乃是超越个别有机体而朝向有机体之间合作关系的组织的伸展。"[1] 意思是说有生命的存在物都想竭力地最大限度地利用自然所提供的生命机会,充分地最大限度地发展自己。而这种利用是和有组织性的活动相联系的。组织的程度越高、越好,就能更好地利用生命机遇。社会是个体人之间合作的组织,这种合作组织得越好,就越能有效地利用生命机遇。而作为人类社会合作中秩序安排的法文化的性质和价值显然可以从这里得到理解和认取。

进化观念涉及到对许多哲学问题的理解,这些理解结合起来形成人们对文明的不同看法,或形成不同的文明形态,而不同的文明形态产生不同的法律文化。格雷·多西提出了八个哲学问题:

1. 世界的本质是什么?
2. 在这样的世界里,什么是最可欲的〔生命机遇,至善?〕
3. 可欲的目标可否通过个人努力达到,或者只能通过社会组织和社会行动实现?
4. 〔在这样一个世界里〕可知的事情怎样才能够为人所知?
5. 所有人都〔被认为〕能够获得这种知识还是只有一部分人有这样的能力?
6. 如果只是一部分人,他们怎样被鉴别出来?
7. 应该如何分配决策以保那些将严重影响全体人安全与福祉的决定是由能够作出明智决断的人来作〔根据特定世界中的特定主题〕?(对这个问题的回答决定社会的组织)
8. 应当用什么样的制度、标准和程序以建立和维护那个由对上述诸问题的回答所指明的社会?(对这一问题的回答决定法律制

---

〔1〕 梁治平编:《法律的文化解释》,三联书店1998年版,第240页。

度的组织。)[1]

这些问题包括了哲学中的本体论、价值论、认识论、社会观、政治观诸问题。对这些问题的不同回答便形成不同的文明形态或文化模式。法律文化正是同这种文明形态或文化模式相联的。格雷·多西认为，古希腊、印度和中国人对这些问题的态度和看法是存在差异的，因而遂产生了世界上三种各有特色的法律文化。

显然，不了解一个民族哲学思想就不能了解它的文明形态或文化模式，而不了解这个民族的文化模式或文明形态，要想理解法律文化也是不可能的。由此我们可以看到法律文化的思想基础对于认识和把握法律文化的重要性和必要性。

美国"综合法理学"或统一法理学的代表人物埃德加·博登海默将自己的法律思想和法律文化概念建立在一种人文主义哲学基础之上。他从人的主体性和本体两个方面来领会社会组织和法律文化的意义。

从人和动物的区别看，人具有创造文化的力量。他说："人，就其本性，是这样构成的，在他为自身的生存和繁衍后代的努力奋斗中，他的创造才能和精力并不会消耗殆尽。在他的身上蕴藏着过量的精力，否则就不可能有我们所称之为文明的伟大集体事业。……这种进行文化活动的多余力量，乃是人区别于低级生命体的标准，而且这种标准可能比任何别的东西都更能说明问题。"[2] 就是说人的创造能力和精力除了创造人的维持生命和繁衍后代的最低度需要的东西外，还有剩余的创造力和精力。然而，这种多余的精力和创造力从价值取向上看，有两种相反的方向。一种是朝着积极的健康的有利于人的方向使用和发展，另一种则相反，朝着破坏性消极性的方向发展。一种是指向善的方向，一种是指向恶的方向。

---

[1] 见梁治平编：《法律的文化解释》，三联书店1998年版，第241页。
[2] E·博登海默：《法理学——法哲学及其方法》，华夏出版社1987年版，第375页。

人们何以要创立社会组织和社会制度呢？其目的就是想将人身上的多余力量导向积极的健康的建设性的方向上去，即善的方向上去，而防止多余力量朝破坏性的恶的方向上走。他说："一个社会制度的成功，主要取决于它是否能够将人们在经济事务和性追求方面未耗尽的过量精力引入合乎社会需要的渠道。"[1] 假如一种社会制度使人的多余的力量和精力"消耗或浪费在与邻人的不断冲突中，个人间与群体间的私人斗争中"，那么这种社会制度是失败的。法律在建立合理的社会制度上起着关键的作用。它不仅是社会制度的组成部分，而且是建构社会制度的尺度，是安排和分配权力的工具。因而法律的意义就在于通过建构合理的社会组织和安排权力把人的多余的创造力和精力导向积极的善的方面。

人本主义哲学对人的看法是，认为人有共同的本性，这种人类共性使得人类具有某些"超越特定社会结构和经济结构相对稳定的基本价值。"[2] 这种共同的人性就是人所具有的两种对立的性质和冲动：个人冲动和共有冲动。从个人冲动产生出自由、安全、平等诸价值；从共有冲动中产生出人的合作、参与、变革、理性诸价值。博登海默认为，这种认识构成法律的思想基础，法律就是建立在这样的人性基础之上的，是为了实现这些价值的。

在我们看来，博登海默看到了人性的共同性，或人类性，这是有合理之处的。但对这种人性，不同的人群是有不同的态度和选择的，由这种不同的态度和选择形成相应的文明形态和文化体系。然后在这种文化体系的基础上形成法律文化。同时，法律文化对建构这种文明形态又有重要作用。此种情形与法律文化的民族性相关。而博登海默的理论则有利于我们体认法律文化的人类性问题。

另一位美国著名法学家罗斯柯·庞德也将他的法律文化观点建

---

[1] 同上，第377页。
[2] 同上，第1页。

立在一种人本主义哲学基础之上。他对法律的一个基本看法是认为法律的作用和意义是进行有效的社会控制，认为法律是社会控制的手段。而这种法律观是同他所接受的文化观相关的。他接受了德国法学家柯勒的文化观。柯勒认为，文化的意义在于提高人对于外在自然界和内在本性的控制能力，法律的作用则在于维护、促进和传播文化。庞德把文化或文明看作是包括法律文化在内的整个社会科学的出发点。法律文化建立在文明或文化的基础上，而文明或文化又是建立在什么基础上的呢？庞德认为，它是建立在人性基础上的。

庞德对人性是这么看的，他认为人类具有双重本性。一是社会性，人天生有合作的倾向，一是个体性，人有各种不同的欲念、要求。由人的这种双重性生出两种矛盾。一是个人的欲求无限，满足它们的手段却是有限的，因此，人们的欲求重叠和冲突势所难免。此时，如果没有相应的社会控制，将这些相互冲突的要求纳入到秩序的框架之中，不光每个个人的愿望无法满足，人们赖以生存的社会也难以维持下去。在此情况下，社会控制就成为文明延续的前提。社会控制对文明或文化的意义显而易见。二是人的双重本性之间也有矛盾。在人的个性和社会性主张之间，偏执任何一方都会影响到文明的性质和发展。因而调整和控制二者的关系对于文明或文化的发展十分关键。[1] 法律文化的意义在于社会控制，社会控制的价值在于促进文明的发展，文明发展的目的在于人性的完善和展开。这大概就是庞德的逻辑思路。从这种逻辑思路中我们可以看到，他的法律文化观点是建立在一种人本主义哲学基础之上的。

从上述格雷·多西、博登海默、庞德的思想中我们看到法律文化思想和概念是有其哲学基础的。哲学家如康德、孟德斯鸠、黑格尔等他们的法律文化思想有自己的哲学依托自不待言。因为法律文

---

[1] 参梁治平：《法辨》，贵州人民出版社1992年版，第199页。

化本身不是一种自足的存在，它是同人及其终极关切相联系的。只有将法律文化同相应的哲学联系起来，我们才有可能通透而深刻地理解法律文化。当然这绝不是说法律文化没有自己的现实经验关切。

二、"一体双元哲学"与法律文化

我们所理解的法律文化概念的哲学基础是笔者近年来所构想的"一体双元哲学"。

"一体双元哲学"中的"一体"指人或人的个性。"双元"指作为人的双重存在的"灵"和"肉"，或更确切地说是经验的人和超验的人。人或人的个性何以能成为自然和社会人生之"体"，即本体？不是自然、物质是本体么？我们说对人和宇宙关系的看法有两种立场和态度。如果你站在宇宙、自然的立场来看宇宙和人的关系，那宇宙和自然就是世界万物和人的本体。这种立场是自然主义立场。这只是人理解世界的一个立场，而非唯一立场。相反，如果你站在人的立场来理解人和宇宙的关系，那么，人的个性就是万物的本体，特别是人文世界的本体。因为我们可以假设自然之所以产生人是因为自然有一个目的，这个目的就是要产生人，既然自然的目的是为了人，那么，人就成为自然的本体。自然因人而有意义。在整个人文世界或文化世界中人更是这个人文世界的本体。当然我并不否认自然本原，不过那是从另一意义上说的。

那么，作为本体的人性的本质是什么？是自由。统一的自由本性因了人有二重存在，所以便有两种意义不同的自由，即对待关系上的自由和绝待关系上的自由（大体相当于政治法律上的自由和道德上的自由）。人的感性经验存在所面对的是现实的自然界和现实社会，人在此所追求的价值是对待关系中的自由，这种自由价值可以概括为"幸福"（指人的感性物质欲求得到满足后的身心愉悦），人的超验理性存在所面对的是虚灵的精神世界，在此人追求的是绝待意义上的自由。这种自由价值可以概括为"崇高"（包括善、美、真、信等），这里存在着两个不同质的世界，两种不同质的价值。正因其不同质所以称之为"双元"。图示：

人 { 超验——绝待性精神世界——崇高（绝待性自由）——精神文化
　　 经验——对待性物质世界——幸福（对待性自由）——物质文化

　　人因有经验性存在，故须面对对待性物质世界，解决二者的矛盾。人在这个世界中所祈求的价值是对待意义上的自由，达到现实幸福。为此他需要创造物质文明。人因有超越性存在，故他须面对超自然超经验的绝待性精神世界。人在这个世界中追求无限、无碍，即绝待自由，为此人创造出宗教、艺术、哲学、伦理等精神文化。

　　由此我们看到，文化，包括物质文化和精神文化，是为了实现人的自由价值而创造的，这是文化的本质和价值之所在。法律文化是文化的一部分，因而它的本体和价值从最终意义上说也是实现人的自由价值。具体的说法律文化是通过促进物质文化和精神文化的创造以实现人的自由价值。

　　但是，法律文化通过什么来促进物质文化和精神文化的创造呢？它是通过影响和建构制度文化而实现这个目的的。法律文化通过社会秩序的合理安排来实现它的价值。我们在上图中尚看不出法律文化在文化结构中的位置。通过下面的图示我们会明确法律文化在文化结构中的合理位置。

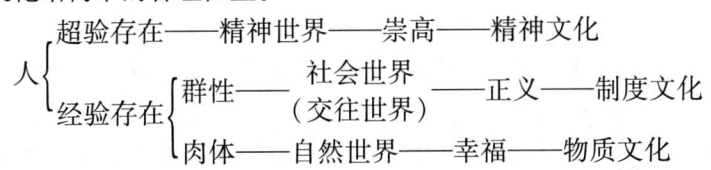

人 { 超验存在——精神世界——崇高——精神文化
　　 经验存在 { 群性——社会世界（交往世界）——正义——制度文化
　　　　　　　　肉体——自然世界——幸福——物质文化

　　个体的人有肉体有精神，为了实现和肉体、精神相关的幸福和崇高价值，人和人要进行合作，发生人与人的关系，组成社会。这样人便进入了社会。个人通过进入社会，同他人合作，建立社会组织以实现德福统一价值。但是，人与人的合作关系是充满矛盾的、复杂的，会出现奴役、剥削、压迫、不平等等不正常现象。这种现象违背了人原来要求合作的初衷，有碍于自由价值的实现。在思想史上将这种现象叫做异化。异化就是人所创造的原本为人服务的东西却成了奴役人、控制人的东西。我们将这种现象叫做不正义或恶。与这种现象相对的价值就是正义。显然，只有在社会中实现了正义价值，方能更好地实现幸福和崇高价值。按照康德的思想，德福综合统一就是至善，就是人类所追求的终极的最高的价值。制度文化建设正在于实现正义，而法律文化即是制度文化的一部分，因而法律文化的意义就在于实现正义，最终达到至善，实现人的终极价值。从这里我们可以理解法文化史上何以把法与正义、善密不可分地联系起来，认为"法乃善良公正之术"。（塞尔苏斯）。

当我们把法律文化归位于文化结构中的制度文化时，我们立刻需要说明，制度文化概念有两种含义。制度文化既可以理解为制度文化本身，也可以理解为关于制度文化的观念；既可以理解为现实的显型的制度文化，也可以理解为隐型的制度文化。我们所理解的制度文化是观念的、隐型的制度文化。这样理解更合乎文化的本义。因此法律文化也就主要是在观念的、心理的、隐型的意义上来说的。它常常是不形诸于文字的东西，心理性（非科学定义上的心理）的东西。"这种法律既不是铭刻在大理石上，也不是铭刻在铜表上，而是铭刻在公民们的内心里。"[1] 在中国文化史上的社会革命时期，大量的社会制度、法律制度可以被摧毁，但被摧毁的只是显型制度，这些制度的原型即隐型制度仍然以非文字形式存在于人们的深层心理之中，因而过了一段时间又按这种隐型制度（即文化）建立起同原来精神上基本一致的社会和法律制度。关于制度的观念或法律制度观念是十分稳定的。

---

[1] 卢梭：《社会契约论》，商务印书馆1980年版，第73页。

作为法律文化理论哲学基础的"一体双元哲学"是哲学的一般结构或"先验结构",因而它也有其历史性质。

"一体双元哲学"的历史性是指它在不同民族文化中的具体形式或具体形态。它主要通过两个方面体现出来。一是主体——客体关系模式,二是经验和超验关系模式或本体与现象关系模式。这两种关系在不同民族中对其处理办法不同,态度不同,从而造成"一体双元哲学"的历史性质。譬如,西方人重"二分",中国人重"合一",从而使得西方人总是将主体和客体二分,将本体和现象二分。这种主客二分,本体与现象二分成为"一体双元哲学"在西方的历史形式。它从根本上决定了西方文化的性质和特征,从而也决定了西方法律文化的根本性质和特征。西方的二元化法律正源于这种文化哲学。中国人重"合一",因而使得中国人总是将主体和客体合一,本体和现象合一。这种主客合一,本体和现象合一,同样从根本上决定了中国文化的根本性质和特征,从而决定了中国法律文化的根本性质和特征。中国的道德法律化和法律道德化正源于这种文化哲学。质言之,"一体双元哲学"的历史性质决定了文化的性质,文化的性质决定了法律文化的性质。因为,从理论上说,哲学是文化的核心,文化核心作为统摄文化的神经、灵魂,决定着文化的性质;法律文化作为文化整体中的部分受文化的决定。

三、法学的奥秘是哲学

德国哲学家文德尔班如下一段话可以说道破了哲学和法学的微妙关联:"这样一条政治经验——党派斗争只有在不影响法律秩序的条件下在道德上才可能容忍——使得服从法律成为最高职责。赫拉克利特和毕达哥拉斯学派十分透辟地表达了这个观点,而且知道如何将此观点同他们的形而上学理论的基本概念联系起来。"[1] 法学的最精要内涵并不直接通过法律的语词和符号来表达，而以看不见的形式含摄于哲学的基本概念和符号之中。法学的奥秘含容于哲学。因而古罗马法学家西塞罗说："法律科学不应该如同现在许多人所认为的那样从司法官颁布的法令中推演出来，或如同人们习惯地认为的那样从《十二铜表法》中推演出来，而是从哲学的最深层秘密中推演出来。"[2] 这段话表明法学、法律的奥秘是哲学。因而哲学符号有着法学解释的广泛可能性。为什么说法学的奥秘是哲学呢？下面我们从哲学的性质和对象、哲学的产生和发展、法律的发展和演进三个方面来阐述这一问题。

第一，从哲学的性质和对象看，法学的奥秘是哲学。

当我们将法理解为同实在法相对的自然法时，我们认为哲学所研究的对象就是法。哲学的研究对象就是西塞罗所说的"最高的法"（Supreme Law）或"真正的法"（true Law）。西塞罗在《法律篇》和《国家篇》中提出的"最高的法"和"真正的法"的概念是同哲学的研究对象基本相同的东西。"最高的法"、"真正的法"具有至高性、普遍性、永恒性，是"宇宙的统治力量"（博登海默语）。哲学所研究的亦是具有至高性、普遍性、永恒性，作为"宇宙统治力量"的东西。这个东西其实就是"最高的法"。

按通常的理解，哲学是世界观的学问。世界观是人对整个世界的根本观点。所谓根本观点就是人对世界终极本质的看法。当哲学家将感性具体的万物抽象概括至无法再抽象概括时终极本质便澄明了，哲学的对象就出现了。譬如，一匹黑马是感性具体的万物中的一种。哲学家对黑马必须进行哲学抽象；黑马可抽象为马，马可抽象为动物，动物可抽象为生物，生物可抽象为有机物，有机物可抽

---

[1]〔德〕文德尔班：《哲学史教程》，上卷，罗达仁译，商务印书馆1987年版，第103页。
[2]〔古罗马〕西塞罗：《国家篇 法律编》，朱苏力译，商务印书馆1999年版，第150页。

象为物质，物质可抽象为存在。抽象到存在就不能再抽象了。因而存在就是哲学的研究对象。存在是不能对其进行再抽象的东西，因而具有至上性，存在是万物中的最大共性，因而具有普遍性和永恒性。存在同时亦是"宇宙的统治力量"。怎样理解作为哲学研究对象的存在是"宇宙的统治力量"呢？我们说黑马的活动要遵循和受制于"马"的本性和规律，从而"马"的本性和规律构成各种马的统治力量；"马"的活动又须遵循和受制于动物的本性和规律，从而动物的本性和规律又构成马的统治力量。以此上推，我们会看到存在的本性和规律便成为宇宙万物的统治力量。"最高的法"是"宇宙的统治力量"，存在亦是"宇宙的统治力量"，因而我们说，存在和"最高的法"是同一个东西，哲学研究存在也就是研究"最高的法"。存在和"最高的法"，哲学和法学的这种相通性，英国哲学家罗素曾有明白的提示。他指出："根据第欧要尼·拉尔修说，芝诺认为'普遍的规律'也就是'正当的理性'（西塞罗认为"正当理性"就是"最高的法"。——引者），是渗透于万物之中的，是与宇宙政府最高的首脑宙斯同一的：'神'、'心灵'、'命运'、'宙斯'都是同一个东西。命运是推动物质的力量；'天意'或'自然'就是它的别名。"[1] 古希腊早期哲学以"命运"、"自然"为研究对象，而照罗素所说"命运"、"自然"同"普遍规律"、"正当的理性"（"最高的法"）是同一个东西。哲学对"命运"、"自然"、"逻格斯"的探讨蕴含着对"最高的法"的追问。

哲学可以分为自然哲学和价值哲学。自然哲学的对象是"最高的法"，价值哲学的对象同样是"最高的法"。"最高的法"也就是自然法。自然法是一体两面的东西：它既是客观的自然法则，又是人的价值理念。"作为一种被宣布为'自然'的价值追求，自然

---

[1]〔英〕罗素：《西方哲学史》上卷，何兆武、李约瑟译，商务印书馆1976年版，第325页。

法从一开始就充满着矛盾。一方面，它是自然法则、客观规律，是无可怀疑的事实；另一方面，它又确确实实只是特定时代特定人群的信仰、理想。"[1] 从特定的意义上说，哲学之所以划分为自然哲学和价值哲学就是为了从客观的和价值的两个侧面上来研究"最高的法"。自然哲学从客观性侧面解释"最高的法"，价值哲学则从价值的侧面探讨"最高的法"。

价值哲学同自然哲学一样都是寻求宇宙万物的本体，所不同的是自然哲学坚持认为宇宙本体是在宇宙万物之中的而不是在其之上的，而价值哲学则认为宇宙本体并不存在于万物之中而存在于万物之上。[2] 在价值哲学理论中作为终极价值理念的"最高的法"是存在于万物之上的。在万物之上的本体不可能是客观规律意义上的"最高的法"而只能是价值理念意义上的"最高的法"。譬如，当我们看到各种各样个别的桌子时，我们可以从中概括出它们的共性，即桌子。此桌子是存在于各种个别的桌子之中的，因而其所反映的是各种桌子的客观本性；与此不同，当我们面对这些个别的桌子，我们说这些桌子做得都不好（好坏是价值判断），都有缺点时，我们头脑中一定有一个好于、高于这些桌子的桌子。这种好于、高于个别桌子的一般的桌子就是关于桌子的价值理念。同理，存在于万物之上的本体，就是价值理念，是终极的价值理念。价值哲学所探寻的本体即是终极的价值理念。价值哲学家虽然没有直接说作为本体的终极价值就是"最高的法"，是"宇宙的统治力量"，但实质上它就是"最高的法"。譬如柏拉图说万物都是对作为终极价值的理念的分有和摹仿。这实际上是说理念在感性个别事物之上，是统治它们的"最高的法"。价值哲学其实是在用抽象化了的语言说法的秘密。

---

[1] 梁治平：《法辩——中国法的过去、现在和未来》，贵州人民出版社1992年版，第186页。
[2] 刘进田：《心灵的寻索——哲学 文化价值 法的精神探索》，中国政法大学出版社2002年版，第20页。

"最高的法"或自然法具有客观和价值双重性质,而在大多部分情况下哲学研究的世界本体亦具有客观和价值,或逻辑和价值双重性质。西方哲学史上的第一位哲学家泰勒斯说万物的始基是水。水是客观的东西,所以我们通常说他是唯物主义者。然而同样是泰勒斯,他说:"世界是有生命的,并且充满了神"[1] 生命、神是具有价值意义的。因而万物的本原始基既是客观的又蕴含价值品质。黄克剑先生认为,自然哲学家对始基的悬拟背后含有人的价值意义,就是说自然哲学家将万物的本原不是单纯理解为客观性存在,同时亦理解为价值性存在。[2] 中国先秦哲学家老子认为作为万物本原的道既是"万物之奥",又是"善人之宝"。今日的辩证唯物主义哲学主张世界是物质统一性原理和发展原理的统一,而这种统一则表明万物的本原是客观性和价值的统一。世界统一性原理讲万物统一于物质,这是世界本原的客观性;发展原理中的发展则意味着万物本原的价值性内含。冯契先生说:"离开人道和为我之物,似乎难以讲发展方向。讨论生物由低级生物向高等生物的进化,其实是以人类为方向。"[3] 因此,发展原理含有价值意义。价值哲学家们所探寻到的世界本体则大都是逻辑和价值的统一。逻辑是客观规律的思维性形式。因而世界本体实际上亦是客观性和价值性的统一。例如柏拉图的理念既具有目的论意义又具有逻辑学意义。E·策勒尔指出:"在柏拉图的哲学中,理念具有本体论、目的论和逻辑学的三重意义。"[4] 理念的目的论意义亦即其价值意义,理念的逻辑意义亦即普遍性意义上的客观性,理念的本体论意义则意味着它的至高性和终极性。黑格尔哲学的最高范畴是绝对理

---

[1] 北京大学哲学系:《古希腊罗马哲学》,三联书店1957年版,第3页。
[2] 黄克剑:《心蕴——一种对西方哲学的读解》,中国青年出版社1999年版,第4~5页。
[3] 冯契:《认识世界和认识自己》,华东师范大学出版社1996年版,第310~311页。
[4] [德]E·策勒尔:《古希腊哲学史纲》,翁绍军译,山东人民大学出版社1992年版,第140~141页。

念。绝对理念同样是客观性和价值性的统一。贺麟先生说:"绝对理念是主观理念和客观理念的统一,……说客观世界是观念,就是说客观世界是主客观的统一,是如此与应如此的统一,现实性与合理性的统一。"[1] 单纯的主观精神和客观精神都是片面的,只有二者的统一才是绝对精神。

由此可见,无论是自然哲学还是价值哲学大都将自己所探寻的万物的终极实在看作客观性和价值性的统一,是如此和应如此的统一,真和善的统一,而法学家们心目中的"最高的法"是同这里的终极实在的本性完全暗合着的。哲学家在思考和争论他们的问题时看起来所使用的概念和话语都并非法律的而是纯哲学的,但这些哲学概念和话语中却以另外的方式和语言思索和讨论着法学问题,且是法学中的根本问题。因此那位说出法的原理是从哲学的最深层秘密中推演出来的人西塞罗又说:"要知道,哲学家不会议论那些不会为国家立法的人所采用和肯定的东西。"[2] 哲学以最精微最深邃的思想形式涵摄着法的深刻奥秘。

第二,从哲学的发生和发展看,法学的奥秘是哲学。

众所周知,西方哲学史上的第一位哲学家是伊奥尼亚地区米利都城邦的泰勒斯。泰勒斯何以能够成为第一个哲学家呢?因为他是西方历史上第一位能从万物(多)中抽象概括出"始基"(一)的人。在他之前人的思想还在感性经验世界里艰难地跋涉,是他首次将人的思想带进了理性超验世界。从此哲学诞生了。泰勒斯提出来的哲学命题是"水是万物的始基"。他认为万物从水中流出,最终又都复归于水。这样他就回答了万物从何而来又到何处而去这一人类最初的哲学问题。泰勒斯的命题实际上承续着荷马时代和悲剧时代统治着宇宙和人类的中心观念,即命运观念。因为包括人在内

---

[1] 贺麟:《黑格尔哲学讲演集》,上海人民出版社1986年版,第365页。
[2] 〔古罗马〕西塞罗:《论共和国 论法律》,王焕生译,中国政法大学出版社1997年版,第12页。

的万物从始基中流出最后毫无例外地都要到始基中去，这是万物中任何一物都逃脱不掉的注定了的运动轨范。就是说万物的运动轨范同命运密切相关。我们所感兴趣的是泰勒斯哲学命题中的法学旨趣。对于泰勒斯哲学命题中所蕴含的法学秘密，泰勒斯的学生阿那克西曼德很快就揭明了。阿氏在解释其师的命题时喻示人们："万物由之产生的东西，万物又消灭而复归于它，这是由命运规定了的。因为万物在时间的秩序中不公正，所以受到惩罚，并且彼此相互补足。"[1]这段解释中所运用的概念基本上都是法学概念，如"秩序"、"公正"、"惩罚"即是。万物最终都复归于始基体现着"平等"观念，"彼此相互补足"表达着"正义"思想。阿氏显然是在用法学思维方式和价值观念在理解哲学问题。在上述解释中作为根本性总体性的"命运"概念似乎与法观念无关，其实不然。在笔者看来同法的精神关联最为紧密和深刻的正是"命运"概念。可以说西方哲学史上"最高的法"或自然法正是从"命运"概念的哲学沉思中衍生而来的。

"命运"是古希腊荷马时代和悲剧时代文化中心观念。罗素说："在荷马诗歌中所能发现与真正宗教感情有关的，并不是奥林匹克的神祇们，而是连宙斯也要服从的'命运'、'必然'、'定数'这些冥冥的存在。命运对整个希腊思想起了极大的影响，而且这也许是科学之所以能得出对于自然律的信仰的渊源之一。"[2]命运不仅是希腊神话和诗歌的主题，也是希腊悲剧的主题。"在埃斯库罗斯看来，一切冲突的根源，乃是既不依赖于人又不依赖于神的一个因素——命运（Moira）——命运不但是人甚至神也不能克服的，个人的自由意志与这个不可克服的因素——命运——的障碍

---

[1] 北京大学哲学系：《古希腊罗马哲学》，三联书店1957年版，第7页。
[2] 〔英〕罗素：《西方哲学史》上卷，何兆武、李约瑟译，商务印书馆1976年版，第33~34页。

发生冲突，这就是埃斯库罗斯的悲剧的主导思想。"[12] 在希腊的观念中不仅人的活动要由命运来安排，而且作为众神之神的宙斯也要听从命运的安排。命运告诉宙斯，如果他同他爱恋着的女神忒提斯结婚，他的主神之位就会被他和忒提斯所生之子所攫夺，于是宙斯不得不把他所心爱的女神下嫁给后来作了阿喀流斯父亲的那个凡俗之人。命运是不可违逆的，至高无上的，这是希腊人根深蒂固的信念。

哲学起源于宗教神学。后起的希腊哲学承接了希腊神话中的命运观念，同时也延续了神话中的思维模式。希腊神话的思维模式是"宙斯"——"众神"，与此相似，哲学的思维模式是"始基"——"万物"。第一位哲学家泰勒斯"水是万物始基"命题的结构正是"始基"——"万物"模式。不过哲学又区别于宗教神学：哲学试图用人的理性去理解和把握世界。因此当神话中的统治宇宙万物的命运进入哲学世界时，哲学家自然试图用理性对其加以理解和把握。

在哲学家的理解中宇宙的本原和最高统治力量是始基。始基的地位和作用同神话中的命运的地位和作用几乎是相同的，但哲学家未用命运概念而另创始基概念。因为始基作为哲学概念是思维、理性自觉的产物，是逻辑范畴。始基同命运相通但又不同，这意味着命运将告别原来的神秘性而进入理性的观照之下。当命运处于神话时代及其语境中时，它只是一种不可言说、不可理解，人只能认可的盲目力量，相反，当命运置于哲学观照之下时，则成为可言说、可理解的东西了。可言说、可理解的对象是和理性一致的对象，或者说就是理性。因此紧接着哲学家们就引出了一个同"最高的法"相一致的范畴——"宇宙——理性"。[13]

---

[12]〔俄〕B·C 塞尔格叶夫：《古希腊史》，缪灵珠译，高等教育出版社 1955 年版，第 320 页。
[13]〔德〕文德尔班：《哲学史教程》上卷，罗达仁译，商务印书馆 1987 年版，第 90 页。

作为宇宙万物最高统治力量的"命运"是怎样和理性勾连起来并成为宇宙理性的呢？因为在西方哲学传统中有一种思维方式：当某种对象能用理性来理解时，就将这种对象也看作是理性。这叫做思维和存在的同一性。如黑格尔认为，思维、概念就在客观事物之中，它是客观事物的本质。"凡是合理的就是实在的，凡是实在的就是合理的。"[1] 恩格斯指出："我们的主观的思维和客观的世界服从同样的规律，因而两者在自己的结果中不能互相矛盾，而必须彼此一致，这个事实绝对地统治着我们的整个理论思维。它是我们的理论思维的不自觉的和无条件的前提。"[2] 也就是说，统治着我们整个理论思维的是思维、理性和存在的同一性。这是思维能理解对象的前提。因此当思维、理性能理解对象时，对象就同思维、理性具有同一性。在这种情况下有的哲学家索性就将对象看作是理性。因此当着"命运"进入理性观照之下并能被理性理解时，人们也就将作为宇宙统治力量的命运看作理性，形成"宇宙——理性"范畴。当命运被理解为"宇宙——理性"时，统治和安排包括人类社会在内的宇宙万物的最终统治力量就转变为"宇宙——理性"。

将"命运"和理性连系起来并使之理性化的努力从泰勒斯已经发轫，但较为自觉地担负起这一使命的是爱菲斯的晦涩哲人赫拉克利特。赫氏将"命运"理性化的努力体现在他将"命运"的本质理解为逻格斯。他说："一切都遵照命运而来，命运就是必然性。""命运的本质就是那贯穿宇宙实体的'逻格斯'。"[3] 逻格斯在同理性相通的意义上有两层意思：一是言说，二是分寸、尺度、规律。这两层意思都同理性内在相关。言说也就是语言。语言是思维、理性的形式，在一定意义上也就是理性本身。分寸、尺度、规

---

[1] 张世英：《论黑格尔的逻辑学》，上海人民出版社1981年版，第82页。
[2] 《马克思恩格斯选集》：第3卷，人民出版社，第564页。
[3] 北京大学哲学系：古希腊罗马哲学，三联书店1957年版，第17页。

律是万物中的客观理性。赵敦华先生指出："就逻格斯是人所认识的道理而言，它可被理解为'理性'、'理由'等；就逻格斯是世界的本原而言，它可被理解为'原则'、'规律'、'道'等。"[1] 逻格斯即是理性，而逻格斯是命运的本质。这样赫拉克利特就完成了将命运理性化的哲学使命。原来是命运统治宇宙万物，现在是逻格斯，即理性统治和安排宇宙万物。正如文德尔班所说："'宇宙——理性'处处一样；赫拉克利特的'逻格斯'和阿那克萨哥拉的'奴斯'作为同质的理性，都被当作动力散布在整个宇宙中。"[2]

"最高的法"既是理性，亦是正义，因而前苏格拉底时期的哲学家不仅赋予"命运"以理性意蕴，又给予它以正义内涵。对命运的正义属性阿那克西曼德是这样表述的："万物在时间的秩序中不公正，所以受到惩罚，并且彼此互相补足。"这是由命运所决定的。阿氏还提出万物生灭运动所遵循的"补偿原则"。这一原则认为，万物在从其本原"无定"中分离出来而形成自身时使"无定"受到损害，因而要使一些事物回归"无定"作为补偿[3]。这个作为万物运动支配原则的损害和补偿是对正义理念的哲学表达，它是必然的，是命运所决定的。赫拉克利特哲学中的火具有正义本性。他说："一切变成火，火烧上来执行审判和处罚。""世界的构成是不足，焚烧则是多余。"[4] 火或命运执行"审判和处罚"是要恢

---

[1] 赵敦华：《西方哲学简史》，北京大学出版社2000年版，第18页。
[2] 〔德〕文德尔班：《哲学史教程》上卷，罗达仁译，商务印书馆1987年版，第90页。
[3] 阿那克西曼德认为，万物在从作为万物本原的"无定"中产生出来后，便对"无定"有所损害，因而要补偿。将此思想同中国先秦老子道的思想比较，会发现老子思想同阿氏思想颇为不同。老子也主张"道生一、一生二，二生三，三生万物"，但老子不但没有像阿氏那样认为道在生万物时有所亏损须补偿，而且认为，道产生化育万物是最高的德，即"玄德"：道对万物"生而不有，为而不恃，长而不宰，是谓玄德。"道产生化育万物既然是"玄德"，至高的德性，那自然不必要求补偿了。这里只有着德性的揭橥，而无正义的诉求。在中国哲学最高范畴的"道"中我们可窥见中西一般哲学和法哲学异趣的玄致。
[4] 苗力田：《古希腊哲学》，中国人民大学出版社1989年版，第37页。

复正义,让万物偿还它们生成时对火的损害。巴门尼德认为,万物的最高原因和主宰是正义女神:"他称之为主宰一切的女神,天阊钥匙的执掌者,正义女神和命运女神。"[1]

这样在古希腊哲学的发展中命运就具有了理性和正义两种含义。黄克剑先生指出:"从荷马时代到悲剧时代,古希腊人对'命运'从未置问的信从到不失信从的询问,运贯于其中的契机是'命运'的可理解性及其正义内涵的被赋予。这最初借着'命运'结晶出的理性和正义,当是哲学在它的童稚岁月奉献给人类的至可称道的智慧。"[2] 自然哲学家奉献给人类的正义和理性的智慧从实践性意义上说是法理或法学的智慧。正因为这一智慧的揭示西方法哲学家大都将法的本质理解和贞定为正义和理性。这奉献是哲学对法学的奉献。

需要指出的是,"最高的法"的内涵和属性不能只是客观意义上的正义和理性,还应是主观和实践意义的正义和理性,不只是宇宙万物本然固有的正义和理性,还应是人所建立的正义和理性。然而前苏格拉底时期哲学家只是发现了客观的本然的意义上的正义和理性,而对于主观实践的价值的意义上的正义和理性则不曾自觉到。正如文德尔班所说:"在徘徊在他面前的宇宙——秩序这个概念中,他还不能有意识的区别其中不同的动机(特别是区别物理的动机和伦理的动机),因此伦理研究还没有完全脱离物理研究而取得独立的地位"[3]。但是,希腊法律在波斯战争结束后的巨大发展变化迫使哲学家必须从伦理价值的层面创造性地探寻"最高的法"的新的内涵和属性。波斯战争后希腊人在科学知识和个人知识上有了迅速提高,过去人们毫无怨言和怀疑所接受的秩序和法律

---

[1] 苗力田:《古希腊哲学》,中国人民大学出版社1989年版,第98页。
[2] 黄克剑:《心蕴——一种对西方哲学的读解》,中国青年出版社1999年版,第9页。
[3] [德]文德尔班:《哲学史教程》上卷,罗达仁译,商务印书馆1987年版,第91页。

开始被怀疑和动摇。立法活动首次出现[1]。殖民开拓使人们看到法律的多样性。立法和法的变动性与多样性要求哲学家去寻求其背后的不变的永恒的基础或根据。此时,"爱奥尼亚人思考过的关于物的问题现在成了一个关于人的问题"[2]哲学家需要像泰勒斯等自然哲学家寻找变化多样的法律背后的永恒不变的人性和价值依据。

这一艰巨哲学使命是由人类学时期的开创人物苏格拉底和柏拉图肩负的。苏格拉底作为哲学家同样在寻求宇宙万物的本原。他最初赞同阿那克萨哥拉将"心灵"视为万物的终极原因和万物秩序的安排者的观点,但他发现阿氏的"心灵"不具有"善"的内涵,这不符合苏格拉底的初衷。不过他继承了阿氏的以心灵为本原的观点。在他看来人的心灵内部已经具备了与世界本原相符合的原则,哲学必须在心灵中发现这些内在原则,然后再依照这些内在原则规定外部世界。那么他所找到的心灵的内在原则是什么呢?这就是"美本身"、"善本身"、"大本身"。他"假定有像美本身、善本身、大本身等等的这类东西的存在",并由此把某种"对每一个最好的"或"对一切是最好的"那种东西同万物的原因关联起来。作为心灵内在原则的"善本身"是一种"假定",但这假定正如黄克剑先生所说"决不是虚妄的悬拟。它可以从可感事物那里得到如如而是的印证,却又永远不会委落或坐实于某一可感事物。它提出的是一种可祈想、可追慕的理想状态,也是一种超越当下而可用以批判当下的参照"[3]"善本身"就是一种真实,不过它不是感

---

[1] 哈耶克指出:"立法,即以审慎刻意的方式制定法律,已被论者确当地描述人类所发明中充满了最严重后果的发明之一,其影响甚至比火的发明和火药的发明还要深远。"〔英〕哈耶克:《法律、立法与自由》(第1卷),中国大百科全书出版社2000年版,第113页。立法所产生的严重后果之一就是要求寻求永恒不变的人性,将立法建立在永恒不变的人性基础上。
[2] 〔英〕厄奈斯特·巴克:《希腊政治理论——柏拉图及其前人》,卢华萍译,吉林人民出版社2003年版,第78页。
[3] 黄克剑:《心蕴——一种对西方哲学的读解》,中国青年出版社1999年版,第222页。

性的真实而是非感性的真实或虚灵的真实。

　　柏拉图继续讨论"善本身"这一虚灵的真实。"善本身"在柏拉图这里是善的理念。柏拉图认为,每一类可感事物都有其理念,在这些理念之上有一个最高的理念,它就是善或善的理念。善高于理念。在可感世界中太阳是最伟大光辉的事物,在可知世界中善是最伟大光辉的存在。善是作为世界本体的存在本身,是安排可知世界的秩序的原则和原因。"善"或"善的理念"的思考并没有脱开探讨的"最高的法"的理性的正义。首先,"善"是理性。众所周知,人有分辨事物的能力。分辨事物的能力包括分辨是非的能力和分辨善恶的能力。分辨是非的能力属理论理性,分辨善恶的能力则是实践理性。"善"主要是指实践理性。柏拉图说,人的眼睛之所以能看到可感的事物是因为有阳光,无阳光人什么也看不见;人的心灵之所以能分辨善恶是因为人心中具有"善"或"善的理念"。因此"善"就是理性本身。其次,"善"是正义。柏拉图提出希腊的"四主德":智慧、勇敢、节制和正义。四主德的关系是前三者是部分的、被派生的,正义则是整体性和派生者。正义就是"把心灵的每种成份都保持在各自适当的位置上,并由此展示出智慧、勇敢和节制等其他美德。……在正义中找到诸美德楔石,以此把它们有序而和谐的联为一体"。[1]正义不仅是一般的善而且是最高的善,或者说正义是最高的善或善的理念的根本内容。

　　作为价值哲学家的苏格拉底和柏拉图对于"最高的法"或自然法的新贡献是将理性和正义价值化、实践化。自然哲学的理性是客观理性,柏拉图的理性主要是价值理性、实践理性;自然哲学的正义是客观性正义,柏拉图哲学中的正义则是和善相联系的正义。"最高的法"成为价值的、实践的,从而是人自己的。这样"最高

---

[1]〔英〕厄奈斯特·巴克:希腊政治理论——柏拉图及其前人,卢华萍译,吉林人民出版社2003年版,第248页。

的法"遂同自由勾连起来了：理性和正义作为法是人的形上本性所在，是人自己为自己立法，自己是自己的根据[1]。"最高的法"的自由内涵是以往的哲学家所未发现的东西，这是价值哲学返回人，从人的心灵中寻找内在原则所必致的收获。细心考察柏拉图的正义思想我们还可以发现"最高的法"的"权利"和"个人"这两个重大观念要素或内涵。倘将权利的含义理解为"应得"，[2]那么柏拉图的正义观念中已蕴含权利思想了。正义就是"每一个人都不拿别人的东西，也不让别人占有自己的东西。"[3]不让别人占有自己的东西，意味着东西是他自己"应得"的。不拿别人的东西则是社会对"应得"的认可和尊重。在柏拉图的思想中正义蕴含着权利并构成权利的逻辑基础。斯图亚特·穆勒说："我们称之为权利的东西，是与我们所采纳的正义理论明通暗合的。"[4]因而我们既可说"最高的法"是"正义"，亦可说它是"权利"。将正义和权利结合起来，还包含着将"正义"与"利益"结合起来之意。关于"个人"观念，柏拉图认为"个人"是正义的主体和展现者。柏拉图固然在讲"个人正义"的同时亦讲"国家正义"，但正像著名希腊政治理论家巴克所喻示："必须记住的是，'国家的正义'和'个人的正义'都通过个人来表现，区别在于，个人作为社会的一部分来展现前者，却在自己的心灵中展现后者。"[5]这意味着个人正义更为根本，因为个人正义是个人心灵内在原则。这恰好同柏拉图哲学的出发点——寻求人的心灵的内在原则——是一致的。如此以来"最高的法"中遂蕴含了"个人"价值。

---

[1] 黑格尔说："自由正是在他物中即是在自己本身，自己依赖自己，自己是自己的决定者。"〔德〕黑格尔：《小逻辑》，商务印书馆1980年版，第83页。
[2] 夏勇：人权概念的起源，中国政法大学出版社1992年版，第5页。
[3] 〔古希腊〕柏拉图：《理想国》，郭斌和、张竹明译，商务印书馆1986年版，第155页。
[4] 夏勇：《人权概念的起源》，中国政法大学出版社1992年版，第30页。
[5] 〔英〕厄奈斯特·巴克：《希腊政治理论——柏拉图及其前人》，卢华萍译，吉林人民出版社2003年版，第248页。

理念（理性、正义）、个人、利益这些柏拉图所提示的"最高的法"的诸内涵和要素，在亚里士多德哲学中被系统化和进一步形而上化。

如前所述，哲学所探究的终极本体或实体也就是"最高的法"或自然法。亚里士多德提出了一门专门研究万物实体的"第一哲学"。他将实体分为三种，即个别实体、形式实体和质料实体。在三种实体中亚氏认为只有个别实体才是"第一实体"。个别实体是承担其他一切存在如属性、关系、数量等的基质和主体，是作为存在的存在。个别实体能够将形式实体和质料实体综合起来。质料实体正是由于它构成个别实体不可缺少的材料才有了'实体'之名；形式实体作为普遍的东西虽已成了个别实体的对立面或异化物，但本身仍然具有个别性并且是真正的个别性，因为它表达了个别实体的能动性、主体性本质。[1] 亚里士多德的实体学说实际上是要将柏拉图哲学中的个人、理念、利益诸观念加以综合，使之系统化。亚氏的个别实体就是个人，形式实体就是理念，质料实体就是利益，而理念和利益统一于个人。这样的本体结构恰好是"权利"的结构，此点后文将予伸论。亚里士多德百科全书式的理论体系的完成，标志着哲学史上伟大的轴心时代的终结。此后的晚期希腊哲学虽有伊壁鸠鲁借着原子的偏斜运动对"个人自由"观念的强调，有斯多葛派对理性的高扬，但都不过是对鼎盛时期哲学观念的申述而已。按照怀特海和恩格斯等哲学家的看法，此后两千多年的西方哲学不过是对希腊哲学的注释而已。

总之，从古希腊的第一位哲学家泰勒斯到亚里士多德都在以哲学的语言符号艰苦卓绝地不断探寻"最高的法"或自然法。他们借着"命运"、"始基"、"逻格斯"、"善本身"、"理念"、"形

---

[1] 邓晓芒：西方哲学史上的实体主义与非实体主义，《场与有》第2辑，中国社会科学出版社1995年版，第210页。

式"、"质料"等哲学范畴符号将"最高的法"或自然法的全部内涵和要素——"正义"、"理性"、"善"、"个人"、"权利"、"自由"、"利益"——都抉发出来了。这是这些伟大的希腊哲人奉献给全人类的具有永恒价值的智慧珍宝。剩下的事情是等待具有实践精神的法学家和立法者将这些伟大观念具体化,使其转换为社会生活的现实定在,借用佛学语言说就是使其从"剩虚智"转化为"落实智",创造出足以体现"最高的法"之精神的实在法。后来西方法律的实际发展正是这么做的。

第三,从法律的发展和演进看,法学的奥秘是哲学。

西方两千余年以来的法律演进历程可以说是对古希腊哲学家揭橥的一整套虚灵超越而又意蕴丰赡的价值系统,亦即"最高的法"的不断定在化过程。古希腊哲学构成整个西方法律发展的源头活水。西方法律,特别是近现代私法从理论基础到体系结构以及体系结构的核心价值和范畴无不是对上述哲学观念的展示和凝缩。

首先,古希腊哲学是西方法律的源头活水。西方有着悠久而辉煌的私法文明和私法传统。那么西方私法文明的最初源头和精神家园究竟在何处呢?通常的看法是近代民法来源于《民法大全》,《民法大全》来源于《十二表法》。其演进模式是:"《十二表法》→《民法大全》→近代民法"。李维曾说,《十二表法》是"一切私法和公法的源泉"。[1] 美国学者约翰·亨利·梅里曼亦认为,大陆法系的最早源头是公元前450年古罗马的《十二表法》。其实对西方私法传统源头的这种习常看法人们早就有所怀疑。亨利·梅因就曾指出:"《十二表法》的公布并不能作为我们开始研究法律史的最早起点。"他认为"罗马《十二表法》中确实显示出排列匀称的某种迹象,但根据传说,这可能是由于当时这个法律的编纂曾求

---

[1] 〔意〕朱塞佩·格罗索:《罗马法史》,黄风译,中国政法大学出版社1994年版,第78页。

助于希腊人，这些希腊人具有后期希腊在编纂法律工作上的经验。"[1] 易继明先生在研究大陆私法古典史时提出了一个新的大陆私法演进模式："《格尔蒂法典》→《民法大全》→近代民法"。[2] 这一演进模式否弃了惯常看法，将大陆私法的源头从古罗马推向古希腊，认为大陆私法的精神家园不在古罗马而在古希腊。这一观点是颇值首肯的。我们认为西方私法文明的源头活水正是那辉煌典雅的古希腊哲学，是希腊那些智慧的哲人奉献给人类的那套虚灵的价值理念。

对此可从直接和间接两条线索予以阐明。从间接角度看，古罗马的《十二表法》对古希腊的《格尔蒂法典》有所继受，而《格尔蒂法典》则是古希腊哲学思想的定在化。这样罗马法及近现代私法便通过《格尔蒂法典》和其他希腊法律间接地通向古希腊哲学。

《格尔蒂法典》形成于公元前5世纪的希腊，是欧洲的第一部法典。公元前5世纪的希腊正是人们从不自觉地遵守伦理生活秩序到自觉地怀疑和创立人为规范和秩序的转变时代。立法活动从此开始。哲学家的哲学沉思正是为了解决立法中所碰到的根本理论问题。哲学家出于立法考虑而形成的哲学思想反过来又用于指导立法事业。《格尔蒂法典》正表征着当时哲学思想对立法的指导作用。《格尔蒂法典》的内容特征是：（一）它基本上是一部民法典，所调整的对象主要是作为私人生活的婚姻、收养、继承、赠与、保证、抵押、合伙、监护等行为。（二）没有人身性刑罚，用罚金补偿代替人身肢体摧残。（三）有放任自由主义思想。在婚姻、贸易等问题的规范中没有更多的强制性规定，而是交给当事人自己处理。（四）法律规范是"条件法"性质的，即规范采取"如果——

---

[1]〔英〕亨利·梅因：《古代法》，沈景一译，商务印书馆1959年版，第1、9页。
[2] 易继明：《私法精神与制度选择——大陆私法古典模式的历史含义》，中国政法大学出版社2003年版，第52页。

那么"之结构，可以用逻辑方法进行推理演绎。[1] 法典的这四个特点恰好体现着古希腊哲学中的"正义"、"理性"、"个人"、"权利"、"自由"诸重大观念。《格尔蒂法典》的私法性质、以罚金补偿代替人身性刑罚以及自由放任性特征所体现的是希腊哲学"个人"、"权利"和"正义"观念。因为"私法涉及个人利益"（查士丁尼）。柏拉图在《理想国》中主张的个人需要和个人各有所长的思想，亚里士多德"个体实体"是第一实体思想，均属个人本位观念，它在这部法典中得以定在化；废除人身型刑罚是对人身权的尊重，罚金补偿的财产刑则是对财产权的尊重。人身权和财产是权利的基本内容，从而它是对希腊哲学"权利"观念的定在化；该法典对个人利益、个人需要的重视、损害补偿原则、保护权利规定是对希腊哲学"正义"观念的定在化；该法典规范的"条件法"特征则是希腊哲学"理性"观念的定在化。足见，倘无古希腊哲学所提供的一整套观念体系，很难想象会有《格尔蒂法典》。

古罗马的《十二表法》则吸收和借鉴了包括《格尔蒂法典》在内的希腊法律。张乃根先生指出："为了起草该法，罗马人派遣使者前往雅典，去抄录一份梭伦立法，并考察其他希腊城邦的法律和制度习俗。可见，最初的罗马成文法就是连接古罗马和古希腊文化的纽带。"[2] 比较法学家彼得·克鲁兹（Peter de Cruz）说："《十二表法》表明，古希腊对于罗马文化和文明的影响是不可否认的。""她吸收和修正了希腊思想和哲学，造就了几近完美的一个制度。"[3] 总之，希腊哲学是希腊法律的思想源泉，而罗马法律吸收了希腊法律，从而希腊哲学间接地成为罗马法乃至整个西方私

---

[1] 易继明：《私法精神与制度选择——大陆私法古典模式的历史含义》，中国政法大学出版社2003年版，第38~43页。

[2] 张乃根：《西方法哲学史纲》，中国政法大学出版社1993年版，第48页。

[3] 易继明：《私法精神与制度选择——大陆私法古典模式的历史含义》，中国政法大学出版社2003年版，第38，60页。

法文明的源头活水。

不仅如此，希腊哲学还直接作用于罗马法。这主要体现在罗马思想家和法学家西塞罗对希腊哲学的直接吸收和利用上。西塞罗对希腊哲学家及其哲学思想极其崇信，连他的主要著作的书名都同柏拉图著作的名称相同。他的思想尽管有其原创性的东西，但基本上是抱着拿来主义的态度重述希腊哲学思想。正像论者所言："他的著作几乎吸取了古希腊文化传统中所有精华：柏拉图的理念论、正义观和法治观，亚里士多德的伦理学和政体论，斯多葛派的理性主义。"[1] 而西塞罗的思想在罗马法中的地位极为重要，它构成罗马法的哲学基础，整个罗马法以及西方私法传统中都贯注着他的思想。乔治·霍兰·萨拜因肯定地说，《法学汇纂》中所包含的正是西塞罗的哲学思想。[2] 他说："这部著作汇编中的政治哲学就是人们在西塞罗的著作中看到的那些理论的重复和加工。"[3] 罗马法学家均匀地选取斯多葛派和西塞罗传统的哲学思想。西塞罗是最为系统地吸收古希腊哲学到罗马的法学家。在罗马法学家中积极借取和学习希腊哲学的绝非西塞罗一人。我们还可以举出昆图斯·谢沃拉（Q·Mucius Scevola）、塞尔维尤斯·苏尔毕丘斯·路福斯（Servius Sulpicius）以及特雷巴求斯（Gaius Trebatius Testa）等人。昆图斯在公元前195年任执政官。他和他父亲都是西塞罗的法学老师，是古希腊哲学的信徒。他是西庇阿集团的成员，这个集团的目的是讨论柏拉图和亚里士多德哲学。西庇阿集团是罗马历史上两个哲学集团之一。当时几乎所有的著名罗马法学家都是这个集团的成员。塞尔维尤斯于公元前51年担任执政官。他根据古希腊哲学创立了

---

[1] 易继明：《私法精神与制度选择——大陆私法古典模式的历史含义》，中国政法大学出版社2003年版，第66页。

[2] [美]乔治·霍兰·萨拜因：《政治学说史》（上册），盛葵阳、崔妙因译，商务印书馆1986年版，第204页。

[3] [美]乔治·霍兰·萨拜因：《政治学说史》（上册），盛葵阳、崔妙因译，商务印书馆1986年版，第208页。

"法律的辩证法"。特雷巴求斯是西塞罗的同时代人。他在西塞罗的启发下研究了亚里士多德体现理性和探索真理方法的逻辑和修辞学著作《论题篇》(Topica)。[1] 经过这些法学家的学习研究活动，希腊哲学进入了罗马文化和罗马法。希腊哲学中的若干重大观念——"自然"、"正义"、"理性"构成罗马法的"总原则"。鲁道夫·斯诺姆勒盛赞罗马法学家"有着把目光从日常的普通问题移向整体的勇气，并且在思考特定事件的局部情况时，他们的思想却注意到全部法律的总原则，即使生活中的正义得以实现。"[2] 斯塔姆勒还认为，罗马法对于正义的这种信仰是罗马法学的最后胜利。古希腊哲学和西塞罗思想成为整个欧洲法律传统中的一个永恒因素。德国法学家耶林在其所著《罗马法精神》一书中说，罗马人用他们的法律征服了世界，梅因说："我找不出任何理由，为什么罗马法律会优于印度法律，假使不是'自然法'的理论给了它一种与众不同的优秀典型。"[3] 登特列夫在其《自然法》一书中表达了相同的看法。国内学者认为，其原因"除了令人惊叹的结构之外，更重要的是其中所包含的古希腊自然主义哲学，特别是斯多葛派的自然法思想。这才是《民法大全》得以超越拜占庭狭小空间而征服全世界的重要原因之一。"[4]

其次，古希腊哲学是西方法律基本原则和基本理念的本体论价值论基础。东罗马帝国拜占庭皇帝查士丁尼指出："法律的基本原则是：为人诚实，不损害别人，给予每个人他应得的部分。"[5] 这也就是乌尔比安所引用的凯尔苏斯所说的法律的箴言。它被《民

---

[1] 徐国栋：共和国晚期希腊哲学对罗马法之技术和内容的影响，中国社会科学2003年第5期。
[2] [美]乔治·霍兰·萨拜因：《政治学说史》（上册），盛葵阳、崔妙因译，商务印书馆1986年版，第212页。
[3] [英]亨利·梅因：《古代法》，沈景一译，商务印书馆1959年版，第45页。
[4] 易继明：《私法精神与制度选择——大陆私法古典模式的历史含义》，中国政法大学出版社2003年版，第62页。
[5] [古罗马]查士丁尼：《法学总论——法学阶梯》，商务印书馆1989年版，第5页。

法大全》称为三个古典公式。对此三个公式不同思想家有不同的表述。康德将其表述为："每个人都享有要求其他人尊重自己的权利；而他也必须相对于其他任何人受到该义务的约束。"黑格尔将其表述为："法的命令是：做一个人，并尊敬他人为人。"[1]《法国民法典》起草委员会主席冈巴塞莱斯将其表述为："成为自己的主人；有满足自己需要的财物；能够为其最大利益处分其人身和财物。"[2]《德国民法典》的解释者则将三个公式收摄于人的本质概念中，并认为这种人的本质观念是《德国民法典》的基本概念和基本价值出发点[3]。这些不同表述背后有着共同的精神，这就是"正义"。"正义"构成全部法律，特别是民法的价值基础和灵魂。民法中的私权神圣原则、意思自治原则、过失责任原则、诚实信用原则等实质上都是乌尔比安"三个公式"的具体化，亦即"正义"价值的具体化。"三个公式"作为法律的基本原则已成为西方法律的永恒传统，而它正来源于古希腊哲学。

"三个公式"作为对正义的具体化表达其最基本的内涵是一种"界限"意识：人在一定的界限范围内可以自主地按自己的方式生活，超出了界限则是损害他人。生活在界限以内就会形成秩序。罗斯科·庞德谈到"三个公式"时已发现其同希腊哲学的勾连。他说："不难发现，这里具有那种旨在维护和睦的社会秩序的希腊哲学思想。"[4]柏拉图在《理想国》中对正义的界说是："每一个人都不拿别人的东西，也不让别人占有自己的东西。""正义就是有

---

[1] 〔德〕卡尔·拉伦茨：《德国民法通论》（上卷），王晓晔等译，法律出版社2003年版，第47页。

[2] 易继明：《私法精神与制度选择——大陆私法古典模式的历史含义》，中国政法大学出版社2003年版，第86页。

[3] 卡尔·拉伦茨说："人依其本质属性，有能力在给定的各种可能的范围内，自主地和负责地决定他的存在和关系、为自己设定目标并对自己的行为加以限制。这一思想既渊源于基督教，也渊源于哲学。"〔德〕卡尔·拉伦茨：《德国民法通论》，法律出版社2003年版，第45~46页。

[4] 〔美〕罗斯科·庞德：《普通法的精神》，唐前宏等译，法律出版社2001年版，第60页。

自己的东西干自己的事情。"[1] 柏拉图这一正义界说中所渗透的哲学旨趣，是希腊哲学至少从第一位哲学家泰勒斯的学生阿那克西曼德以来就一再被揭明的"界限"意识。希腊神话和哲学认为，凡是有生气的地方，便有一种趋势要突破正义的界限，因此而产生斗争。有一种非人的法则在惩罚着越界冲动，并恢复永恒的秩序。这是无论希腊自然哲学还是人文哲学的基本共识。罗素强调："这种正义的观念——即不能逾越永恒固定的界限的观念——是一种最深刻的希腊信仰。"[2] 这种"最深刻的希腊信仰"（正义）在柏拉图哲学中被具体化为伦理的和自然法的观念，到了罗马法学中被进一步展开为"三个公式"，并将其贞认为两千余年来法律的最基本原则和理念。

再次，古希腊哲学为西方法律的体系化建构提供了最高逻辑范畴和法律技术。已如前述，古希腊哲学在致力于对作为宇宙万物最高统治者的"命运"作理性把握和改造的过程中提出了"宇宙—理性"范畴。"宇宙—理性"思想认为，宇宙万物的最终支持者和秩序安排者是"宇宙—理性"。正是希腊哲学的"宇宙—理性"，成为近代法律体系建构的出发点范畴。这最突出地表现在《德国民法典》的结构体系之中。这部以深邃、精确、抽象著称，被誉为"不寻常的精巧的金缕玉衣"的民法典其结构体系的最高范畴即是"宇宙—理性"。

深谙西方古典哲学思想的《德国民法典》起草者们确信包括自然界和人类社会在内的宇宙万物存在着统一的秩序，"宇宙—理性"是此秩序的安排者。社会秩序是在人的理性的指引下通过形成契约而建立起来的。理性用法律术语表达就是"意思"。"意思表示"是法律行为的核心要素。于是理性便具体化为"法律行为"

---

[1] 〔古希腊〕柏拉图：《理想国》，郭斌和、张竹明译，商务印书馆1986年版，第155页。
[2] 〔英〕罗素：《西方哲学史》（上卷），何兆武、李约瑟译，商务印书馆1976年版，第53页。

范畴。"法律行为"产生"契约"。"契约"又可具体化为"债权契约"和"物权契约"。"债权契约"和"物权契约"又可具体化为种种"类型契约",如买卖、借贷、租赁、委任、合伙等。这样从"宇宙—理性"出发便构成一个统之有宗会之有元,概念之间逻辑关系和上下属关系井然有致的完整逻辑体系。

理性作为法律逻辑体系的最高范畴,其意义既是逻辑的又是终极价值和信仰意义的。因为理性不仅是宇宙的本质,同时亦是人的本质,所以作为理性体现的法律不仅是宇宙本质的体现同时是人的本质的体现,人对法律的尊崇和信奉就是人对自己的尊崇和信奉。人是自己为自己立法的,因而守法的实质是自律。自律即自由。契约的约束力来自形成契约的理性,来自人的内在本质。理性在立法、司法和守法中均居关键地位。

希腊哲学中的辩证法和逻辑学是希腊理性精神的重要体现。希腊的辩证法和逻辑学经过昆图斯、路福斯、西塞罗、阿普里乌斯、盖伦、波菲利、亚历山大等人的学习吸收被引进罗马,成为建构罗马法的重要技术工具。法律技术作为组织法律材料的工具包括下定义的技术、法律推理技术等。下定义就是寻找事物的属和种差,既研究一般和个别的关系。法律推理技术就是研究怎样从个别归纳出一般规则,再用一般规则进行演绎以把握更广泛的个别事物。而罗马法中所使用的下定义的技术和法律推理的技术都来源于古希腊哲学中作为理性体现的逻辑学和辩证法。罗马法学家路福斯的"法律辩证法"作为法律技术正源于古希腊苏格拉底、柏拉图和更早的爱利亚学派的芝诺所开创的辩证法。柏拉图认为,辩证法就是对种的研究。这种研究通过区分和综合两种途径进行。区分就是分类,类与一般、原则相联系。而对种的研究旨在发现管辖种本身的原则并解释个别情况。辩证法就是下定义和推理的方法,是关于一般和个别关系的方法。罗马法学家昆图斯·穆丘斯·谢沃拉首次将希腊这种辩证法作为法律技术运用于罗马法。例如他依照辩证法方法，将市民法划分为概括程度较高的继承法、人法、物法、债法。然后再从一般到特殊方法对这四个分支再划分。如将继承法再划分为遗嘱和无遗嘱继承；将人法再划分为婚姻、监护、自由人身份、家父权等。除了下定义方法在法学中的运用外，罗马法学家还运用"相似"的关节点方法发展出法律类推适用技术，运用"原因"的关节点发展出因果关系方法，同时在法律中广泛地运用辩证法中的推理方法。通过对古希腊辩证法和逻辑学的运用使罗马法成为结构严谨、层次井然、包罗宏富的概念体现和认识社会生活的工具。因此，正如徐国栋先生所说："辩证法的输入具有极为重要的意义。它把罗马法学带入了古希腊的职业科学之门，并转化为真正意义上的科学。通过辩证法，罗马法学变得完全合乎逻辑，取得了统一性和可认识性，达到了其完全的发展，并变得精致。它不仅可用为整理已发生的现实现象，而且也是发现在实务中尚未发生问题的工具。因此，其意义如同普罗米修斯之火。"[1] 自然，这火的火种是古希腊哲学。

最后，近现代法律体系的核心价值和范畴——权利是西方哲学优秀观念的结晶体。近现代法律的核心价值和范畴是权利。从法的运动过程看，立法、执法、守法、司法无非是对权利的分配、落实、获取、救济过程。从近现代法律的基础性部门民法看，其全部制度都是以权利为中心建立起来的。自然人制度和法人制度是对权利主体的规定，法律行为制度和代理制度是对权利行使方式的规定，民事责任制度是对权利保护方式的规定，诉讼时效制度是对权利保护时限的规定。按法国著名比较法学家勒内·达维德的看法："法的其他部门只是从民法的原则出发，较迟并较不完备地发展起来的，民法曾经长期是法学的主要基础。"[2] 因而整个近现代法律

---

[1] 徐国栋：共和国晚期希腊哲学对罗马法之技术和内容的影响，《中国社会科学》，2003，(5)。
[2] [法] 勒内·达维德：当代主要法律体系，漆竹生译，上海译文出版社1984年版，第25页。

都是以权利为核心的。

权利概念是哲学孕育出来的。自古希腊以来的两千余年的哲学发展形成了"理性"、"正义"、"个体"、"自然人性"、"二元世界"诸大观念。这些哲学观念在近代之时势下综合为一体产生出权利概念。从法哲学角度看，所谓权利，是个人对自己利益的主张。于此可见，权利是由"个人"、"利益"、"主张"三要素构成的整体。其中"个人"是权利的主体，"利益"是权利的质料因，"主张"是权利的形式因。其结构是：

$$个人\begin{cases}主张（形式因、理性）\\ 利益（质料因、感性）\end{cases}$$

哲学是人对自己系统的理论反思的思想，而人是"一体双元"的存在：个人是本体（一体），个人的经验存在是一元，个人的超验存在是一元。其结构是：

$$个人\begin{cases}超验存在（理性的人）\\ 经验存在（感性的人）\end{cases}$$

在古希腊哲学中亚里士多德认为实体有三个，即个体实体、形式实体、质料实体，其中个体实体可以统摄形式实体和质料实体。其结构是：

$$个人实体\begin{cases}形式实体（超验）\\ 质料实体（经验）\end{cases}$$

不难看出，亚里士多德的实体学说及其结构是对人的"一体双元"存在结构的哲学表达。人的"一体双元"存在结构在古希腊哲学中尚为"乘虚智"，到了近代它遂转化为"落实智"，具体化于法律政治领域，这就是"权利"概念的生成。权利的结构同亚里士多德的实体结构是同构的，即都是"一体双元"结构，区别仅在于前者是具体的，后者是一般的。

权利概念全面地含摄了西方哲学的许多重要观念。（一）权利概念含摄着"理性"。权利结构中的"主张"显然是由理性作出的。理论理性可以辨识和自觉到自己的利益，实践理性作为一种主体态度对自觉到的利益加以价值肯定，于是形成"主张"。同时，个人对自己利益的主张实际上是个人利益和他人利益之间划出了一条"界限"，此"界限"是理性的体现。（二）权利概念含摄着"正义"。权利是个人对自己利益的主张，此主张是得到社会和法律承认的，因而它是一种"应得"。"应得"即是正义。权利是"理性"（主张）和"利益"的结合。在此意义上权利蕴含正义。权利作为人对各自利益划出的"界限"，其中亦含着正义。（三）权利概念含摄着"个体实体"思想。权利主体是个人，这是对亚里士多德"个体实体"是第一实体哲学思想的具体化，是对柏拉图哲学、原子论哲学以及文艺复兴后强调的个人本位哲学的法学政治学落实。（四）权利概念含摄着"自然人性"思想。权利结构中"利益"主要指物质利益，而物质利益的主体性基础是"自然人性"，即人的自然感性物欲。肯定利益的前提是肯定自然人性的实在性。倘若像"存理灭欲"那样对自然人性加以否定则不可能产生权利观念。在古希腊自然哲学、柏拉图哲学、伊壁鸠鲁哲学，特别是文艺复兴之后的哲学中，自然人性论占有重要地位。这些为权利概念之产生提供了质料因上的哲学准备。（五）权利概念含摄着"二元世界"思想。权利结构中的"利益"要素属于感性经验世界，"主张"则属于理性超验世界。经验世界和超验世界是二元性关系，二者谁也不可能吃掉或同化谁。惟其如此，利益及作为其前提的人欲才能避免被灭的命运、理性才能保持其独立自主性，即二者才会保持其自身的存在。只有在二者独立存在的前提下，利益才可能从理性那里获得其合理性，理性才会具备赋予利益以价值的资格，同时理性才能从利益那里获得经验内容。理性和利益在二元对立中的综合产生出权利。在此权利和知识具有同构性。在康德哲学里，知识是先验知性范畴和感性经验二元性因素综合的产物，权利亦是超验理性和经验利益二元性因素综合的产物。权利含摄着西方哲学传统的二元世界思想。总之，权利概念将上述若干重要哲学观念含蕴结晶于一体，从而成为西方乃至人类近现代法律政治中最为珍贵和瑰丽的思想精华和文明成果。

第三章 法律文化概念的形成背景

　　了解一个新概念提出的背景有利于理解这一概念的实质、地位和作用。法律文化作为一个新概念有其提出的背景。概念是人们认识和把物事物的工具，人们在一定时期之所以要提出新概念、新工具，是因为过去的概念和工具在新的事物面前有了局限，不够用了，只有提出新的概念工具才能更好地把握新的事物。中国法学中有许多概念，如法、法律（法律行为、法律关系、法律责任等等）。这些工具对于把握新的法律现象和法律要求已经表现出其局限，正因如此，才要提出新的工具。就像亚里士多德在他那个时代写出了《工具论》，而培根在他的时代需要写出《新工具》一样。由于时代背景发生了变化，为了把握这个新的时代便需要法律文化这个新的概念工具。

　　法律文化概念提出的总体背景是中国社会结构的现代化和中国法制现代化、建设社会主义法治国家的历史要求。

一、背景之一：中国社会结构现代化

　　中国从近代以来一直处在一个社会结构的转型时期。社会结构的转型不是社会某一个或几个部分的变化，而是社会整体组织结构的质变。那么，中国社会整体结构的变化对法提出了一种什么样的要求呢？这种要求会使法自身发生哪些变化呢？

（一）中国社会结构的整体转型要求法不仅仅是社会整体结构中的一个部分，而且须成为组织社会或安排社会的基本模式。

就是说，它要求法从部分地位上升到整体地位，使其成为具有整体性特征的社会建构模式。赋有社会整体性模式特征的法同原来所理解的法是很不相同的，因此，原来的法的概念就不能适应或反映新的法的事实。因此必须提出"法律文化"概念用以反映和建构变化了的法的事实。

以往我们把法理解为社会整体结构中的一个部分，一个要素，法律是在这种既有的社会结构下面完成自己解决社会矛盾的任务，至于这个社会整体组织结构自身怎样安排，怎样建构，法律并不过问。这样的法律是缺少整体性特征的法律。以往的法律概念是同法律的这种婢女式的地位相关的。这种法律概念显然不能够反映正在变化的法律的地位。"法律文化"概念的提出正是为了克服这种不适应。

我们可以把中国传统的社会结构和现代社会结构都看作一种组织结构安排。那么，社会组织结构由谁来安排，由什么来安排呢？传统社会组织结构是由人来安排的，因而叫人治社会，现代社会组织结构是由法来安排的，叫法治社会。就是说，在现代社会结构中法成为安排社会结构的基本模式、标准、尺度。显然法在这里的地位和功能已发生了重大变化。作为安排社会结构模式的法已经不能用原来的法的概念来描述了。描述新的法的现象的概念应当是法律文化这一概念。因为过去的法概念是部分性、要素性的，而法律文化概念则具有整体性、全观性。美国法文化学家格雷·多西，把法文化看作是"组织和维护人类合作诸事例中安排秩序的方面。"[1]即是说法文化指安排整个社会结构的模式。西方思想中长期以来将

---

[1] 格雷·多西：《法律哲学和社会哲学的世界立场》，梁治平编：《法律的文化解释》，三联书店1998年版，第240页。

法和正义联系在一起，而按照罗尔斯的理解首要的正义是社会基本结构的正义。因此，如果说法律体现着正义的话，那么，法律显然最基本的规定就同基本社会结构相关，是安排社会基本结构的模式或原则。

总之，社会结构的现代化要求社会结构不能再由人来安排，而是由法来安排，于是法由社会结构里的一个部分上升为整体。这种地位的法须用"法律文化"这一概念来把握。原因是法律文化具有整体性特征。

（二）中国社会结构的整体转型或现代化不仅是社会的秩序层面的转型，而且是社会的内在精神层面的转型。

如所周知，中国传统社会结构的精神是伦理精神或道德精神，整个社会制度内部都蕴含着一种道德精神。中国人的社会理想就是建立一种"德化社会"。我们常说的政治的伦理化、法律的伦理化，其实还有经济的伦理化等都是德化社会的体现。就是说，传统社会的内在精神气质是伦理精神。所谓中国社会结构的现代化从根本上说包含着社会内在精神的现代化。这个现代化的实质就是社会结构的内在精神从伦理精神向法的精神的转化。在现代社会，整个社会结构、社会秩序应当渗透和灌注法的精神，而非伦理精神。可见，中国社会结构现代化的实质是用法的精神来扬弃伦理精神。（这不是说不要伦理精神，而是应将伦理精神归位于她应所在的地方，即私人生活领域。）

那么，我们应当用一个什么概念来反映和象征法的精神呢？最合适的概念我们以为就是法律文化概念。因为法律文化正是指人们关于法的价值、态度、思维问题，这也就是法的精神问题。

（三）中国社会结构的整体转型或现代化从社会阶级结构角度看，是从阶级的纵向统治模式向阶级的横向合作模式的转变。

中国传统的社会结构是一种阶级的纵向统治模式。中国早期国家形成的途径和古希腊罗马有所不同，它是在氏族之间激烈残酷的战争血火中形成的。战争中的胜利者成为统治者，组织起国家，战争中的失败者、俘虏成为被统治者。这种国家的阶级结构是征服和被征服关系、统治和被统治关系、剥削和被剥削关系。商周两代以至更早就是如此，商周以后也是如此。[1] 中国传统法的本质是同这样的国家结构和国家形成方式联系在一起的。中国古代法律同兵刑含义相通。《管子·心术》："杀戮禁诛谓之法。"《盐铁论·诏圣》："法者，刑罚也，所以禁强暴也。"与此相反，现代社会的阶级结构是一种横向合作模式，或者应当是一种横向合作模式。在这种情况下原来的法概念不能完全反映现代社会结构中的法现象，为此需要提出法律文化概念。因为文化的主体不是阶级而是包容各阶级在内的更大的民族，同样，法律文化的主体也是民族。显然，法律文化在文化学意义上具有超阶级的特征。正是这种特征使得法律文化概念能够弥补原有法概念的不足。

（四）中国社会结构的整体转型是从一元社会结构向多元整体社会结构的转型。

社会体系本来是由经济、政治和文化等多元要素组成的整体，但中国传统社会将其中的一个要素提升到压倒一切的高度，形成一种政治至上、权力本位的社会结构。社会经济、思想文化本来有自己的性质和活动原则，但在政治至上，权力本位的社会结构下一切都被政治化了，因而其他社会要素皆失去了自己的固有性质，失去了自主性。在政治中心的社会结构中法律也被政治化、权力化。因此法律只有政治功能、权力功能，从而也只具有权力化的性质。也就是说，法律只同社会的一个要素相关，而不能充分体现社会的整

---

[1] 参见杨向奎：《宗周社会与礼乐文明》，人民出版社1992年版，第180页，梁治平：《法辨》，贵州人民出版社1992年版，第58页。

体性质和全面规定。原有的法律概念所反映的正是这种政治一元化特征。而现代社会结构是一个分化的结构。现代社会是由各社会要素相对独立分化又相互结合所构成的社会。因此现代社会中的法就应和传统社会中的法有所不同。它应受到多种社会要素的规定，因而它应是具有整性的法律。这样的法应当用一个新的概念来表现，这就是法律文化。

（五）中国现代社会结构的整体转型从意识形态和社会制度来看是从一元向多元转化的过程。

在传统社会中一个国家只能有一种制度，而现代国家是一个开放的国家，它允许多种社会制度和意识形态并存。我国现在所实行的"一国两制"就是现代社会制度和意识形态开放性的体现。这种多元社会制度使得原有的法律概念不再能全面地表现社会的变化。原来我们用统治阶级意志来规定法的本质，而在多元开放的社会制度特征下，这种法概念显得不适应。我国的"一国两制"不仅是现实而且已将其上升为法律，我国宪法和特别行政区基本法都确认"一国两制"，即法律既肯定社会主义制度，又保留资本主义制度。既如此，那么宪法和特别行政区基本法究竟体现哪个阶级的意志呢？显然用阶级意志来规定法遇到了现代多元社会结构的挑战。因此需要提出法律文化概念。因为已如上述，法律文化的主体在一定意义上是民族。从法律的民族性上或说用法律文化概念可以表达社会结构的多元化特征。

（六）中国社会结构的整体转型或现代化是国家和社会合一到国家和社会逐步分开的过程。

在传统社会结构中国家和社会有机地结合在一起，国家覆盖一切，淹没一切，社会被国家化，社会在国家面前失去了独立自主性。正像马克思所说，东方社会行政权力统治一切。而现代社会结构是国家和社会的分离，社会具有独于国家的性质，具有自主性。

传统社会中的法律更多地同国家相联系，而现代社会的法律则要更多、更充分地体现社会的性质和要求。社会生活更多情况下是一个自发的过程，它更多地受习俗、习惯的支配和调节。因此法律会更多地同社会习俗、习惯、乡规民约之类的东西相关。而这些民间的社会的行为规范主要所体现的是民族的文化性状。这样的规范是同文化相联系的规范。它同样是一种法。这种法的性质和特征应当用法律文化概念加以反映和把握，用原有的法律概念是难以说明的。

另外，中国社会结构的现代化也伴随着以社会结构为研究对象的社会科学的现代化。法学属于社会科学。由于传统社会结构是以政治伦理为核心的，因此与传统社会结构相适应的社会科学，包括法学也是以政治伦理为核心。当法学以政治伦理为核心时，法学不仅丧失了自己的自主性，而且自己的科学性无从谈起。在此境遇中我们只能形成对法律的意见或好恶，而不能形成对法的概念和认识。为了形成对法的概念和认识，必须作两件工作，一是使法律获得独立性，二是站在一种超越的整体的立场上。这样就必须提出法律文化概念。因为当法律脱出政治权力控制时，意味着它要实现同其他所有社会人文学科的结合，使自己具有综合性；当法律超越特定利益群体时它必须和民族性相结合。这两点都会促使法学研究逼近法律文化概念。

二、背景之二：中国法制现代化

中国法制现代化是法律文化概念提出的直接背景。

（一）从中国法制现代化的社会经济基础看，这个基础是社会主义市场经济的建立和发展。市场经济对法的要求迫使我们必须提出法律文化概念。

我们说市场经济是法制经济，那么市场经济，特别是中国社会主义市场经济需要什么样的法制呢？社会主义市场经济下的法制建立的价值前提是什么呢？这不是完全可以通过流行的法概念所能解决的问题。对此必须深入分析社会主义市场经济背后和法制相关的价值问题。这种分析是法律文化性质的分析。

"社会主义市场经济"由"社会主义"和"市场经济"两部分构成。"社会主义"又由"中国文化传统"和"马克思主义"组成。可以说"社会主义市场经济＝中国传统文化＋马克思主义＋市场经济"。这样的经济基础对法的要求究竟是什么？这需看看其中的基本价值是什么。"社会主义"或中国传统文化和马克思主义制度背后的价值是"稳定价值"，"市场经济"制度背后的价值是"效率价值"。中国现代法制的基础是"社会主义市场经济"，而与此相关的价值基础或根据是"稳定价值"和"效率价值"。能够体现这两种价值，并能使这两种价值结合起来的法律和制度就是中国现代化的法制。

如果进一步分析这两种价值的话，我们可以看到"稳定价值"的背后更多地体现着"平等价值"，这种价值也正是中国传统文化和马克思主义所着重强调的；"效率价值"背后更多地体现着"自由价值"，而自由价值又蕴含着个体主义价值和人权价值（权利价值）。这样以来我们也可以说"社会主义市场经济"所体现的文化价值是"平等"和"自由"价值。自由平等是内隐意义，社会主义市场经济是外显秩序或制度。中国现代法制的精神或法的精神是自由和平等。

我们这种分析方法是从外显结构到内隐结构的分析方法，这种分析同法律相关，而这种思维方法正是"法律文化"所固有的。因为"法律文化"既是对象性的存在，又是一种方法。

因此，中国法制现代化的基础——社会主义市场经济要求我们以法律文化概念和方法对其加以理解和分析。这样方能从事物的本体层次理解法制现代化的基础。用"法律文化"概念和方法分析法制现代化的基础的优点有二，一是能够把握到这个基础的深层内隐；二是能够将基础同文化联系起来。这两点都是十分重要的。如果我们仅从效率价值的层次分析法制的基础，而不去发现效率背后的自由价值，又不把自由和文化联系起来，那我们很有可能仅从功能主义或社会学的局面来理解法制的基础。而当我们从效率背后看到自由，又将自由同文化联系起来时就有可能超越功能主义和社会学的立场，就能从文化学、哲学的立场来理解中国法制的基础问题。而我们之所以能作到这一点是由于我们采用了"法律文化"的概念和方法。

（二）从中国法制现代化的实质看，它不仅是法律制度的现代化，更根本的是法律制度背后的意义、态度和价值的现代化。

法制现代化的实现从表层看，依赖于法律制度和规范体系的建立，但是，法律制度在实施中是否有效依赖于两个方面的支持，一是社会学意义上的支持，一是文化学意义上的支持。社会学意义上的支持就是看这种法律制度同人们具体的社会生活、社会交往是否切合。文化学上的支持就是看这种法律制度背后的价值、意义、态度和思维是否同立法者、司法者以及守法者的文化观念相适应。或者说这种法律制度是否携带和体现着与这种制度相一致的价值内蕴。法律制度的实效之所以要这两方面的支持，是因为法律一方面是解决社会问题的手段，另一方面是实现和体现文化意义的符号。从法律是一种文化符号来说，法制的现代化不仅是法律制度的现代化，同时更应是法律内在意义、价值、思维的现代化。这个问题显然是一个法律文化问题。因为它们涉及的是法律制度的"根据"问题。要使法律制度的内在"根据"发生变迁，就必须提出法律文化问题。

（三）从中国法制现代化实现的方式看，一是法律的继承和创新，二是法律的移植。这两个问题都要求我们从"法律文化"角度来理解和解决问题。

首先，从法律的继承和创新途径看。法的继承的一个重要依据是法的文化属性。因此要研究法的继承性问题就必须提出法律文化问题。以往我们在解释法的继承性问题时，习惯于从社会学角度来解释，即从社会物质生活条件和上层建筑的相对独立性上来解释法的继承性问题。这是可以的，但有很大局限，因为社会因素或社会变量总是特殊的、具体的，它的特性恰恰是多变性、变易性，如生产力、上层建筑都具有变易性。上层建筑虽然有相对独立性，但或迟或早要随着经济基础的变化而变化。社会因素的这种变易性不容易说明法的连续性、继承性，因为法的继承性所说的恰恰是法的稳定性、恒久性问题。对于这样的问题最好的解释是文化学解释。因为文化的一个重要特性就是它的稳定性和恒久性。因而法的继承性问题的研究须通对法背后的文化问题的思考来加以解释。

过去由于我们没有注意到从文化角度来理解法的继承问题，总是从社会阶级的角度来解决法的继承问题，因而在实践中造成了很大的失误。明显的事例是49年后毫无保留地彻底抛弃民国时期的法律规范、法律制度和法律思想。当时之所以要彻底抛弃以六法全书为主体的法制体系，主要是从阶级性、法是上层建筑这样的理论出发的，而没有考虑到法的文化属性、民族属性，因此造成了法制现代化进程的中断、断裂。我们今天不得不重新研究和借鉴民国时期的法律思想和制度。

法的创新也同文化问题相联系。法的创新主要要依靠理性创造，但理性创造绝不能脱离法律经验、社会现实生活和法的本土资源，而这些都同法律文化问题密切相关。民间社会生活、民间社会习惯中体现着非常浓厚的民族文化内容，而新的法律的创造是同这些社会生活习俗、习惯分不开的,因此要实现法的创新就不能不从法律文化的层面和视角来研究中国的社会生活问题,民族文化问题。格尔兹把法律看作是一种"地方性知识",这种观点不能完全从保守的角度去理解,它也蕴含着法律的创造性向度。更重要的是"地方性知识"意义上的法律创造能够将理性创造和局部性事实结合起来。法律正因为是地方性知识"因而能体现出它的创造性特征。地方性就是说它同别的地方的法律不同,而这种不同正是创造性的体现。地方性知识所说的主要是民族文化模式问题。因此法的创新问题的研究需要同民族文化和一般文化问题结合起来,应该适时提出法律文化概念和方法来解决这一问题。

其次,从法的移植来看,法的移植不仅仅是法的显性外在层面的移植问题,更重要的是一个法的内隐层面的移植问题。而后一方面的问题所涉及的正是法律文化问题,这也促使人们提出和关注法律文化问题。任何民族的法律都有"形"和"神"、"外"和"内"、"显"和"隐"两个层面。从我们以往的法律移植情形看,常常是将二者分裂开来,或者是移形不移神,或者是移神不移形,更多的是移形不移神。这样对法律移植的效果带来很大影响。我们经常看到的是法律的形是西方移植过来的,但其神仍然是中国固有的。譬如,我们从西方法律中移植来了"民事法律行为"概念,这一概念的内在精神是法律行为本身具有适法性,它所体现的是个人自由这一根本文化价值,但中国学者将其理解为"法律行为的本质是合乎制定法,即法行为本质合法说〔1〕我们要有效地进行法律移植就要潜心研究法律制度和概念背后的文化价值问题。这样才能不仅将其形移植过来,而且能将其神移植过来。而要作到这一点就必须提出和进行法律文化的研究。由于我国49年后法学和其他学科的分离,使得法学从业人员缺乏文化学、人文学领域的学识

---

〔1〕 参见高再敏先生的有关研究成果。

素养，因而常常只能看到西方法律之形、之器，而看不到它的神、道。因此对法律文化问题的研究也有利于克服法学从业人员在知识结构上的局限性。

三、背景之三：全球法律统一化趋势

全球范围内法律统一化趋势和维护国际间和平秩序的要求促使人们提出和研究法律文化问题。

随着国际经济、贸易、政治交往的日益密切和全球化趋势的迅速加强，全球法律统一化的问题日益突出。这种统一化趋势之中既充满着冲突摩擦，又存在着合作一致。如中美之间围绕着知识产权、人权、民族自治、投资自由化、商品倾销等问题不断产生争吵和摩擦，欧洲的排外主义、核实验，环境污染、堕胎、移民等问题都存在着国际摩擦。全球统一秩序的建立有赖于对这些问题的认识和解决。而这些问题的认识和解决方式是同不同文化体系中的法律观念和制度及其变革相关的。在全球范围内各民族国家都有自己的特殊利益，都有自己的特殊文化，利益和文化的关系，造成法律观念和制度的差异。日本法学家六本佳平教授指出，引起国际摩擦的法律现象的差异可以有两种基本的解释，一种是文化的解释，另一种是功利的制度上的解释。我们以为前一种解释所涉及的是法律文化问题，后一种解释所涉及的是法律社会学问题。就是说为了减少国际摩擦，维护国际秩序，促进全球法律统一化，必须提出和研究法律文化概念和问题。

第四章 法律文化概念之学缘疏理

任何一个影响较大的概念和理论的提出都既有其客观背景，又有其学术思想缘起或学术思想的逻辑发展。

法律文化概念和理论的提出与法律社会学、法哲学或法史学、比较法学、文化人类学等学科密切相关。

一、法律文化与法律社会学

法律文化观念最初是从法律社会学理论中衍生出来的。

法律是一种社会规范，因此法律本身就包含着社会性方面在其中。但是在12世纪以前人们对法律的社会层面没有自觉地关注。12世纪人们开始关注和研究法律的社会层面，但法律的社会研究发展缓慢。到了二战之后，由于社会的巨大变迁，人们开始普遍关注法律的社会层面，并产生了法律社会学这门学科。法律社会学所研究的问题或所研究的对象是"法律与社会"。"法律与社会"首先在美国法律社会学家中流行起来。"法律与社会"这两个词的结合究竟是什么意思呢？有的学者用"社会中的法律"来解释。作了这样理解之后，法律社会学的研究对象就具体化为分析"运作于特殊（文化和）社会环境中的法律"，并且想用这一更具体的表述来代替"法律与社会"这一概括的表述。因为"法律与社会"这种表述容易使人将法律和社会看作两个彼此独立的要素。

在法律社会学提出"法律与社会"和"社会中的法律"后不久，人们很快发现提出另一与此相关的表述是不可避免的，这就是

"法律与文化"和"文化中的法律"。因为当人们在研究"社会与法律"和"社会中的法律"时看到社会和文化是密切相关的，是不可分割的两个因素。人们认识到不参考文化就不能对社会有所理解。人们的家庭关系、婚姻关系、财产关系、分配关系等社会关系都受文化的影响和制约。为了深刻地研究社会与法律的关系，就必须把文化问题引进法律社会学研究。这样的研究始于1970年左右。直到今天法律社会学中仍将"法律文化"作为它的一个重要内容。而现在我们已经将"法律文化学"从法律社会学中独立出来了，可以看到，法律文化理论是从法律社会学中衍生出来的。这是法律文化理论的学缘之一。

二、法律文化与法律哲学

法律文化观念的产生从法哲学发展上看，与18和19世纪的两位思想家相关。这就是法国的孟德斯鸠和德国的萨维尼。

孟德斯鸠既是一位启蒙思想家，又是法律文化理论的先驱。他对于法律的研究在方法和内容上都同以前和同时代的其他人有很大不同。这种不同就在于他不仅和其他启蒙思想家一样将法建立在理性基础之上，同时将法同自然、社会和文化现象联系起来，并试图从法与这些广泛社会文化现象的关系中来寻找法的精神。孟氏把法律和民族的社会制度、宗教、风俗、习惯、人性等问题联系起来，这可以说是开了法律的文化解释的先河。这也是后来人们形成法律文化概念的重要思想来源。就今天的法律文化研究来看，我们仍然是要在法律同文化的联系中来揭示法的精神。孟德斯鸠的理论中正蕴含着这样一个思想，就是将理性和文化结合起来，既从理性又从文化两个层面来研究法律问题，这在今天仍是十分重要的问题。今天我们不能用对法律的理性研究排斥对法律的文化研究，也不能用法律的文化研究排斥对法律的理性研究。对法律文化理论形成具有推动作用的另一位思想家是历史法学派初期的代表人物德国的萨维尼（1779～1861）。他不同意用人类理性来解释法律，而主张以民族精神、文化来解释法律。他认为法律象语言和艺术一样都是民族文化、民族精神的体现。他还试图发现法律中连续的、稳定的、必然的原则。他们要寻找的这种连续性、必然性的实体就是决定法律的"民族精神"或"民族共同意志"。用今天的话说他是要寻找法律中的文化。萨维尼的法律理论是法律文化理论的又一重要渊源。

在对法律文化理论的提出有启发的思想家中还应提到英国19世纪的法律史家梅因爵士（1822～1888）。他也不同意启蒙思想家对法律的理性主义理解。他继承了萨维尼的历史研究法，不过他的研究不是思辨的，而是实证的。他认为社会制裁并非来自主权者的命令，而是由风俗、习惯、各种意见、信仰、宗教观念等多种因素所决定的。这样就将法律同文化联系起来了。

三、法律文化与文化人类学

萨维尼提出法律是民族精神的体现，但他对法律中的民族精神的思考是思辨的。文化人类学家接过了萨维尼的问题，并对问题展开了实证的研究。文化人类学家 Albert Hermann Post 看到不同民族和部落有不同的法律。提出对不同民族的法律加以比较，以发现其中的文化原因。他们的追随者 Joseph Kohler 受到法律是文化现象思想的启发，收集大量的法律材料，写了一部法律哲学著作，其中的一部分就是"文化与法律"（1923年）。这可说是文化人类学中最早明确进行法律文化研究的人。德国和英国的文化功能学派对法律与文化关系的研究已相当自觉和充分。Richard Thurnwald 在一本书中提出应当"将法律看作是对文化态度的表述，即从功能上来认识和理解源于文化系统的法律秩序"，他要求将"法律类型和文化类型"结合起来（1934）。马林诺夫斯基把法律和文化联系起来，提出了对法律性质的新看法，这种新看法直接得益于他的文化研究。例如，他说："所有文化的另一方面（这一方面是派生的，但也是普遍的），就是可能被描述为（与经济的方向并驾齐驱的——引者）规范性的这一方面。……对规范问题的功能方法不会使我们由于不存在正式的和制度化的立法、司法或法典化类型而误以为不存在法律。"[1]

后来在文化人类学家中对法律与文化的研究一直成为他们研究对象的一部分。大多文化人类学著作中都有法律内容。现在非常著名的文化人类学家格尔兹就专门从文化角度研究法律问题，写出了颇有影响的著作《地方性知识》。

四、法律文化与比较法学

法律文化和比较法学的关系极为密切，比较法学必然涉及和包含法律文化问题。比较法是针对不同的法律制度、法律观念进行比较。而不同的法律制度和观念都从属于一个相对独立的整体，即法系。因而比较法是对不同法学的比较。那么不同的法系又是根据什么来划分的呢？或者说为什么会形成不同的法系呢？比较法学家达维德认为，法系主要是由文化体系所决定的，由于世界上存在着不同的文化体系或文化模式，因而形成了不同的法系。这样比较法的单位就主要不是国家，而是文明或文化。比较法往往是跨国家的，如民法法学、普通法学等都包含着不同的国家。它是以文化为分析单位的。当然也可以进行国家之间法律的比较。但最能体现比较法学精神的是不同文化之间法律体系的比较。这样比较法必须涉及到文化和法律文化问题。

再者，比较法学如何才能成为一门科学？这是比较法学家所要解决的一个问题。因为如果比较的对象是法律条文，那法律条文是经常变化的，这种比较无从获得比较普遍和稳定的概念和理论，就

---

[1] 见〔日〕千叶正士：《法律多元——从日本法律文化迈向一般理论》，中国政法大学出版社1997年版，第35页。

是说它不能成为一门科学。比较法要成为一门科学就必须将经常变动的法律条文背后的稳定的不变的东西作为研究的对象,而法律条文背后这些普遍的稳定的要素就是同文明、思维方式相联系的一整套观念模式。这些要素像我们的语法和推理方式一样稳定,立法者很难改变,因而它不依法律条文的变化而变化。达维德指出:"正是由于这些要素的存在,我们才能把法看成一门科学,法律教育才成为可能。"[1]

显然,比较法的单位、对象和性质都是由与法律相关的文化模式规定的,正因如此,促使人们去研究和重视法律中的文化问题,提出法律文化概念和理论。

---

[1] 达维德:《当代主要法律体系》,上海译文出版社1984年版,第23页。

第五章　法律文化研究的主体态度和意义

一、法律文化研究的主体态度

法律文化研究活动作为一种认识过程，是认识主体能动地反映和掌握认识客体的一种认识活动。这里存在着法律文化研究主体对法律文化客体的研究态度问题。从认识论的层次讲，认识主体要有客观性态度，但也无法排除主体性态度或价值态度。客观性态度是认知态度，目的是对法律文化形成概念；主体性态度是价值态度，是要形成对法律文化价值的评价性判断。它是两种不同性质的态度。

我们在这里主要想说的是法律文化研究的价值态度或价值取向问题。价值态度就是研究主体所持有的立场、态度、价值取向。研究主体的价值态度和取向不同，会形成不同的研究目的和动机，会发现不同的研究资料，会关注不同的侧面，会得出不同的结论。例如胡适在研究中国传统文化，梁濑溟也在研究中国传统文化，但二人的价值取向根本不同。胡适研究传统文化的目的是"捉妖打鬼"，发现中国文化的种种弊害，扬弃传统，"再造文明"；而梁濑溟研究传统文化则是要发现传统文化中属于民族精神的东西，以发扬光大。可见都在研究同一对象，但主体态度不同，结果也就不同。在法律文化的研究中曾有一种观点认为，研究法律文化本质上是一种"恋旧"一种"寻根",它会阻碍法律现代化进程。这种观点显然是有问题的,表现在它没有将认识客体和认识主体区别开来,没有将认识者的认识态度同认识对象的性质区别开来。以为认识主体研究什么对象就会成为什么对象。其实法律文化是一回事,我们对待法律文化的态度是另一回事。就好像我们不能说医学家研究肝炎就是为了得肝炎一样。研究肝炎其实是为了治疗肝炎,并不是为了得肝炎。上述观点提出者的考虑之一是法律文化总是和传统联系在一起的,中国传统法律文化弊端很大,因而研究它会妨碍中国法制现代化。我们说文化传统和传统文化是有区别的,文化传统不仅是过程,而且是现在和未来,何况传统既有坏,又有好。同时研究主体的态度也不同。因此,上述观点提出者的担心是不必要的。

那么,我们对法律文化研究应持一种什么主体态度呢?张文显在谈到这一问题时指出:"法律文化研究的理论价值在于参与社会主义民主与法制建设和文化发展,其核心又在于参与传统法律观念的变革,参与科学的、民主的、理性的法律观念的培植和传播,参与民众的法律社会化,即良好的法律心态和行为模式的形成。这是我国大多数学者研究法律文化的理论价值指向。法律文化释义应当服务于这一指向。"[1] 我们赞同这样的主体态度。但是,张文显先生下面的看法我们就不同意了。他说:"从这一指向出发,不宜把法律文化说得过于深奥复杂。"[2] 此种认识和法律文化概念提出的目的和法律文化概念本身的特点是不符合的。其实法律文化概念的提出就是为了克服仅仅对法律作现实性的、功能性的研究,避免对法律只作社会学的研究,而将法学的研究推向更为广阔、更为纵深的境界。其实正是为了实现法制的现代化我们才要在一个更为深广

---

[1] 张文显:《法学基本范畴研究》,中国政法大学出版社1993年版,第222~223页。
[2] 同上。

的程度上来对法律及其背后的深层问题加以研究。

法律文化的内容有形下和形上两个层面。形下的层面是作为一定文化价值体现和载体的法律制度、法律规范、条文等，形上的层面则是这些制度的根据、背后所体现的态度，价值观和世界观。因此法律文化向上可以通向哲学、宗教、文化，向下可以通向社会学、人类学。只有在这两个向度上对法律加以研究我们才有可能实现法制现代化、民主化、法治国家这样的目的。

法律文化研究的主体态度或价值取向是实现中国法制现代化，政治民主化，建立社会主义法治国家，反省传统法律文化，甄别吸收和移植西方法律文化，建构适合现代社会要求的法律文化。

二、法律文化研究的意义

法律文化研究的意义是多方面的，譬如，对法律文化的继承和更新，对西方法律的移植，对比较法的研究，对法理学以及法律社会学的研究都有重要的理论和方法论意义。不过这都是法律文化研究的具体意义。笔者在此想谈的是法律文化研究的一般性、总体性意义。

（一）法律文化研究的认识论意义

面对同一客体人可以有两种不同的关系，一是认识关系，一是价值关系。认识关系和价值关系的区别在于：认识关系是在尽量避免人的主观态度的参与下实现对客体的真实性、客观性的把握。它所解决的是客体"是什么"，而非"应该是什么"的问题。它要求形成对事物的概念。法律文化研究的意义之一就是它的认识论意义，就是要求将法律文化作为一种事实，对其进行不加主观好恶地或价值中立的研究，以形成对法律文化的概念。

那么，为什么要强调法律文化研究的认识论意义呢？法律文化理论能否作到这一点呢？

中国文化里面缺少一种认识论传统，建立不起对事物的"事实关系"。因为中国文化的"实用理性"特征，使得中国人在认识和理解某个事物时总是从功利的、利害的标准出发，因而很难形成对事物的认识和概念。中国人对于事物更多地表达的是好恶，而不是是非。这个非认识论传统一直影响到对今天法律的认识。这种"实用理性"表现在对法律的认识就是法律认识的政治倾向，就是不能超越特殊的政治倾向、政治功利来理解法律。这样使我们不能以一种超越的姿态、价值中立的姿态来了解法律，导致对法律很难形成认识。因此，正如有的学者所说：在中国"由于长期以来政治强力对于思想和社会生活的全面渗入和控制，认识这一极为突出而且重大的基本问题未被触及，以至于今天包括法律学在内的中国社会科学面临着重建的紧迫要求。"[1]法律文化研究就是为了克服长期和近期中国文化忽视法律认识论的偏枯，对法律进行客观地认识和了解。

法律文化认识包括对法律及其文化本身的认识，也包括对于法律认识的认识。前一种认识是直接面对历史和现实中的法律及其背后所体现的文化价值、态度，要对这种对象站在客观立场上加以反映和理解。后一种认识是对历史和现实中的法律认识、理论站在客观立场上加以认识，反思这种法律认识形成的立场方法，它的内容特点等等。看看这种法律认识究竟是不是一种认识，或者说看它是一种认识呢，还是一种集团或认识主体的喜好。

那么，法律文化概念和理论有无可能作到对法律及其文化的认识性把握呢？有可能。首先，从法律文化的主体来看，法律文化的主体是民族，而不是这个民族中的某一个集团。我们知道，文化的主体是民族。因此，从法律文化角度来认识法律那就是站在一个超然的立场上来认识法律。当然我们在这样做时也不能否认法理学和

---

[1] 梁治平：《法律的文化解释》，三联书店1998年版，第6页。

法社会学站在阶级利益立场上对法律的认识。这里有一个认识角度的多样化问题。其次，从法律文化的时间性上看，法律文化主要是指法律发展过程中连续性、稳定性的因素。这种稳定性因素的存在使得我们能将法律文化作为一门科学，也就是说当我们将这种连续性稳定性的东西作为对象时，就可能对法律文化形成认识，且是科学性的认识。法国比较法学家达维德对此点曾有自觉地认识。

（二）法律文化研究的价值论意义

从法律文化视角研究法律及其文化既可以是"反映"，也可以是"批评"、"批判"、"反省"。前一方面形成法律认识，后一方面产生法律价值。

动物只能面对一个世界即自在世界，而人则面对两个世界，即自在世界和人化世界。自在世界本身并没有什么"好"和"坏"、"美"和"恶"的价值问题，但人化世界中是有这个问题的。因此我们对人化世界的研究，一方面要发现它的实然性方面，另一方面则要对它加以价值评价。法律及其文化属于人文化世界，因此，我们对它的把握就不能只是事实的、认识的，而且应该是价值的。法律文化研究有两个方面的指向，一是反映，一是价值判断。对所研究的法律文化的价值判断实质上是一种价值建构，是一种对新的法律文化价值的建设性筹划和设计。因为法律文化研究者不可能没有一种"前见"，一种事先就有的价值尺度。他在研究某种法律文化时自觉或不自觉地要将这种"前见"和"价值尺度"运用到对象身上去，从而产生对对象的价值判断。新的法律文化价值观就是在这种批评性的研究中建构起来的。当然，这种法律文化价值建构应该建立在法律文化认识基础之上，或者说要参照对法律文化的认识。

(三) 法律文化研究的方法论意义。

任何一个概念作为认识形式都有其方法论意义。法律文化作为一个概念，它也是一种认识形式，因而有其方法论意义。方法是主体把握客体的视角、视野、程序。那么法律文化为法律认识提供了一种什么样的视角、视野和程序呢？

第一，法律文化概念为法学研究提供了一种主体性视角。

法律文化作为一种文化，是人的创造物，因而它是人的本质的对象化，它的本质是人。因而对法律文化的研究应以人为出发点，采用"归文于人"，"以人释义"的研究方法。任何一种法律文化，包括其中的观念和制度都体现着创造这种法律文化的民族及其成员的人性，是对该民族的人的内在本质和心性的展示。以人为出发点的法律文化研究要求我们不仅将法律看作是一种"反映"，更重要的是看作一种符号，即看作是承载着人的规定，人的本性和价值的形式。这样我们才能发现法律文化背后的人。在此法律文化是一定人群的一面镜子，我们要通过这面镜子来看人。譬如，中国传统法律文化把法等同于刑，没有现代意义上的民法或私法。这体现出中国文化对人的理解。当然，西方法律文化的特征也体现着西方人的本质，也是人的镜子。从主体出发就是从现代人的立场出发并以此为尺度审视法律文化背后的人，这是人的自我认识，自我优化、自我实现的重要途径。这一点从现代法律文化角度看更为明显。现代法律文化是以权利观念为中心的，特别是作为现代法基础和核心的民法，它实质上是以人的权利为中心的人法。这种法律文化是以人为出发点而建立起来的。它首先着眼于从人的对待关系中来实现人的权利，实现人的自由，并以此为基础实现起对待关系上的自由。

第二，法律文化概念为法学研究提供了一个文明单位视角。

文化的单位不是某个政治集团，同样法律文化的单位也不是某个政治集团，它的单位是一种文明，是一种文明模式或一群共同享有这种文明的人。因此研究法律文化应由文明这一基本单位出发，而不应从文明体系内部的一部分人出发。这样的视角使我们能够看到一种法律体系背后具有普遍性和连续性的东西，更能容易抓住这种法律体系的深层形式结构层面的东西。法律文化所提供的文明单位视角，同法学研究的功能视角，政治视角有所不同。功能的、政治的视角所看到的往往是法律文化的现实的、变化的层面，而不易看到深层的普遍恒定的层面。从文明单位视角研究法律文化有可能超越流行的法学理论，产生新的法学理论。当然，法律文化研究的文明视角并不排斥普遍的人类视角。因为不同民族的文明、文化是有不同的，但民族性中包含着人类性、共同性。因此，有些民族所创造的法律文化并不都是这个民族独占的专利，而是具有人类性、共同性的文明成果，可以为不同民族的人群所利用。例如，罗马法就具有人类性、世界性的特点，否则罗马法为什么能征服世界呢？

第三，法律文化概念为法学研究提供了一个整体性视角。

文化具有整体性，法律文化也具有整体性。因此，法律文化作为一种方法要求从整体的角度理解法律。流行的法学研究方法注重从人类文化中的某一个要素，如经济、或政治、或观念要素出发来认识和理解法律，这样的认识往往不能完全说明问题，不能解释许多法律现象。为了避免这种流行的法学研究方法，法律文化理论认为应将法放在文化这个整体体系中对其加以认识和理解。整体性方法要求对于法一是要从文化整体结构模式上加以理解，以确定法的性质、本质。二是从法与其他文化现象的相互渗透、相互影响、相互作用中来理解法律。主要应从第一方面来理解法律。整体性视角也有可能超越或弥补流行的法学研究方法。

第四，法律文化概念为法学研究提供了一个客观性视角。

这是由法律文化的文明性特征和整体性特征所决定的。法律文化的主要承担者是民族及其文明，这表明法律文化是超越于民族内的某些团体、集团的特殊利益的，因此，这种研究有可能保持客观性视角。法律文化的整体性特征要求将法律放在整体中和其他社会文化现象的联系中来认识法的性质,而不是用某一个要素来决定法的性质。这种整体性特征也为法的研究提供了客观性的视角。

第六章　实践唯物主义视域中的法律文化描述

　　法律文化同政治文化、伦理文化、语言文化、艺术文化以及科学文化等交叉性文化范畴一样，属于一种领域文化。所谓领域文化，或是运用文化学的理论和方法去审视和研究某一学科领域，或是采借某一学科领域的理论和成果加深和拓展对文化的理解。法律文化生长和存在于文化学和法学相互作用，相互激荡基础上，因而对法律文化范畴的了解和研究离不开对一般文化范畴的把握。

一、文化概念通俗界说

　　文化，是文化学、人类学、社会学、民族学等学科中最关键、最重要的基础范畴。自19世纪60年代文化人类学这门学科诞生以来，众多的人类学家、文化学家在大量的论著和文章中对文化范畴进行了多角度、多方位和开放性的研究。虽说如此，人们对文化范畴至今尚无统一的认识，关于文化的定义和界说竟多达160多种。出现这种多样化文化界说的原因，从研究客体方面说是由于文化本身是一个异常复杂的复合体。可以说与自然界相区别的一切人文现象都与文化有关，社会中外显的有形存在与内隐的无形存在都在文化所涵盖的范围之内。从研究主体方面看是由于研究主体有着不同的研究领域、研究方法、操作需要以至个人兴趣和意见。主体性质不同对文化的界说和理解就会不同。譬如，从历史学的视野和方法出发会将文化看作是整体社会的历史遗存，强调文化的社会遗留性、传统性，认为整体社会的遗存就是文化。如果把文化作为普通名词时，其意指人类的全部社会历史遗存；如果把文化当作一个特殊名词时，其意则是指社会历史遗存中的某一特殊部分。从社会学的视野和方法出发则强调文化的规范性，将文化定义为一种具有特色的生活方式，或是具有动力的规范观念及其影响。如O·克林伯格把文化界定为："社会环境所决定的生活方式的整体。"从心理学的研究视野和方位出发，则把文化视为人调适、学习和选择的过程，或把文化界说为人满足欲望、解决问题、调适环境及人际关系的制度。如C·S·福特认为："文化包括传统上解释问题之方式。……文化系由反映而组成，固具有成效而为社会成员所接受。总之，文化由学习解决问题之方式所组成。"[1] 从价值论的研究视野和方法出发，则把文化界定为一个价值系统。不仅如此，在对文化范畴的理解中还渗透着个人情感因素。如文化史家雅各布·布克哈特所说："任何一个文化的轮廓，在不同人的眼里看来都可能是一幅不同的图景。"在讨论文化时"作者和读者就更不可避免地要随时受个人意见和个人情感的影响"[2]。

　　这种从一定研究领域、视野、方法、操作需要甚至个人情感来把握和理解文化范畴内涵的方式虽说不无缺陷，但也有其合理性。我们从中得到的有益启示是，根据我们自己的特殊研究领域、视野、操作需要，运用正确的方法论来理解和界说文化范畴。

　　我们所选择的理解和界说文化范畴的方法论是马克思主义的实践唯物主义哲学方法。这是一条合理的文化研究方法论。

　　文化，是同自然界、动物界相区别的一种独特存在或社会现象。自然和动物是非文化的存在，唐君毅曾把自然现象叫做非人文现象。换句话说，文化是同人联系在一起的，因为唯有人才是与动

---

[1] 覃光广等主编：《文化学辞典》，中央民族学院出版社1988年版，第109页。
[2] 〔瑞士〕雅各布·布克哈特：《意大利文艺复兴时期的文化》，商务印书馆1979年版，第1页。

物和自然相区别的异类。正像 A·T·斯比尔金所言:"在人之外或在人之前不可能有文化,同样在文化之外或文化之前也不可能有人:文化——这是人的本质、类的特性。"那么人的类特性的实质是什么呢？实践唯物主义认为,人的类特性就是人的自由自觉的活动,人的自由自觉的活动也就是人的社会实践活动,特别是物质生产实践活动。

人的实践活动是人所特有的感性和对象的活动,亦即人在实践活动中能够依照客体尺度和人的尺度这样的双重尺度创造出自然界中原本不曾存在的产品,从而把人的内在本质,即人的能力、力量、价值、需要对象化、客观化。这种对象化活动即实践活动的最基本形式是生产交往。物质生产是人和自然之间的根本关系,交往是人和人之间的根本关系。生产创造出工具、技术、生产力、物质生活和生产资料,这样便形成人类的物质文化；交往产生人与人之间的社会联系、社会关系、社会共同体,这些社会关系,社会共同体需要维持、巩固和发展,要求有社会制度、社会规则、社会规范,这样便形成了规范文化或制度文化；人在生产和交往中产生认识、情感、意志、信念等心理和观念,这样便形成精神文化。人类实践的这种对象化过程及其机制和结果是人这个族类存在和发展的特殊方式,这是同动物断然不同的存在方式。人的这种独有的存在方式就是文化。

所谓文化,是指人类生存和进化的特殊过程、方式及其结果。文化的内容极其广泛,它包括人类生存和发展所需要所依靠的一切用品、手段、工具和方式,如工具、技术、工艺、语言符号、社会制度、社会规范、社会共同体、科学知识、宗教信仰、政治法律、伦理道德、习俗习惯等等。梁漱溟曾写道:"我今说文化就是吾人生活所依靠之一切,意在指示人们,文化是极其实在的东西。文化之本义，应在经济、政治，乃至一切无所不包。"[1] 就是说文化是人赖以存在和发展的一切，文化对于人不是可有可无的，人不应忽略对文化的了解和认识。上述这些文化内容可概括归纳为三种类型，即物质文化、规范文化和精神文化。物质文化是满足人的物质生活需要的一切东西，是人适应和改造自然的过程、方式和结果，它反映着人同自然的关系。规范文化是满足维持和发展社会关系和人类大大小小的共同体需要的各种规则和制度。精神文化是人所创造的一切精神成果及其创造这些成果的过程和方式。文化作为满足和实现人的需要的手段和人的存在标志、确证，是一种价值系统，就其是人解决人和自然、人和社会、人和自我之间矛盾的方式、模式来说，是一种方法系统，就其是人的存在对象而言，是一种本体系统。因而文化内容就包括文化价值系统、文化方法系统和文化本体系统。文化就其表里不同层次来说，有经验性显型文化和超验性隐型文化。美国著名文化人类学家克鲁克洪说："文化是历史上所创造的生存式样的系统，既包含显型式样，又包含隐型式样。"[2]

文化包含繁复多样的成分、要素，但是，文化并不是这些要素的机械相加，文化是大于、多于这些要素总和的整体系统，从而文化是有结构的。不同的文化要素之间有一种稳定的结合方式和秩序。美国著名女人类学家露思·本尼迪克特说："一种文化，正如一个人，或多或少是一种思想和行动的一贯的模式。"文化的这种一贯性、统一性特征的存在是由于文化有着本身固有的内部结构，在物质文化、规范文化、精神文化之间具有性质和功能上的互赖关系。在文化价值系统、文化方法系统和文化本体系统之间也存在着协调、整合关系，同样在外在显型文化和内在隐型文化之间亦具有内在的结构性关联。

---

[1] 梁漱溟:《中国文化要义》，学林出版社1987年版，第1页。
[2] 庄锡昌等编:《多维视野中的文化理论》，浙江人民出版社1987年10月版，第119页。

文化结构表现于外产生文化功能。文化对于主体人和社会的功能在于：

其一，文化能够满足主体人生存和发展的需要。人的需要是人的基本规定。马克思认为人的需要就是人的本性。人通过创造文化满足自己的需要。各种工具、器用、制度、规则、文学符号等作为文化都是为了满足人的不同需要而产生的，都有满足人的相应需要的功能。因此马林诺夫斯基将文化看作功能性存在。弗洛伊德说，文化就像人的假肢、假牙、眼镜一样，是人为了克服自身的缺陷，满足自己的需要而发明的，文化具有人为性和为人性。

其二，文化能够把不同的文明和民族区别开来。世界各民族单位的区别，主要的不在于其地理环境、人种这些自然性的因素方面，而在于其文化的不同，在于满足人的需要的形式和方式不同。如近现代西方社会满足人的需要的基本方式是工业，而中国长期以来满足需要的方式是农业，由此造成中西方民族的基本差别。

其三，文化为人提供思想和行为模式，从而构成人们社会互动的基础。文化提供和规定了受这种文化影响的全体成员的统一的价值观、价值取向、行为规范和思维模式，从而使社会成员在加入社会生活时具有基本统一协调的情感思想和行为，而不至于发生冲突。文化对人的心理、思维和行为起着导向和控制作用。

其四，文化能够塑造人格。个人一出生就被抛入一定的文化之中。生活浸染于一定的文化之中必然受到一定文化的模塑。一定的文化左右着个人的情感、心理、愿望、反应模式等人格要素及其整体，从而形成相应的人格、个性、自我以及由相应的自我所构成的国民性。

文化具有如下一些特征：

文化具有社会性。文化的发生、存在、传播和延续都离不开社会，它以社会关系、社会组织、社会阶层、集团、阶级为物质载体。

文化具有历史性。任何文化都不是凝固不变的，而是处于历史的变化之中。不同历史时代的文化有着不同的社会时代内容和作用。不仅不同社会形态之间存在着文化差别，就是同一社会形态的不同时期也有颇为不同的文化。如资本主义社会在19世纪末叶之前的文化和在此之后的文化就颇有差异。

文化具有民族性。不同的生产方式、生态环境、种族人种、语言文字等种种复杂因素使不同民族文化的发展道路和表现形式呈现出多样性，形成文化的不同民族形式。文化既具有时代性，也具有民族性。

文化具有继承性。文化是一个民族统一的思想和行为模式，这种文化统一性，在纵向上展示为文化的继承性。每一代人都从上代人那里承接社会的遗产，并把它按照一定的方式传递给下一代，这样形成文化的连续性、继承性。正由于文化的继承性，以往人类所创造的各种财富和经验能够一代代地留传了下去。

文化具有开放性。没有绝对封闭的文化，文化总是在吸收、借鉴外来文化的过程中发展的。周谷城曾认为："所谓文化，无论是中国或世界的、东方的或西方的，都只能是一个概括的、复杂的统一体，决不是铁板一块，针插不进、水泼不进的东西。"[1] 文化的开放性以及与此相联系的文化的相互吸收、相互利用特征在近现代文化发展中愈来愈显著和重要。

文化具有选择性。无论是文化的继承还是文化的吸收利用都不是不加甄别地原封不动地拿来，而是根据社会主体及其实践需要通过一定的选择机制来实现的。

文化具有创造性。人类实践既是不断同自然、社会进行斗争的过程，又是不断自我实现、自我发展的过程。这个过程同时是一个文化的不断创造的过程。文化创造是一个综合创新过程。一定的社

---

[1] 庄锡昌等编：《多维视野中的文化理论》，浙江人民出版社1987年版，第1页。

会主体、人立足现实，面向未来，面对中西文化，取精用宏，左右采获，吐纳百川，汇成大海，实现文化的更新，将文化推向更丰富、文明、进步的状态。

二、法律文化描述

（一）法律文化概念诸说与管见

与文化概念一样，法律文化概念目前也是一个在认识上很不一致的概念。海内外学者对其提出过各种不同界说，众说纷纭，莫衷一是。归缕诸说大体有三类：一是把法律文化等同法律意识。如美国法学家劳伦斯·费里德曼认为，法律文化这个词是表示存在于特定的社会中关于法律及其在社会中的位置的各种观念。[1] 国内学者亦有此类看法："法律文化即是法观念、法意识。"[2] 二是把法律文化归结为法律意识中的非意识形态部分。社会意识根据其与经济基础的关系可分为意识形态性法律意识和非意识形态性法律意识。前者反映社会经济基础和政治结构，具有阶级性，而后者则不反映社会经济基础和政治结构，它是人们调整社会关系的智慧、知识和经验的结晶，反映了历史积累起来的法律思想和有关法的制定、适用等的法律技术。[3] 三是把法律文化看作是法律现象和过程的总和："所谓法律文化，是指有关法律意识、法律规范、法律设施、法律技术等一系列法律理论、实践及其成果的总称。"[4]

笔者认为，法律文化范畴是从文化视野出发，运用文化学理论和方法对法律现象的观念把握。因之要理解法律文化的确切内涵，必须以对文化学理论和方法的把握为理论前提。文化学方法是一个

---

[1] 参见〔英〕罗杰·科特威尔：《法律社会学导论》，华夏出版社1989年版，第27页。
[2] 慕槐：《法律文化随感录》，《比较法研究》1989年第2期。
[3] 参见孙国华主编：《法学基础理论》，中国人民大学出版社1987年版，第306页。
[4] 胡浩民：《对我国现阶段法律文化的思考》，《法制建设》1989年第1期。

丰富多彩、琳琅满目的方法群。它包括整体性方法、全观性方法、主体性方法、比较论方法、层次分析方法等。其中整体方法是最基本的方法之一。文化学强调整体方法的基本原因是,文化学家们日益明显地觉察到以往那种仅从社会和主体的某一方面解释和观察人文社会过程方法的严重片面性和局限性。他们力主摒弃从单一要素出发的认识方法,要求从总体、全观、系统的视角重新研究人类行为和事业,亦即从自然、生态、生理、本能、社会、经济、政治、心理、历史、主体、理性、非理性、时间、空间等侧面和维度及其相互联系中来全方位地把握人类活动。整体化方法运动是与人自身及其文化的日益复杂化丰富化相适应的。整体方法的优势是文化学在今日跃居显学并迅速向各具体人文学科和社会科学胜利进军的原因之一。基于对文化学方法的这种理解,我们不主张把法律文化只界定为法律意识或法律意识中的一部分,而倾向于从整体角度规定法律文化概念。整体角度或方法在此有两种含义:一是要求把法律文化置于文化大背景、大环境之中,使其获得系统质和文化定位;二是要求从法律文化内部诸要素及其相互联系中把握其内在联系和基本结构。

　　法律文化是整个人类文化体系中的一部分。它是法律观念、法律制度、法律机构、法律设施、法律主体、法律活动等要素的统一体,以及贯穿和隐帅于这一统一体之中的法律价值、法律本体和法律方法。这一规定统摄了全部法律现象和过程,甚至法律之外的某些东西。这可能会招来某些批评。为此,除了上述所分析的这一规定是运用文学方法考察法律文化现象所得之必然结论外,这里再陈述两点:第一,从我国研究法律文化的起因、目的以及旨趣看,核心问题是为了实现中国法治现代化。而法制现代化决不是,也不可能是法律某一部分、某一要素、某一层次,如法律意识,抑或法律制度的现代化,而是从法律意识到法律制度、法律调整机制等的全面整体的现代化。中国法制现代化的历史和现实一再告诉我们,只倚重法律某一要素、层次的单项独进的现代化构想和实践是注定要落空的。法制现代化的客观规律，反映在理论上正是要求对法律文化的全部要素和层次进行整体性研究和把握。法律观念、法律制度、法律设施、法律主体所有这些因素只有同步或协调推进，法律整体才能现代化。同步才能进步。第二，从法律本身的特征和性质看，它是一种实践性很强的社会现象，它的功能、力量必须通过制度、规范、设施、主体等现实要素来实现。观念是极其重要的，但只有观念也是不行的，因为观念不能直接实现什么。因而观念必须和制度、主体结合。可以说，法律制度、法律规范、法律设施、法律机构、法律主体等要素是法律的主要存在形式。它们是法律观念的现实载体。因之将法律制度等硬件和具有现实力量的要素拒斥于法律文化范畴之外是不合适的。

这一法律文化规定包含两个重要特点：第一，提出了法律文化的文化定位。法律文化是人类文化整体中的一部分。这一提法的重要内涵在于，法律文化的性质、功能、价值等均需规约于文化整体的性质和功能。法律文化是文化大系统中的一个要素和组成部分，因而不可对其进行孤立考察，它有其系统质。依系统论观点，系统中任一要素的性质都是由系统整体的性质决定的。如中国传统法律文化的性质由中国传统文化的性质所决定的，西方法律文化的性质由西方文化的整体性质所决定。因此不了解一个民族的文化的整体性质是无法认识它的法律文化的性质的。这样认识法律文化就避免了上列法律文化诸说谈论法律文化而脱开文化整体系统和背景的缺陷。第二，找到了联系法律和文化的中间环节和桥梁。从抽象概括程度看，法律文化可以为较具体的内容和较抽象的内容两大层次或部分。法律观念、法律制度等属于较具体的法律文化层次。对这些内容通过文化学抽象，可归纳出法律文化价值系统、法律文化本体系统和法律文化方法系统等通项。这是法律文化较抽象的层次。如果说法律文化具体内容层次还基本上滞足于狭义的法律领域的话，那么，法律文化中的较抽象层次已将一只脚抽出狭义法律范围而迈向一般的文化层次了。换言之，法律文化价值、法律文化本体和法律文化方法已构成法律与文化之间的中介环节。通过这一中介环节和媒介可使法律和文化建立起亲密的姻缘联系，从而促使二者的理论、方法和成果发生交叉、交流、融合和相互激荡。于此过程中，我们才可能对法律现象和过程作一番钩深致远、宏阔广博和蕴义穷搜的文化学探索，才能将法律研究推向同整个人类文化智慧相沟通的新境界新视野，才可能使法律知识获得纵深感、广博感和幽邃美妙的魅力。我们希冀于法律与文化接壤的这块肥沃土地上开出一簇崭新夺目的花朵。

(二) 法律文化内容的法律层次

法律观念是精神性法律文化。它是社会主体对法律起源、法律本质、法律制度、法律行为、法律实施、法律适用、法律作用等法律现象和过程的观念把握。法律观念包括法律认识、法律情感、法律评价和法律理想四个基本要素。

法律认识是社会主体对法律现象和过程的能动反映。同其他法律观念形式相比较，法律认识是主体企图排除一切主观考察而如实科学地把握和揭示法的本质和运动过程的观念努力。因而法律认识往往摆出一副公正科学的姿态。法律认识肩负着揭示和论证某种特定的法的必然性、合理性的重任。法律认识虽说包含法律心理这种作为感性认识形态的认识但其主要形式不能不是理论化、系统化的法律理论学说。法律认识同哲学认识、政治认识、伦理认识等认识形式均有极密切的关系。它们相互影响、相互制约、相互推动，在内容上有所交叉，在功能上相互补充、相辅相成。不同类型的文化和同一文化的不同进化阶段往往有着迥然不同的法律文化及其法律认识。我国古代有天命论的法律观念："天秩有礼，天讨有罪，故圣人因天秩而制王礼，固天讨而作五刑。"(《汉书·刑法志》)而古代希腊、罗马则有理性、正义法律观:"法就是最高的理性。"(西塞罗)"法是政治上正义的表现。"(亚里士多德)。中世纪的欧洲则有神意法律观。社会主义法律观则把法同统治阶级意志联系起来。法律认识及其变化对整个法律文化的影响是很大的,在法律文化的变迁更新过程中,法律认识的变异更新起着十分重要的作用。因为法律认识是以揭示法的发展规律为职志的,当人们的法律认识发生了变化时,整个法律观念也会发生变化。法律认识是法律观念中的基本部分。

法律情感是社会主体对法律现象和过程的主观态度。法律同人的利益、权利、义务、自由以及生产生活活动息息相关,因而人们总会对法律发生这样那样的主观情感。如有人对法深感满意、欢欣;有的人对法表示恐惧、厌恶;有的人对法漠不关心、麻木不仁;有的人对法律十分尊重,对法充满了神圣感;有的人对法大为蔑视,并不当真,如此等等。这些都是法律观念中的情感成分。法律情感包括人们对法律规范、条文、机构、法律职业人员、法律诉讼、法律制裁等法律现象的主观心理感受和主观情绪。社会主体的法律情感受各种社会文化因素的制约和影响。如社会的文化传统、文化价值观念、主体的社会法律地位、角色和个人科学文化素质等均对法律情感发生影响。处于不同文化环境和时空中的人具有不同的法律情感。法律情感对法律文化的影响虽不像法律认识,法律理论学说那样直接和明确,但仍是一股不容忽视的无形力量。因为你虽制定了良好的法律制度和规范,而社会成员对其并不在意并不当真,这样的法律规范有可能落入形同虚设、一纸空文的尴尬境地。

法律评价是人们对法律现象和过程的价值判断、评估和意见。法律评价的内容是关于法律对主体、社会的利害、好坏和善恶问题。法律是人所创造的一种特殊的价值系统,其产生和运作对人、社会、经济、政治以及人的思想道德等会产生强烈的作用。这种作用对人和社会是肯定的还是否定的,是积极的还是消极的,法律本身是良法还是恶法，对此社会主体会作出自己的价值判断和看法。法律评价的内容和要素多种多样，包括法律评价标准、法律经济评价、法律政治评价、法律道德评价、法律教育评价、法律人格评价以及法律评价目的等内容。这些内容在法律评价系统中有一致性，也有不一致性，有时甚至会有严重冲突。如法律经济评价和法律道德评价就常常有冲突，某一项法律对经济发展有推动作用，可以提高生产效率，但对道德却有不良影响。同时法律经济评价内部也会有矛盾。因为法律所面对的是多元化的利益群体，这些利益群体之间的利益本来是冲突的，怎样协调它们之间的矛盾，需要对不同的利益作出合理的评价。这些都是相当复杂的法律评价问题。法律评价活动及其结果受多种复杂因素影响。比较直接的制约因素包括评价主体、评价客体、评价尺度和评价目的等。同样的法律现象，持有不同评价尺度、抱着不同评价目的、处于不同社会地位和法律地位的主体会作出各不相同甚至截然相反的价值评价。所以法律评价是一种甚为复杂的法律观念。法律评价对法律文化及其发展具有重要作用：它规约着人们的法律认识、法律情感和法律态度，表达着不同阶级、阶层、利益群体和个人对法律的价值要求和取向，决定着社会主体对法律行为，法律体系和法律文化的选择。

  法律理想是社会主体对法律体系结构和法制现状的期望和面向未来的观念设计、筹划。其内容是法律客体的本质和发展趋势与法律主体对法律的价值需要的辩证统一，是客体尺度和主体尺度的结合。仅有法律客体尺度、科学尺度，没有法律主体尺度、价值尺度，或相反仅有法律主体尺度、价值尺度等无法形成合理的法律理想。法律理想应既反映法律发展客观规律，又体现法律主体的需要和目的，将二者结合起来。法律理想既应有真理性格，又应有价值品格，应体现真和善的统一。现阶段中国社会的法律理想是实现法制现代化，使法律成为实现社会主义民主、自由和精神文明建设的工具，使法律进一步成为发展社会经济，推动市场经济发展的社会力量。法律文化变迁的机制是主体对法律文化现实的超越的扬弃,反映在观念上必然形成主体的法律理想。所以法律理想在任何法律文化中都占有重要地位。法律理想在法律文化中往往会转化成一种法律信念、法律信仰,从而构成法律文化更新和进步的巨大精神力量。法律理想的一个重要功能是对现实的法律起范导作用和批判尺度作用。从此来说,一个国家民族的法律文化中不能没有法律理想。

法律认识、法律情感、法律评价和法律理想虽说性质、内容和功能不同,但并非四种彼此孤立渺不相干的要素和力量,它们相互交叉、制约和作用构成统一的法律文化观念整体。对其作进一步的结构分析将会把法律观念以至法律文化的研究引向深入,但于此不遑作论。当然对法律观念的认识和把握除了作要素分析外还可从其他视角对其加以剖析。如从哲学角度可以将法律观念分为理性法律观念和非理性法律观念;从一般社会学角度可以把法律观念分为意识形态性法律观念和非意识形态性法律观念;从心理学角度可把法律观念分为自觉的法律观念和不自觉的法律观念;从文化学角度可把法律观念分为传统法律观念和现代法律观念;从系统论角度可以把法律观念分为表层结构、中层结构和深层结构的法律观念等等。

法律制度是制度性法律文化。它是处理个人与他人、个人与国家、集体与国家之间的关系的文化产物,是法律活动所遵循的规则、程序及其定型化、模式化。法律文化视野中的法律制度概念是广义的。法律制度包括精神性法律文化之外的所有法律活动和过程中的规则、程序、范型以及贯彻这些规则、程序的机构、设施等。同法律文化中的法律观念要素相比,法律制度是国家承认、获准的东西,是进入客观实践过程,具有现实性品格和力量的法律文化现象。法律制度的内容是以扬弃的形式存在于自身的社会经济制度、政治制度、婚姻制度以及生态保护等制度。法律制度反映和标志着社会文明的进化状态和水平。同时社会文明和进化状况也强烈地作用于法律制度。法律制度是法律文化观念和体现在其中的统治阶级意志与社会生活现实之间的中间环节。通过这一中间环节法律观念和国家意志才能直接起到调节人们社会行为和社会关系的作用。当然这并不否认法律制度作用的发挥对法律观念的依赖性。整个法律文化的功能和作用都要直接通过法律制度来实现。再好的法律观念和法律理论如不转化为一定的法律制度，只能是纸上谈兵，甚至变成欺世盗名的东西。改革开放以后我国提出民主要制度化、法律化，正是对以往历史教训的总结。现代宪法均把国家政制和公民权利列为两大部分，其对国家和法律制度的倚重是不言而喻的。重视国家组织制度和法律制度是西方政治法律文化的优秀传统。从古代的亚里士多德、波利比安，到近代的孟德斯鸠、洛克均用大量精力探索制度问题。当代著名社会学家帕森斯"对于制度性文化模式非常重视"，而且他所说的制度文化主要是法律。因此在我国法律文化现代化过程中必须对法律制度的现代化予以高度重视。

法律主体也是法律文化中的一部分。这个看法可能会有不同意见。因为一般说来文化是人的创造物，所以把人自身也放入文化似乎不合适。但是，"人是文化的存在"（兰德曼），这个命题有相互联系的两层内涵，一是人是文化的创造者，二是文化反过来也创造人。从后一含义可以说人本身也是人的文化的产物。故此将法律主体放入法律文化，逻辑上未必不可，从现实实践看也十分重要。上面讲到法律制度的重要性，但制度要在实践中落实，收到实效，一个重要的条件就是要靠现代性的法律主体。没有现代化的法律主体，法律制度也是很难发挥其应有作用的。就好像下棋，有了很好的下棋规则，但没有下棋的人，或下棋的人无视这些规则，那这些规则再好也是个摆设。所以法律主体是法律文化现代化中的一个能动的重要的因素。倘若忽视了法律主体，离开法律主体来建设法律制度有可能陷入"制度决定论"的现代化思路。因此无论是法律制度的创新，还是西方法律制度的引进都应考虑到法律主体的成长状况。西方那些行之有效的法律制度的形成是在一个漫长的历史过程中逐渐形成的，是在一种不很自觉的过程中演化而成的。这一点值得我们在现代法律制度建设中予以注意。当然我国的法律现代化进程也不可因此而亦步亦趋地像西方那样等待法律制度的自然形成，我们应根据新的情况重视法律制度的引进和创新。

法律主体概念有广义和狭义之分，这里主要指其广义。法律主体是指法律观念，法律制度以及立法、司法、守法等法律活动和实践的承担者。可见法律主体是由各种不同的主体部分构成的法律主体体系。其中各主体部分的性质和范畴有所不同，如立法主体和守法主体的性质、意志、需要、利益、范围等就有不同之处。前者是统治阶级和国家，后者是全体公民，在规定法律主体时之所以这样兼收并蓄不是为了制造混乱而是为了分析法律文化的方便。同一般人一样，法律主体也是一种"四重存在"的人，即他是一种文化的存在、社会的存在、历史的存在和传统的存在。[1] 因此，法律主体不仅同社会关系、阶级关系有内在联系，具有社会性和阶级性，而且同文化、传统、历史也有内在联系。因而对法律主体的考察就应把视野拓展到文化、传统和历史上去。这将开辟法律文化研究的新境界。

（三）法律文化内容的文化与法律交叉层次

这一层次包括三部分：法律文化价值系统、法律文化本体系统和法律文化方法系统。

法律文化价值系统是法律文化的灵魂和运思神经系统。因此，自古迄今的法学家、思想家对此展开了乐此不疲的探索。这种探索在西方法律文化史上是同自由、正义、理性、公平、功利、效率、秩序、安全等观念相联系的。学者们或者认为法是自由的实现，或

---

[1] 见〔德〕兰德曼：《哲学人类学》中译本，工人出版社1988年版，第264页。

认为法是理性和正义的体现，或认为法律能给人带来功利和效率。这些理论认识过程和成果极有借鉴价值。尽管它们常常是脱离具体社会历史内容而流于一般，但亦有其值得重视之处。

究竟什么是法律文化的价值？这需要从法律文化的文化定位问题入手进行多向度多层面地分析。

法律文化是文化的一部分。文化诞生的基地是物质生产和由此决定的社会交往。直接地看法律同社会交往关系最为密切。什么是社会交往？"交往是个体之间、共同体之间交换其活动从而交换其能量的活动过程，是个体之间、共同体之间以一定的自然物或物质、精神产品为手段的互为主客体的相互作用过程，是个人活动转化为社会活动的基本形式。"[1] 交往必然也必须产生和形成人们之间的社会关系。社会关系既需要保持稳定，又需要发展。社会关系的维持、稳定、运动和发展客观地要求产生一定的制度和准制度（风俗、习惯等）为承担者的规范形态的文化。人类文化产生和发展的客观逻辑是：人类生存和发展需要要求以物质生产的形式来满足，物质生产在社会交往中进行，社会交往形成社会关系，社会关系的维持，运动和发展要求产生规范形态的文化。当然从一个更高的根本的价值层面看，物质生产活动，物质社会关系，社会结构及其他一切社会关系和结构都是人的自由的实现形式。正如马克思所说："人们的社会历史始终只是他们的个体发展的历史，而不管他们是否意识到这一点。他们的物质关系形成他们的一切关系的基础。这些物质关系不过是他们的物质的个体的活动所借以实现的必然形式罢了。"[2] 马克思历史观中的生产力、生产关系、上层建筑等范畴只是现实的人通过自己的生命活动即劳动者在诸种对象性社会关系中自我实现、自我生成的一种抽象。因此社会关系的意义或

---

[1] "哲学与文化"课题组：《实践与文化——文化哲学研究提纲》，《哲学研究》1989年第1期。
[2] 《马克思恩格斯选集》第4卷，第321页。

价值在于人的自我实现、自我生成，在于人的自由。

　　法律文化乃是规范文化中的一种。经过若干中介环节，我们可窥见法律文化与人类生存和发展需要之间的内在联系：同其他社会现象一样，法律文化实质上也是人们存在和发展需要、人的自我实现、自我生成需要，即自由这一总体价值轴心的辐射物。价值就其在一定的层面上可说是主体需要和客体属性之间的肯定或否定关系。法律文化（客体）价值乃是它能够满足人类（主体）生存和发展需要的关系或属性。人的生存和发展需要是包含众多的需要体系。在法权意义上这些需要表现为人的一系列基本权利。如自由权利、人身权利、生命权利、财产权利、劳动权利、婚姻权利、教育权利等等。对人的自由、人的生存和发展需要的满足是法律文化的终极价值，或法律文化的第一层次价值。

　　人的自由、人的生存和发展的需要的满足通过处理人和自然之间的矛盾的方式进行的。人处理人和自然关系的方式包括相互联系的两个方面：即人对自然的改造活动——物质生产和人对自然的适应活动——生态环境保护。人的发展生产和保护生态需要是人的生存和发展需要的手段，是次生价值。这样，法律文化价值第一层次也相应产生出法律文化价值的第二层次，即满足人的发展生产和保护生态的需要。是否有利于发展生产力和自然环境保护成为衡量法律文化价值的尺度。毛泽东指出："法律是上层建筑。我们的法律，是劳动人民自己制定的。它是维护革命秩序，保护劳动人民利益，保护社会主义经济基础，保护生产力的。"[1]

　　发展生产力和保护生态依赖于社会关系、社会结构及其性质和状况。社会关系是个人和社会之间的交往关系。法律文化是个人和社会之间进行交往的中介，它中介着个体与社会的关系，具有交往手段和工具之价值。按照帕森斯的社会结构理论，法律文化乃是个

---

[1]《毛泽东选集》第5卷，第358~359页。

体及其人格与社会结构之间的整合机制：一方面，个人通过法律文化中介实现个体社会化，成为具体社会角色，发挥社会作用，另一方面，社会通过法律文化中介保护个人的各种合法权利，使个人创造性、个性和自由得到充分发挥和发展。这种整合功能使社会处于有序状态并使社会充满活力。个性自由、个人创造力与社会秩序、社会控制之间保持动态平衡是个人和社会健康发展的必要条件。这两者之间的矛盾向来是一个很难解决的矛盾。伯特兰·罗素指出："如果一个社会要繁荣起来的话，那么它就需要某些并不完全与一般模式相符合的人。实践中的所有进步，艺术上的、道德上的以及知识上的进步。都依赖于这样的个人，他们是从野蛮状态向文明状态过渡的一个决定性因素。如果一个社会要取得进步的话，它需要一些特殊的个人，他们的活动尽管是有用的，但不是一种应该普遍化的活动。在高度组织化的社会中，对于这类的个人活动，总有着一种过分妨碍的趋向，但是另一方面，社会若不进行控制，那么可能产生一个有价值的创新者的同一种个人创造力，也可能产生出一个罪犯。这个问题像我们所涉及的所有问题一样，是一个平衡的问题：自由过少会带来停滞，自由过多则造成混乱。"[1]法律是将这个矛盾双方能够结合起来的一种最好的方式。法律既以保护个人自由为使命，同时又划出个人自由的界限，不使个人在行使自由时超越界限。这样既保证了个人自由，又维护了社会整体秩序。法律文化对个人自由和社会整体的整合作用，是法律文化价值的第三层次。

不难发现，法律文化在个人和社会关系的整合过程中隐藏着一个"斯芬克斯之谜"式的矛盾，即个人和社会的关系问题。这一社会哲学和法律文化难题的解决直接关涉到法律文化价值取向及其选择。法律文化整合天平偏向社会一方，会形成社会本位的法律文

---

[1]〔英〕罗素：《权威与个人》，中国社会科学出版社1990年版，第33~34页。

化价值选择，偏向个人一方会形成个人本位的法律文化价值。这两种对立的法律文化价值在法律文化史和法律文化现实中进行着尖锐斗争，至今未失其意义。唯物史观认为，个人和社会的关系有对立的一面，但不只是对立，也有统一的一面。一方面个人是社会的个人，不存在脱离社会而绝对自由的个人；另一方面，个人是社会的基础，无视个人存在、个人自由、个人尊严的社会，是"利维坦"式的怪物，是马克思所严厉批判的"虚幻的集体"。个人和社会关系的客观辩证法反映在法律价值观上，就是要求法律一方面要把个人自由和权利作为法律文化价值的基础；另一方面，又不能离开人的社会历史性质去抽象地理解个人自由和权利。要言之，法律文化价值是社会的具体的历史的个体自由和权利。

法律文化本体是法律文化中的实体部分。"本体"一词来自拉丁文 on（存在、有、是）和 ontos（存在物）。在西方哲学史上，本体论概念最早出现于是 1613 年高克兰纽斯（Rodolf Goclenis）编写的哲学词典中，其意是关于存在本身的理论，即存在作为存在具有的本性和规定的学说。本体是隐藏于现象背后的本质、根据、现象的依托者。近代哲学也把本体称作"实体"。如笛卡尔就说："所谓实体，我们只能看作是能自己存在而其存在不需要别的事物的一种事物。"这种"'存在'自身是不能为我们所观察到的，不过我们很容易根据实体的任何属性来发现实体。我们的发现就凭借于这样一个公共意念，就是任何属性或性质，都不能不有一种东西作为依托"[1]。在中国哲学史上本体叫作"本根"，指天地万物产生、存在和发展变化的根本原因和依据。本体是反映世界的存在、本质的范畴。

法律文化的本体是什么，这是一个长期争论不休的问题。它同哲学世界观、历史观和文化观有着极其密切的联系。对这个问题的

---

[1]〔法〕笛卡尔：《哲学原理》第 20 页。

解决需要从分析文化本体问题入手。

马克思主义文化学认为,文化是人在其对象化的社会实践过程中所创造的全部对象化世界。它包括物质资料生产方式、社会结构、人群组织、社会共同体、法律、道德、风俗习惯和宗教信仰等等。瞿秋白说:"所谓'文化'(culture)是人类之一切'所作'。一、生产力之状态,二、根据于此状态而成就的经济关系,三、就此经济关系而形成的社会政治组织,四、依此经济及社会政治组织而定的社会心理,反映此种社会心理的各种思想系统,——凡此都是人类在一定的时间一定的空间中之'所作',这种程序是客观上当有的。"[1] 但马克思主义并不把这些因素并列看待,而是把物质资料生产方式作为所有其他要素的基础。因而只有生产方式是社会存在、社会本体。这里的社会是广义的,所以生产方式也就是文化存在、文化本体。

法律文化是文化的一部分,那么它的本体从深层看也就只能是生产方式。即是说法律文化的存在、本质和根据是社会生产方式。法律文化的实质和存在理由最终要还原于社会生产方式。这是法律文化本体的第一层次。

法律文化是文化整体中的规范文化部分。规范文化是以社会关系的存在为存在前提的,因而,社会关系的本质也就是规范文化的本质和本体。社会关系虽多种多样、纷繁复杂,但其中起决定作用的方面和层次是社会生产关系,特别是其中的生产资料所有制关系。生产资料所有制关系是整个生产关系的基础和决定性方面,它决定着生产关系中的其他方面和环节。马克思主义唯物史观认为,社会的生产关系、经济关系首先作为物质利益表现出来。因而生产关系也就是社会成员之间的现实物质利益关系。物质利益作为社会存在范畴,有别于作为社会意识的情感、意志、心态等非理性的东

---

[1] 转引自忻剑飞、方松华编:《中国现代哲学原著选》,复旦大学出版社 1989 年版,第 191 页。

西。在物质利益关系中充满着社会成员出于个人利益要求的现实考虑和算计。法律文化如以此为基础有可能使法律文化自身获得理性化品格。物质利益关系是社会关系的本质,从而亦是规范文化的本质和本体,进而也是法律文化的本质和本体。社会成员之间的物质利益关系是法律文化本体的第二层次。

在现实社会中,各社会成员、阶级、阶层、团体,各利益群体的物质利益的满足需要通过努力争取,甚至激烈斗争来实现。因此物质利益及其满足便转化为各社会成员、阶级、阶层、利益群体的权利要求。由于物质利益及其满足是人生存和发展的基本条件,同时又受生产力和生产关系的制约,所以社会成员以物质利益为内容的权利要求具有客观必然性和普遍性。从实质上看,社会成员,主体的这种普遍必然的权利要求乃是社会发展客观规律的人格化表现。我们可以把人的普遍必然的权利要求看作一种广义的法。这种既体现社会发展客观规律,即客体尺度,又体现人的要求,即主体尺度的普遍必然的主体权利是法律文化本体的第三层次。

从社会与国家、社会与政治的区别看,人的普遍必然的权利要求还属于社会范畴。作为社会范畴的主体权利是尚未被国家和法律认可的权利,它尚未上升为国家意志。然而自人类进入文明社会后,主体权利的实现愈来愈依赖于政治国家和法律,权利只有上升为国家意志,成为法律的内容,权利才能保证实现。马克思主义认为,国家是居统治地位的那个阶级为维护其统治和利益,保护其统治的权力组织。因而国家只能把在生产关系体系中占统治地位的那个阶级及其成员的权利要求上升为国家意志。在这种法律观看来法律并非保护所有阶级的权利和利益。究竟要把哪个阶级的权利上升为国家意志和法律保护的对象要看哪个阶级体现、代表着最先进的生产力。社会生产力的发展在此是是否把权利上升为国家意志和法律的尺度。看来这个尺度主要是历史的尺度、科学的尺度。在此马克思主义是同抽象的人性论、人道主义有所区别的。当然马克思也是十分重视主体尺度、人的尺度、价值尺度的。马克思的终极关怀是把历史尺度和人的尺度辩证地统一起来,把科学和价值统一起来、真和善统一起来。把合乎和体现生产力发展要求的阶级的权利上升为国家意志,这种国家意志的实现形式即是被称为法律的东西。因而,可以说国家意志是法律文化本质的第四层次。

法律文化是不断发展和进步的,其发展和进步的客观规律是不断地、更大范围地肯定、确立和保护社会成员的权利要求,即不断地将法律文化本体的第三层次纳入到第四层次。

法律文化本体的四个层次是有机联系的整体系统,只有从整体系统的角度来理解法律文化本体才能对法律文化的本质有一个完整正确的理解。在对法的本质的认识中有人只看到其中的一个或两个层次,而未能发现其他层次,如只看到国家意志或权利而未措意于利益和生产方式,这都容易造成理论偏差。事实上,国家意志要建立在社会成员的权利要求基础上,而社会成员的权利要求的基本内容是物质利益,而物质利益又表征着生产关系,生产关系又关联着社会生产力及其发展。这样法律文化和本体就是一个从意志到生产力方式层层关联的有机系统。

法律文化方法是法律文化的有机组成部分。方法是认识主体能动地认识和研究对象的途径、手段、程序。方法不是主观的,而是同研究对象的内容、本质相一致的。法律文化方法是人们根据法律文化自身属性而形成的反映和把握法律文化本质和规律的途径、手段及其基本原则。

法律文化方法是由多种要素构成的相互联系着的方法论体系。其中主要有以下四个基本原则。

1. 整体性原则。整体性方法论原则的客观基础是,法律文化本身是一个有机整体。法律文化客观地存在于三重联系之中,即法律文化内部诸要素处于相互联系之中,诸要素与法律文化整体处于相互联系之中,法律文化整体与它所从属的更大的文化整体处于相互联系之中。因而整体性方法论原则在此有三点具体要求：其一，要注意发现和研究法律文化内部诸要素的联系，如注重法律文化观念，法律文化制度、法律文化主体等要素之间的联系，以及这些要素诸成分的联系，如法律文化观念中的法律认识、法律评价、法律情感、法律理想诸成分之间的联系。这样才能对法律文化内部结构有正确的把握。法律文化的整体功能往往不是由法律文化内部诸要素性质的机械相加决定的，而是由它的内部结构决定的。因而应重视法律文化的内部结构。如法律文化观念、法律文化制度、法律文化主体间的结构就需要特别重视。其二，要注意研究法律文化要素与法律文化整体的相互作用及其具体机制。因为要素的功能和性质规约、服从于整体的功能和需要。其三，要注意研究法律文化与文化的关系。法律文化作为文化的一部分，其性质和功能受文化整体的规定。文化的诸组成部分如历史、传统、社会、伦理、风俗习惯、宗教、哲学、生活方式等等都直接或间接地对法律文化发生作用。法律文化的全观论方法正是要从这些众多要素和角度去审视和分析法律文化。这意味着要运用哲学方法、历史学方法、社会学方法、心理学方法、传播学方法等方法来全方位地研究法律文化。

2. **主体性原则**。文化学的整体方法与系统论方法有相同之处。但文化学方法较之系统论方法的一个巨大优势在于，文化学不仅强调系统，而且更倚重人、主体和价值等主体性、人文性因素。这是文化学备受人文社会科学青睐的秘密所在。它弥补了系统论方法忽略主体、价值等不足。主体性方法论原则的具体要求是：其一，要把法律文化同具体的、活生生的人联系起来。法律文化的产生、存在、移植、保存、传承和消灭都以人为承担者。譬如，法律文化的移植和吸收要通过生活在一定的传统中、文化中、社会关系中的人、主体这个中介。人的状况便直接影响和制约着法律移植和吸收的效果：或化神奇为腐朽或化腐朽为神奇。主体总难摆脱他既有的传统约束和思维模式。这正像一个民间笑话所说：一位挑水工一天忽然想起说：皇帝用什么扁担挑水？他的结论是：用金扁担！人总是习惯于用既成的思维模式、思维定势去想问题，这就会对新的文化因素的准确接受造成麻烦。因而在进行法律文化研究时必须联系人的社会地位、阶级属性、文化传统、知识素质、乃至男女性别、老幼差异等因素来考察和思考问题。其二，要把法律文化同人的创造性、主体性和发挥联系起来。人是有自主性、能动性、创造性的存在。人在接受法律文化时有选择性、创造性。人可以根据自己实践需要创造新的法律观念和制度。法律文化的功能在于把人的创造力和能量不断地愈来愈多地导入文化价值创造的轨道上来，而阻止将其流向反文化、反社会的歧途。失去这种功能的法律文化是无价值、负价值或异化的法律文化。[1] 其三，要把法律文化同人的自由、权利和价值及其实现联系起来。自由、权利是法律文化的价值神经，是法律文化的价值辐射轴心，也是法律文化主体性和根本所在，因而法律文化思考不可遗忘人的自由和权利问题。

3. 客观性原则。法律文化研究方法应将主体性原则和客体性原则，价值尺度与科学尺度辩证地结合起来，忽视任何一面都不能正确地认识和了解法律文化的实质。客观性原则有两个要求：其一，把法律文化同社会物质生活条件、社会经济利益、生产关系结合起来加以研究。法律文化性质及其继承、吸收、移植，究竟是由一个民族的文化类型、文化传统决定，还是由一定的社会经济关系、物质利益决定，这是一个颇有争议的问题。我们一般情况下主张经济与文化的合观视境，但作为历史唯物主义者应承认经济关系决定文化的原则。其二，要重视研究法律文化具象、法律文化经验，重视实践经验基础上的归纳方法。法律文化不是抽象的先定结构，它总是通过具体的法律事件、法律行为、法律制度、法律实践

---

[1] 参见〔美〕E·博登海默：《法理学——法哲学及其方法》，华夏出版社1987年版，第375页。

而存在的。这些具体的法律文化具象是法律文化本质的载体，应通过对这些具备的分析、归纳把握法律文化的特质和特殊发展规律，否则就会陷入抽象思辨性研究。

4. 比较性原则。这一方法的客观基础是法律文化本身是统一性和多样性、人类性和民族性的统一。只有对不同法律文化进行比较才能发现不同民族法律文化的共同点、共同发展规律；只有对不同法律文化进行比较才能发现不同时空环境、不同文化传统、不同类型法律文化的特质、局限和价值，才能甄别抉择，为我所用。法律文化统一性的寻求可以确认和验证人类行为的一些一般法则和法律文化中的一些共同规律。正因为法律文化比较是一件极为重要的研究方法，所以很早人们就重视法的比较研究。古希腊的梭伦立法和罗马的《十二铜表法》都是在对不同国家、城邦的法律进行比较的基础上形成的。18世纪法国学者孟德斯鸠的《论法的精神》可说是开近代比较法律文化的先河。19世纪以来由于世界历史的形成，全球经济、政治和文化接触的普遍化，比较法律文化已成为人们普遍重视的法学研究领域。

第七章 文化学视域中的法律文化阐释

法律文化和文化的关系是部分和整体的关系，不了解整体便不能了解部分，因此在本章我们首先沿着文化人类学理论及其流变脉络讨论文化概念，接着讨论法律文化概念。

一、作为文化学术语的文化概念

（一）文化人类学之文化界说

文化概念作为术语最早出现在文化人类学的著作中，因为文化人类学正是以人类文化为研究对象的。文化人类学有一个发展过程，因而它对文化这一文化人类学的中心范畴的理解也有一个发展过程。这个对文化概念的认识过程是一个由浅入深、由简单到复杂、由片面不断走向全面的过程。文化人类学在其历史发展中经历了文化进化论学派、文化历史——批评学派、文化功能学派、结构主义人类学学派和符号文化学派。不同学派对文化概念都有自己的界说。这些前后相继的学派对文化的理解有继承也有批评，在批判和继承中使他们对文化的理解趋于成熟。

文化人类学历史上的第一个学派是文化进化论学派。这一学派的一个重要代表人物泰勒给文化下的定义是："从广义的人种定义上说，文化或文明是一个复杂人的整体，它包含知识、信仰、艺术、道德、法律、风俗以及作为社会成员的人所具有的其他一切能力和习惯。"[1] 这是对文化的一个经典性的界定。这个定义的意义我认为有以下几点值得重视：（1）民族性问题。所谓人种学意义也就是民族学意义。这说明文化的主体主要是指民族、而非政治阶级，说明文化具有超阶级性。因此应从民族的，而非阶级的角度理解文化。（2）整体性。这个定义将"知识"和"信仰"都包括在文化概念之中了，从而反映了文化的整体性。其实仔细分析，"知识"和"信仰"是性质不同的两种观念体系。知识属于科学范畴，信仰则属于宗教范畴。将二者都纳入文化之中，反映了文化的整体性和综合性。这对于克服以往只重视文化中的某一个方面，或道德（中国）或科学（西方）有重大意义。（3）习得性。这个定义中所包含的内容都是人后天习得的东西，而不是自然性、本能性的东西。这就将文化和自然区别开来了。人和动物所共有的自然欲望不是文化。（4）层次性。这一文化界定中有区分文化层次性的萌芽，就是说有将观念文化和制度文化加以区分的萌芽。为信仰、艺术、道德等都是观念文化，而法律则是制度文化。不过这种区分在此并不明显，到了后来这种区分就十分自觉了。我想大概正是这一定义和这些特点揭示了文化的本质性的东西，因而成为人人都引用的经典性定义。

　　文化历史——批评学派是文化人类学中的另一流派。这一文化学流派的方法论原则与进化论学派不同，是一种经验主义方法论立场。因此，它对文化的理解与进化论学派有所区别。他们批评和否定"思辨的方法"，认为只有具体的东西才是历史的和可靠的，而任何抽象的理论的东西都是不可靠的。这一文化流派对文化的界说是：文化是一个部落生活样式或思想与行为的集合体。[2] 这种集合体的最小单位是"文化特质"，由文化特质集合为一个"文化

---

[1]〔英〕泰勒：《原始文化》，浙江人民出版社1988年版，第1页。
[2] 庄锡昌编：《文化人类学的理论构架》，浙江人民出版社1988年版，第6页。

丛"。一个部落的文化丛常常形成一种模式叫"文化模式",同样的模式集中于同一区域,形成"文化区域"。文化的异同是按文化区域来划分的。这种文化界说强调的是文化的具体性、客观性和整体性,但由于注重对文化的经验实证研究,因而未能看到文化的深层结构。

文化功能学派强调从人的需要出发来界定文化。其代表人物英国文化学家马林诺夫斯基认为:"文化是包括一套工具及一套风俗——人体的或心灵的习惯,它们都是直接的满足人的需要。"[1] 他们认为文化及其每一部分都由人的需要而产生,具有满足人的需要的功能。人的需要是一个体系,因而文化也是一个组织严密的体系。这种文化定义注意到了文化的主体性、整体性、具体性。但他们将人的需要更多地理解为自然性需要,带有自然主义特点。

结构主义人类学将文化认识大大地推进了一步,它不再停留于文化的现象和具体性上,而是从深层结构上来理解文化。列维·斯特劳斯认为:人之所以成为人是因为"文化",但文化不是特殊的、表面的、理性的东西,文化是深层普遍的存在。他指出,文化不是实际存在的社会关系和文化关系,而是社会和文化关系中的无意识结构。这种无意识结构概念表明文化人类学家对文化的认识已从表层走向深层,从具体走向了抽象。但文化作为深层结构总要表现于外,有其表层结构。这一点结构主义文化学注定不够。

符号文化学派既克服了结构主义的不足,又继承了它的成果,提出文化是一种符号。符号里有两个层面,表层是感性经验的东西,深层是抽象的一般意义。这样就既肯定了文化是一种深层结构,又指出这种深层结构的外在表现。因此,克罗伯和克鲁克洪说:"文化是历史上所创造的生存式样的系统,既包含显型式样又包含隐型式样;它们具有为整个群体共享的倾向,或是在一定时期

---

[1] 马林诺夫斯基:《文化论》,中国民间艺术出版社1987年版,第14页。

中为群体的特定部分所共享。"文化的基本核心由两部分组成，一是传统（即从历史上得到的选择）的思想，一是与它们有关的价值。[1] 符号文化学派把文化看作是一种符号体系。符号有其感性形式，有其一般的内在意义。由符号的感性形式可以引申文化的显型式样或表层结构，由符号的内在意义我们可以引申出文化的隐型式样或深层结构。克罗伯和克鲁克洪正是将文化分为内外两个层次，即显型式样和隐型式样。这样就既继承了结构主义文化学的文化思想，又吸收了进化论和功能学派、历史批评学派，注重文化外部形式的特点。因此，我们说符号文化学派的文化界说达到了对文化的较为合理认识。另外，符号文化学派将文化看作是价值，这也同功能主义的自然主义倾向有所区别，抓住了文化的实质性的东西。可以说文化的核心是意义、价值、态度。文化不是一种自然的事实性的存在，而是对自然的、事实性的东西的态度，价值选择，因而它是一种不同于存在的意义系统或意义结构。正是在此意义上格尔兹把文化看作是人们自己所编织的并且生活于其中的"意义之网"。

（二）文化概念和特征

在综合吸收文化人类学家的文化界说基础上，我们可以给文化下这样一个定义：所谓文化，是指存在和隐帅于人能动地改造世界和实现自我的对象性活动及其方式和结果中的普遍而恒定的集体意向。[2] 文化的主体是人，文化的灵魂是自由，文化的存在方式是符号。文化的主体是人就是说文化是人的内在本质的对象化，文化是为人所服务的，人能够克服文化异化。文化的灵魂是自由，就是说文化的核心和目标是自由，文化是人的自由和展开的实现形式。

---

[1] 庄锡昌等编：《多维视野中的文化理论》，浙江人民出版社1988年版，第116页。
[2] 刘进田：《文化哲学导论》，法律出版社1999年版，第49页。

恩格斯说："文化上的每一个进步，都是迈向自由的一步。"文化的存在形式是符号，就是说文化不是以自然的形式存在的，不是一种物理的、心理的事实，而是人所创造的意义系统及其感性存在。文化存在形式是符号，这一规定可以把文化和自然区分开来，可以把文化和事实（物理、心理事实）区别开来，真正把握文化的实质。格尔兹在讲到这个问题时举了两个少年同样迅速抽动眼皮的例子，以说明文化和物理事实的区别。当然我们也可以说文化是一种事实，但是一种不同于物理事实的人文事实的现象学事实。

文化的基本特征：

1. 民族性。就是说文化的主体主要是民族这样的群体，而主要不是民族内的个别阶级，因为文化是为民族内部的不同阶级，甚至对立的阶级所共同具有和共享的。文化具有其不同的民族特点。格尔兹将文化看作是一种地方性知识。

2. 人类性。就是说具体的文化主要是由民族这样的群体创造的，但它又具有人类共性。任何一种具体的民族文化都不是绝对独特的或特殊的东西，而是具有人类共性。牟系三说孔子讲仁，不是仅给鲁国人讲的，也不是仅给中国人讲的，而是向全部人类讲的。所以文化都有人类共性。不能将文化看成是封闭的，只具有特殊性不具有普遍性的地方性知识。

3. 主体性。文化是人的本质的对象化，文化是人的镜子。一个民族的文化就是这个民族人的本性的镜子，我们可以通过文化镜子看到一个民族的内在心性和本质。文化具有人为性和为人性。

4. 整体性。文化包括了人类所有的所作。它作为一种隐型结构统摄着人所创造的多种要素。不能将文化中的某一个要素，如道德或科学等同于文化本身。因为这些都是部分，只有文化自身才是整体。

5. 时代性。就是说不同的时代有不同的文化，处于同一时代的不同民族有大体相同的文化。

二、法律文化概念的文化学释义

法律文化是一个非常难把握的概念,表现在对它的意义很难下定义。下定义的目的是要对概念的内涵加以确定,但法律文化的内涵是什么就人们对它的看法来讲很不确定的。因此人们对法律文化概念的定义就非常多。非常多就说明人们对法律文化内涵的看法很不确定,或者说没有一个共同的看法。或许每一个对法律文化下定义的人对法律文化的内涵已有一个确定的看法。但你有你的确定看法,我有我的确定看法,这种情况表明就法律文化研究状态来讲尚未有一个共同的确定看法。因此就法律文化研究的目前状态看,仍处在一个定义竞争的时期。就是大家都提出自己对法律文化的定义,开展理论竞争,在竞争中看哪个或那些定义更有说服力更能反映法律文化的确定本质。有的研究者看到法律文化的定义很多,实在难以得到一个大家共同认可的定义,因此认为不要给文化下定义,而只要指出法律文化包含哪些层面的内容就行了。这种主张实际上是放弃了定义的竞争。其实定义竞争是理论和认识发展的一个不可缺少的阶段。竞争的未来结果不一定形成一个为人人都同意的定义,但会形成一个为多数人所接受的定义。基于这种认识我们仍试图给法律文化概念作出定义,尽管定义的作用不见得意义很大。我们以自己的定义来参与法律文化讨论的深化。

(一)法律文化定义的视角

怎样来给法律文化下定义呢?或者说怎样来规定法律文化的确定内涵呢?这里首先所碰到的问题是视角问题。因为对同一个对象看的视角不同所发现的东西也就不同,可谓同一座山,但横看成岭侧成峰。有的学者将法律文化定义的视角分析为4种。第一种是法理学或法哲学视角,即将法律文化看作是"法律中的文化"。就是说以整体法律现象为参照系,把法律文化看作法律现象中区别于法律规范体系、法律设施、法律运行等外显实体要素的内在精神部分。第二种是文化学视角，即将法律文化看作是"文化中的法律"，就是说以社会文化系统作为参照系，把法律文化视为一般文化中与法律现象有关的子系统。第三种是历史学或法史学视角，即把法律文化看作"法律传统"，就是说以法律制度的进化变迁史作为法律文化的参照系，把法律文化看作是文化的积淀，过去对现在和未来施加影响的惯性。第四种是人类学视角，即将法律文化视为与法律相关的群体性活动方式。法律文化是具有某种历史连续性、继承性的精神与经验的复合体。[1] 除了这四种外应还有其他视角，如社会学视角，将法律文化看作是"社会中的法律"或"法律中的社会"，就是说将法律文化视为社会制度体系中与法律相关的制度，或一种特殊的社会控制形式。

这里的问题是，在定义或规定法律文化的概念时只能选择其中的一个视角呢，还是可以有多种视角的选择，或将各种视角综合起来规定法律文化的内涵。这里两种选择都是可以的。有的学者选择了单一的视角，如张文显说："作为一个法理学研究人员，选取法理学参照系既符合自己的认识兴趣，又有利于深化对法律文化范畴和理论的探索。"[2] 而有的研究者则选取了多维视角，如梁治平主张法律文化研究的原则是："用法律去阐明文化，用文化去阐明法律。"[3] 究竟应选择什么视角，这既要取决于个人的理论兴趣，又要取决于怎样才能更好更全面深入地阐明法律文化概念之内涵。

对法律文化概念的界定我们更同意采取一种多维视角或综合视角，这除了个人的兴趣、知识结构的原因外，还有更重要原因，即义理上的原因。

我们上面所说的界定法律文化概念的多种视角固然是有重要区

---

[1] 张文显：《法学基本范畴研究》，中国政法大学出版社1993年版，第220~221页。
[2] 同上。
[3] 梁治平：《法辨》，贵州人民出版社1992年版，第11页。

别的，但同时也要看到它们又是密切联系、相互渗透、相互包含的，甚至在有的情况下这些视角只是对同一个对象的不同侧面的表述。就这些视角有差异来讲要将它们自觉地加以区别。就它们有联系而言又要将它们综合起来。下面我们看看多种视角之间的联系。

文化学视角和法理学视角是有联系的。从一个比较直观的角度看，文化学视野中的法律文化主要指"文化中的法律"，而法理学视野中的法律文化主要指"法律中的文化"可以图示如下：

文化学视角的法律文化　　　　　　法理学视角的法律文化

（左图：外圈"文化"内圈"法律"——性质由文化规定；右图：外圈"法律"内圈"文化"——性质由法律规定）

文化学视角的法律文化从图中可以看出它是文化，因为它是整体文化中的一部分，法理学视角的法律文化从图中可以看出它也是文化，只不过是处在法律整体中的文化。因此，两种视角下的法律文化都是文化，这就是两种视角的共性、联系。或者说两种视角下的法律文化都有文化属性，此即是二种视角的共性。同样两种视角下的法律文化也都有法律的属性。因为文化中的法律无疑是法律；法律中的文化已经是法律的一部分，也有法律的属性。这是从直观地角度看两种视角的联系和共性。当然在看到联系时也不能忽略二者的区别：文化学上的法律文化主要是说法律是文化的部分，具有文化属性，而法理学视角的法律文化主要是说文化是法律的根据、根源、前提。总之，文化学视角和法理学视角是有联系的。因而两种视角可以结合起来的。当然这种结合是在区分的前提下的结合，是分析基础上的综合。

历史学视角和人类学视角也是有内在关联的。历史学视角中的法律文化是指漫长的文明史和法律发展史经验的积淀，是一种过去历史形成的习惯性的法律智慧。人类学视角的法律文化是指一种习得的而非本能的与法律相关的活动方式。两种视角的联系在于都强调了法律的属人性和文化性：人类学视角强调法律的习得性，这是法律属人性和文化性的表现；历史学视角强调法律中的非偶然性和连续性因素，这同样是法律的属人性和文化性的表现。法律的属人性和法律的文化性本身是不可分割的。因此这两种视角也是有联系的。另外，历史学角度和人类学角度在特质和方法上都使法律文化带有经验性和具体实证性。历史学和人类学对法律文化的研究都是从经验的、具体实证的层次进行的，如人类学将法律文化看作是与法律相关的活动方式，这种方式也就是一种样式。这意味着这种法律文化是特殊性的，是与别的法律文化有差异的。这种具有特殊性的法律文化也是法律文化概念所应含盖的一个层面。

（二）法律文化定义

在明确了界定法律文化概念的种种视角后，我们可以给法律文化下这样一个定义：法律文化作为一种文化存在，是指存在和隐帅于法律现象内部的普遍而稳定的集体意向，即态度、思维和观念。法律文化是人类社会组织和合作中安排秩序的观念。其存在方式是与法律有关的种种符号。

1. 法律文化是一种文化现象。法律文化作为一种文化存在就是说法律文化是一种文化现象，具有文化属性。法律文化是一种文化现象是什么意思呢？（1）法律文化是文化体系或整体中的一个部分。文化和法律文化是整体和部分的关系。依整体和部分的关系看，整体和部分既有区别，又有联系。整体不等于部分，如整体常常大于部分之和，部分也不等于整体，有其自身的独立性。但整体和部分又相互依存，互为条件，整体和部分在逻辑上是相互蕴含的。整体决定部分的性质。部分对整体也有能动性。据此，我们说法律文化的性质是由文化结构体系决定的，有什么样的文化模式就有什么样的法律文化，不了解文化模式就不了解法律文化。另一方面，法律文化作为文化的部分，对文化有能动作用，它的性质特征会给文化的性质和特征产生或大或小的影响，如西方文化就受法律文化的影响很大。西方文化在形成过程中曾在很大程度上受到法律思维和价值的影响。就此意义而言，以法律解释文化和以文化解释法律是合理的。（2）法律文化不是经验的、动物心理性质的东西，而是一种属人的存在。某种惩罚形式的实施会使看到的人产生一种心理反应，如恐惧心理、规避心理、厌恶心理等。这种法律心理中的内涵并不是单一的，其中既有心理学意义的心理，又有文化意义上的心理。前一种心理是自然性质的东西，后一种心理是文化意义上的东西。一个人看到惩罚形式的实施所产生的法律心理是由于对是非的体认、善恶的体认，对正义力量的体认。由此而产生的心理属于法律文化，这种法律心理不是动物式的反应，而是一种人所特有的文化活动。一个人作了杀人的犯罪行为，他有可能于心不安。这种法律心理属于法律文化心理。总之，法律文化作为文化现象是说它是属于人所创造出来的东西，是习得的东西，而不是自然的、心理的东西。（3）法律文化是一种意义系统或价值系统。法律文化是人自己在个人与社会、个人与法律之间所设定或编织的意义形式，由于有这种人所设定的意义系统存在，所以人和人、人和社会能够按这种意义有效的合作联结起来。如人在男人和女人之间设定了一种有意义的关系，这种意义关系使得男人和女人能够处在一种特定的联系与合作之中，倘这种意义之网中的某一个跨越了这种意义规定他就会被人们视为不道德的，或者违法犯罪的行为。（4）法律文化现象的制约因素是人的某种文化选择，它不能用现实的、功利的原因完全加以说明和解释，而必须用文化加以解释。在司法活动中我们常常看到有的法律现象不能用经济的原因加以解释。如有的当事人因很少钱财损失而打官司，他打官司的费用可能比赢得的利益更多，但他仍要将官司打到底。这种法律现象只能用功利之外的原因，即文化的原因来解释。从法学方法论的角度看，功能主义方法在此表现出它的局限性。法律文化作为文化现象其方法要求和功利方法是有性质上的差异的。

2. 法律文化是变动着的法律现象中的稳定性因素。从时间的、历史的角度看，不同时代不同时期的法律是不断变化着的，但在变化着的法律现象后面有一种连续性、稳定性的因素，这种连续性的、稳定的因素或变中的不变就是法律文化。如在西方法律发展史上，法律的内容和具体规则是变化的，但社会组织应建立在法的基础之上，法应支配社会这种观念和价值一直未曾发生根本改变，从而它构成西方的法律文化传统。达维德指出："世俗社会应以法为基础；法应该使世俗社会得以实现秩序和进步。这些思想在12、13世纪成为西欧的主要思想；并从此在西欧无争议地占统治地位，直至今天。"[1] 其实这种思想观念不仅仅只是在12、13世纪以后才有的思想，而是在西欧古代法律思想中已经有了。正象达维德所说："认为社会应接受法的支配并不是什么新观念。至少在有关个人间的关系方面，它曾为罗马人所接受。"[2] 法律现象背后的不变因素不仅不以法律形式和内容的变化为转移，而且它也具有超越不同时期政治目标的特征。达维德在谈到罗马日耳曼法系的连续性时明白地看到了这一点。他说："它的诞生和继续存在与一切政治目的无关；正确地看到并强调这一点是重要的。"

3. 法律文化是各种不同的法律现象内部的共同性的因素。从空间、地域上来讲，同一文化圈或文化体系中的地域中会有不同的地区、行政区、社区，这些不同地方有不同的风俗习惯，也可能会

---

[1] 达维德：《当代主要法律体系》，上海译文出版社1984年版，第39页。
[2] 同上，第38页。

有适合当地风俗民情的法律文件，象我国现在的少数民族地区有自己的某些法律。这是法律现象的差异性和多样性。但是，一种占优势的文化圈内的不同地区及其法律现象背后又都存在着某种共同性、一致性的因素，这些共同因素就是我们所说的法律文化。对法律文化的这一内涵也可以从不同法律部门的内在精神和价值的一致性方面来理解。法律有不同法律部门，如民法、刑法、诉讼法、行政法、婚姻法等。这些法律部门有不同的法律概念、规则、内容和原则，但其中又有共同的精神、共同价值。这种共同精神、共同价值构成多样的法律中的共同态度、思维和观念。如现代法律各部门中所包含的权利价值、自由价值、理性价值等就是不同法律中的共同态度、共同思维，它是一种现代法律文化。这种共同性的法律态度和思维不因法律部门的差异而在本质上有所区别，它是多中的一。各种法律部门以不同的方式来表现和实现这种共同性态度。

4. 法律文化是外显的法律现象背后的、内部的深层隐型结构。正像文化可以分成外部的显型结构和内部的隐型结构一样，法律文化也可以区分为外部的显型法律文化结构和内部的隐型法律文化结构。不过法律文化主要是指法律内部的隐型结构，其显型结构则是对隐型结构的表现。法律规范、法律活动的意义是多层次的有其表层的意义，有其深层的意义，法律文化指的是法律的深层意义。例如，我们在古代中国法律思想中看到有一种"无讼"观念，就是不提倡用法律的办法解决纠纷，这种显型法律样式背后的深层意义，是同中国整体文化背景相联系的不争、和谐的文化价值取向相一致的。这种深层价值是"无讼"的法律观念的根据，它就是中国传统的法律文化，即一种同法律内在相关，构成内在根据的一种文化态度和思维。在有些情况下法律的显型结构比较相似或基本一致，但其隐型意义结构可能颇为不同。在中国古代的某些经济领域活动中也存在遵守契约的义务。在农村经济交往中有租佃、抵押，其中建立有契约，当时的人们是很遵守这方面的契约的，这种遵守契约已形成一种习惯。这种法律现象存在的根据或深层意义究竟是什么，它体现了一种什么样的法律文化，这是需要研究的。这是不是体现了一种尊重权利、债权的价值观念呢？还是有别的根据。黄仁宇先生是这样看的，他说如果不这样，即不遵守契约，整个帝国的农村经济就无从维持。看来中国古代农村遵守借贷契约、欠债还钱观念的根据并不完全在于权利观念，而在于稳定与和谐价值。就是说不遵守契约就会乱。同样的法律行为其深层意义可以是不同的。这种深层意义即是一种法律文化。

　　5. 法律文化是整个文化中和法律相关的某种普遍性因素。上面讲到，法律文化是整体文化体系中的一个部分，它以部分而存在，在此我们可从另外一个角度看法律文化与文化的关系。这个角度就是普遍与特殊的角度看问题。从此角度看，我们说法律、宗教、道德、哲学等都是文化整体中的特殊领域，但是特殊之中有普遍。然而普遍性可以从不同的立场来抽象，若从法的立场来抽象，我们所抽取出的普遍性文化属性就可以叫做法律文化。例如，法律与宗教这两种特殊领域就存在着共同的、普遍的通性。伯尔曼在《法律与宗教》一书中探讨了这种共性、普遍性，指出"仪式、传统、权威和普遍性——存在于所有法律体系，一如它们存在于所有宗教里面。"[1] 同样法律与哲学、道德等文化领域也有普遍性、通性存在。我们可以将这种存在于各个文化领域之中并同法律有通性、普遍性的东西视为法律文化。这是法律和文化联结的一种方式。正是在这种联结方式中我们可以从一个宏观的深入的角度来理解和阐释法律。这样我们就可以在不同文化形态中找到和法律相关的因素，看到法律和文化之间的相互影响、相互作用、相互规定。这一点我们在讲到法律文化方法时还会详加论述。如我们可以用宗教方法、语言学方法、哲学方法、历史学方法等来研究法律，从而

----

[1]《法律与宗教》，三联书店1991年版，第47页。

看到法律文化丰富而广泛的方法论价值。有的学者将这种方法称为符号互释。

6. 法律文化是与法律相关的人们的一套价值系统和思维模式。所谓"集体意向"的内容主要指这两个方面。价值是一种态度，它的心理基础是意志，它对于同法律相关的事物有一种主动选择，有一种意义建构。它可以赋予某种社会和行为以同法律相关的意义。如人的态度面对作为社会关系的夫妻关系赋予它以法律意义。如西方法律文化将夫妻关系视为一种契约关系，赋予其以契约意义，而中国人则不完全是这种态度。态度、价值、意志有一种主观的能动性质。思维模式是人们反映事物的角度。程序是某种文化中的人共同所具有的一种前知识结构。人在面对某种材料或对象并要求认识这些对象时这种思维模式会发生作用。如中国文化中的"道"、"仁"、"理"、"气"等就是一种思维模式，人对包括法律在内的事物的认识会受到它的制约和影响。"道"是事物的本体，不是人的境界，天和人在此没有根本的区别，这种天人合一的思维模式使人在思考法律问题时将法和自然之道联系起来，即人所创造的法要体现自然的特性，如和谐、不争、无为等。这是一种作为思维方式的法律文化。法律文化的内容包括态度和思维这样两个方面，不过这两个方面都是作为"集体意向"而存在的。就是说它们是历史稳淀下来的一种稳定的隐蔽存在着的模式，人常常是自觉不到的，可谓"百姓日用而不知。"尽管人常常意识不到但其支配作用却是相当大的，而且往往是超阶级、超时代的。作为法律文化的态度和思维是一个文化体系中的全体社会成员所共享的。它在时间上把当代人的法律观念和历史上的人的法律观念连结起来，在空间上使同时代的人对法律有大体一致的态度和认识。法律的表述和形式都会变，但法律思维模式和态度作为一种民族的集体意向是很难变的。我国现在的法律和历史上的法律比较起来已发生了巨大变化，但具体分析其法律文化并未发生根本变化，如我们对法的本质的认识仍将其看作是统治者手中的工具。这种态度和思维是几千年以来就有的，是一种法律文化。

7. 法律文化是一种安排秩序的观念。美国法学家格雷·多西把法律文化视为安排秩序的观念（ordering ideas）。人类是以组织合作的方式适应环境和促进社会的进化的，人类合作中的秩序是按照不同的观念来安排的。这种安排秩序的观念多西将其称为法律文化。安排秩序的观念既受文化模式的制约，又受人的需要的制约。它的建立和形成，依赖于文化体系中实在观念的影响，因而和哲学直接相关。哲学决定着法律文化，法律文化体现着哲学。安排秩序的观念的内容是制度，正为亚伯拉罕·艾德尔所说："法文化属于一种制度的理论"，因而它又是具体现实的制度，而不仅是一种观念。多西认为他所说的法律文化是一种世界立场，因为安排秩序的观念着眼于人类的合作，在人类的合作秩序中不同人群的文化都是这种合作秩序中的一个侧面，而不是一种普遍性唯一性的文化。按我们的理解安排秩序的观念不仅是世界性的，同时也是人类历史性的。因为合作秩序的安排在人类社会的初期，即无阶级的时期已经存在了。将法律文化界定为安排秩序的观念的优点是显而易见的，这个概念不仅有广泛的概括性、层次性，而且其可解释空间、思考空间也很大。所以，我们愿意用多西这个概念来指称法律文化。

以上我们从七个方面解释了法律文化概念的含义。其中第一点是从整体和部分的关系角度说明什么是法律文化；第二点是从时间的角度或变与不变的角度说明什么是法律文化；第三点是从空间的角度来说明什么是法律文化；第四点是从层次性的角度说明什么是法律文化；第五点是从普遍与特殊关系的角度说明什么是法律文化；第六点是从法律文化的内容来说明什么是法律文化；第七点是从法律文化的性质上来说明什么是法律文化。在对于以上各点的理解上都存在着一些现实的复杂问题，例如对第三点的理解，若联系到法律文化存在的现实，特别是考察某一特殊社会的法律现象时存在着种种复杂情况,往往是在同一国家中存在着各种法律制度和观念,人们很难一下子找到统一的、共同的法律观念,即很难发现法律文化的存在,很难辨认法律文化的界限。正象埃尔曼所说:"时常有的移植外国制度的现象(由于好的或坏的原因,自愿或被迫)可能导致一种难以分类的混合制度。但是这种制度可以是有效的和有生气的,这一点已为包容了塔木德法、伊斯兰法、罗马——天主教法、教会法以及奥图曼法诸因素的以色列私法所证明。"[1] 这为把握和理解法律文化带来了困难,但不能由此而否定我们在理论上对法律文化概念所作的规定。因为我们所看到的法律文化多元现象是种现实。在多样的现实中不是有一种共同的东西,而是有多种共同的东西。这多种共同的东西中有一种属于某一特殊的法律文化。如果说因为法律文化多元,就不能对法律文化作出规定,如用"共同性"作出规定那是说不通的。因为从理论上说多样性之中总有统一性,二者是不可分割的。因而法律文化概念仍然可以成立。

三、法律文化的超自然性特质

事物的特征就是一事物和他事物相区别的特点。如人的特征就是从人和动物区别的意义上讲的。关于法律文化的特征人们谈论比较多的是不同类型法律文化的特征,如大陆法系法律文化的特征、普通法系法律文化的特征、现代法律文化的特征、传统法律文化的特征等。这些法律文化之中不同法律文化的特征,就好像谈人类之中不同人群的特征,而法律文化自身的特征是什么法学理论界讨论较少。在我们看来,如果不弄清法律文化自身的特征,那就无从真正理解法律文化概念,就会忽略法律文化自身的特殊性,从而将法律文化和其他现象自觉不自觉地混为一谈。

法律文化的特征是指法律文化这件事物与别的事物相区别的特

---

[1] 埃尔曼:《比较法律文化》,三联书店1990年版,第27页。

殊性。要明确法律文化的特征，首先要确定同法律文化相区别的事物是什么，换句话说，我们谈论法律文化的特点主要是在同什么事物相区别的意义上谈论的。有许多论者并没有弄清这一关键性问题。我们以为，对法律文化特征的确定主要的参照物是自然、功利、理性等事物。因为文化之所以为文化就是和这些现象相区别而言的，如果将文化同这些现象混同起来文化就失去了自己的规定性。例如，我们不能将自然的、本能的东西等同于文化，也不能将直接的功利行为等同于文化，也不能一般地将逻辑理性等同于文化。文化是不同于自然、本能、功利、经验、理性的另外一种人的规定性。这是说的文化的特征是在同什么事物相区别而言的。法律文化不是单纯的文化，其中有法律或同法律相关的东西，因此，探讨法律文化的特征就不仅要在它同自然本能、功利、理性的区别的意义上讲，而且要寻找其他的参照系来考察。这个参照系比较难找，因为法律文化的范围是相当大的，如果将宗教、道德等作为参照系，那么，有些情况下法律文化本身就包含着这些因素。如中国古代法律文化中有引经决狱的审判制度，在这种情况下，"经"即道德就成为法律了。基督教、伊斯兰教都曾是法律意义上的规范。因此，在寻求法律文化的参照系时就面临着比较复杂的情况。但法律同其他意识现象毕竟存在着差异。这个差异在最基本的意义上可能是法律具有强制性和违法行为要承担法律责任。这是法律的特殊性所在。道德、宗教、艺术、哲学、科学都没有这样的特点。因此，我们在谈论法律文化的特征时就可以将道德、宗教、艺术、哲学等作为参照系。

　　法律文化既涉及文化，又涉及法律，二者结合起来就是文化特征在法律中的体现。我们探讨法律文化的特征就是探讨文化特征在法律上的体现。这里首先所注重的是文化的特征，因为法律文化毕竟属于文化，同时法律文化以外可以是极大的，有时会大到和文化相差无几的程度。譬如，西方法学家孟德斯鸠认为宇宙、自然的规律就是法，宗教也是法，它是上帝和人订立的契约。

　　文化是和自然相区别的超自然的东西，法律文化也是和自然相区别的超自然的东西。人的法律行为、法律关系以及法律运行机制是由多层次的内容构成的，有自然的因素，有超自然的因素，其中超自然的因素就是法律文化。因而法律文化具有超自然特征。殷海光先生正确地指出，文化的底下有好多层次作基础，他说："任何文化，除了物理层面作必须的基础以外，还有生物的层面作其必须的基础。除了生物的层面作其必须的基础以外，还有心理的层面作其基础。"[1] 就是说文化的脚底下有三个层次，即物理层、生物层、心理层。这些因素都是文化的基础，但不是文化层，在这些层次之间，又存在着一种过渡性的层次，如在物理层面和生物层面之间有一个"物理生物层或界域"，在生物层面与文化层面之间有个"生物文化界域"。在生物文化界域里面，生物的因素与文化的因素交混起来滋衍出生物文化行为。如男女间的纯性行为是生物逻辑的，在教堂作礼拜是文化层面的事。在教堂举行婚礼则是"生物文化"行为。这个说法是理论的说法，在现实中某种人的行为中，各种因素是交织在一起的，从这里我们可以体认到文化的超生物、超自然位置。这个位置，殷先生用图来表示：

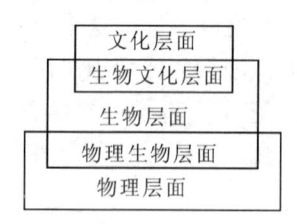

```
          ┌──────────────┐
          │   文化层面    │
       ┌──┴──────────────┴──┐
       │    生物文化层面     │
       └──┬──────────────┬──┘
          │   生物层面    │
       ┌──┴──────────────┴──┐
       │    物理生物层面     │
       └──┬──────────────┬──┘
          │   物理层面    │
          └──────────────┘
```

关于文化的超生物性特征我们可以举一个例子。有两种相同大小的力量作用在一个人的身上，其中一个是一种物理性的东西碰到他的

---

[1] 殷海光：《中国文化的展望》，中国和平出版社1988年版，第91页。

第七章 文化学视域中的法律文化阐释

身上，这时他的反应是只感到疼痛，并未有惧怕和内疚心理。另一个是他的父亲因他犯了错误用巴掌打了他的身上，他父亲所用力量虽和物理性东西的碰撞相同，但他所产生的反应就不仅有疼痛，而且有惧怕、内疚等心理。后面这种心理就是文化性质的，前面的疼痛是生物性、心理性的。但文化性的惧怕、内疚又同生物性反映有关。这是文化的和生物的差异，是文化的超生物性，即超自然性特征。再譬如说中国古代妇女的缠足。缠足行为有人在分析其原因时说是为了男性喜欢。这其实是缠足这一行为的心理层面，并非文化层面。缠足行为有其文化层面，即超心理层面。有位学者讲到他奶奶缠足的故事。说她奶奶14岁就缠足，当时骨折、糜烂，后来长期遭罪。问她为什么要那样做？她说，要不人们会说"有娘养没娘教"。她怕败坏了书香世家的名声（她父亲是一位翰林）。就是说缠足已是礼教的一部分，是一种强大而深入人心的行为准则，也就是说缠足行为有文化的层面。其实只要是人的行为，它里面都有两个层面：自然的层面和文化的层面。

文化的超自然性特征是所有文化现象都具有的，它体现在法律这种文化现象之中就使任何法律现象，如法律行为、法律关系、法律运行等都具有超自然的层面。例如，犯罪行为就有二重性质，即自然性质和文化性质。我们一般把犯罪定义为"危害社会的、触犯刑律的、并应受刑罚处罚的行为。"这里面的"社会危害性"是犯罪行为的什么性质呢？它正是犯罪行为的文化性质，即超自然性质。犯罪行为作为一种行为当然有其自然性质。这种自然性质表现为：它是自然人的一定动作，表现为身体肌肉的收缩或静止；受行为人的意识和意志支配；对其所依存的时空环境总会产生一定的自然作用力。这些性质作为自然性质，在任何社会形态下都不会发生变化。[1] 而"社会危害性"则属于犯罪行为的另一种性质即文化

---

[1] 冯亚东：《刑法的哲学与伦理学》，天地出版社1996年版，第8页。

性质。"它只是一定的社会利益集团对妨害自己生存秩序的行为的一种感受和评价。"[1] 犯罪行为的文化层面具有超自然性的特点，就是说它有不同于自然逻辑的另外一种逻辑，即文化逻辑。在行为的自然属性不变的情况下，文化属性也会变化，从而导致犯罪概念的变化。犯罪概念并不完全受自然性质的决定，而在更大程度上受文化的决定。例如，通奸行为，在任何时期和社会形态中其自然特征都是相同的，但由于其文化属性的不同，因而在有些时期和社会中是犯罪行为，而在有些时期和社会中则不是犯罪行为。法国曾在1986年对刑法进行了修改，其修改的主要内容是取消那些在法国的现实生活中早已不被人们视为犯罪行为的刑法规定，如亵渎圣物罪、通奸罪、妨害公共风化罪、行乞罪、流浪罪、堕胎罪等等。法国司法部长巴丹泰在解释这种改革时说：这些古老的罪行是19世纪的象征，目前风俗的进化已使之变得毫无意义。[2] "风俗"就是文化而非自然。自然性的东西并未发生变化，由于风俗、文化变了，所以犯罪的概念也就发生了变化。犯罪实际上是犯罪者对一定的文化模式及其价值准则的背离。犯罪行为在一定的文化体系中被认为是"错误的"、"出轨的"，因而是犯罪。某种行为是否是犯罪，以文化为参照系，因而文化发生变化，犯罪概念也跟着发生变化。从这里我们可以明显地看到法律文化的超自然性特征。

---

[1] 同上。
[2] 同上。

第八章 法律文化之结构分析

法律文化是由法律观念、法律制度和法律主体诸要素构成的有机系统,具有整体性。因而仅孤立地分析法律文化诸要素并不能真正了解和把握整个法律文化的特质和功能,更无法知晓法律文化产生、变迁和发展的内在机制和基本规律。譬如,我国清末在沈家本的主持下仿效西方资产阶级的法律原则和法律制度进行了法规、法制诸多方面的改革,但仅看到这些而无视那个时代人们普遍的法律观念、思想和心理传习等及其同法律制度的内在关系,恐怕很难说对那个时期中国法律文化的整体性质能有完整的了解。因而,要认识法律文化的整体性质、功能及其形成发展机制,必须考察法律文化的内在结构。

一、法律文化结构及要素

人文社会科学既要从价值学角度出发探寻研究对象的意义,又要从科学角度出发揭示对象的结构。意义和结构及其统一是人文社会科学的两个最大主题。

结构范畴是随着结构主义思潮的勃兴而受到重视的。结构范畴的产生是同人对文化和人文社会科学的研究进程和研究水平密切相关的。具体来说,是随着人文社会科学从技术经验研究向抽象理论研究,从因素研究向因素相关性研究,从表层研究向深层研究的过程而产生的。结构理论的着思方向是对象内部诸因素的内在相关性,即内在深层结构。用结构理论和方法可以把握到对象更深的东西。什么是结构呢？结构是表征事物内部各要素的组合方式、结合方式的范畴。皮亚杰在《结构主义》一书中认为结构有三个特征，即整体性、转换性和自身调整性。[1]

法律文化结构是法律文化内部诸要素之间的内在联系及其相对稳定的组织结构形式。这一概念是对整个法律文化生活的一种抽象。在社会中，现实存在的法律文化生活及其运行受着繁复多样的因素和关系的制约和影响。法律文化结构只反映其中比较稳定的、形式化的因素和一些基本关系。法律文化生活要比法律文化结构更生动、丰富、广泛，它处在不断运动之中，而且还不断产生出新的法律因素和关系。惟此法律文化结构才能演进和更新。然而，法律文化结构作为法律文化生活背后的基本的方面却支配着整个法律文化生活，决定着整个法律文化的性质和功能。因而，只有把握住法律文化结构，才能掌握一定法律文化中稳定的本质的部分，才能了解某一法律文化形态的总体性质和功能，才能不被一些枝蔓芜杂的现象所迷惑。

法律文化结构依据不同的原则和标准可以划分出不同的类型。如按纵横不同向度可将法律文化结构分为法律文化横向结构和法律文化纵向结构。横向结构是指同一层次不同要素的构成方式，纵向结构是指不同层次之间的联结方式。按照法律文化结构在法律文化生活中是否占主导地位，可将其分为主流法律文化结构和亚法律文化结构。在我国的法律文化生活中占主导地位的法律观念和理论是马克思主义法律理论和学说，与此相适应的是社会主义性质的法律制度。这是我国目前主流法律文化结构。但在我国还存在着封建主义和资本主义法律观念、思想和学说，而且还不同程度地渗透于现实的法律制度之中，构成亚法律文化结构。在现实的法律文化生活中主流结构和亚结构很难像在思维抽象中那样在二者之间划出泾渭

---

[1] 参见〔瑞士〕皮亚杰：《结构主义》，商务印书馆1986年版，第3~11页。

分明的界线，而往往是渗透纠结在一起的。具体研究二者的关系，对理论和实践都有重要意义。还可按照法律文化结构深浅等级，将法律文化分为表层结构、中层结构和深层结构。表层法律文化结构一般是由法律主体有意识地自觉地建立起来的，如我国行政诉讼法中的规范、制度、概念、原则等。深层法律文化结构往往是由长期的历史和文化传统积淀下来的，处在制度背后的法律文化，它是无意识的、潜隐型的，它在现实中顽强地起着作用，但人却对其习而不察，所谓百姓日用而不知是也。如深藏于我国社会成员心中的"权力崇拜""国家崇拜""官本位"等深层政治文化心态正是行政法律表层结构中的深层结构。这个深层结构同表层结构所包含的内容常常处于严重的冲突之中。对法律文化不同层次结构及其关系的研究，并对其进行自觉改造，无疑是法律文化现代化的重要途径之一。

法律文化结构有着多种不同的类型，但最重要的一个类型是由法律文化的三大要素，即法律观念、法律制度和法律主体组织结合而成的一般结构。

从系统论的观点看，法律文化也是一个特殊的系统，因而法律文化内部各子系统的联结方式亦须遵循系统论的"功能耦合原则"。系统论认为，当不同的子系统的功能和条件（输入和输出）能完全耦合起来时，这些子系统就能组成一个稳定的大系统。比如有两个子系统 A 和 B，当 A 的功能恰恰等于 B 所需要的条件，而 B 的功能又与 A 所需要的条件相符，这时，A 的条件为 B 的功能所提供，B 的条件为 A 的功能所提供，两个子系统就能在相互调节中保持各自的稳定，组成一个不可分割的大组织。无疑，三个或多个子系统组成的大组织也应是这样。也就是说，只有各个子系统的功能和条件能够形成一个耦合网时，小组织才能形成一个大组织。这就是所谓"功能耦合原则"[1]。法律文化内部各子系统要形成一个有机关联的功能耦合关系，法律文化才能有序稳定的发展和运行。在法律文化内部，法律观念的功能输出必须构成法律制度存在和发展所需要的条件；法律制度的功能输出亦须构成法律主体存在和发展的条件。这个互联循环倒过来也一样，即法律主体的功能输出须构成法律制度存在和发展的条件；法律制度的功能输出构成法律观念存在和发展的条件。

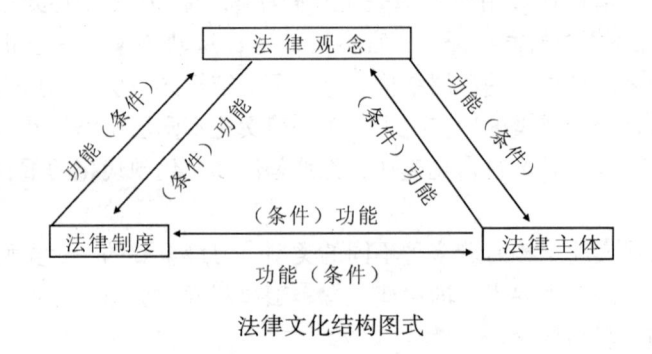

法律文化结构图式

二、法律文化要素之功能结构

（一）法律观念和法律制度之功能耦合结构

法律观念和法律制度作为法律文化整体的子系统和构项，二者在输出功能和存在条件上应是互依耦合结构，倘若它们之间的输出功能和所需条件不能耦合和适应，法律文化整体就会出现紧张、混乱，就会出现法律文化结构和功能的失调现象。

首先，法律观念的输出功能必须满足法律制度产生、存在和发展的需要，即构成法律制度存在和发展的条件。

---

[1] 金观涛、唐若昕：《西方社会结构的演变》，四川人民出版社1985年版，第65页。

法律文化一般运动形式是：社会生产力和生产关系、经济基础和上层建筑的矛盾运动产生出人的需要和权利要求，需要被人、主要通过法学家和立法者们提升为法律观念和理论。占统治地位的法律观念和理论经过国家权力机关的选择、修正、加工制作形成法律规范、法律制度以及与此相适应的法律设施。这一运动过程表明，法律观念是先于法律制度而形成的，后者是依据前者，在前者的指导下建立起来的，因而前者是后者建立的前提条件。

法律观念指导法律制度的建立，保障法律制度的有效运行是通过功能输出的方式进行的。法律观念所输出的功能成为法律制度产生、存在和发展的条件。具体来说，法律观念的功能表现在五个方面，即制造舆论、提供指导思想、作合理性论证、培养公民的守法意识、建立法律批判理性。

为新的法律制度和法律规范的产生和出台制造舆论历来为人所重视。战国时代伟大的变法者商鞅在变法之前有"徒木赏金"之举，其目的是要造成一种舆论，使"妇人婴儿皆言商君之法"[1]。让人们知道国家颁布的法律不是一纸空文，而是要切实力行的；让人们知道，法令一旦公布对任何人都要一律平等，让人们都知道什么行为是法律许可的，什么行为是法律禁止的，即"万民皆知所避就，避祸就福，而皆以自治也"[2]。商鞅特别重视舆论作用同他对法的认识不无关系。他认为造成国家混乱的原因不是法本身的问题，而是没有找到使法得以实行的方法。他说："国之乱也，非其法乱也"，而是因为"无使法必行之法"。因而他强调法的"均布"问题。他改"法"为"律"，据《说文》之解，"律，均布也。"清末著名法律改革家沈家本在制定新律之前也运用法律观念、法律理论进行舆论准备工作。在法律要由人民争取而得来的情况下，法

---

[1] 《战国策·秦策》。
[2] 《战国策·秦策》。

律观念的舆论作用更加明显。

　　制造舆论的途径主要是通过新的法律观念的形成和广泛传播实现的。一种迥异于旧的法律观念，反映社会发展客观规律和人的主体需要的新的法律观念、理论和学说必然在社会和公众中间产生强大的社会动员和启蒙力量。新的法律观念能够把群众中客观存在的权利要求转化为自觉的有意识的思想动机，这种思想动机可以产生强烈的精神力量，从而催促更为符合时代要求的新型法制的产生。研究舆论问题的学者曾把公众分为两类，即"多数公众"和较少的"警觉公众"。"多数公众"信息闭塞，对关涉自己根本利益的重大问题不注意，不能深刻认识，而"警觉公众"对关系公民根本利益的社会问题、法律问题颇为关注并时时加以研究、思考。在"警觉公众"中还有人数更少的"信息灵通公众"，这些人既有洞察力又有丰富的知识。他们能够把社会中蕴含的新的发展要求反映到思想理论中来，形成有影响的舆论力量。这批人也就是历史唯物主义所说的杰出人物。这正像普列汉诺夫所说："如果我们知道社会关系因生产的社会经济过程中发生某种变化而朝着什么方向变更，我也就会知道社会心理将朝着什么方向变更；因此我就有可能影响这种心理了。影响社会心理，也就是影响历史事变。"[1] 在众多的公众中那些关注实践问题的思想家、法学理论家和实践工作者可说是"信息灵通公众"。这些"警觉公众"专门关注社会生活实践中的政治法律问题，能够及时敏锐地把社会主体普遍的权利要求反映到人的自觉意识中来，因而新的法律观念、法律认识、法律理想首先由他们提出来。他们通过新的法律文化观念的创造反映和代表社会主体要求，充当舆论之源的角色。

　　法律观念的另一个重要功能是为法律制度的建立和有效运行提供指导思想。法律制度和规范的根本内容是一定社会的经济和政治

---

[1]〔俄〕普列汉诺夫：《论个人在历史上的作用问题》，三联书店1961年版，第39页。

关系、利益和要求。但这些经济、政治利益和要求的本质，由于深藏于社会生活现象背后而不能通过经验直观获得，而必须经过理论化、系统化的政治法律思想和理论方能得以反映和获得。由于这一认识论原由，法律制度和法律规范的创制和建立须得通过法律观念这一中介环节，即必须受法律观念的指导。法律制度要接受法律观念指导体现着法律制度对法律观念的依赖性。在中外法律文化史上，任何一种法律制度的建立都先行地有着相应的法律观念的产生和指导。西方近代资产阶级法律制度的建立首先有一大批著名法律思想家，如洛克、卢梭、孟德斯鸠等人成熟的法律思想的出现。资产阶级法律制度不过是这些思想家理论的对象化和现实中的实现。

　　法律文化观念对法律制度的指导作用是通过法的原则这一中介环节实现的。在纯粹理性观念与感性经验现实之间需要有一个中间桥梁和纽带。康德认为"知性纯粹概念"和感性经验之间并无共同之处，要把这二者结合起来形成知识就得有一个能将二者联系起来的桥梁，这个桥梁就是他所说的"构架"。康德说："很明显，这里必须有某种第三者，一方与范畴相一致，另一方面又与现象相一致，这样才能使前者可能应用于后者。这个中间表象必须是纯粹的，这就是没有任何经验内容，同时它必须一方面是知性的，另一方面是感性的。这样一种表象便是先验构架。"[1] 就是说"构架"是把纯粹知性范畴和感性直观经验结合起来的中介纽带。没有这个中介，知性范畴无法运用到感性经验上去，理性和感性、一般和个别就不能结合起来。一般而言，法律观念属纯粹理论形态，因而它要过渡到感性实践中去还需要一个中间环节，这个中间环节就是法律原则。法的原则相当于康德说的把知性和感性结合起来的"构架"。法律观念首先要具体化为法的原则。法的原则既包含理论尺

---

[1] 康德：《纯粹理性批判》，转引自李泽厚：《批判哲学的批判》，人民出版社1984年版，第129页。

度,又包含具体实践尺度;既包含真理尺度,又包含价值尺度;既包含客体尺度,又包含主体尺度。它相当于一张施工蓝图。法的原则包含法的创制原则、法的适用原则,法的体系原则以及法的部门原则。

从动态的角度看,法律文化观念的指导作用全面地表现于法律创制、法律规范体系、适用和守法活动、形成一定的法律秩序、法律信息反馈等法律调整机制的各个阶段和环节之中。法的创造过程实际上是把法的观念转化为法的原则,再把这些观念具体化为法律规范的过程。作为法律调整过程的法的适用和守法更要以法律观念和法律原则为理论依据和指导。法律制度无非是法律调整机制中的内在关系的固定化和形式化,因而法律观念和原则毫无疑问地成为法律制度的指导思想和原则。有什么样的法律观念和法律原则就有什么样的法律制度。

法律观念的第三个功能,是对法律制度和规范作合理性论证。美国法学家马丁·P·戈尔丁指出:"法律设置了以某种方式行为或不行为的义务。那么我们应当如何理解法律义务——它仅仅是个强力问题吗?……是否存在和在什么条件下存在守法的道德义务,到底能否证明不守法的正当性。然而或许更根本的还是要先证明不守法的不正当性。一个社会为什么有法律?"[1] 他认为这是法律理论要解决的最重要的问题。这些问题其实都同法律制度、法律规范的合理性相关。的确法律制度和规范的存在和起作用不仅仅是个强力问题或意志问题,更重要的是法律本身是否具有正当性和合理性的问题。如果不能证明法律本身的合理性、正当性,那么法律就没有存在的理由和根据,就不能确定法究竟是良法还是恶法,从而社会成员也就难自觉自愿地信守法律规范。这个问题的解决虽然不只涉及法律认识、法律理论,但法律认识、法律理论、法律评价在解

---

[1] 〔美〕M·P·戈尔丁:《法律哲学》,三联书店1987年版,第3~4页。

决这个问题中无疑起着重要作用。

严格说来，法律理论、法律哲学的产生及其勃兴正是从上述一些问题的出现开始的。在法律产生的初期或特定时期里，人们并不过问他们所遵守的法律的正当性和合理性问题，但是随着社会利益的日益分化和冲突，以及人们智力水平的提高，人们开始思考法律的合理性问题了。在这种情况下法律理论、法律哲学遂迅速形成。对此德国哲学家文德尔班说，古代希腊在智者派出现以前，"朴素的意识服从命令，不问命令从何而来，不问命令是否正当。法律存在，摆在那儿，有道德的法律也有法庭的法律；它们既经存在也就永远存在，个人只能服从。在智者学派以前，无一人曾想到过检验一下法律，问一问法律自称的合法究竟基于什么。"[1] 希腊启蒙运动的兴起使这种不过问法律存在合理性的状况得以改观。促使此事的动力来自社会生活的经验。宪法经常性的突变足以逐渐削弱法律的权威。这种突然改变不仅抹掉了个别法律无条件的、无庸置疑的有效性的神光，而且特别使民主共和国的公民们在协商和表决时习惯于思考和判断法律的根据和合理性。在这样的情况下，哲学家、思想家们才把自己的形而上学理论的基本概念同法律问题联系起来，才出现真正的法律哲学思想，法律哲学、法律理论产生的实际情形表明，它的产生与法的合理性危机问题密切相关，因而它的使命也就是解决法的这个根本理论和价值论问题。

我们认为，法律规范、法律制度的合理性和正当性应建立在以下两个条件及其有机结合的基础之上。其一，是视其是否能满足人的主体需要、权利、尊严、自由，即主体尺度或人的尺度。其二，是看其能否符合社会历史和时代发展的客观规律、必然趋势，即客体尺度或物的尺度、历史尺度。这两种尺度即人的尺度和历史尺度应当有机地结合起来。单纯考虑法律规范和制度的合规律性，有可

---

[1]〔德〕文德尔班：《哲学史教程》上卷，商务印书馆 1987 年版，第 103 页。

能压抑主体、人，陷入"见物不见人"的唯客体主义。相反，单纯看到法同人的主体尺度、人的尊严、人的权利的联系则可能有违社会历史发展的客观规律，陷入抽象的人性论。这两种倾向在中西方法律史上都出现过，应注意不要陷入这种形而上学倾向。一般而言，对这两个条件和尺度的观念把握，前者需要通过法律认识来实现，后者需要通过法律评价来实现。法律认识作为认识论范畴，是不加主观偏见好恶迎拒地对法律本质的客观如实把握；而法律评价作为价值论范畴，则要求从人的主体需要出发去把握法律现象。它们所得的观念结果是不同的。法律认识和法律评价都是法律文化观念。法律文化观念只有正确合理地反映和把握了法同这两大条件和尺度及其关系的复杂联系才可能起到为法律制度和规范作合理性论证的功能。

法律观念的第四个功能是培养全体公民的守法意识。早在古希腊，亚里士多德就指出："法律所以能见效，全靠民众的服从，而遵守法律的习性需要长期的培养。"[1] 法律规范要求在法律实施、法律适用中最终转化为法律秩序，当然需要许多条件，而法律主体的主观条件，主体素质是其中的一个重要因素。而主观条件中的重要一项就是要求国家工作人员、执法人员、司法人员和全体公民具有良好的法的适用和守法意识。一般来说公民的守法意识的培养和形成由多种因素决定，但法律文化观念的宣传和灌输是其中的一个不可忽视的因素。公民法律意识的养成首先要重视法律实践，同时要重视法律文化观念的传播和教育。这要求同时加强两方面的工作，一方面向全社会宣传和普及法律知识，转变全体社会成员的法律认识、法律情感、法律态度和法律价值观念；另一方面通过专门教育机构，培养大量的具有专门法律知识的新型社会群体。守法意识要求社会成员和公民养成用法律手段解决问题、认识问题的习

---

[1] 亚里士多德：《政治学》，商务印书馆1985年版，第81页。

惯，在应该用法律认识和解决问题的范围里不要用道德方法、情感原则来对待和解决问题。如果在一个社会中大多数人都习惯于用道德原则和情感原则来对待和处理各种社会关系，那么法律制度就很难正常运转了。在《秋菊打官司》这部电影中，秋菊所告的是村长，而当她听说被告是公安局长时，她就拒不出庭了。其原因是她习惯于用道德原则，即好人坏人、善和恶这样的原则认识法律问题，在她看来被告都是坏人、恶人，而公安局长不是坏人、恶人，所以她不愿出庭。这就影响了法律制度的正常运行。后来律师告诉她法律上的被告不一定都是坏人、恶人，在民法、民事诉讼法中原告被告的地位都是平等的，她有了这样的法律观念才决定出庭。可见法律观念制约和影响着人的行为，影响着法律制度的运行。

法律观念的第五个功能是对制度的批判功能。任何具体的法律制度都不可能是没有缺陷的完美无缺的法律制度。制度有固定性而生活实践是变化不居的，社会主体对制度的要求也是变化的，制度自身需要不断地适应社会发展和需要不断趋向完善。法律制度的这一特点和动态性决定了法律观念必须对法律制度保持经常的批判，即经常地审视、评价、反省、思考法律制度，指出法律制度的不足和需要改进的地方。这就是法律观念对法律制度的批判功能。

法律观念对法律制度的批判、对法的发展完善、对社会主体权利的保障是十分必要和重要的。英国法学家边沁指出："一种制度如果不受到批判，就无法得到改进；任何东西如果永远不去找出毛病，那就永远无法改正；如果我们作出一个决定，对任何东西都不问好歹地一味赞成，而不加任何指责；这种决定实行到将来，就会有效地妨碍一切增进幸福的希望。"[1] 以法律文化观念为标准对现实的法律制度进行批判不是边沁一人的个别看法，它其实是西方法的发展史上的一个传统。这种批判态度和精神是同西方文化和哲学

---

[1] 转引自张学仁等：《西方法律思想史资料选编》，北京大学出版社1983年版，第480页。

的二元性传统相一致的。西方哲学从柏拉图开始就把世界划分为两个世界，即圆满的理想的理念世界和存在种种缺陷和不足的感性现实世界。这种两个世界的划分一直影响到后来两千多年西方哲学和全部文化的发展。在中世纪有"上帝之城"和"人间之城"的划分，在康德哲学中有本体界和现象界的划分。不同于现实感性世界的理念世界是理想的圆满的价值世界，犹如一面高悬的明镜照射着现实世界，不断地比照出现实世界的种种缺陷，并催促人们去加以改进。这个文化传统也影响到法的领域，表现在西方法的发展史上自然法理论传统的长期存在。自然法追求法律的超验的永恒价值，如自由、理性、正义、公正、平等等基本价值。自然法把这些价值作为衡量现实法律的准绳，以此来批判审视一切现实中存在的法律制度。自然法对现实法的这种批判作用的发挥从古希腊一直延续到现代。在19世纪自然法受到历史法学派、分析法学派和实证法学派的批评，但到了19世纪末20世纪初自然法又活跃起来，它的批评功能、价值范导功能重新被人们所认识。西方法律制度的发达和繁荣是与自然法的批判功能的发挥分不开的。中国传统法律理论是以解释现实法律为特征的，它没有西方法律观念中这种批判功能，这是中国传统法理论的巨大缺陷，在法制现代化的过程中必须克服这种理论依附现实法律的无批判态度。

法律观念对法律制度之所以具有批判功能，一方面是由于现实的法律制度总是不完备的，另一方面是因为法律观念是科学尺度和价值尺度的统一。科学尺度体现着社会历史和法律发展的规律，因而现行法律有悖于历史规律、历史进步和法律发展趋势的地方，法律观念就可以此为尺度去予以矫治。价值尺度体现着主体的法律理想，当现实的法律违背主体的法律理想时可以此为尺度予以批判扬弃。其中法律观念的价值尺度是它之所以能够成为批判衡准的基本根据。

其次，法律制度的输出功能必须满足法律观念产生、存在和发展的需要，即构成法律观念存在的条件。

1. 法律制度是法律观念产生的直接前提。法律观念从根本上说是对经济事实的反映。但是新的法律观念在形成时首先碰到的是它同现行法律体系和法律制度的关系。法学家们在新的经济要求基础上认识处理新的法律观念同旧法的关系，在此过程中产生出新的法律体系。对此恩格斯论述道："国家一旦成了对社会的独立力量，马上就产生了新的意识形态。这就是说，在职业政治家那里，在公法理论家和私法理论家那里，同经济事实的联系就完全消失了。因为经济事实要取得法律上的承认，必须在每一个别场合采取法律动机的形式，而且因为在这里，不言而喻地要考虑到现行的整个体系，所以，现在法律形式就是一切，而经济内容一切也不是。"[1] 经济利益要求的认可直接遇到的阻碍是"现行的整个法律体系"，即法律制度。因而代表这种经济利益要求的法学家们，必须把思维的锋芒直接指向现行的法律体系和法律制度。法律思想家们通过对现行法律体系的批判、审视、分析、评价、克服、保留而形成新的法律观念、法律理论学说。新的法律观念不可能凭空产生，它要批判地利用现行的法律思想资料和概念。法律文化观念是在对旧的法律体系的批判继承中发展的。法律文化史上的法律理论的形成都是在直接批判和反思"现行法律体系"的过程中实现的。

法律文化观念的发展是一个"双律性"的结构模式：就其是对社会经济关系的反映看，它受"他律性"支配，就其是对法律体系和制度的反映看，又受"自律性"支配。法律观念发生的他律性存在于自律性之中。恩格斯认为，经济发展对法律观念的最终支配作用是无疑的，但是这种支配作用是发生在法律领域本身所限定的那些条件范围内的。经济在这里并不创造任何新东西，它只决定人们对现有法律资料进行改变的方向，决定着人们的价值观念体

---

[1]《马克思恩格斯选集》第4卷，第249页。

系。法学家们根据这种价值取向对现行的法律资料进行取舍、改造和创新。在此过程中产生出自己的法律思想学说。[1]

新的法律制度产生之后它的存在和运行也会产生和形成人们的法律观念。法律制度一旦产生就成为一种实际存在着的法律现象并且对人的行动产生影响，因而它成为人们认识和评价的对象。人们按照社会发展的要求和自身的利益会对法律制度作出认识和评价，形成新的法律观念。法律制度的运行及其结果也会对人们认识、价值判断产生影响，促使人们对它形成不同的看法。如执法不严、有法不依，人们就会对法律的权威性和严肃性发生怀疑，产生不信任的法律情感和法律评价。

2. 法律制度是法律观念存在和发展的客观现实保证。法律制度和规范是法律观念的凝固化、现实化。某种法律制度的建立，意味着对其相应的法律观念的肯定性选择和对象化，从而这种法律观念或理论学说才能在特定社会和法律文化中获得主导性地位并发挥其作用，否则这种法律理论就难以继续存在。从内容上看，法律制度是对法律观念所表达的社会内在联系、特定社会利益、法律价值理想的客观化、对象化。法律制度都是实现由法律观念所反映的某种价值、某种理想的。雷加森斯·西克斯认为，法律本身并不是一个纯粹的价值，而是用来实现某些价值的规范体系。而价值在他看来主要是一种理想。他认为价值是理想的对象，并不存在于空间和时间中，因而也就不具有客观的、经验的效力。价值，诸如真实、善良、美丽、正义和安全等等，都属于理想的范围。[2] 他对价值的看法我们并不能完全赞同，但他看到了法律、法律制度的作用是法律价值观念的实现和落实。

有一定的法律文化观念才会有相应的法律制度。法律文化史和

---

[1] 参见恩格斯1890年10月27日给康·施米特的信。
[2] 参见〔美〕E·博登海默：《法理学——法哲学及其方法》，华夏出版社1987年版，第196页。

现实法律体系中某种法律制度和规范的有无及其原因，应该到特定时期和国家的法律文化价值观念中去寻找。譬如，西方法律文化中何以有陪审制度，而中国古代法律文化中则付诸阙如，原因在于中西方法律文化价值观念的不同。西方法律文化价值观认为法律制度的目的是保护个人权利，而陪审制度的"目的是要使公民受到最公正和最无私的审判，保证他们的权利不受法院专制作风的打击"[1]。可见这种法律制度是对法律文化中权利观念的体现和保证。同时若没有这种法律制度，保护个人权利的法律文化观念也就难以对象化或荡然无存了。法律价值观念还直接被宣布为法律规范，使之成为不可侵犯和变更的法律禁令，受到法律制度的保护。清朝末年统治者在颁布修律的上谕中宣称：礼教纲常乃"数千年相传之国粹，立国之大本"，"凡我旧律义关伦常诸条，不可率行变革，庶以维天理民彝不敝。"严令修律大臣必"本此意，以为修改宗旨"[2]。总之，法律观念不能离开法律制度，否则它就不能对象化、物态化为现实的力量，就不能继续存在。

法律制度在法律实践中使法律观念和理论得到事实检验、修正、充实和丰富，使法律观念得到发展。这是法律制度作用于法律观念的又一种形式。只停留在观念领域的法律理论在根本上是难以检验它的是非正误的，只有将法律观念现实化为具体法律制度，并通过这种制度在实践中的动作及其结果才能检验和发展法律理论。法律制度的实践情形也制约着法律观念的变革。一旦社会经济和政治发展到既有法律制度无法容纳的地步，与这种制度相适应的法律理论、法律观念就会趋于式微和衰落，新的法律观念会代之而起，导致法律观念的历史变迁。我国当前市场经济正在扬弃计划经济而成为经济发展的主导形式，因而过去的法律制度难以容纳市场经济

---

[1]〔法〕罗伯斯比尔：《革命法制和审判》，转引自：《西方法律思想史资料选编》，北京大学出版社1983年版，第338页。
[2] 转引自张晋藩主编：《中国法制史》，群众出版社1982年版，第347页。

的发展要求，需要建立新的法律制度，相应地法律观念、理论也必然发生变迁。

(二) 法律观念和法律主体的功能耦合结构

在法律文化结构系统中，法律观念和法律主体二构项之间亦应保持一种耦合状态，就是说二者的功能必须各自构成对方存在和发展的条件，这样才能形成稳定发展的法律结构体系，否则就会出现一个社会的法律结构系统失调、紊乱现象。

首先，法律主体的功能输出应满足法律观念产生、存在和发展的条件。

1. 法律主体对法律观念的产生起着关键作用。如所周知，社会生活中普遍存在的权利要求是通过法律主体这一中介环节反映为法律价值观念和理论的。在这里法律主体是法律文化和社会之间的中介。没有这个中介，社会要求无法上升为法律观念，即法律观念无从产生和形成。因此，法律主体状况、素质如何直接制约和影响着法律观念能否产生、产生快慢以及产生怎样的法律观念。法律主体对法律观念的作用为历史上许多思想家所重视。19世纪法国唯物主义哲学家爱尔维修认为，法律决定一切，那么法律又取决于什么呢？完善或不完善的法律从何而来呢？爱尔维修说，法律的完善和不完善完全取决于立法者。立法者的愚蠢和无知造成不完善的法律，立法者的英明与理智造成完善的法律。他说："必须有天才，才能用好法律代替坏法律，也必须有勇气，才能使人们接受好法律。"[1] 卢梭亦有类似思想。如果撇开他们思想中的天才论因素，他们确乎发现了法律主体对法和法律观念的发生及其性质的重要作用。这是值得肯定的。反映时代要求和人的发展要求的法律认识、法律价值观的确需要有具备优异素质的人来创造。这样的法律主体

---

[1]《十八世纪法国哲学》，第480页。

要有独立的人格、勇敢的精神、热爱自由追求真理的本性，他能"直扑真理，而不要东张西望"[1]。有很强的理论思维能力和广博深厚的知识素养。这样的人才能认识和体悟到时代的脉搏，把人们的价值追求反映为法律观念、法律理论。社会中现实存在的各种权利要求通过法律主体提升为法律观念，成为建立新的法律制度的思想准备，而法律主体是处于一定历史条件下的社会的具体的人。因而法律主体的群体利益、阶级利益、个人利益、他的文化和知识素养、人格风范等都会影响法律观念的产生和性质。由于这些因素的作用，法律主体可能对社会现实中普遍存在的权利要求或异常敏感，而及时发现和反映，或熟视无睹、麻木不仁，或仅关注对本阶级和集团有利的部分权利要求。所有这些都对法律观念的产生和性质发生不同的影响。因而法律主体在法律观念的产生中有重要作用。法律主体能输出怎样的信息和资源就会产生怎样的法律观念。

2. 法律主体对法律观念的普及和传播具有重要作用。法律观念，特别是其中由法学家所创造的法学理论、法学知识要在社会成员中普及，域外的法律观念吸收到本国来要在本国民众中传播。法律观念能否迅速有效地进行受制于法律主体的具体性格。文化传播学认为，文化观念的传播要受到接受主体的强烈作用。我国自清末法律改革以来有许多法律观念是从西方传播而来的，但这些法律观念要由中国人这一主体来接受，这样的社会主体是特定历史传统和社会的产物，因而他们在接受西方法律观念时表现出很大的不适应。费孝通讲了这样一件事："有一位兼司法官的县长曾和我谈到过很多这样的例子。有个人因妻子偷了汉子打伤了奸夫。在乡间是理直气壮的，但是合奸没有罪，何况又没证据，殴伤却有罪。那位县长问我：他怎么判好呢？他更明白，如果是善良的乡下人，自己知道做了坏事决不会到衙门里来的。这些凭借一点法律知识的败

---

[1]《马克思恩格斯全集》第1卷，第6页。

类，却会在乡间为非作恶起来。"这位殴伤人的男子难以接受合奸无罪和因其妻合奸打伤人有罪这种来自西方的法律观念。因而这种西方的法律观念在中国的传播遇到了很大阻力。因此，费孝通说："法治秩序的建立不能单靠制定若干法律条文和设立若干法庭，重要的还得看人民怎样去应用这些设备。"[1] 特定法律主体不是抽象的存在，他们是传统的存在、文化的存在、历史的存在、社会的存在，质言之，他们受着传统、文化、历史、社会因素的规定和制约，他们的头脑不是像洛克所说的那样是一块白板，而是涂着各种颜色的。任何外来的观念颜色都要和这些已有的颜色发生混合，使新来的颜色难以原本地保持自己的颜色。由此可见，法律主体对法律观念的接受和传播及期限效果起着十分重要的作用。他们或者阻碍新的法律观念，或者促进新的法律观念，或者使新的法律观念发生变形。因此，只有造就成千上万的合格的新的法律主体才能保证新的法律观念普及、传播和发展。我们认为影响法律主体对法律观念的态度的因素是多种多样的，除了经济利益因素外，还有既有文化价值观念、思维方式、情感方式、行为方式等因素。他们由于长期生活在既有的文化模式中，感到按照传统的、习俗性的方式去生活去行为非常自如，至于为什么这样行为他们却不能自觉地说出什么理由。他们的行为受着文化无意识的影响和支配，这种文化无意识就像他们呼吸空气一样是那么自然自如。要让新的法律文化观念得以接受和传播，就要注意改变上述因素，以便使法律主体得以更新。从此角度看，中国近代以来，倾心于国民性更新的启蒙思想家的文化努力是极为可贵的。今天我们仍然面临着更新国民性的重大问题，面临着文化启蒙的问题。这一文化根本问题不解决，法律文化现代化的使命是难以完成的。

其次，法律观念的功能输出亦须构成法律主体产生、存在和发

---

[1] 费孝通：《乡土中国》，三联书店1985年版，第58~59页。

展的条件。从根本上看,新型法律主体诚然是经济事实的产物,但正像无产阶级在缺乏先进理论武装时只能是自在的一样,法律主体在没有先进的体现时代发展要求的法律学说灌输时,同样难以成为合格的法律主体。作为立法者的法律主体如果缺乏先进的法律意识就难以创制出良好的法律,作为适用法律的司法人员如果缺乏准确的法律知识就不会很好地适用法律,作为公民的法律主体如果缺乏法律知识就不会自觉地维护自己的合法权利,就不能守法。从某种意义上说,法律主体的法律观念、法律认识、法律价值观念等直接就是法律主体性质的一种规定。

1. 法律观念影响和制约着一定法律主体的生成。社会生活中新的法律主体的生成标志固然有着行为和实践方面的表现,但社会主体新的法律观念的有无同样构成新的法律主体是否生成的重要标志。如果说社会主体的法律认识、法律价值观念、法律情感以及法律态度仍是原来旧有的形态,那就很难说他们已经成为新的法律主体了。新的法律观念没有在社会成员中普及,没有成为社会成员的内在素质规定,就意味着新的法律主体尚未真正形成。据统计,从1970年至上世纪末,全国人大及其常委会制定了280多部法律,国务院制定了700多部行政法规,有立法权的地方人大及其常委会制定了4000多部地方性法规。但根据有关调查的推算,我国已颁布的法律和法规真正在社会生活中发挥实效的不足50%,公民对法律的认知程度只达到法律制定总数的5%,即使那些广为人知,且在社会生活中发挥实效的法律法规,其效力也大打折扣。[1]造成这种状况的原因之一是在我国适应现代法治的法律主体还没有完全生成,而法律主体未完全生成的原因之一则在于新的法律观念、法律意识尚未转化成他们的内在素质。由此可见,法律观念制约着法律主体的生成,法律观念负有塑造相应的法律主体的功能和

---

[1] 参见蒋先福:《法治的文化伦理基础》,《法律科学》1997年第6期。

使命。

2. 法律观念制约着法律主体的性质。法律主体在历史和现实中有着互有区别的形态和性质。如从社会学上看，有资本主义性质的法律主体和社会主义性质的法律主体；从文化学上看，有传统型的法律主体和现代型的法律主体。规定这些不同性质法律主体的因素是什么呢？从根本制约因素看是他们所处的经济和政治地位。就是说在不同的经济关系中有不同的法律主体。但是法律观念对于法律主体的性质也有十分重要的影响。马克思和恩格斯从他们的经济地位看，他们都不属于工人阶级，但由于他们对法的本质和价值的认识和了解体现了无产阶级的利益和要求，因而他们成为无产阶级的法律主体。现代型法律主体和传统型法律主体的区别的一个标志就是人所拥有的不同法律观念。如果一个人拥有了现代法律观念，且这种观念已内化为他的基本精神素质，那么就可以说他是一个现代型的法律主体了。相反，一个人即或生活在当代，但由于他并非接受现代法律观念，那么他就仍然是传统的法律主体。理性、精神毕竟是人的一个重要规定，因而拥有何种性质的观念，人也就为什么样的人。当然这种观念的形成是同经济有关的。

3. 法律观念制约着法律主体的活动及其效果。作为法律主体的立法者有怎样的法律认识、法律价值观念、法律理想就会制定出怎样的法律；作为法律主体的司法者有怎样的法律观念就会有怎样的执法活动和结果；作为守法者的法律主体有怎样的法律观念就会出现怎样的守法行为。因而法律观念对法律主体的立法、执法、守法活动都有极为重要的作用。这在法律运行、法律实践中都有十分清晰的表现。

（三）法律主体与法律制度之功能耦合结构

在法律文化结构中，法律主体和法律制度各自的功能输出亦应构成对方存在和发展的条件。

首先，法律制度的功能输出要能构成法律主体存在、发展和完善的条件。

1. 法律制度的功能输出影响和制约着法律主体行为的性质。从一般意义上看人的行为的性质既受内在意志、内在自我的制约，同时也受外在规范、制度的制约，人的行为既是自律的又是他律的。依照康德的观点，人同时存在于本体和现象两个世界之中。在这两个世界中自律和他律的地位并不相同。在本体世界或道德领域中，自律的地位更重要。在此人的行为主要决定于同自己内在良心相联的绝对命令。而在现象世界里，或政治、法律、经济领域中，他律地位更重要。在此人的行为必须受外在形式化的规范、制度的制约。康德的见解是极其深刻、正确的。人在经济、政治、法律领域中，都是物质、政治利益的追求者，他们都从自己个人的利益出发从事活动，他们都要求个人自己权利的实现，要求保护自己的自由权利，因此在这里依靠道德性的自律难以调整人们的关系，必须用他律性的规范、制度、法律。

关于制度对人的行为性质的制约作用，邓小平曾讲过一段饱含历史经验和智慧的话："我们过去发生的各种错误，固然与某些领导人的思想、作风有关，但是组织制度、工作制度方面的问题更重要。这些方面的制度好可以使坏人无法任意横行，制度不好可以使好人无法充分做好事，甚至会走向反面。……不是说个人没有责任，而是说领导制度、组织制度问题更带有根本性、全局性、稳定性和长期性。"[1] "做好事"、"任意横行"，这都讲的是人的行为的性质，在邓小平同志看来这主要是由制度的好坏决定的。邓小平同志是从一般意义上论述制度和主体行为的关系的。我们认为这也适合于法律制度和法律主体的关系。法律制度好不好也会影响法律主体行为的好坏。法律制度的好坏从价值论上看主要是指它所体现

---

[1]《邓小平文选》第2卷，第333页。

的价值取向，是保护少数特权者的利益呢，还是保护全体公民个体的合法权利；从法律程序上看主要是有无程序公正及其程度；从法律技术上看主要表现为各种法律制度之间是否协调一致，是否具有统一性。保护公民个人权利，具有程序公正、体系统一的法律制度会导致法律主体的行为更符合社会秩序，符合社会良风美俗，符合社会健康发展的需要。这样的法律制度会把个人的潜能、本质力量导向对个人和群体、社会整体有利的轨道之上，亦即产生好的主体行为。立法者在立法方面的行为好坏，执法者在执法方面的行为好坏，守法者在守法方面的行为好坏，固然同他们的内在主体素质有很大关系，但法律制度的好坏、是否完备的确对他们的行为性质有强烈的影响作用。我国现在在执法者和守法者中间严重存在着有法不依、执法不严、违法不究的行为现象，其中原因虽多种多样，但从法律自身看是由于法律制度还不完善。如在法律监督制度上体制还不健全、监督渠道还不畅通、监督标准还不明确，法律制度自身还缺乏独立性、至上性和权威性等等。这种不完备的法律制度必然造成法律主体行为的变形。因此我们应努力健全法律制度，使其功能输出能够成为法律主体形成好的法律行为的条件。

2. 法律制度的功能输出影响和制约着法律主体行为的合理性。现代社会结构和传统社会结构相比要复杂得多，因而在现代社会中人的行为特征必然是一种合理性的行为。否则他就难以在现代社会中生存。譬如在经济活动中人们要严格地计算投入和产出的比例，要讲求效率，要准确地预测自己的行为和行为未来结果之间的稳定联系。主体行为的这种合理性特征形成的条件是法律制度。正如有论者所说："高度复杂的现代社会生活，对于社会主体行为的合理性也提出了更高的要求。在经济生活中，这种合理化的实现必然表现为非人格化的法律统治，而现代政治中的民主要求最终也不能不以法治为鹄的。"[1] 法律制度的功能输出必须满足法律主体行为的合理性要求，或说必须保证法律主体行为的合理性。法律制度要做到这一点就必须使自己非人格化、形式化、理性化。法律制度的形式化、理性化特征保证着现代社会生活中法律主体的行为合理性。譬如严格依法律条文、法律规范处理法律问题才能保证人们能够根据法律知识预测自己的行为结果。如果相反，依照法律之外的意志、情感、权利、道德这些非理性、非形式化的力量来处理法律问题，那人们就很难准确预测自己的行为后果了，这样人就会变得无所适从或者作出非理性的行为。因此，法律制度必须理性化、形式化，这样它所输出的功能才能成为法律主体行为合理性的条件。

其次，法律主体的功能输出亦须成为法律制度产生、存在和发展的条件。

1. 具有特定经济规定的法律主体是现代法律制度产生、存在和发展的主体性前提。现代化法律制度的产生和发展必须要有具有特定经济特征、经济规定的社会主体、法律主体。这样的主体就是市场经济中标准的生产者和经营者。这一主体是一个有着自己独立性的阶层，是一个没有现代法律和自由就无法生产、经营、发展壮大的阶层。只有他们才最为迫切地需要现代化的法律。这个阶层是现代法律的真正的社会载体、社会基础。有学者将这个主体贞认为"独立的实业家阶级"或"市民阶级"。

西方现代法制的产生正是在"市民阶级"这一经济主体和法律主体的有力推动下实现的。中世纪经济社会史家亨利·皮浪认为，市民阶级最不可少的需要就是自由和法律。"如果说自由是市民的第一需要，那么他们还有别的一些需要。传统的法律，程序拘泥而狭隘，仍使用神判法、司法决斗，其法官是从农村居民中选拔出来的，……这种法律不能适应以工商业为生计的人们。需要一种

---

[1] 梁治平：《法律的文化解释》，三联书店1994年版，第304~305页。

更为灵活的法律，一种更迅速、更不依赖偶然性的证明方法。"〔1〕在这个阶级的顽强努力下，11 世纪初产生了商法。12 世纪在意大利、法兰西、德意志、英格兰的诸城市出现了司法自治、司法独立。西方现代法制就是在这一具有独立经济地位的崭新的阶级的推动下逐步的产生出来的。

中国现代法律制度产生的过程同样体现了市民阶级在其中的重大作用，舒城在《清末商人的宪政情怀》一文中认为："近代的立宪运动本质上是商人阶级的民主运动。近代史上，宪政的确立与商人阶级的崛起与确立是密不可分的。从这一点看，商人阶级无疑就是立宪运动的主体与中坚。没有商人阶级的形成、成长、壮大、及政治上的觉醒，也就没有清末的立宪运动。"〔2〕商人阶级或市民阶级之所以需要法律，不懈地追求现代法律，是因为这个阶级是最需要独立性，需要自由和秩序的阶级。没有现代法律制度他们的自由和权利无从得以实现，他们的生产和经营就不能进行下去，亦即他们就不能生存。因而对他们来说追求现代法律是这个阶级内在的、必然的要求。其他阶级是没有这种内在必然性要求的。因此我们说，没有这个阶级的壮大和自觉，现代法律制度是建立不起来的。

在中国，市民阶级、实业家阶级是在 19 世纪 50 年代开始产生和形成的，经过近百年的艰难曲折历程其地位和力量已有了很大增强，成为中国社会现代化的重要主体承担者。但遗憾的是这个阶级在 20 世纪 50 到 70 年代出现了历史性的断层。这样就失去了法制现代化的主体基础。在没有这一主体存在和壮大的情况下我们即便十分积极地引进和移植西方法律制度，制定新的法律制度，但都会因缺乏相应的合格主体而使这些法律制度难以运行和难以收到应有的效果。有位学者在谈到经济制度的时候说："当我们试图采用自

---

〔1〕〔比〕亨利·皮浪：《中世纪欧洲经济社会史》，上海人民出版社 1964 年版，第 47 页。
〔2〕 刘军宁等编：《市场逻辑与国家观念》，三联书店 1995 年版，第 276 页。

上而下的行政手段,把西方社会中只有中产阶级作为载体存在才产生作用的市场经济制度,重新引入中国时,由于中国社会内部缺乏独立的实业家和阶级与这些制度里应外合,因而这些制度就无法在真正意义上建立、成活并发挥整合经济秩序的效益。"[1] 这个看法也是适合法律制度的。没有同现代法律制度有着天然依存性的阶级的壮大,法律制度的确难以建立和发挥积极作用。因此我们的社会应积极培育和扶持作为现代法律制度载体的独立的社会主体的迅速壮大。

2. 法律主体的政治素质、政治理性是影响和制约现代法律制度存在和发展的重要因素。社会主体的经济要求能否反映到他们的政治意识中来,以及反映为何种性质的政治意识,这对现代法律制度的形成不是无关轻重的。中国社会是传统力量极强的社会,有着强烈的涵融性,因而社会中新质因素很容易被旧的东西融化掉。因此,市场经济中形成的市民阶级、实业家阶级会产生怎样的政治意识、政治观念是一个值得注意的问题。如果他们头脑中仍然充塞着中国传统的政治观念,那么现代法律制度的建立也是十分困难的。如果他们会形成较强烈的独立意识、自由意识、权利意识、责任意识、公民意识,那么他们就会成为现代法制产生和发展的真正推动力量。严重的问题在于教育企业家、有产者。

3. 法律主体的知识素质也是影响和制约法律制度的主体性因素。立法者、执法者和守法者的知识水平、知识性质、知识结构对法律制度的有效运行有强烈影响。主体的行为受主体的理性和知识支配,因而他们有什么样的知识会造成不同性质的作用。博登海默认为,法律工作者不能仅仅成为一个法律工匠,而应成为一个具有文化修养和广博知识的人。这样他才能正确地认识理解法律制度,合理准确地运用法律制度。因此一个法律工作者应当懂本国的历

---

[1]《萧功秦集》,黑龙江教育出版社1995年版,第92页。

史、政治理论、经济学、哲学、社会学等法律专业以外的知识。因为他如果对本国历史都很陌生，那么他就不可能理解该国法律制度的演变以及该国法律制度机构对其周围的历史条件的依赖关系。如果他对世界历史和文明的文化贡献不是很了解，那么他在理解可能对法律产生影响的重大国际事件时便会处于不利地位。如果他不太精通一般政治理论、不能洞察政府结构与作用，那么他在领悟和处理宪法和公法等问题时就会遇到障碍。如果他未接受经济学方面的训练，那么他就无法认识到法律问题同经济问题之间的紧密关系，而这种关系在许多法律领域中都存在着。如果他没有受过哲学方面的基础训练，那么他在解决法理学和法学理论的一般问题时就会感到棘手，而这些问题往往会对司法和其他法律程序产生决定性影响。因此，博登海默说："如果一个人只是个法律工匠、只知道审判程序之方法和精通习惯法的专门规则，那么他的确不能成为第一流的法律工作者。布兰代斯（Brandeis）法官说，'一个法律工作者如果不曾研究经济学与社会学，那么他就极容易成为一个社会公敌。'戴维·保罗·布朗（David Paul Brown）是一位生活在19世纪初期的费城律师，据说他这样讲过，'一个只懂法律的人，只是一个十足的傻瓜而已。'"[1] 于此可见，法律主体的知识结构、知识素质、文化修养对于法律制度的认识、理解和运用的重要性。

上面我们既指出了法律制度对于法律主体存在和发展的重要性，同时又强调了法律主体对于法律制度产生和发展的重要性。那么在此就会出现一个问题或说一个两难状态：即要有现代法律制度就先要有现代法律主体，而要有现代法律主体又得先有现代法律制度。怎样解决这个两难问题呢？这个问题其实也不难解决。在现实的社会生活实践中法律主体和法律制度都不是整体地一下子出现的，不是在一夜之间形成了典型的法律制度或法律主体，它们总是

---

[1]〔美〕E·博登海默：《法理学——法哲学及其方法》，华夏出版社1987年版，第491页。

先出现一些端倪、部分，然后在适合的条件下二者相互催动形成整体。因此，这里重要的是：（1）制度和主体必须同步发展，协调前进。（2）要自觉地积极地扶持和培养新生的社会主体、法律主体和新生的法律制度，使它们逐步从幼苗成长成大树。

三、法律文化结构的特征

通过上述对法律文化诸构项在功能上的这种互赖耦合关系的论述，可以看到法律文化结构具有如下特征：

1. 整体性。法律文化结构是由其内部各构项相互联系、相互制约、相互作用而组成的有机体系。各要素之间进行着功能上的循环输送和信息往还。这一内在机制使法律文化形成一个有机整体。在这个有机整体中任何一个要素都不能单独存在和发挥作用。法律文化的整体功能和性质也不由各要素的简单相加所决定，而是由各要素的相互作用、耦合、协调关系所决定，即由结构所决定。只有合理地建立、处理和调节各要素的这种结构性、整体性联系，法律文化的整体功能才能真正发挥出来。法律文化结构的整体性特征对于我们进行法律文化创新和法律移植都有重要启发意义。

2. 稳定性。稳定性有两层意思：一是指在法律存在的社会中法律文化诸要素的上述功能耦合形式保持相对不变性。法律文化的具体内容可以在不同时代有所变化，但这种功能耦合关系却具有超时代的特征。无论是何种性质的社会，法律文化诸要素的功能耦合形式都是一致的。美国法学家K·卢埃林（Llewellyn）指出，任何群体（不仅指一个社会，亦指一个家庭，一批合伙者，甚至一群儿童玩侣）的"法律"，即规范性的社会规范体系，都具有不变的基本功能。[1] 因此，不同类型的法律文化之间，其结构有可通约性，即有共同性一面。这是不同法律文化之间可以相互借鉴和吸收

---

[1]〔英〕罗杰·科特威尔：《法律社会学导论》，华夏出版社1989年版，第89页。

的客观根据。二是指在一定历史时期,法律文化结构的性质具有相对不变性。因为法律文化整体内部某一要素如出现反常和异质现象时,与其相关的要素及其整体就会予以压抑、调整。使其同既有的整体性质相一致。这叫要素的性质由整体决定。例如,当一种异质的法律观念因素产生时,就会同现行的法律制度发生牴牾,于是法律主体就会对其加以克服或修补,恢复其原来状态。

3. 变动性。法律文化结构的稳定性主要体现在超验的一般层次上,就法律结构的特殊经验内容、历史内容看,法律结构所承载的具体历史内容是变动的,法律整体内各要素的地位也是变化的,如传统社会中法律以刑法为主体,而现代社会中法律结构以民法为主体。法律文化结构建立在法律文化生活之上,后者较之前者具有丰富性、流动性,范围更大,它每时每刻都在涌现新的社会现象、法律现象。这些新因素的积累,要求法律结构能容纳和吸收自身。社会生活的这种变化是法律文化结构变化的根本动力。如随着社会经济政治生活的日益复杂化、高效化,国家行政管理活动要求形式化、法律化,要有行政立法以及其他方面的立法,这就会给法律结构体系中增加新的要素,新要素的不断增多就自然引起法律结构的变动。社会生活是变化发展的,社会物质生产、阶级、阶层、集团、利益群体的地位和力量都处于不停息的变动之中,当新的社会现象、法律现象积累到不再能通过旧有法律来解决和调整时,新因素就会突破旧结构,代之以新的法律文化结构。

第九章　法律文化之矛盾探讨

　　法律文化结构反映的是法律文化的一般模式、构成，把握了法律文化结构能够了解法律文化的整体系统。但是要认识法律文化的本质，还要进一步揭示法律文化的根本矛盾。因为事物的本质是由事物的根本矛盾决定的。进一步分析法律文化结构体系，可以看到法律文化系统内部诸要素之间、法律文化与环境之间都存在着矛盾关系，法律文化内外部是纵横交织的矛盾网络。在法律文化内外部的矛盾网络中处于支配地位，贯穿于法律文化发展始终并决定法律文化本质和基本趋势的矛盾就是法律文化的基本矛盾。

　　法律文化作为思想性社会关系，是由物质性社会关系决定的。物质性社会关系是指经济关系，因此法律和经济的矛盾构成法律文化的基本矛盾。这可说是哲学上物质和精神的基本问题或基本矛盾在法律文化中的体现。在此法律属精神，经济属于物质。但是，在研究法律文化矛盾时仅把视野放在法律与经济的矛盾上是不够的。因为法律同经济的矛盾虽然极其重要，但它只是从法与其外部环境或基础上揭示问题的，而法律文化自身或内部的根本矛盾是什么，法律和经济的矛盾尚未回答这一问题。

　　我们认为，法律文化基本矛盾包括这两对矛盾：一是法律和经济的矛盾，二是法律中的个人和社会的矛盾。法律中个人和社会的矛盾表现为法律中的权利和义务的矛盾。权利和义务矛盾的实质是个人和社会的矛盾、个体和整体的矛盾。

一、法律文化的矛盾及其根据

对于法律和经济的矛盾，我国法学界在唯物史观方法的指导下关注和研究很多，但对于法律文化中个人和社会的矛盾、个人权利和社会整体利益之间的矛盾法学理论界似研究不够。但这个问题随着实践的发展愈来愈显得重要，因而在此有必要着重予以探讨。

这里首先要解决的一个问题是个人和社会的矛盾为什么会成为法律文化的基本矛盾，将其作为基本矛盾的根据是什么？

把个人和社会矛盾作为法律文化的基本矛盾，实际上是建立在社会生产关系和法律之间关系这个基础上的。依据唯物史观方法论，法律的本质是对社会生产关系的反映。把生产关系反映在法律中，法的基本矛盾必然是个人和社会的矛盾、权利和义务的矛盾。

这里关键问题在于如何理解生产关系概念。传统历史唯物主义教科书长期以来都把生产关系理解为生产资料所有制关系，这虽然不误，但它只看到了生产关系的一个层面。其实生产关系具有二重结构：除了生产资料所有制关系外，还有个别劳动和社会总劳动的关系。正如有的论者所正确指出的："生产劳动的二重性，形成生产关系的二重结构：（一）人们对个别劳动的占有关系，它包括劳动过程开始之前人们对劳动条件（主体是劳动力，客体是生产资料）的占有关系，劳动过程中人们之间的职能分配关系，以及一个劳动过程结束后的收入分配关系。它发生在某个生产单位内部，其本质是生产者同生产资料的结合方式。我把生产关系的这一方面称为生产关系的微观结构。（二）个别劳动与社会总劳动的关系，或者说诸多个别劳动之间的社会关系。马克思说：'正像单个人必须正确地分配自己的时间，才能以适当比例获得知识或满足对他的活动所提出的各种要求，社会必须合理地分配自己的时间，才能实现符合社会全部需要的生产。'[1] 因此，劳动按比例分配，个别劳动与社会总劳动的这种关系，是劳动的社会物质变换过程，在这个过程中，人们对个别劳动的占有转化为对社会劳动的占有，即劳动具体形态的转化。生产关系在这一方面发生在各个经济单位之间，其实质是个别劳动的社会性形式，我把它称为生产关系的宏观结构。"[2] 就是说，生产关系既包含生产资料的所有制关系，又包括个别劳动和社会总劳动的关系。我们说生产关系是在社会物质生产过程中形成的社会关系或人与人的关系。生产过程在感性直观的层次上，是一个一个具体生产单位内的生产。在这个具体的生产单位内部存在着生产资料的占有关系和人们在生产中的地位这种微观的生产关系。但是这个生产单位生产出来的产品要同其他单位生产出来的产品进行劳动交换，它们的产品都变成了商品。这样就发生了个别劳动同社会总劳动的关系。商品就体现着个别劳动同社会总劳动的关系。商品的使用价值体现着个别劳动，商品的价值体现着社会总劳动。可见，在生产过程中必然形成个别劳动与社会总劳动之间的关系，生产关系必须包含这一关系。这种关系也就是马克思经常所说的交往关系。马克思认为交往关系就是生产关系。我们平常所说的原始社会、奴隶社会、封建社会、资本主义社会的划分主要是从生产关系的微观结构出发所得到的结果。但马克思也把社会历史发展划分为自然经济、商品经济和时间经济三大形态，这种划分不是从生产关系的微观结构而是从生产关系的宏观结构上进行的。在任何一个社会形态的经济形态中，生产关系都表现为上述两个层面。在自然经济社会中既存在着生产资料的所有者、剥削者和被剥削者之间在关系，即生产关系的微观结构，又存在着所有者之间、剥削者之间及独立生产者之间的交往关系，即生产关系宏观结构。

---

[1]　《马克思恩格斯全集》第46卷上册，第120页。
[2]　刘佑成：《社会发展三形态》，浙江人民出版社1987年版，第17页。

如奴隶与奴隶主之间、地主和地主之间、资本家和资本家之间的经济交往关系。马克思极为重视这种生产关系，他说："地产的历史构成罗马共和国的秘史。"[1] 又说："古代世界的阶级斗争主要是以债权人和债务人之间的斗争的形式进行的。"[2] 生产关系中生产资料所有制关系的价值内蕴主要是人们之间的平等；生产关系中个别劳动与社会总劳动的关系的价值内蕴主要是人的自由。人的自由是比平等更根本的价值。因此对生产关系的后一方面必须给以应有重视。

  法是对社会生产关系的反映。生产关系中个别劳动和社会总劳动的关系从实质上看是个体同社会的关系。因而这种关系反映在法中，也就是个人和社会的关系。

  于此可见，把个人和社会的关系作为法律文化的基本矛盾是有坚实的社会基础的，是有唯物史观理论根据的。同时从法律文化所追求的价值目标上看，法所追求的根本价值是自由，而个人和社会的关系，个别劳动和社会总劳动的关系中所内蕴的价值正是自由，因而以此作为法律文化的基本矛盾更能体现法的追求。人为了在自然面前获得自由，必须改造自然，而人为了改造自然就必须结成群体、组成社会。当人们结成群体、组成社会时，人又立刻遇到一个新的矛盾——个人和社会的矛盾。当人组成社会对付自然时人固然在自然面前取得了自由。特别是人类历史进入近代工业化社会以来，人的自由就愈来愈取决于人和社会整体的矛盾的解决。有产阶级掌握了财产固然能获得一定的自由，但百万富翁终究得受金钱的驱使、承受竞争的压力，在此意义上他仍是不自由的。同时有产者的自由只是部分人的自由，不是全体人的自由。人要获得真正的自由取决于人和社会整体关系的协调、和谐。因此，以追求人的自由

---

[1] 马克思：《资本论》第1卷，人民出版社1975年版，第99页脚注。
[2] 马克思：《资本论》第1卷，人民出版社1975年版，第156页。

为价值目标的法不仅要关注和反映生产资料所有、占有关系，而且还要关注和反映个人和社会的关系。从法律自身看，法律是规范文化的一部分，规范文化本身就是个人与社会、个人与他人之关系的文化产物，它同个人与社会的分化、冲突和调整内在相关。全部规范文化都以个人和社会的矛盾为根本内容，都以解决个人与社会之间的矛盾为根本任务。然而，个人和社会的矛盾是贯穿在规范文化中的基本矛盾，从而个人和社会的矛盾自然构成法律文化的基本矛盾。

从历史角度看，个人和社会、个人和群体的矛盾隐藏于原始禁忌、规范、习惯和法律的起源、形成和发展过程之中。如所周知，法律是在原始禁忌、习惯的基础上形成的，它虽与前者不同但又内在相通。因而我们可以从禁忌、规范的历史起源过程中窥见法律文化自身所蕴含的基本矛盾。

在人类产生的漫长历史过程中形成了许多原始禁忌。最初的原始禁忌首推性禁忌。大约在200万年前到20万年前，也就是人类学上的直立人阶段，在狩猎生产需要的作用下，女子发情期已经消失。由此出现了女子不加选择地同任何男子交配转变为有选择地交配。伴随着这种选择过程，萌芽了人类最早的爱情心理。爱情的产生从好的方面看，是人类向文明迈进了一大步，然而随之而来的却是连绵不断的爱情纠葛，多数人对爱情朝秦暮楚，变幻无定。这种情况给当时的生产组织和狩猎生产活动造成了严重影响，涣散人心，有力地冲击着狩猎生产组织内部的团结和协作，造成了生产效果的下降。生产效果的下降使食物紧缺，威胁着群体生存。为了解决这一生存危机产生了人类第一个禁忌，即性禁忌。其内容是，在准备狩猎和进行狩猎的全部活动中禁止发生任何两性之间的性关系交往，包括谈情说爱。[1] 在20万年前到五万年前，即人类学上的早期智人阶段，人类的婚姻关系从原始的乱婚进入到血族群婚。实行血缘群婚制的集体叫"血缘家庭"。恩格斯说："这种家庭的典型形式，应该是一对配偶的子孙中每一代都互为兄弟姊妹，正因为如此，也互为夫妻。"[2]"血缘家庭"是人类第一个"社会组织形式"。为了维护这个组织内的秩序，需要有相应的行为规范。这些规范的内容是排除不同辈分之间的婚配关系。到晚期智人阶段，血缘家庭又转变为族外群婚制，即禁止本血族内成员相互婚配，必须和血族外的异性通婚。这种婚姻制度导致氏族组织的形成。氏族组织的最初形式是母系氏族公社。母系氏族公社内部的规范要比以前原始群团中的规范细致而系统。它表现为习俗。恩格斯列举了通行的十种习俗。如"氏族可以任意撤换酋长和军事领袖"，"氏族的任何成员都不得在氏族内部通婚"，"同族的人必须相互援助、保护"，等等。[3]

规范文化的上述起源过程表明，从原始禁忌到氏族公社的习俗都是围绕着群体成员与群体之间、个人和社会之间的矛盾而产生的，它们的产生是为了解决这个根本矛盾。法律既然是一种社会规范，自然赋有所有社会规范的共性于自身。当然从认识论角度看，个人与社会的分化是同个体自我意识的形成联系在一起的，有了个体自我意识才能把自己同自己所在的群体区别开来，才会有个人和社会的矛盾。因而个人和社会矛盾出现在认识论上是后来的事。史前社会、原始社会并不存在这种意义上的矛盾。但我们认为在实际上群体成员和群体本身的矛盾在史前社会、原始社会确乎是存在的，否则就难以理解那时许多规范的存在。我们看到恩格斯在

---

[1] 参见蔡俊生：《人类社会的形成和原始社会形态》，中国社会科学出版社1988年版，第185页。[苏]谢苗诺夫：《婚姻和家庭的起源》有关章节。

[2] 恩格斯：《家庭、私有制和国家的起源》，第34、83~86页。

[3] 参见恩格斯：《家庭、私有制和国家的起源》，第34、83~86页。

《家庭、私有制和国家的起源》一书中论述史前社会时也经常使用"个人"这个词,说明个人和社会在那时已有所分化。

当然,典型意义上的法律是同阶级和国家的出现联系在一起的。阶级冲突达到不可调和的程度,产生出解决这一冲突的新的社会权威机构,即国家,国家为了维护阶级统治而制定出法律。那么,当法律同阶级联系在一起时,是否就同个人和社会的矛盾渺不相干了呢,法律是否就只同阶级、群体有关而不与个人相关了呢?回答是否定的。第一,个人和社会的矛盾是社会规范的前提和基础,它存在于有阶级社会和无阶级社会之中。社会规范既有社会性,同时在阶级社会中亦有阶级性,规范的社会性是阶级性的前提。规范的阶级性只是社会性在私有制社会和阶级社会中的特殊表现。法律规范及其阶级性是个人和社会矛盾在阶级社会中的特殊表现。在此社会主要表现为阶级,个人则表现为阶级成员。同时在统治阶级内部的个人之间,被统治阶级内部个人之间都广泛的存在着个人和群体、个人和社会的矛盾。第二,阶级内部包含着个人和阶级整体的矛盾,这是个人和社会的矛盾在阶级内部的反映。事实上,阶级内部各个成员和阶级整体存在着经常的矛盾,为此必然要制定解决这一矛盾的法律规范。同一个阶级之间也存在着个人和社会的矛盾。在奴隶制、封建制社会中,除了存在生产资料所有者同直接劳动者相对立的现象外,还存在着剥削者之间以及独立生产者之间的各种经济关系。例如,奴隶主之间、奴隶主与平民之间、地主和地主之间、独立的小生产者之间等错综复杂的经济关系。我们可以从恩格斯对国家起源的论述中明显地看到国家的产生是由于个人和社会的冲突的出现,国家的产生是为了保护"单个人新获得的财富"以及这种财富的新的更大发展。恩格斯写道:"在英雄时代的希腊社会中,古代的氏族组织还是很有活力的,不过我们也看到,它的瓦解已经开始;由于子女继承财产的公权制,促进了财产积累于家庭中,并且使家庭变成一种与氏族对立的力量;财产的差别，通过世袭显贵和王权的最初萌芽的形成，对社会制度发生反作用；奴隶制起初虽然仅限于俘虏，但已经开辟了奴役同部落人甚至同氏族人的前景；古代部落对部落的战争，已经开始蜕变为在陆上和海上为攫夺家畜、奴隶和财产而不断进行的抢劫，变为一种正常的营生，一句话，财富被当作最高富利而受到赞美和崇敬，古代氏族制度被滥用来替暴力掠夺财富的行为辩护。所缺少的只是一件东西，即这样一个机关，它不仅可以保障单个人新获得的财富不受氏族制度的共产制传统的侵犯，不仅可以使以前被轻视的私有财产神圣化，并宣布这种神圣化是整个人类社会的最高目的，而且还会给相继发展起来的获得财产的新形式，因而是给不断加速的财富积累，盖上社会普遍承认的印章……"[1] 从这里可以看到国家的产生是以家庭从氏族这一社会整体中分化中来，同氏族的对立为社会前提的。这里家庭代表着社会中个体对社会整体的独立。家庭这一新独立出来的个体以获取财富为最高目的。国家就是为了保护这些"单个人新获得的财富"并使之得到更大的发展而产生的。国家是和法律内在相关的，可以想见，法律的产生同样是以保护个人为目的的，或者说是以调整个人和社会的关系为目的的。

德国哲学家文德尔班的一段话同样可以使我们看到法律是为了解决日益尖锐的个人和社会的矛盾而产生的。他说："我们在纪元前五世纪的诗人、哲学家和道德学家中所碰到的悲观怨诉大都是反对人们的放荡不羁、无组织无纪律、无法无天。头脑严肃的人们看出了豪情放纵、激昂沸腾的社会生活所带来的危机。这样一条政治经验——党派斗争只在不影响法律秩序的条件下在道德上才可能容忍——使得服从法律成为最高职责。"[2]

其实，个人和社会的矛盾不仅仅是法律文化所面临的根本矛

---

[1]《马克思恩格斯选集》第4卷，第104页。
[2]〔德〕文德尔班：《哲学史教程》，商务印书馆1987年版，第103页。

盾，而是整个社会科学和人文学科所面临的根本矛盾，是全部人文社会科学的恒久主题。政治学、法学、伦理学、经济学等学科都是围绕着个人与社会这个中心问题而展开其理论的。个人和社会、个体和类的关系是人类社会最根本的关系，它是全部社会人文科学的最后秘密所在。社会科学和人文学科中所探讨的那些基本范畴，如公和私、个体与整体，部分与全局、私人劳动与社会劳动、个人利益与社会利益、个人活动与社会活动、效率与公平、民主与权威、感性与理性、发展与稳定、权利与义务等等都是个人与社会矛盾这个主旋律的不同变奏，不同表达形式。因此把个人和社会的矛盾作为法律文化的根本矛盾是就其一般性、普遍性而言的。那么，这一矛盾在法律文化中的特殊性是什么呢？

在规范的文化体系中，法律和道德、宗教、习惯、风俗、乡规民约以及社会性技术规范等是有区别的，从而个人和社会的矛盾在法律中有其特殊表现。法与其他社会规范的一个重要区别是，法是同国家联系在一起的。法律是由国家制定和认可的社会规范，其实施也是以社会强制力为保证的。因而在法律里，个人和社会的矛盾要通过国家这个中介环节得以解决。这样个人和社会的矛盾在法律中转变为公民个人和国家的矛盾。国家又是通过法律规范手段来解决个人与社会的矛盾，进而这个矛盾又具体化为法律自身中权利和义务的矛盾。法律是权利和义务的统一。法律中的权利体现着个人利益、愿望和要求，法律中的义务体现着社会利益、需要和要求。法律中的权利规定是为了保护个人、保护私人，是要把个人的自由、生命、财产、健康、安全置于法律的保护之下；法律中的义务规定则是着眼于社会整体利益的，它的目的是维护社会秩序、社会稳定。这是法律中的基本矛盾，任何法中都内在的蕴含着这一根本矛盾。以自然法为例，普芬道夫认为，人既有自爱自私的一面，人的行为强烈地受其支配和驱使，这是人的本性中的恶意和侵略性，但另一面他又认为，人性中有一种与他人交往的追求，在社会中过一种和平的社交生活的强烈倾向。这两种倾向同时存在于人的灵魂中。自然法就是有关人类生活这两种特性的反映。自然法既承认自然把自爱赐予了人类这一事实，又认识到自爱要受人的社会性冲动的调和这一事实。与人性这两个方面相适应，便有两种基本的自然法原则，第一个原则要求人们要尽力保护生命和肢体，保全自身及财产；第二个原则要求人们不可扰乱人类社会，或用他的话讲，他不可做任何给社会增添纷扰的事。普芬道夫把自然法的这两个原则合并成一个单一的基本命令："每个人都应该积极地维护自己以使人类社会不受纷扰。"[1] 自然法以其特有的方式承认权利和义务的矛盾是自身所包含的基本矛盾，其他法律部门，如民法、刑法、民诉、刑诉等法律也都以各自的特殊方式把权利和义务的矛盾作为自己的根本矛盾。

二、法律文化矛盾探讨之意义

将法律文化基本矛盾规定为个人和社会的矛盾、权利和义务的矛盾具有重要的理论和实践意义。

1. 有利于揭示法律文化发展变迁的内在动力。法律发展的根本动力是生产力和生产关系、经济基础和上层建筑的矛盾。但这一社会发展基本动力只有反映到法律中来，以法的形式表现出来，才能成为法律发展的具体动力。具体而言，社会基本矛盾必须体现为个人权利和义务的矛盾才能推动法律的发展。生产力的发展要求和生产关系的变革要求首先转化为社会主体的普遍权利，即主体要求解放、要求自由、要求自由地追求和满足自己的幸福和利益。这种权利要求必然与既有法律发生矛盾。正是这种矛盾成为法律文化发展变革的内在动力。

---

[1] 转引自〔德〕E·博登海默：《法理学、法律哲学与法律方法》，中国政法大学出版社2004年版，第47~48页。

2. 有利于把握法律文化发展的中心线索和客观规律。在个人和社会、权利和义务的矛盾中，个人权利是最活跃、最富生命力，随着社会经济和文化发展而不断扩大和深入的方面。德国学者恩斯特·卡西尔说："作为一个整体的人类文化，可以被称之为人不断自我解放的历程。"[1] 马克思、恩格斯、黑格尔也都把人类历史看作是人的自由不断发展的历程。人的自由和解放的历程体现在法律上就是个人权利的不断扩大，不断被承认和肯定。因此，个人权利的扩大是历史发展的必然趋势。个人权利的不断扩大，要求以法律规范和制度的形式将自身固定化、制度化。当法律规范和制度体系与个体权利要求发生矛盾时，主体便要求改变这种法律体系，重建能体现个人权利的法律体系。人类法律文化发展史可说是法律主体权利、个人权利发展与法律制度矛盾不断产生和解决的历史，是个人权利不断制度化、法律化的历史。这是法律文化发展的必然规律，是法律文化发展的中心线索。

3. 有利于认识和把握社会主义历史阶段法律的实质和基本特征。社会主义时期作为对抗的阶级已经消灭，阶级斗争的总趋势趋于弱化。然而，实践告诉我们，法律不仅没有因此而式微、衰落，而且其地位和作用日益重要。其中的根源恐怕主要应从个人和社会的矛盾、权利和义务的矛盾之中去寻找。在社会现实中个人和社会的矛盾、权利和义务的矛盾要通过国家这种权威管理机构来解决。国家规定和赋予个人权利和义务，确定个人和社会的关系。虽然法律直接规定社会成员的权利和义务，但是法律是由国家权力机构制定的，在此意义上社会成员的权利和义务实际上是国家规定的。这样一来，个人和社会的矛盾、权利和义务的矛盾就转化为个人权利和国家权力的矛盾。个人内在的冲动和发展趋势是要求不断扩大自己的权利、保证自己的权利，而国家作为集体、社会的代表其所考

---

[1] 〔德〕恩斯特·卡西尔：《人论》，上海译文出版社1985年版，第288页。

虑的是稳定、秩序，它更多筹划的是个人要有什么义务。因而法律文化中的基本矛盾的一个转化形式就是个人权利和国家权力的矛盾。这二者之间既有对立也有统一。国家权力既保证着个人权利和自由及其行使，又给个人权利和自由划定界限，限制着个人权利。

个人权利和国家权力的矛盾作为法律文化的基本矛盾贯穿于法律文化发展的始终，体现于法律文化各方面和环节中。法律文化归根到底是围绕着上述矛盾而展开的，同时也是在解决上述矛盾中发展的。各派法学家及其理论都自觉或不自觉地必须在他们理论思考中包含对这个问题的回答。

个人权利和国家权力的矛盾在法的目的上表现为保障个人权利和限制个人权利的矛盾。法律文化的创制和实施都是自觉的有目的的，但目的在不同的法律中有所不同，这种不同根源于怎样解决法律文化基本矛盾。当个人权利和国家权力之间的同一、统一关系处于主导地位时，法律文化主要以保障个人权利为目的，相反，当个人权利和国家权力之间的对立、排斥居于主导地位时，即国家权力高于个人权利，不以个人权利为合理性基础时，法律文化主要以限制个人权利为目的。中国古代社会，国家权力始终处于至上地位，法律的首要目的在于维护以君主专制为核心的中央集权制度。中国古代法律的目的和功能不是保障个人权利，而是"以法纠民"、"以法限民"甚至"以法弱民"。法律是镇压、控制、威胁人民的暴力工具，强调的是行令禁止。《管子·算地》中说："圣人之治也，多禁以止能，任力以穷诈。"意思是说，要用各种办法限制人民的才能，窒息他们的智慧。迄至清代皇帝在圣谕里还说："讲法律以警愚顽。"[1] 严复指出："若夫督责书所谓法者，直刑而已，所以驱迫束缚其臣民，而国君则超乎法之上，可以意用法易法，而

---

[1]《圣谕广州》。

不为法所拘。夫如是，虽有法，亦适成专制而已。"[1] 以限制个人权利为内容的法律目的决定了中国传统法律文化一系列特征，如刑法处于中心地位、轻罪重罚主义、无陪审制度等。而古代希腊罗马的法律文化及其目的则与中国大有区别。这种区别的存在同样与国家的性质和状况有关。"古代希腊、罗马国家与法肇始于平民与贵族的冲突，在某种意义上说，它们是社会妥协的结果，而不是任何一方以暴力无条件地强加于对方的命令。所以尽管这种法不能不因社会集团力量的消长而偏于这一方或那一方，也不能不因为它是国家的强制力而具有镇压的职能，但它毕竟是用以确定和保护各阶级（当然只限于自由人）权利的重要手段。"[2] 当国家是社会各阶级妥协的产物，而不是一个阶级用暴力推翻、吃掉另一个阶级时，由这种国家所制定的法律就可能是以保护个人权利为目的。妥协体现着理性，而暴力则体现着非理性。因而由此所形成、派生的法的理念和制度就是判然有别的。

个人权利和国家权力的矛盾在法的原则上表现为等级和平等的矛盾。法的原则是法律文化基本精神的体现。法律文化基本矛盾必然通过法的原则表现出来。当一种法律文化强调和倚重社会整体利益和国家意志，将其作为法律文化的主导性价值取向时，它往往在法律原则上表现为强调个人与他人的不平等关系；相反，当法律文化在追求个人权利价值时，往往在法的原则上表现为个人与他人的平等关系。社会整体状态（如稳定与不稳定、统一与分裂、安定与动荡等）是同社会关系性质密切相关的。社会关系就是个人与他人、个人与社会的关系，社会关系的性质体现在个人与他人、个人与社会上。在此意义上社会关系的性质可分为平等关系和不平等关系两种。当社会在追求社会整体利益，寻求稳定、统一、平衡

---

[1]《孟德斯鸠〈法意〉按语》。
[2] 梁治平:《法辨》，载《中国社会科学》1986 年第 4 期。

时，试想平等和不平等二种关系哪种更能实现这种需要呢？无疑是不平等关系（中国传统中所说的不患寡而患不均的均等思想实质上也是不平等关系。均等是要把才能和贡献不等的人等同起来，这显然是不平等的）因而在二者必取其一的文化价值选择中法的原则必然选择不平等关系。而当法律在追求个人权利和自由时，哪种关系能更充分地实现这种需要呢？无疑是平等关系。这种平等主要是指机会平等意义上的平等。因而个人与他人的平等关系势必成为法的原则的基本选择。如所周知，西方社会文化以个体为本位，而中国文化以国家为本位，这种在个人和社会关系上的不同价值选择导致了中西方法律文化精神的根本差异。西方法律，尤其是近代法律把平等作为法律文化的重要原则，而中国法律则把不平等作为法的最高原则，产生出奇异的等级法、特权法现象。当然在同一种法律文化中既不存在纯粹平等的法的原则，也不存在纯粹不平等的法的原则，平等和不平等总是处于同一法律文化之中。譬如，在中国传统法律文化中儒家强调法的不平等性质，认为不平等才是公平的社会秩序（"物之不齐，物之情也"），而法家则有一些平等精神（如慎子说："骨肉可刑亲戚可灭，至法不可阙也。"[1]）但由于在个人权利和国家权力关系上的价值选择不同，法律中的平等和不平等在地位上会有不同。以国家权力价值为本位的价值选择，总是把不平等作为法的内在原则；以个体权利价值为本位的价值选择，总是把平等作为法的内在原则。因此，个人权利和国家权力这一法律文化基本矛盾决定着法的原则，体现在法的原则上。

　　个人权利和国家权力的矛盾表现在立法环节上是国家主义倾向和个体主义倾向的对立。国家主义倾向就是认为国家权力应优先于个人权利，高于个人权利，超越于个人权利的主张。国家主义认为，国家并不以个人为基础，不是单个人的总和，其目的也并非是

---

[1]《慎子·外篇》。

为个人服务，相反而应当是个人服从国家的至高权威。黑格尔说："如果把国家和市民社会混同起来，而把它的使命规定为保证和保护所有权和个人自由，那么单个人本身的利益就成为这些人结合的最后目的。由此产生的结果是，成为国家成员是任意的事。但是国家对个人的关系，完全不是这样。由于国家是客观精神，所以个人本身只有成为国家成员才具有客观性、真理性和伦理性，所以个人本身只有成为国家成员才具有客观性、真理性和伦理性。结合本身是真实的内容和目的，而人是被规定着过普遍生活的；他们进一步的特殊满足、活动和行动方式，都是以这个实体性的和普遍有效的东西为其出发点和结果。"[1] 黑格尔这种国家主义思想在国家和个人关系上主张国家优先于个人，主张不应把"单个人本身的利益"作为国家的目的，而是相反，个人只有在国家中才能获得其客观性、真理性和伦理性。从这种国家主义出发，黑格尔反对卢梭以保护个人自由、个人权利为出发点的国家思想和法律思想。我们说国家和法律是人的意志的体现，但这个意志所包含的内容是个人的还是集体的，人们的认识却很不相同。从国家主义倾向出发必然把国家和法所体现的意志视为是集体意志、客观意志，从个体主义出发则必然把这种意志视为个人的。这里即形成国家和法的思想中的个人权利和国家权力的对立和分歧。如黑格尔从国家主义出发就坚决反对卢梭的意志理念。黑格尔批评说，卢梭"所理解的意志，仅仅是特定形式的单个人意志（后来的费希特亦同），他所理解的普遍意志也不是意志中绝对合乎理性的东西，而只是共同的东西，即从作为自觉意志的这种单个人意志中产生出来的。这样一来，这些单个人结合成为国家就变成了一种契约，而契约乃是以单个人的任性、意见和随心表达的同意为基础。此外不产生其他纯粹理智的结果，这些结果破坏了绝对的神物及其绝对的权威和尊严。因此之

---

[1] 〔德〕黑格尔：《法哲学原理》，商务印书馆1961年版，第253～254页。

故，这些抽象推论一旦得时得势，就发生了人类有史以来第一次不可思议的惊人场面：在一个现实的大国中，随着一切存在着的东西被推翻之后，人们根据抽象思想，从头开始建立国家制度，并希求仅仅给它以想象的理性东西为基础。又因为这都是缺乏理念的一些抽象的东西，所以它们把这一场尝试终于搞成最可怕和最残酷的事变。"[1]把国家和法律的基础贞定为客观意志，这种客观意志必须要有一个人格代表来体现，这个人格代表就是黑格尔所说的拿破仑之类的国家元首、君主。因此国家主义体现在立法主体上就是认为只有权力最高持有者才有立法权。这样的立法思想和实践在中国传统法律文化中尤为突出。在中国古代的政治法律文化中君主作为国家的人格化代表，一人操权任势。法家一直认为最高执政者只能有一个，"两"和"杂"是乱之源。因此君主个人成为唯一的立法主体。《管子·任人》说："夫生法者，君也；守法者，臣也；法于法者，民也。"皇帝的命令乃是国家最基本的法律渊源，具有最高的法律效力。"这是从秦朝确立的一直贯穿在我国封建法制发展中的一个基本特征。"[2]在欧洲，德国是国家主义的大本营，因而在一定历史时期国王个人具有立法权。如1850年普鲁士颁布的一部钦定宪法中规定，普鲁士国王不仅享有全部行政权，而且拥有立法权。

　　与此相反，当政治和法律文化在解决个人权利和国家权力的矛盾时倚重个人权利、个人自由时则表现为个体主义倾向。个体主义倾向主张社会、国家、法律的终极实体是个人，国家只是为了保障个人和独立的利益集团的基本权利而产生的，是为个人利益服务的一种公共职能机构，国家产生、存在的实际价值正在于此。这种理论和价值观念表现在政治上主张团体决策，体现在立法上主张立法

---

[1]〔德〕黑格尔：《法哲学原理》，商务印书馆1961年版，第254~255页。
[2] 张晋藩主编：《中国法制史》，群众出版社1982年版，第89页。

者应是由独立的个体组织的团体而非唯一的个人。在古代罗马社会，平民在和贵族的长期斗争中取得了与贵族的平等地位和个人权利，从而改变了立法权由贵族垄断的局面，立法主体发生了变化。著名的《十二铜表法》就是由"十人委员会"这一立法团体制定的。当政治和立法权集中于一人手中时，往往会产生个人武断和专横，这显然有悖于个体主义价值旨趣。

个人权利和国家权力的矛盾在法律文化结构上表现为以民法为主干和以刑法为主干的矛盾。当个人权利居于主导地位时，法律结构以民法为主干，当国家权力居于主导地位时，法律结构以刑法为主干。民法属于私法、权利法。刑法属于公法。依公元533年编纂的《查士丁尼法学总论》（即《法学阶梯》），"私法是有关个人利益的法律。"就是说私法是以保护个人利益、个人权利、个人自由为中心目的的。民法作为私法是以维护平等的个人权利为宗旨的。民法的所有制度都是以权利为出发点和基石建立起来的。民法"规定了权利主体（自然人、法人）、行使权利的方式（法律行为和代理）、民事权利的种类、权利保护的方式（民事责任）、权利保护的时间限制（诉讼时效）等内容，这完全是一个以权利为中心的体系。"[1] 公法则是调整国家与普通个人之间关系的，在公法范围内法律主体的地位是不平等的，国家居于普通个人之上。民法是实现个人权利的一套技术，而公法则是保护国家权力的工具。中国法律文化素以国家权力为本位，因此它的法律结构必然要以刑法为主干，而西方法律文化素以个人权利为本位，从而它的法律结构是以民法为主干的。日本著名法学家滋贺秀三曾指出："纵观世界历史，可以说欧洲的法文化本身是极其独特性的。而与此相对，持有完全不同且最有对极性的法文化的历史社会似乎就是中国了。这一点大概已为大多数人所肯定。在欧洲，主要是以私法作为法的基

---

[1] 彭万林主编：《民法学》，中国政法大学出版社1994年版，第10页。

底和根干;在中国,虽然拥有从古代就相当发达的文明的漫长历史,却始终没有从自己的传统中生长出私法的体系来。中国所谓的法,一方面就是刑法,另一方面则是官僚制统治机构的组织法,由行政的执行规则以及针对违反规则行为的刑罚所构成的。"[1] 民法在西方法律结构中处于主干地位,不仅表明民法自身的重要,而且法的其他部门也都要受民法理念、民法原则的影响,要从民法理念和原则出发来建立。对此当代法国比较法学家勒内·达维德喻示人们:"罗马日耳曼法的另一个特征在于这样的事实:由于历史的原因,这些法首先是为了规定公民间的关系而制定的;法的其他部门只是从'民法'的原则出发,较迟并较不完备地发展起来的,民法曾经长期是法学的主要基础。"[2] 罗马日耳曼法在西方法律文化史上的地位是人所皆知的,因之民法在西方法律文化中的主干地位自不待言。之所以如此,端赖西方法律文化在解决个人权利和国家权力矛盾上,把前者放在基础的地位。

与此相反,当以国家权力高于个人权利的方式解决法律文化基本矛盾时,表现在法的结构上常常是以刑法为主干的法律结构体系。国家范畴与社会范畴是有区别的,国家是以阶级关系为内容的政治范畴。因此当国家居于社会的至上地位时,法律就必须围绕国家、政治关系旋转,为国家为政治服务。虽说反映国家和政治关系的法律不一定都是刑法,但不会是民法。因为"民法准则只是以法律形式表现了社会的经济生活条件"。[3] 国家和政治关系往往是以阶级间的不平等关系为条件和内容的。维护这种不平等关系的有力工具是刑法,而不是民法。民事法律关系由主体、内容、客体三大要素构成。其中民事主体是民事法律关系中独立享有民事权利和承担民事义务的自然人和法人。就是说民事法律主体必须以拥有独

---

[1] 滋贺秀三:《中国法文化的考察》,《比较法研究》1988年,第3期。
[2] [法]勒内·达维德:《当代主要法律体系》,上海译文出版社1984年版,第25页。
[3] 《马克思恩格斯选集》第4卷,第249页。

立地位的人格为前提。而在国家至上的社会中个人独立性，个人人格是处于次要地位的，微不足道的。因此在这种社会中不可能存在发达的民法。然而任何社会都必须用法律来维持社会秩序，因之，在这种社会中刑法自然会居于主导地位。

总之，个人和社会的矛盾，权利和义务的矛盾，个人权利和国家权力的矛盾作为法律文化的基本矛盾隐帅和贯穿于整个法律文化体系及其运行过程始终，构成法律文化发展的中心线索或轴心。因此，只有捕捉住这一基本矛盾才能更为清晰深刻地把握法律文化的内在本质及其特征。

第十章　法律文化之社会基础

法律文化与社会的关联至为紧密。法律文化无非是对一定社会关系、社会结构的反映以及形式化和制度化，是保障社会物质生活、精神生活及其秩序的重要工具。因此很难想象离开一定社会生产力状况、社会生产关系、人与人的社会交往、人群共同体、阶级关系以及国家等社会要素而能够对特定法律文化及其各种现象作出客观而合理的解释。因而对法律文化进行社会学的研究愈来愈为人们所重视。

我们认为，研究法律文化和社会结构的关系，不能仅滞足于社会结构的某一部分、方面和环节，而必须把社会作为一个有机体，研究法律文化与社会有机体这一整体之间的内在联系。这样可以纠正以往只注重从社会经济要素研究法律文化的局限。社会有机体的构成涵括社会生活的各个部分和层面：社会生活的基本领域，即生产力、生产关系、经济基础、上层建筑，这是社会的骨骼血肉系统；社会主体，即个人、群体、阶级、阶层、集团等，这是社会的细胞；人群共同体，即氏族、家庭、部族、民族等，这是社会的器官和组织。社会有机体的这些构成要素在社会有机体内是相互制约、相互渗透、相互作用的，由此构成社会整体。因此在研究法律文化和社会的关系时，应全面注意社会有机体中的各种构成要素。

一、人群共同体与法律文化

人群共同体和法律文化的关系是以前研究中所轻忽了的一个问

题，但并非这一问题对研究法律文化及其发展无足轻重。事实上不了解人群共同体如氏族、家庭和民族等同法的关系，绝不能理解法律文化的产生、发展、特征等问题。如不研究中国传统社会中的家庭、家族、婚姻、亲属制度等就很难了解中国传统法律文化，西方古代法也有这个问题。再如，不研究民族及其文化同法律文化的关系就无法理解不同民族的法律，不同法系的特征和发展规律。法国法学家勒内·达维德就认为，法学之所以能成为科学、法系之所以能划分出来都同民族共同体及其文化相关。历史法学派对法律文化同民族及其文化关系的重视更是自不待言。

所谓人群共同体或社会共同体，是指人类历史上形成的由共同生活中某种纽带联结起来的人群集合体。它包括政治的共同体和非政治的共同体。政治共同体是伴随着阶级的出现而产生的，包括国家、政党和其他带有阶级性的社会团体。非政治性人群共同体的形成非常久远，它包括氏族、部落、部族、家庭、民族等形式。

文化学研究成果表明，人群共同体是文化的载体和实现形式。"文化发展史同共同体的演变史是不可分割地联系在一起的。"[1] 法律文化是文化的一部分，因而它的载体亦应是人群共同体。不难看出，离开对人群共同体的研究就无从认识法律发展史，尤其是古代法律文明的发展演变规律。这一点我们可以从众多著名法律文化史家的研究活动和结果中得到说明。19世纪英国法律史家亨利·梅因的法律文化史著《古代法》，其方法就是通过详细考察人群共同体，特别是家庭的演化过程及其怎样影响和决定法的性质、变化来揭示古代法律文化演变的奥秘和规律的。正是通过这种研究得出了被誉为"匹夫而为百世帅，一言而为天下法"的不朽公式——"从身份到契约"。我国当代法律文化史家瞿同祖先生也极为重视法与人群共同体关系的研究。他的代表作《中国法律与中国社会》

---

[1] 刘奔等：《实践与文化》，载《哲学研究》1989年第1期，第7页。

用了一半篇幅讨论家庭共同体与中国传统法律文化的内在联系。通过这种研究使人清晰地看到了中国传统法律文化的许多独特性质。其实马克思和恩格斯也是非常重视从人群共同体角度来研究国家和法的问题的。恩格斯后期遵照马克思遗愿所写的《家庭、私有制和国家的起源》一书是马克思主义重视这方面研究的体现。马克思主义不仅重视法同人群共同体关系的研究，而且为这种研究提供了坚实的理论基础。恩格斯说："根据唯物主义观点，历史中的决定因素，归根结底是直接的生产和再生产。但是生产本身又有两种。一方面是生活资料即食物、衣服、住房以及为此所必需的工具的生产；另一方面是人类自身的生产，即种的繁衍。一定历史时代和一定地区内的人们生活于其下的社会制度，受着两种生产的制约：一方面是劳动的发展阶段的制约，另一方面受家庭的发展阶段的制约。"[1] 社会制度受生产制约，法律制度作为社会制度的一种当然也受生产的制约，而这里的生产包括人自身的生产，而人自身的生产包括家庭、婚姻、亲属关系等人群共同体要素。这就是从人群共同体出发研究法律制度、法律文化的理论基础。

从人群共同体着眼研究法律文化这种研究方法的优势从逻辑上说，是因为人群共同体是社会关系的"原在关系"。所谓原在关系是指人群共同体内部及其之间的无须"通分"而直接得以确认的人际关系（与"原在关系"相对的社会关系是"通分关系"，此种关系是经过对各种同类和异类的群体进行"通分"而找出的共同构项。如马克思对各种群体进行通分后得到的阶级关系、阶层关系即属"通分关系"）。原在关系显然是社会中感性直观的社会关系，因此对包括法律制度在内的社会制度的研究应首先从原在关系入手，而不是相反，否则就会陷入唯理主义、教条主义。[2] 如所周

---

[1] 恩格斯：《家庭、私有制和国家的起源》，第4页。
[2] 参见钟国兴：《社会选择论》，人民出版社1987年版，第30页。

知，调整社会关系是任何时代法律的基本职能，但是法律调整的直接对象是社会关系参加者的行为，法律调整只有通过影响社会关系参加者的意志活动，才能调整社会关系。社会关系参加者的活动、行为直接体现于家庭、团体、群体、民族等这样的具体人群共同体及其原生关系之中。于此意义上说，社会共同体及其各种具体形式可以说是法律调整的直接的社会形式。因此对法律文化与社会结构关系的认识和研究应从原生关系着手。

既然人群共同体是法律调整的直接的社会对象，因之，人群共同体的性质、结构、特征、发展等必然最直接和迅速地反映到法律中来，并赋予法以重要特征。通过对人群共同体的研究可以发现法的特征和规律。当然，对法律文化发展规律的认识不能脱离物质资料生产方式这一基础，但同时亦应注意的是社会生产方式必须通过人群共同体这种社会形式来体现，如自然经济生产方式就同家庭、家族共同体相联系，商品经济生产方式就同阶级、利益群体、民族等共同体相关系。因此，重视人群共同体和重视生产方式是不矛盾的。

(一) 家庭、家族与法律文化

从人群共同体出发研究法律文化，首先应注意的是家庭、家族与法律文化的关系问题。家庭、家族是人群共同体的重要形式，它对法律文化，尤其是传统法律文化有着重大影响。不了解家庭、家族同传统文化的内在联系就无从理解传统法律文化的奥秘以及传统法律文化转变为现代法律文化的来龙去脉。对此亨利·梅因宣称："由'家父权'结合起来的'家族'是全部'人法'从其中孕育而产生出来的卵巢。""早期法律只着眼于家族"[1]。法律重视家族在传统社会中并不是某一个民族独有的现象，而是传统社会中不

---

[1] [英]梅因:《古代法》，商务印书馆1959年版，第87页。

同民族所共有的现象。中国传统社会的法律对家族及其族内成员的关系备加重视,在西方传统社会也有大体相同的情形。梅因说:"我们在社会的幼年时代中,发现有这样一个永远显著的特点,人们不是被视为一个个人而是始终被视为一个特定团体的成员。"[1]这种团体既包括阶级,但主要是家庭。可以说传统社会中社会的基本单位是家族,而现代社会的基本单位是独立的个人。这是现代社会和传统社会的基本区别。如果说家族在东西方传统社会中都占有重要地位的话,那么同西方社会比较家族在中国社会中的地位和功能更为突出。正如冯友兰先生所说:"家族制度过去是中国的社会制度。传统的五种社会关系:君臣、父子、兄弟、夫妇、朋友,其中有三种是家族关系。其余两种虽然不是家族关系,也可以按照家族来理解。在通常人们也真的是这样理解的。"[2]可以说,家族内的血缘亲族关系的确是中国人际关系的深层结构。因此欲认识传统社会中的法律文化,就必须注重对家族与法律文化关系的研究。

家族作为传统社会的基本社会制度,其内部关系、结构和家族观念会对法律文化产生重大影响。这种影响的表现是:

1. 法的基础和基本单位是家庭、家族,而非个人。就是说在以家族为基本社会制度的社会中,立法、司法和法律权利义务的分配所考虑的单位和对象是家庭这个集体,而非独立于这个集体的个人。在传统社会中独立个人的权利不被社会、政治、法律所承认,体现在法律上就是以家族为单位考虑法的各种问题。正像梅因所指出的:"这些法律不论是保持着像'地美士第'的这种原始形态,也不论是已经进步到'习惯或法典化条文'的状态,它的拘束力只及到各'家族'而不是个人。用一个不完全贴切的对比,古代法律学可以譬作'国际性',目的只是在填补作为社会原子的各个

---

[1] 〔英〕梅因:《古代法》,商务印书馆1959年版。
[2] 冯友兰:《中国哲学简史》,北京大学出版社1985年版,第24页。

大集团之间的罅隙而已。在处在这种情况下的一个共产体中,议会的立法和法院的审判只能及到家族首长,至于家族中的每一个个人,其行为的准则是他的家庭的法律,以'家父'为立法者。"[1]由国家制定的法律所约束控制的是家庭,家庭的代表是家长。在这样的家族内部,成员范围较为广泛。有血缘关系的亲属自然是家中成员,除此之外,家庭中的奴仆、家族里收留接纳的人们都是家族的成员。他们之间的关系不是由国家法律直接调整而由家长、族长来调整。法律在分配权利时也不考虑个人,它只是把权利授予作为家庭代表的家长。家长代表着整个家庭,他有对家里所有成员的支配权、制裁权,这种权力是得到国家法律保护的。"在'私法'所创造的一切关系中,子就必须生活在一个家庭专制之下,这种家庭专制直到最后还保持着严酷性。……根据我们所获得的材料,父对其子有生死之权,更毋待论的,具有无限的肉体惩罚权;他可以任意变更他们的身份;他可以为子娶妻,他可以将女许嫁;他可以令子女离婚;他可以用收养的方法把子女转移到其他家族中去;他并且可以出卖他们。"[2] 在罗马社会发展的帝政时期(古代罗马历史可划分为三个时期,即王政时期、共和国时期和帝政时期),家长的这种权力已经有所缩小。

　　以家庭、家族为基本单位制定法律,并把权利只分配给家长、族长,这种法律文化特点在中国表现尤为突出,时间也最为长久。中国是家国同构、宗法制占统治地位的国家,因而传统法律特别重视保护和促进家庭、家族在社会中的地位和稳定。在传统中国社会家庭、家族实质上就是最基层的司法机构,家长对家内成员具有审判权、惩罚权。国家法律保护家长、族长所拥有的司法权力,保护家规、族规,使家规族规实际具有法律效力。中国传统社会中实行

---

[1] 〔英〕梅因:《古代法》,商务印书馆1959年版,第95页。
[2] 〔英〕梅因:《古代法》,商务印书馆1959年版,第79页。

父权家长制，父权统治下的家庭和家族成员须绝对服从家长，家父具有经济权、法律权和宗教权。家内的任何成员都没有个人自主权，未成年子女没有自主权，成年子女同样没有自主权。如果成年子女依自己的自由意志行事，不尊重家长命令就要受到处罚。据载梁朝的大司马王僧辩的母亲教子治家非常严，王僧辩40多岁，已成为统领3000人的将军，但其母对他稍不如意就要指责。在古代社会早期父母对于子女有生杀权。父母如呈控子孙忤逆不孝，司法机构是不会拒不受理的，而且也不要求呈控人提供任何证据。清代法律规定："父母控子，即照所控办理，不必审讯。"子孙在经济上不得拥有私有财产。历代法律规定家中幼卑不得家长许可而私自擅用家财，皆有刑事处分。父亲不仅是家中财产的所有者，而且也是子女的所有者，他可以将他们典质或出卖于人。在此子女毫无独立人格可言。[1] 家庭、家族制度深刻地影响到法律的各个领域。如在行政法上，任官要看是否犯父祖名讳，譬如父名常，子不得为太常，因为，这是父祖名讳与官位相冲突，同罗马社会中家族对法的制约情况对比，中国传统社会中家族对法的影响和制约无论在时间、范围还是深度上都严重得多。罗马法把家父权只限制在私法领域内，而不触及公法。父子在城中一样选举，在战场上并肩作战。当子成为将军时，会指挥其父，成为高级官吏时要审判其父的契约案件和惩罚其父的失职行为。家父权在罗马帝制时期已经缩小到极小的范围内，家内惩罚的无限制的权利变成把家庭犯罪移归民事官吏审判的权利；主宰婚姻的特权已下降为一种有条件的否定权；出卖子女的自由在实际上被废除。帝制以后的罗马法如梅因所说："已十分接近最后流行于现代世界的各种观念的边缘。"[2] 而在中国法律文化史上家父权、家族的法律地位一直延续到辛亥革命

---

〔1〕 参见瞿同祖：《中国法律与中国社会》，中华书局1981年版。
〔2〕 〔英〕梅因：《古代法》，商务印书馆1959年版，第79页。

之前。

2. 法律明显地表现出不平等性。法律的目的是保护家庭、家族及其内部关系，而家内的人的关系是不平等的，反映在法律上法律就带上了明显的不平等性。在传统社会中，家族内部成员之间存在着森严的不平等关系。父子、夫妻之间均为一种上下从属关系。在中国，孝是子对父的情感行为的基本原则，是家族中心主义的灵魂。而孝是非对称性的，尽孝永远是下一辈人向上一辈人仰事的事。理学家程颐宣称："古今莫难于齐家。而家之所以齐者，分与情耳。分之不严则长幼不能各安其所，而家道紊也。"程颐和整个儒家将"分"视为家之"理"。"分"就是划分家内成员的亲疏远近，上下辈分就是别远近、明等级。家庭和家族内部只有建立起等级关系、从属关系，家才能齐，从而国才能治，天下才能平。可见维持家族内的等级关系是整个社会人际关系的根本。家内人的关系是不平等的，那么家之外的人际关系是否是平等的呢？也不是。因为中国社会是家国同构的，家族之外的人际关系实际上是家内关系的外推和延伸。家内人之间关系不平等，自然家之外的人际关系也是不平等的。中国人最喜欢把家族的情谊关系硬加到朋友的关系上去，从而使家族之外的人际关系也变成不平等的了。君臣关系直接就是家中父子关系的外推。家之"理"对法的影响就是使法的内容成为不平等的东西。中国传统法律保护家内的不平等关系，表现在它保护父对子及其他家内成员的绝对权利。父对子有生杀权、财产权、剥夺自由权、出卖权以及婚姻决定权等。在诉讼制度上剥夺或限制子对父的诉讼权利。夫对妻的关系也是不平等的，解除婚姻关系方面的法律"七出"最充分地反映了夫妻在法律上的不平等地位。传统法律以家族及其内部不平等关系为基础，使传统法律成为等级法、特权法的社会根源所在。

3. 法律结构中民法难以获得应有地位。在父权家长制的家庭和家族中，家父权的一个重要内容是财产权。财产权是家族集体的，但由家长来代表行使这种权利。因此在以家为基础的基本社会制度中不存在严格意义上的财产个人私有制。由家族所决定的这种社会经济特征决定了民法不可能有赖以产生的经济前提。在传统社会，如在古代罗马社会早期，家长的家父权在家中居于统治地位。家长对家庭中的成员具有绝对支配权，子女妻子的任何权利都操于家长一人手中。在经济上家长不允许家庭成员买卖和处置财产，不准签订契约。但是在这里家长、族长个人并不是财产的所有者，就是说在家庭和家族财产关系中不存在典型的个人财产私有制。家长只是代理家族成员占有财产，自己并不是所有者。"如果他管理一家，这是为了家族的利益。如果他是所有物的主人，他是作为儿女和亲族的受托人而持有的。除去由于他统治着小国家的关系而赋予他的权力和地位外，他没有任何其他特权或特殊地位。一个'家族'事实上是一个'法人'，而他就是它的代表，或者我们甚至几乎可以称他为它的'公务员'。"[1] 家庭、家族这样的财产所有制性质，在财产的买卖、让渡、遗嘱赠与以及继承等方面都无法形成现代民法意义上的法律规定和法律制度。

中国传统社会的财产家庭所有制较之西方更为充分和典型。在这种所有制关系中，财产的所有者是家庭、家族这个集体，而不是个人，因而传统社会中不存在财产个人所有制。在家庭集体所有制中，不仅作为个人的家族成员不具有个人财产所有权，而且家长也不具有个人财产所有权。中国传统社会所有观念和制度都以不同的形式坚决反对财产个人私有制。《礼记·典礼》云：父母在"不有私产"。《坊记》："父母在不敢有其身，不敢有其财。"《内则》："子妇无私货，无私蓄，无私器，不敢私假，不敢私与。"现代学者瞿同祖指出："禁止子孙私有财产在礼法上可说是一贯的要求。法律上为了防止子孙私自动用及处理家产，于是定下明确的规定。

---

[1]〔英〕梅因：《古代法》，商务印书馆1959年版，第105页。

……子孙既不得私擅用财,自更不得以家中财物私自典卖,法律上对于此种行为的效力是不予以承认的。"[1] 家内成员不具有个人财产权,家长实际上也不拥有严格的个人所有权。家长虽对财产有支配权,但家长的权力不过是代理家庭这个集体公平地管理家中的财产。如传统社会中普遍实行的诸子平分制继承,就反映出家族的财产是家族成员集体共有的,不是家长一人独立所有的。有学者认为,中国传统社会中这种财产形式包含原始社会主义精神因素。家族集体共有财产体现为财产继承上的平等原则。费孝通曾对这种平等继承现象进行过具体分析:"一家共有两个儿子,长子成家后要求独立时,这家财将分成四部分:第一部分是留给父母的,称养老田;另外提出一部分来给长子,称长子田;余下来的平均分为两份,分给两个儿子,从表面上看,这种分法似乎偏待长子。我曾把这意思说给当地的人听。他们却并不承认,觉得这样才公平。他们的理由是这样:长子田的多少是看长子在家里的贡献多少而定。长子在年龄上自然较大,比幼子工作得早。在没有分家的时期,他所出的力是全家共同享受的。若是他在分家时和他的弟弟得到相同的田地,不是否认了他以往的功劳了么?而且事实上,幼子还是和他父母一起住的,他供养他的父母,同时也就耕种他们的养老田。在长子已分了家以后,幼子和父母共同经营所挣得的田,长子也就无权过问了。在这里长子有两份田:长子田和自己名分中的田;幼子也有两份田:父母的养老田和自己名分中的田。两人所有田的数目也不致相差太远。一直要到父母死的时候,养老田出卖了办理丧事,幼子所经营的田才比长子为少。可是因为父母常和幼子住在一起,很多动产却会暗地里传给在身边的幼子。这样实现了同胞间的平等原则。"[2] 这种平等原则体现了家庭财产的共有制性质,表明

---

[1] 瞿同祖:《中国法律与中国社会》,中华书局1981年版,第15页。
[2] 费孝通:《生育制度》,天津人民出版社1981年版,第166页。

了传统社会中不存在像现代社会中那样的个人财产所有权。个人财产所有权不仅是人权的根本体现，同时也是人权、人的权利的基本保障。中国传统社会既没有个人财产权，也就很难有人权，有人的权利。个人财产权和人权两者是相互依赖、相辅相成的。民法从性质上看是权利法、私法，它的文化精神是私权神圣。私权、人权以及私权神圣观念是民法得以建立的基础，而以家族为社会基本制度的传统社会对这些基础和前提条件并未予以提供，因而民法难以产生就不难理解了。

4. 法律责任和家族团体纠缠在一起，缺乏承担法律责任的民主原则。在以家族为基本社会制度的传统社会中，个人犯罪其法律责任往往由他所隶属的家族团体成员来承担。一人获罪家族株连，要抄家、灭族、诛九族、诛十族，甚至诛一村。族刑曾是中国传统社会刑法的一大特点，"一人有罪，刑及其族"。"族"的范围有很大的伸缩性和随意性。这种情形在古罗马家长权盛行时期也存在。梅因说："个人是显然有罪的，那他的子女、他的亲属、他的族人或他的同胞都要和他一起受罚。"[1] 法律上的这种情形是由家族和个人关系的性质决定的。在传统社会中个人和家族的关系是，前者绝对依附于后者，个人没有从家族中独立出来，个人的荣也好、辱也好都和家族紧紧地捆在一起，难以分开。这样的社会现实关系反映在法律上，也只能是实行族刑这样的责任方式了。这同现代法律中的法律责任民主原则是决然对立的。在现代法治中，法律责任的民主化、个人化是其基本原则，谁违法犯罪由谁来承担法律责任，反对株连。

5. 贱讼的诉讼意识。在中国传统社会人们对法律诉讼活动有种鄙视、厌恶和恐惧的心理情感和态度。人们将诉讼视为不光彩的、可耻的行为，认为那是道德败坏的表现。人们在谈到家庭历史

---

[1] 〔英〕梅因：《古代法》，商务印书馆1959年版，第73页。

时也以"十年无诉"、"百年无诉"来炫耀。这种贱讼意识自古迄今绵绵不绝。其形成原因虽有多种因素，但家庭关系及其向社会的投射可说是一个根本原因。在传统社会中，家庭内部的权力关系是，男性家长具有不可侵犯的绝对权威，因而所有家内成员对家长得忍着。家中人际关系出了矛盾不是通过摆清事实、平等说理的方式来解决，而是通过隐忍解决矛盾。这种解决矛盾的方式推及社会和法律就产生了贱讼意识。同时在传统社会中家庭的稳定和规模的扩大是人们十分重视的事。他们认为稳定和大规模的家庭是荣耀体面的事。而欲使家庭保持稳定，使其尽可能扩大，全体家内成员必须以相互隐忍为条件。唐朝时的张公艺其家里九世同居，这样的家庭规模主要是靠"忍"字来维持的。唐高宗南巡的时候，到他家里住，问他何以有这样的神通，张公艺一连写了一百多个"忍"字。[1] 处理家内的关系讲究"忍"，家国是同构的，因而在社会生活中发生了纠纷也拿出处理家内关系的那个法定"忍"字，而不去打官司，不去诉讼。贱讼意识体现着人们对法律的轻视和对其存在必要性的否定。显然传统社会中的贱讼意识产生的原因之一是传统社会中的家族制度及其特征。

6. 非理性化、非形式化的法律。非理性化、非形式化是指法律与道德规范、风俗习惯、情感意志以及神灵迷信、身份等因素纠合在一起、含混不清。在此法律没有作为理性的东西从情感、道德等非理性的东西中分离出来，独立出来，法律经常受到这些因素的影响。这种法律在解释和适用时不依照法律条文和法律条文中的逻辑，而是依照情感、道德信念等因素来理解条文和法律条文中的逻辑，而是依照情感、道德信念等因素来理解法律适用法律。在这种法律制度下人很难预测自己行为的结果。非理性化、非形式化法律的社会根源之一是作为社会基本制度的家庭及其内部关系对法律的

---

[1] 殷海光：《中国文化的展望》，中国和平出版社1988年版，第158页。

影响。家庭本是一种血缘性、伦理性、情感性的人群共同体。特别是在中国传统社会中人们是极其看重家庭内部和外部的亲缘关系的，将这种亲缘情感关系往往抬高到高于其他社会公共规范的高度。而家庭亲缘关系是情感性非理性关系。在家族制度居支配地位的情况下，法律亦必然从属于这种非理性的亲缘情感关系。当非理性的亲缘情感关系统治并渗透到法律中去时，法律就带上了非理性、非形式化的性质。中国传统法律中的"子为父隐、父为子隐"、引经决狱、据经解律、礼法不分等法律现象即是这种非理性、非形式化的体现。直到清代时超验的精灵世界、迷信、神灵等因素仍对法律的理解和实施起着很大的作用。[1]

以上我们讨论了作为人群共同体的家庭、家族对法律文化的制约和影响，由此我们可以看到家、家族对法律文化的性质、精神、结构、特征的影响和作用既深且巨。家、家族及其内部关系是传统法律文化得以生存和延续的基本社会土壤，中国传统社会尤其如此。今天是由昨天发展而来的，现代法律是由传统法律发展而来的，因此在传统法律文化向现代法律文化演进的今天，我们能否由此获得某些启示呢？

家、家族以及由家、家族这种人群共同体所衍生的文化价值观念和思维方式在社会中的地位和变化体现着社会发展的客观规律，自觉体察和利用这一以往被我们忽视了的规律对于理解和推动今天的法律现代化具有十分重要的意义。

梅因在《古代法》中曾把社会关系进步的过程和规律概括为"从身份到契约"的运动。他写道："所有进步社会的运动在有一点上是一致的。在运动发展的过程中，其特点是家族依附的逐步消灭以及代之而起的个人义务的增长，'个人'不断地代替了'家

---

[1] 关于超越精灵因素对清代司法实践的影响可参见美国学者卫周安：《清代中期法律文化中的政治和超自然现象》一文，载《美国学者论中国法律传统》，中国政法大学出版社 1994 年版。

族',成为民事法律所考虑的单位。……用以代替的关系就是'契约'。在以前'人'的一切关系都是被概括在'家族'关系中的,把这种社会状态作为历史的一个起点,从这一个起点开始,我们似乎是在不断地向着一种新的社会秩序状态移动,在这种新的社会秩序中,所有这些关系都是因'个人'的自由合意而产生的。……我们可以说,所有进步社会的运动,到此为止,是一个'从身份到契约'的运动。"[1]"从身份到契约"实质上就是从家庭到个人,从家庭中的人身依附关系到独立的个人自由。这是社会关系和人自身发展中的深刻革命,这种革命体现着传统社会和现代社会的基本区别。社会关系和人自身的这种具有伟大历史意义的革命是现代法制的基本前提,无此革命便不会有现代法制。在西方,社会关系和人自身的革命导致了西方现代法制的建立。18世纪著名思想家伏尔泰、卢梭、孟德斯鸠等启蒙思想家提出的"天赋观念"、"主权在民"、自由、平等等激动人心的口号和思想文化纲领,正是人们从具有人身依附性质的人群共同体禁锢下解放出来的欢呼之声。它为1789年的法国《人权宣言》和1804年《拿破仑法典》奠定了思想基础和理论依据,构成了近现代法治的思想灵魂。

　　社会关系和人自身从家族依附向契约和个人独立自由的转型,较之西方,中国要缓慢得多。家父权在罗马帝政时期就已经大大缩小,其法已接近现代法律了。而且"在西欧,向这种方向发展而获得的进步是显著的。"[2] 中国社会的社会关系和人自身从家族群体中解放出来,分离出来的脚步要缓慢得多。这同家在中国社会中的地位内在相关。在中国,家是社会结构的基础,血缘宗法关系占主导地位。这给法制现代化带来很大难度,但也使我们明确了法制现代化所应重视和着力解决的问题是什么。

---

[1] 〔英〕梅因:《古代法》,商务印书馆1959年版,第96页。
[2] 〔英〕梅因:《古代法》,商务印书馆1959年版,第96页。

中国现代革命建立了新的经济基础和上层建筑，使中国社会关系发生了很大变化。但按照社会有机体理论，生产关系、经济基础、上层建筑只是全部社会生活的一部分，它们是社会有机体的"骨骼"和"血肉"，除此之外社会有机体还有"器官"和"组织"等等。人群共同体就是社会的"器官"和"组织"。因而我们在思考法制现代化的社会基础时只看到法同经济基础、上层建筑的关系是不够的，虽然这很重要，还应充分注意法同人群共同体的内在联系。马克思的社会理论固然十分重视对社会基本领域的研究，但马克思从来不曾忽视对人群共同体的重视和研究。从下面的话中我们可以看到他对人群共同体的重视程度。马克思说："如果在考察家庭、市民社会、国家等等时把人的存在的这些社会形式看做人的本质的实现，看做人的本质的客体化，那么家庭等等就是主体内部所固有的质。"[1] 在马克思看来，家庭等是人的本质的对象化，是人、主体的质的规定性。因此传统家族及其内部关系决不是外在于现代人的东西，它渗透存在于现代人的质的规定性中，这种规定性影响和制约着法制现代化的过程。在我们的现代生活中广泛存在的忽视个人权利、自由，政治法律生活中存在的家长制、一言堂、官本位、裙带关系等现象不是同传统的家族伦范有着直接联系么？当中国人把家庭伦范、家庭情谊外推、泛化到家之外的社会时，社会人际关系呈现出"兄弟"、"父子"、"情同手足"式的人的直接性关系。这样的社会关系是特殊主义的、非理性的，它根本不能成为现代法制建立的社会前提。这些人际关系如果从伦常关系上说还无可厚非的话，那么一旦将其泛化到政治法律关系中去的话，它同现代政治法律制度就判若霄壤，极不适应了。遗憾的是这样的社会关系在当代现实中仍大量存在。今天仍存在着"族权"大于"人权"的现象。庞朴述评了这样一件事：北京晚报登了一条消息，

---

[1]《马克思恩格斯全集》第1卷，第293页。

他看了十分生气。一个 14 岁的小孩跳楼自杀了。由于她洗碗把一个不好洗的油碗扔到垃圾堆里，家长打了孩子一顿。孩子跑了出去，又冷又饿，最后跳楼自杀。报纸的结论说：孩子的父母非常后悔，希望此事以后不再发生。假如这事发生在西方国家，会判其父母罪的，他们是过失杀人。孩子有人权，得到法律的人权保障。我们的晚报轻描淡写也没抗议。在传统中这不是法律的事，而是道德范围的事，大家指责一下父母就完了，父母表示一下道德忏悔就行了。这是我们"族权"大于"人权"的一例。族权大于人权这种事不仅发生在普通人家中，也发生在高级知识分子中。1997 年 12 月 15 日《报刊文摘》登载了题为《一个女博士生哭唤——还我爱情！还我孩子！》的报道。这位女博士的父亲是武汉一所名牌大学的副校长，母亲是该校历史系教授，父母对其教育十分严格。当女博士爱上该校总务处膳食科的一位工人时，其父知道后勃然大怒，坚决反对他们谈恋爱，并狠狠地打了女儿两记耳光，他利用职权强行拆散了两人的恋爱关系。后女博士终日神情恍惚，送进了精神康复医院，男的被开除公职。恋爱自由是个人人权，而在这两名身为高级知识分子和领导干部的人头脑中，家父权、族权是大于个人自由的，他们仍然没有把个人看作独立的自由的个人。这些现实告诉我们，法制现代化不仅同生产关系、上层建筑的变迁有关，而且同人群共同体的变迁有关。我们只有自觉地认识和推动由传统人群共同体所规定的人身依附关系向人的个体独立的转型，推进"从身份到契约"的运动，现代法制才能建立起来，法制现代化才能实现。

（二）民族与法律文化

在人群共同体诸形态中，对法律文化影响较大者除家、家族外，要推民族。

随着 19 世纪比较法学的兴起，世界范围内法律文化的多样性日益被法学家们所认识。在横的方面各个国家有自己的法，有时一个国家内部还实施着不同的法，某些非国家的团体也有各自的法。这些法在语言、词汇、概念、法的渊源、方法、价值、结构等方面都差异颇大。从纵的方面看，不同历史时代有着不同发展水平和形态的法律文化。对于法律文化这种多样性的基础和成因，以往我们从社会经济、生产关系、上层建筑角度研究较多，这无疑在总体方法上是正确的，但也忽视了问题的其他方面，即民族和民族文化差异对法律文化的制约和影响。其实民族和民族文化在这里是非常重要的，撇开民族和民族文化无法说明某一法律文化的性质、结构和特征。如中西方法律文化的差异就同民族、种族、语言、文化等问题密切相关。西方世界是由许多不同种族、语系和文化所组成的，在历史上他们相互攻伐、轮流统治，统治者和被统治者由于种族、语言、文化等的隔阂，常常需使用暴力以压制反抗者。在被统治者一面，为了保障自身的权益，不惜流血斗争和统治者争取权利，在这种情势下产生的法律，自然成为对统治者权力的限制。而中国秦汉以来两千多年除了一两个朝代外，统治者一直是同一个民族，有着统一的文化、文字、语言，因而统治者和被统治者之间较少西方那种文化心理鸿沟，因而法律文化对处理法与权的关系等问题就和西方有很大不同。的确法学同自然科学是不同的，前者是多样的，后者则是统一的。正像德国学者K·茨威格特所说："在自然科学和医学领域，研究成果进行国际交流，超越各国国境的探讨，这是我们都理解的，完全无需加以说明的理所当然的事情。世界上没有一种德国的物理学，一种比利时的化学或者一种美国的医学。这些科学是在世界范围内存在的，人们只能够查明，这个或那个国家在某一领域里作出特别卓越的、中等的或者特别小的贡献。但是在法学领域里却是令人吃惊的另一种情况。"[1] 虽然在欧洲大陆罗马法

---

[1]〔德〕K·茨威格特等：《比较法总论》，贵州人民出版社1992年版，第25页。

系是法律的主要渊源，并因而在欧洲大陆出现过超国家的统一的法律和法学，但18世纪随着民族国家的形成这种统一性就瓦解了。各民族国家在本质上仍以罗马法为渊源，但结合了本民族的特点编纂了本国法典，从而使得各民族国家有了在本质和精神上相同但在形式上不同的法律。各国的法学家也都对本国的法律予以情感上的认同和赞赏。各民族国家这种在法律文化上的差异主要是由民族和民族文化的差异造成的。

民族共同体及其文化对法律文化的影响和制约表现在以下几个方面：

1. 民族共同体的形成使法律文化主要受自然条件支配转变为主要受社会条件支配。当法律以家族为基础时意味着法律同自然血缘关系密切相关。血缘关系主要属人的自然关系，因而此时法主要受自然因素支配。人的主体性、人性主要表现在不同于自然的社会性、文化性上，因而以人的自然性为基础的法是对人的主体性对人的自由人格的忽视。民族共同体与家、家族的区别在于，它是以地域、语言、生活方式等因素为基础和纽带的人群共同体，是由不同部落的人混合而成的，不是一个纯血统的人们的共同体。在商品经济和资本主义生产关系条件下形成的现代民族尤其如此。在家族关系支配的法律中，不仅财产继承，而且个人的权利能力、法律义务、法律责任以及诉讼权限等都由血缘血亲关系所制约和决定。这在罗马法早期和中国整个古代法律中表现得异常突出。现代民族形成以后，政治法律制度的基础发生了变化，它以民族的经济、文化、语言、地域为基础，受这些因素的决定。这些因素都是社会性、人文性的，而非自然性的。这种改变是法律文化的一个进步。

2. 民族共同体及其文化决定和制约着法律体系中连续性、积累性因素，使法律文化具有民族性。一种法律体系是由许多具体法律规范和条文组成的，这些条文多种多样，且随着经济和政治经验的变化而变化。但法作为一个体系，作为一个多层次的结构，在这些多样多变的条文后面还隐藏着一些相对稳定和不变的因素。这些稳定的因素使法具有意义和价值，使法具有整体性和连续性。法国比较法学家勒内·达维德指出："立法者大笔一挥，法律条文就可变更。但此外也还存在着一些不能随意变更的其他要素，因为它们是同我们的文明和思想方式密切联系着的：立法者对它们像对我们的语言或我们的推理方式一样，无法施加影响。罗斯科·庞德在美国所做的突出的工作突出了各国法所包含的、隐藏在法律条文后面的这些要素的重要性。正是以这些要素的存在为基础，我们才能透过法律条文的一切变更而具有关于我国法的历史连续性的观念；也正是这些要素的存在，我们才得以把法看成一门科学，法律教育才能成为可能。"[1] 法律条文背后这些稳定要素的基础和内容是多方面的，但民族的文化传统是其中的重要部分。民族文化传统中的深层结构、深层价值观念、思维方式会自觉地渗透进法律条文中去，构成法律条文的深层意义，使其具有统一性、稳定性。从纵向看这些因素使法律文化成为连续性的过程。民族的文化传统可以更新，但要完全抛弃是不可能的，因此法律文化现代化难以摆脱文化自身的连续性，它不可避免地会带上本民族文化的特殊性。

3. 民族及其民族文化决定着法律文化的多样性。民族文化是人类性和民族性、共性和个性的统一。文化的民族性、个性必然制约和决定该民族法律文化的个性。每一民族的文化都具有其个性、特殊性、民族性，从而各民族的法律文化亦赋有个性、民族性。在世界范围内存在着相互区别的法律文化，甚至在同一国家内部也存在着不同的法律制度。在不同的法律文化中，有的以成文法为主要形式，有的以判例法为主要形式；有的承认法官有创制法的职能，有的则否定法官有创制法的职能；在诉讼上有的采取问讯的审理方式，有的则采取抗辩式的审问方式等等。不同民族各别的法律文化

---

[1]〔法〕勒内·达维德：《当代主要法律体系》，上海译文出版社1984年版，第23页。

的形成固然原因是多样的，但民族文化传统是其中一个主要原因。譬如，罗马日耳曼法系在法典的编制上和法律思维特点上重视理论概括，强调总则的作用，法律规范也比较抽象。《法国民法典》就十分重视确立高度概括抽象的一般原则，避免过分冗赘琐细的条目。这同普通法的案例法特点形成鲜明对照。波塔利斯对大陆法的特点作了这样的描述："立法机关的任务是要从大处着眼确立法律的一般准则。它必须是确立高度概括的原则，而不是陷于对这一可能发生的问题的琐细规定。法律的适用乃属于法官和律师的事情，他们需深刻理解立法的基本精神，……立法同司法一样有技巧，而二者是颇为不同的。立法者的技巧是要发现每一领域中对公共福利最有利的原则，法官的技巧则是要把这些原则付诸实施，要凭借智慧与理性的运用而将其扩大到具体的情况……那些没有纳入合理立法范围内的异常少见的和特殊的案件，那些立法者没有时间处理的太过于变化多样，太易引起争议的细节及即使是努力预见也于事无益，或轻率预见则不无危险的一切问题，均可留给判例去解决。"[1] 全部法国侵权行为法规范在《法国民法典》中只用了从1382—1386的五条规定，而《奥地利普通民法典》用了40多条规定。与此相反，英国法则不重视抽象原则，不重视一般概括。马克斯·韦伯在《经济与社会》中对英国法的这一特征有清晰的描述："法律由先例和类推支配……法律实务者们不是存在……形成合理的结构，而是试图创造出各类在实践中有用的契约和诉讼，因为它们符合诉讼人典型的和经常性的特定需要。这便形成了在欧洲大陆所称作的'预防性法学'（kauteler jurisprudenz）……依靠这种预防性法学自身固有的各种因素，不可能产生合理的法律体系，甚至也不可能使法律获得合理的系统化。这种法学所产生出来的思想是同形式表现的——即具体的可以辨认的和当时日常发生的——事实

---

[1]〔德〕K·茨威格特等：《比较法总论》，贵州人民出版社1992年版，第167～168页。

情况相联系的，区分事实情况的原则决定于外部因素；如果需要扩展这些思想，则通过已经指出的方法来实现。这些思想不是通过从个别中进行抽象的方法和通过一般概括和归纳的逻辑过程而形成一般概念，然后以演绎推理的规范形式加以适用。当时法律的实践和教授是纯经验式的，法律思想总是从个别到个别，而决不会试图从个别案件中归纳出一般原则，再从这些原则中推导出个别案件的判决。"[1] 大陆法和英国法的这种不同特征用经济因素似乎难以得到令人信服的说明。我们认为它主要是由于民族文化个性的差异而形成的。法国、德国人都重视抽象思维，在哲学上有唯理论传统，如法国的笛卡尔就是唯理论的主要代表。而德国人对抽象思维的偏爱在世界上是少有的。哲学是文化的核心，这就决定了这些民族文化对理性、超验的东西的看重。这种民族文化性格体现在法律文化上就导致了它们的法推崇一般原则，重视抽象概括。而英国文化则极为重视经验、实践、具体。英国是经验哲学的大本营，培根、洛克、霍布斯都是英国人，也都是近代欧洲哲学经验论的代表人物。英国的文化和文化理论也是重视经验实证，重视田野调查方法的。在文化人类学中，英国的马林诺夫斯基是经验实证论的代表。英国这样的民族文化性格决定了它的法律文化的民族特征。

　　民族文化对法律文化的影响是相当顽强而持久的。在16世纪和17世纪的都铎王朝和斯特亚特王朝时期，罗马法对当时的保皇党分子十分有利，他们主张引进罗马法，其时普通法面临被罗马法完全驱除或至少被挤到一边的危险。尽管有政治力量的支持和需要，英格兰最终还是没有全面接受罗马法。英国为什么没有全面接受罗马法，原因有历史的、政治的等方面，如K·茨威格特认为原因之一是，英国的法律家阶层已有300余年的历史，它已形成了严密的组织结构，较强的职业内聚力和政治影响，他们致力于维护普

---

[1]〔德〕K·茨威格特等：《比较法总论》，贵州人民出版社1992年版，第325页。

通法，为了原则，也为了利益。我们以为除此之外一个不可忽略的原因是民族文化性格的差异。罗马法的一个基本特征是唯理论与抽象权利。恩格斯说，罗马法的"主要兴趣是发现和规定那些作为私有财产的抽象关系的关系"[1]，是罗马法"最先制定了私有财产的权利、抽象权利、私人权利、抽象人格的权利"[2]。罗马法这种重视理性、逻辑、抽象原则的特征是同英国文化的经验论传统相矛盾的。这是英国不能全面接受罗马法的重要原因之一。可见，民族和民族文化性格造成了法律文化的多样性。

4. 民族和民族文化从隔离到融合是法律文化发展的重要动力。在人类实践水平较低的时代，各民族、国家、地区间难以突破文化隔离的天然的和人为的壁垒，各民族及其文化都比较封闭，人们的思维和视野被限制在狭隘的单一共同体之内。在这种情况下文化和法律文化失去了发展的外部刺激和动力。随着物质生产的发展以及由此而来的经济、政治和文化的全球化，各民族间的文化壁垒迅速被冲破。在此各民族的法律文化开始发生引人注目的接触、冲突、吸收、借鉴，这个过程促进了各民族法律文化的发展，甚至使不少民族的法律文化发生革命性变革。19世纪以来西方法律文化先后不同程度地传入其他民族，东亚各国法律文化的现代化变革是直接同接触吸收西方法律文化相关的。劳伦斯·W·比尔指出，日本和韩国的法律都受到美国法律的影响，特别是二战以后的影响很大。在这两个国家的法律传统上发生过两次主要的近代断裂：在外来压力下，日本于19世纪和20世纪初期按照欧洲大陆的模式重塑了法律传统，使之成为民族法系中的一分子。由于日本的占领，朝鲜也这样做了；1945年9月开始的军事占领又使美国对宪政与权利的

---

[1]《马克思恩格斯全集》第1卷，第382页。罗马法的唯理论和抽象性特征可参见周枬等编：《罗马法》，群众出版社1993年版。
[2]《马克思恩格斯全集》第1卷，第382页。

理解渗入亚洲的概念之中,甚至更占了上风。[1] 中国、印度等民族国家都在一定范围内接受、吸收了普通法系或日耳曼法系的许多法律观念和制度,并使传统法律得到更新发展。即或传统力量异常强大而一向排斥西方文化的伊斯兰法系的许多国家,19世纪和20世纪以来也都"在不属于人法(个人、家庭、继承)和不触及宗教基金的一些方面,停止实施伊斯兰法而实施来自罗马日耳曼法系和普通法系各国法的规定。"[2] 这促进了伊斯兰法律文化的进步。可以预料,世界各民族法律文化的这种相互作用和引进将愈来愈广泛深刻地进行下去,成为各民族法律文化现代化的动力之一。在近代以来,"各民族的精神产品成为公共的财产"[3] 这一文化客观进程将有力地推动各民族法律文化的更新、创造和发展。

二、政治现代化与法制现代化

　　法律文化及其变迁与社会政治结构的性质、结构的变化密切相关。政治和法都是统一的经济基础的反映,是上层建筑的重要组成部分。上层建筑作为一个系统,其内部诸要素不是彼此孤立、互不相干的,而是处于密切地相互关联和作用之中。政治和法的关系是双向的:一方面,政治是法的基础和前提,政治的性质、结构和类型规约着法律的性质和形式;另一方面,法对政治也有强烈的规范、规导作用,这种作用随着社会现代化的进程愈来愈明显地显示出来。在现代社会,政治关系、政治制度、政权组织形式、机构运行等政治活动均需要建立在法律基础之上,受法律的约束。在此双向作用中前一方面处于主导地位。从法的本源意义上看,法最终决定于社会经济生活,然而经济的决定作用需通过政治结构这一中介环节方可实现。政治是经济的集中表现。经济关系虽是客观的物质

---

[1] 参见〔美〕路易斯·亨金等著:《宪政与权利》,三联书店1996年版,第292～293页。
[2] 〔法〕勒内·达维德:《当代主要法律体系》,上海译文出版社1985年版,第442页。
[3] 马克思:《共产党宣言》。

关系,但也总是操纵于在政治上处于统治地位的阶级手中,与此阶级相联系的国家政权始终规定和调整着各阶级、阶层和集团的利益关系。于此意义上,法律只是国家政权规定和处理各阶级和利益集团关系的一种工具和手段。

政治和法的双向作用构成其自身存在和发展的特殊规律,其作用在近代政治法律文化进程中尤为突出。只有自觉地把握利用这一规律,才能自觉顺利地实现法制现代化。政治对法作用的一般情形,许多法学论著已有具体论述,这里拟就政治现代化对实现法制现代化,建立法治社会的作用和意义作些初步分析。

(一)政治结构分化:法制现代化的基本前提

政治结构分化是政治现代化的一个重要方面。结构分化是指"由一个结构单元同时承担多种功能到由若干子单元分别承担专一功能的过程"。[1] 传统社会政治结构的特征是结构基本未分化或分化程度很低。表现在政治力量和权力渗透于社会生活的全部领域,对其实行全面控制和干涉,致使全部社会生活政治化、行政化。在这种社会,"行政权力支配社会"(马克思语)。既然政治和行政支配一切,那么法律在社会生活中的地位必然受到排挤和降低。现代法治社会所要求的依法办事原则、法律至上原则和行政权力依法行使原则断不会在这样的政治结构中得以实现。因之,政治结构分化遂成为建立现代法制的基本前提。从我国的政治实际看,政治结构分化就是要把政治体制和其他社会体制严格分离开来,在政治体制内部把各种权力和职能严格分离开来,即改变以往政企职能不分、党政合一的政治体制。

现代经济的发展必然要求经济管理和经济活动的法制化。商品生产和经营单位,商品生产和经营者,即市场主体要求独立人格

---

[1] 孙立平:《社会现代化》,华夏出版社1988年版,第221页。

权、财产自主权以及与之相适应的合同自由权。而政企不分的政治体制恰恰构成这一客观要求的巨大阻力。只有实行政企分开，使经济活动摆脱过多的政治干预，才能将这些同生产力发展相适应的客观要求以法制的方式确定下来，使整个经济活动纳入法律秩序的轨道。

在结构分化程度较低的社会政治体制中，不只经济同时法律本身也经常受行政权力干预。其恶果是法律的独立地位无法保证，法律的权威和尊严受到严重影响，法律的执行和实施受到扭曲。创制完备的法律、法令体系固然是现代法治的基本要求，但仅有法律规范体系而法无独立性、至上性，就很难保证法的普遍性和法律面前人人平等的原则，就会产生有法不依、徇私枉法、以权代法、以言代法等现象。要实现法的独立性和至上性，就必须实行政治结构分化，即把司法制度和机构从行政制度和机构中严格地分离和独立出来，使其在不受行政权力干涉的环境下独立地适用法律。

随着政治制度从传统型向现代型的历史转变，政治活动自身也要纳入法制化轨道。这里不仅要求政治把经济、法律和其他社会生活体制从自身结构中分化出去，而且政治内部必须实行结构分化，即把集中的权力分散于各个子结构中去，使各子结构权力和职能界限分明、各司其职，并相互配合、相互制衡、相互监督。如立法机构、司法机构、行政机构以及政党应有各自独立的地位和职能，同时形成相互配合和相互制衡机制。在此政治结构基础上，才有可能实现法律支配权力、"政府守法"的法制原则。"政府也要守法，这是法制的真谛。"[1]

（二）政治权威类型转换：法制现代化的重要条件

政治活动是政治权力的行使。政治权力的行使必须建立在特定

---

[1] 龚祥瑞：《比较宪法与行政法》，法律出版社1985年版，第96页。

政治权威基础上,否则政治权力及其行使便失去合法性(合法性概念不独指合乎法律,而是指被统治者认为是正当的或自愿承认的特性,如传统和领袖魅力等均可成为合法性因素和根据)。在不同的政治文化中,政治权威类型颇为不同。德国著名社会学家马克斯·韦伯把政治权威分为三种类型,即传统型、奇理斯玛型和法理型。

政治权威类型的不同,直接制约着法律在政治生活和整个社会生活中的地位和作用。传统型权威的特征是统治权力的合法性或根据来源于自古以来就流传下来的神圣传统。"传统型的统治建立在对于习惯和古老传统的神圣不可侵犯的要求之上。"[1] 这种政治权威类型的特点是统治权力的合法性不是来自理性,而是来自非理性,这种权威类型的性质和特征决定了它是同现代法治完全冲突的。因为现代法治要求政治统治的合法性应来自理性、法律,而不应是非理性的传统。奇理斯玛型权威的特征是政治权威的合法性或根据来源于具有超凡人格的英雄人物的个人魅力。这种人物具有特殊品质,被认为具有超自然人的力量和才能。这种权威类型同现代法治的冲突同样是十分明显的。因为在这种传统形式中具有个人魅力的领袖人物的个人意志高于一切。他统治人民的理由和根据是"我具有超人的天赋,因此人们应服从我"。个人魅力型的领袖统治的合法性是依赖于个人的意志、非理性的行为。正如帕金所言,个人魅力型的领袖的权力仅仅依赖于他能否使其追随者和信徒们确信他的盖世神力。他必须作出奇迹和英雄之举,并且不断地在其追随者眼里证明自己受命于天。不像官僚制,他不能依靠职位的保障;不像族长制,他不能躲在习惯的尊严里,他必须时时刻刻准备着通过使人敬畏兴奋的举止或冒着以丧失信徒的信仰的危险去证明自己的才能。如同现代体育运动中的英雄一样,他的表演总是处在

---

[1] [英]弗兰克·帕金:《马克斯·韦伯》,四川人民出版社1987年版,第112页。

他的谄媚者的不断检阅下。一再地失败，会导致他的追随者们幡然醒悟，作鸟兽散。这种权威型领袖的存在和发挥作用是同国民的开化程度、文明程度相关联的。在国民的科学文化水平、理性判断能力较低的情况下这种权威类型的领袖就会应运而生。随着社会文明水准的改善，国民理性判断能力的提高，这样的统治形式势必让位给其他政治统治形式和权威类型。

与上述两种权威类型不同的是法理型权威。在法理型政治权威形式中，统治者权威的合法性既不来源于传统，也不来源于个人品质和魅力，而是来源于法律。统治者统治的理由是"因为我是你们法定的长官"。此种政治形式要求全部政治活动和过程都应尊重和恪守法律秩序。因之法律只有上升为至上性、普遍性的社会关系调控手段，才赋有至高无上的神圣性质。

按照上面对政治权威类型的三种划分，中国当代的政治权威类型正在向法理型权威转变。中国封建社会的政治权威类型基本上是传统型的，改革开放以前的权威类型基本上是奇理斯玛型的。这两种权威类型都同法制现代化冲突，只有法理型权威是同法制现代化相契合。因而法理型权威的建立就成为中国法制现代化的重要政治条件。

（三）政治活动制度化：现代法制的必要性

在社会学中，制度化是指个人、组织的行为符合社会规范的程度以及与之相符合的过程。政治制度化是社会制度化的一个方面，是政治现代化的重要体现和组成部分。政治制度化就是要在政治活动和行政管理过程中，排除个人意志作用以及由此作用带来的政治活动和管理过程的随机性、偶然性和不确定性，使之纳入形式化、非个人性的统一制度和规则之中。

首先，政治制度化同现代法治有着互为条件、互为因果的内在关联。一方面，现代化法治是政治制度化的法律前提和条件，政治活动政治关系若不建立在法律基础之上就根本谈不上制度化。法制建设是政治制度化建设的保障，也是政治制度化建设的重要内容。马克斯·韦伯曾指出，罗马法的形式法律原则，为近代西方政治官僚制（即政治活动形式化）的产生提供了不可或缺的条件。原因在于，这种形式化、合理性的法律在司法实践中排除了伦理主义和功利主义原则，使其赋有非人格的普遍性特征。因此政治组织及其成员在这种法律面前，具有同其他社会组织和成员相同的法律地位，不可超越这种具有一视同仁精神的法律之外，从而保证了政治运转和行政管理的制度化。另一方面，政治制度化又构成现代法治的条件和保障。已如上述，政治制度化意味着制度的地位和力量高于个人意志、特权的地位和力量。显然这种政治制度和政治观念为以现代方式解决人治和法治的关系、权与法的关系提供了基本的政治前提。法制现代化的标志之一是在法和权的关系中法大于权、高于权，权力要受法的制约。而这一点在法自身范围内是难以实现的，它需要相应的政治条件来支持、来保证。政治的制度化就是法治所要求的条件。有了政治的制度化，法才可能被置于君临一切的地位，才能将政治权力和行政管理放入法律所规定的范围内。这恰是法治原则最基本的要求。

其次，政治制度化是法律普遍性原则和法律面前人人平等原则的政治条件。这两条法治原则的要义在于，包括政治生活在内的全部社会生活都应纳入法律秩序中来，法律对全体公民都应一视同仁。政治制度化对法治原则实现的意义在于，它使法治原则的实现有了必要和可能。当政治活动没有制度化时，权力者的个人意志和任性操纵着政治，也操纵着法律，这样，法律及其普遍性和平等性要求必然遭到拒斥，必然出现特殊主义的、以不平等为特征的法律，有如中国传统政治和法律的特征那样。而政治制度化对法律提出的要求就与此大为不同了。按照马克斯·韦伯的理论，"官僚制行政组织的基础是有技术专长的官吏和合理性的法律。""有技专长的官吏"和"合理性的法律"这两个条件对于政治制度化缺一不可，构成政治制度化的基础。这就是说，要实现政治制度化就必须建立"合理性的法律"，这就使法治的实现在政治上有了必要性和可能性。合理性的法律也就是形式化的法律，是具有普遍性和平等性的法律。既然政治活动及其官员必须遵守合理性法律，那么就有可能消除长官意志、特权、情感等非理性的人格化因素对法的干扰和破坏作用，从而实现法律面前人人平等的法治理想。

再次，政治制度化有利于实现法律的稳定性和确定性。现代法律制度的一个重要特征是确定性、稳定性和可预测性，这也是法的形式化、理性化的基本内涵。法律体系要能够像机器运行一样，在此高度程度化的法律运行中，个人和群体才能获得最大限度的自由，并有能够预见他们行为的法律后果的可能性。这样的法制状态的实现需要一定的政治条件，它在非制度化的政治中是不可能实现的。从解决问题的方法上看，非制度化的政治体制常常采用非理性的情感化的行动来贯彻自己的政治意图。现在我们仍可在报纸和其他宣传媒体中看到听到某某领导解决什么问题重视感情投资的话。这虽有其合理的一面，但也反映出我们现在的领导仍习惯于用非制度化的手法解决问题。在过去，这种非制度化的政治喜欢采取运动、号召、动员、大检查等方式处理政治问题和其他社会问题。它的弊端是随意性和不确定性。制度化的政治体制解决问题的方法与此判然有别。它所注重的是制度和政策的统一性、一贯性、准确性和稳定性。实现这种政治制度化要求的最好手段不是别的，正是法律。法的规范性、概括性和可预测性的特点表明它同其他社会规范有区别。法是稳定的、定型的、形式化的规范。它针对的是一般人，而不是具体的特殊的人。它为一般人所提供的是一般的、共同的行为模式、标准和方向，而不是具体的、特殊的尺度。马克思说："法律是肯定的、明确的、普遍的规范。"[1] 因此当政治纳入法律调整的范围内时，也就意味着政治的制度化。政治制度化一旦要实现它亦会为法律提出准确性、稳定性的要求，因而法也就获得了保持自身确定性和稳定性品格的基础。没有政治的制度化，法律的稳定性、确定性难以保证。

（四）政治民主化：现代法制的动力

"民主已成为世界上头等重要的政治目标。"[2] 但对民主概念的理解尚存差异。笔者认为，从主体性质和观念层次看，民主者，民权也，即人民自己享有权利；从主体性和观念实现的途径和手段看，民主乃是民治，即人民参与管理国家，管理社会事务，在此意义上民主是国家制度、社会制度，是一套完备的技术性机制和措施。民主的实现需要一定的条件，否则即便有了民主的主张和一般原则，它也难以变成实实在在的现实。正像科恩所指出的："民主有时可以完全成功，有时也可以完全失败。能取得何种程度的成功，还要取决于实现民主必须具备的各种条件。"[3] 在实现民主的诸如物质条件、智力条件、心理条件等众多因素中，法制是极为重要的一种。

法制是民主的条件，然而这种条件只有在强烈的民主要求的推动下才能创造出来，只有在民主要求推动下产生的法制才是贯注了民主价值的法制，才能做到法制的民主化。因而民主构成现代法制的动力和基础。

首先，民权意义上的民主决定着法制的性质，是区别传统法律制度和现代法律制度的基本标准。在我国，人们已经注意到从理论上区别"法制"与"法治"两个概念。这种理论自觉是有意义的。

---

[1]《马克思恩格斯选集》第1卷，第71页。
[2] 〔美〕科恩：《论民主》，商务印书馆1988年版，第1页。
[3] 〔美〕科恩：《论民主》，商务印书馆1988年版，第102页。

这里"法治"和"法制"的一个根本区别正在于它们同民主价值的关系不同。"法治"是以民主为基础，灌注了民主价值的法制状态。"法制"则不一定以民主为基础，也可以以专制为基础。法治只有到了现代社会才能谈论，而法制在传统专制社会就有了。以现代政治法律价值看，一个社会是否是法治社会，主要不在于它创制了多么完备的法律规范体系，而在于这种法律规范体系同自由、民主、平等、权利等人类基本价值是何种关系。体现这些珍贵价值的法律规范体系可以叫法治，否则不能叫法治。譬如，中国封建社会法律在体系上已相当详密和完备，但其内容和目的却是"治民""防民"，甚至"弱民"，它是帝王之具，是专制主义的工具。显然它同近世以来所言的法治是背道而驰的。现代法治的价值追求和标志在于法律原则和规范以保护公民自由和民主权利为基本内容和宗旨，脱离和违背这些价值的法律体系和制度不是法治。

其次，民治意义上的民主决定着现代法制的必要性。民治即人民群众参与管理国家事务，是民权的必然要求和体现。民权倘若离开民治只是空洞美丽的辞藻。民治是一种形式结构性存在，是体现、实现民权内容的组织结构。它表现为一系列具体的制度体系。民治作为政治制度是一套技术性、知识性的政治运作机制，它涉及到政治活动和管理的形式、程序、机构等问题。这部分内容在西方政治理论和实践中被充分重视，并加以持久的关注和研究。这部分内容之所以重要因为它关乎到民主能否从纸上的东西落到实处，民主理想能否真正兑现。如西方近代民主化过程是伴随着代议制、两院制、联邦制、分权制以及普选制等制度而发展巩固的。当然具有共同本质的民主在不同民族文化中表现形式可以有所不同，但都需要相应的组织制度、结构形式则是相同的。为了保证民主制度的应有地位及其作用的有效发挥，必须将其同法联系起来，使民主制度化、法律化。这可说是历史，尤其是近代史上政治和法律发展的一条客观规律和基本经验。科恩说："在实行民主的社会中，某些原则是必须写进宪法中去的。这些即保证允许并保护公民从事参与社会管理所要求的各种事项的原则。这些保证即是民主的法制条件。"[1] 民主的原则不仅要写进宪法，而且要体现在各个具体的部门法及其规范中。这样才能保证民主的具体化，保证民主在现实中兑现。民主不仅要求通过法律使主体权利得到正面实现，而且必然要求民主权利不受侵犯，这同样需要通过法律来实现，有可能对公民权利加以侵犯的无非是作为个体的他人和社会组织、政府、政党等。个体同社会组织、政党、政府的侵犯力量相比毕竟是有限的，而后者可能引起侵犯的力量和能力则强大得多，几乎触及到社会生活的全部领域。因此为了保证公民权利不受侵犯必须限制政府权力。这种限制必须通过法律来实现。政府活动、行政行为以及国家各种活动必须建立在法律基础之上，受法律的约束。因此民治的国家必然是法治国家。

三、法律与社会的相互催动

无论从应然性还是实然性言，中国现阶段法律制度和社会结构都还处于萌朕之际的不成熟状态。法律的理想形态、形式结构、现实运行和社会功能难以满足现代社会和市场化发展的要求；而同现代法律观念、制度相匹配的为其提供发展和运转土壤和条件的现代型社会结构尚处于艰难的形成过程中，远未成形。在此情况下，社会运行、市场发展对法律不能为其提供良好可靠的服务而抱怨法律的不完善和软弱无力；而法律则认为自身的完善和功能的有效发挥依赖于有别于传统社会的新型社会关系、社会力量和社会结构的支持和保证。

这种现实存在的相互不满和抱怨状况表明，法律和社会在我国现时尚未真正形成相互协调、相互推动、互为条件的健康的良性耦

---

[1] 〔美〕科恩：《论民主》，商务印书馆1988年版，第121页。

合结构。这一良性的耦合结构的形成实质上就是现代社会结构和现代法制的形成。它的形成所需要的是法律和社会结构的同步协调变革。因此目前的任务应着眼于两方面：一方面，法律制度要在社会关系、社会体制从传统型向现代型的转变及其催动中寻求根基和动力，走向完善；另一方面，社会关系、社会结构和社会体制要在法律从传统型向现代型的变迁及其催动中趋于成熟。这里的问题是两方面的、双向的，不是单方面的。法律制度不关切、依赖社会关系、社会结构和社会体制的现代转型，单项独进，一厢情愿和自我建设、自我现代化是不切实际的幻想；同样社会结构、社会关系和社会体制如不关切、依赖法律制度的现代化转型，在法律之外自我完成，也是注定要失败的。因而，法律和社会只有在各自结构变迁、转型和因此而产生的相互作用、催动中，才能一体化地、携手并进地完成从传统向现代化的历史性嬗变。

社会自诞生之日起即内在地需要秩序和规则以保护社会成员的自由和社会的发展。但在社会发展的不同历史阶段维持秩序和规则的力量和方式甚为不同。原始社会维持社会秩序的力量和方式是血缘、习惯，奴隶社会和封建社会主要是传统、宗教、道德，而进入商品经济、市场经济社会则演进为法律。市场经济社会是世俗化社会，它所重视的是人的自然性、生物性层面。它通过把人的内在的自然能量，生物欲求激发和呼唤出来推动社会在物质生活方面得到发展。康德说，一群魔鬼可以建立天堂。市场经济社会中"经济人"身上奔突着强烈的物欲、利益以及对利益最大化的追求，令一切道德的、礼俗的和超验的精神力量显得苍白无力。市场社会中人的自由选择、权利保护、平等要求等主体性需要及其实现亦使非法律的力量难以有效发挥作用，从而法律被推向社会的前台和中心。因之，马克斯·韦伯等思想家将现代社会称为法理型社会。我们认为，在法理型社会，法律不仅是社会体系中的一个环节、因素，而且成为它的一个重要的性质和组织规定。哈耶克、科斯等人都强调过这一问题。作为现代社会结构基础的市场经济当然主要是一个经济范畴，但同时亦可说是一个法律范畴。它表现在市场经济的宏微观结构、产权制度、市场主体、市场机制等不仅是经济事实和过程，也是法律事实和过程。如市场经济由于法律的内在介入使得产权性质同传统的理解大为不同：产权不再成为僵死不变的"特权"。在此，"私有财产是任何人根据同样的法律都能获得的，仅仅因为某些人在取得私有财产方面成功了，就把私有财产称作一种特权，那就使'特权'这个字失去了它的意义了"[1]。任何社会成员都可以依据同样的法律取得财产，也可依据同样的法律失去自己的财产。所有权是流动的，不是固定僵死的。质言之，现代社会由于法律成为其内在规定而使其整体及其特性为法律所支配，有如传统中国社会由于道德成为其内在规定而使社会为道德所左右一样。因而现代社会结构和秩序的建构依赖于法律制度，没有现代法律就没有现代社会。法律成为现代社会制度的一个重要规定。法律对现代社会的规定还表现在，现代社会中社会秩序的形成主要不是依靠行政命令、血缘、传统等因素，而是依靠法律。对此哈耶克说："人们的社会行为的秩序性呈现在下列事实之中：一个人之所以能够完成他在他的计划中所要完成的事，主要是因为他在行动的每一阶段能够预期与他处在同一社会的其他人士在他们做他们所要做的事情的过程，对他提供他所需要的各项服务。我们从这件事中可以很容易地看出社会中有一个恒常的秩序。如果这个秩序不存在的话，日常生活中的基本需求便不能得到满足。这个秩序不是由服从命令产生的。因为社会成员在此秩序中只是根据自己的意愿，就所处的环境调适自己的行为。基本上，社会秩序是由个人的行为需要依靠与自己相关的其他人的行为便能够产生预期的结果而形成的。换句话说，每个人都运用自己的知识，在普遍和无具体目

---

[1] F·A·哈耶克：《通向奴役的道路》，伦敦1976年版，第40页。

的的社会规则之内，做自己要做的事，这样每个人都可深具信心地知道自己的行为将获得别人提供的必要的服务；社会秩序就这样产生了。这种秩序可以称之为：自动自发的秩序，因为它绝不是中枢意志的指导或命令所能建立的。这种秩序的兴起，来自多种因素的相互适应，相互配合，以他们对涉及其事务的即时反应，这不是任何一个人或一组人可以掌握的复杂现象，这种自动自发的秩序，便是'多元中心的秩序'，是当人们在只服从公平与适用于社会所有成员的法律的情况下，根据自己自发的意图彼此交互作用需要而产生的秩序。因此，我们可以说每个人在做自己要做的事情时，彼此产生了协调，这种自发式的协调所产生的秩序，足以证明自由有利于公众。这种个人的行为，可以称之为自由的行为，因为它不是上司或公共权威所决定的。个人所服从的，是法治之下的法律，而这些法律应当是无私地普遍地具有效率的。"[1] "法治之下的法律"在哈耶克看来是现代社会秩序和结构形成的条件。这样的法律是已经现代化了的法律。

但是，"法治之下的法律"，不可能独立自主地实现和产生，法律现代化的实现依赖于社会关系、社会结构的现代化。法律诚然是现代社会结构中被放大、被凸显的一个环节和部分，对社会具有总体的制导作用，但其毕竟又是社会大系统中的要素，因而它必然受到社会整体结构状态的制约。法要从以前那种普通的社会环节、要素上升到一种放大的、凸显的、起总体制导作用的环节依赖于整个社会结构的变革和改造，依赖于法律和经济、政治、道德等其他社会环节内在关系的重新安排。即是说，法律要获得它的现代性质、功能和价值，反过来又要依赖于社会，依赖于社会的变迁和改造。

---

[1] F·A·哈耶克：《自由的宪章》，芝加哥大学出版社1960年版，第159~160页。转引自孙国华主编：《市场经济是法治经济》，第79~80页。

足见，法律对社会，社会对法律各依赖于对方，从对方那里获得自我肯定、自我发展、自我完善的保证和条件。而双方各向对方条件的提供都需要以自身的结构性更新和转型为前提。因为结构决定功能，惟有各自结构发生变革，方能向对方输出新的功能和力量，而这新的功能和力量便构成双方存在和发展成熟的条件。譬如，当社会结构中政府、政权、道德、礼欲、身份、亲情等要素退居下位或次级要素时，即社会结构发生变迁时，社会结构就会为法律要素地位的放大凸显提供土壤和条件；同样当法律摆脱一切非法律的外在力量的抑制和束缚，获得至上性、权威性、普遍性和合理性并以权利为中心之时，才可能为社会的发展提供有效和可靠的支持和保证。因而这是一个各以自身结构变迁为特征而进行的法律和社会的相互催动过程。

此过程的基本内容是什么呢？在法律现象背后存在着相互联系的两对基本矛盾，即法律和经济的矛盾、法律和政治的矛盾。马克思的社会结构理论认为，经济，即生产关系、经济结构的基本的核心的内容是生产资料所有制关系，用法律术语表达就是财产权或产权；政治的核心问题则是国家政权。从而法律和经济的矛盾、法律和政治的矛盾可转换为一种更明朗更集中的形式，即法律和产权的矛盾、法律和政权的矛盾。此两对矛盾构成法律和社会关系的根本内容和最深层本质，其存在状况和解决方式成为法律存在和变革的内在根据、力量和中心线索。

因之，考察法律和社会通过自我结构变迁而相互催动的具体过程、内容和深层本质应从这两对矛盾的存在状况、形式及其解决入手。

首先，从法律和产权矛盾看，法律和社会结构变迁和相互催动从两个层面展开：一是产权明晰化是法律向社会，特别是向市场经济社会服务的深层社会结构前提；二是法律对经济利益和社会财权的独立化构成法律积极向社会作用的基本保证。

传统的生产资料公有制实现形式和计划经济有两个显著缺陷，一是产权不清晰，二是经济关系无法形成契约性关系。产权不清晰表现在：（1）产权的各项权利划分不清。在国家政府部门和国有企业之间，所有权与占有权，使用权和处置权如何具体区分，收益权如何具体界定，收益权是单一归属还是由所有者与企业共同分享等，这些问题在具体规定上不明之处颇多，具体操作矛盾很大。（2）产权的代表不清。企业国有资产所有权属于国家，但谁具体代表国家行使所有权？是一个政府部门还是多个政府部门？现在的情况是，企业主管部门、上级公司、国资管理部门、财税部门、经贸委部门甚至组织部门等众多主体都在不同程度上行使所有权代表职能。（3）产权代表主体的权责利不清。作为国有资产代表主体的政府各有关部门，对国有企业资产的管理，往往偏好于追逐权力和利益，且各单位权利交叉混淆，伸缩性较大，而与权利相对应的责任和义务非常模糊，往往是有权无责，有责不负或相互推诿。[1]

与产权不明晰内在相关的是经济交往关系难以契约化。因为契约关系所成立的条件在既有的经济关系中不能得到满足。契约关系中的主体首先应是明确的财产所有者，其次契约关系中的主体之间的关系应是平等的。这种条件在传统经济结构中难以找到。由于这两种缺陷导致法律无法全面有效地对经济活动、经济关系实施积极的调节。市场经济所要求的社会关系是契约化、合同化，在社会关系获得这种性质时法律方能对社会关系的发展实施积极调整。然而公有制的传统实施形式和计划经济严重地阻碍着社会和经济关系的契约化，从而使法律很难介入经济社会生活而发挥作用。法律的这种困惑在司法实践中大量存在。由于政府、行政权力对企业的干预控制，使契约关系经常处于非经济非法律力量的干扰之下，从而法律的公平性、严肃性、权威性和理性可预期性被这种政企不分所产生

---

[1] 参见周敏倩等：《国有企业改革之我见》，《南京社会科学》1996年第11期。

的政府强权及其多变性所破坏和践踏。

由于在传统公有制实现形式下产权的各种权利划分不清，产权代表众多责任不明导致经济活动中的契约难以履行。实践中这样的事例俯拾皆是。例如，1980年8月4日，东北某某电梯厂与某某电视机厂（需方）在北京国家物资局机电设备一局重型通用产品分配会议上，签订（1981）梯字第44号合同，由电梯厂于1981年2季度承供电视机厂 JH2米×25米电梯一台，并经国家建委建筑机械局和辽宁省机电设备公司签证。同年5月16日电梯厂按期将货发到，电视机厂验收合格，安装使用，但长期拒付货款，给电梯厂造成了经济损失。因此电梯厂向人民法院起诉，要求电视机厂付款45706.64元，并担负银行滞纳金6992.10元。电视机厂答辩说：对方所诉情况属实，但是长期拖欠货款，原因在于上级决定所建的工厂中途下马，不给拨款，故无力偿还。后经审理查明，电视机厂是1979年底经市委决定筹建的，共计划拨款187万元，但后因企业调整，市财政部门已无力支付拨款项目，而电视机厂此时已欠外单位款达35万多元。同年7月市委决定工程下马，停止投资与贷款，因而造成大量欠款纠纷。案件中的两个企业都是法人。按法人的要求，法人应拥有独立的财产，能独立承担民事责任。但是在传统国有制和政企不分情况下，法人的这两个要求和特征都表现得不充分，相当模糊，从而严重地影响着经济的契约化、理性化。由于企业没有成为产权明晰的独立法人，即产权主体处于虚置状态，造成违约的个人法律责任难以追究，即便追究往往只是承担行政和纪律责任。由于产权不明晰及其所引起的预算软约束，使得企业在违约时经常放弃法律保护的选择，而选择向上级行政主管部门要求突破预算追加资金的途径解决问题。同时行政主管机关亦可任意压缩预算或无端抽回投资，从而使履约难以实现，如此等等。这些问题归根结底都是法律和产权的法律基本矛盾在现阶段我国社会状况下的表现。法律和产权基本上是一种不谐调的、冲突的情形。

不难看到，这一矛盾的解决过程实际上就是社会结构的整体性变革，即从传统计划经济向市场经济的过渡过程，其核心是产权制度的变革。就是说要建立自主的企业制度，使企业产权界限明晰、责任明确，具有独立性和自主性，成为真正的市场经济主体和合格的法人。惟此，经济活动主体、契约主体才能成为具有自我权利、自由意志、平等和责任能力的实体，才能为法律作用的发挥提供社会前提条件。

法律和产权的矛盾还表现为法律对财产权利的独立性问题。法是对经济和财产关系的反映，但法是普遍的、概括的，而不是特殊性的规范。因而法要公正地实施就要对来自私人的特殊的经济权利和力量保持独立性。财产权利的价值表现是货币、金钱。法律的创制，特别是法律的实施过程只有保持对来自私人力量的金钱的独立性，法律才能实现自身的价值，有效地推动社会发展。否则法律就会蜕变为18世纪诗人戈德斯密思所言的"阔佬统治法律，法律折磨人民"的状态，法律的公正性、至上性、严肃性及其作用就无从谈起。在市场经济初起的我国，金钱对法律程序公正性的扭曲相当严重。它意味着法律对特殊的财产权利的独立性尚未完全实现。法律还受着金钱的特殊力量的破坏。而法律对包括财产权利在内的社会的独立性是法律现代化的重要特征，是法律自律性的重要表现。法律的独立性、自律性，是说法律能够根据自身的性质和尺度来调整社会关系，而不是根据习惯、道德、权力、金钱等外在因素。法律和国家属于"公共领域"，它同"私人领域"理应是分离着的。"公共领域"与"私人领域"的分离标志着法律和国家有着超然性、普遍性，从而具有公正性的品格。如果"公共领域"和"私人领域"尚未分离，处于胶着关系中，那么法律和国家就会失去超然性和公共性。这种分离是法律和国家现代化的标志之一。对"公共领域"和"私人领域"的分离英国法律社会学家罗杰·科特威尔描述道："19世纪的社会学理论家意识到当时的西方社会正在逐步经历一个重要的历史发展阶段，他们把这个现象称为'国家'与'市民社会'的分离，概括地说，也就是一方面是政府、政治、集体利益等'公共'领域与作为另一方面的包括个人利益，反映这些利益的社会关系以及基于私人财产、合同等观念产生的私人交易的'私人'领域之间的分离。只有在承认'公众'和'私人'社会生活范围已明确分开，同时国家的权力也已延伸到能控制社会生活的每一个角落的程度时，法律才能独立于社会之外而存在。"[1] 法律作为社会"公共领域"独立于社会"私人领域"之外，就是法律摆脱道德、习惯、货币、金钱、情感等社会因素对法律及其活动的支配和制约，按照自身的性质作用于社会。这种独立于"私人领域"的法才能获得权威性、普遍性、至上性、理性可预期性，才能走向现代化。

　　如果说法和产权第一方面矛盾的解决要通过社会经济体制的突破性改革，使产权明晰化的话，那么其第二方面矛盾的解决则依赖于法律制度，特别是司法体制自身的改革与完善。法律要摆脱来自私人的、非公共的、集团的经济力量和其他因素的干扰和冲击，取得独立地位，必须重视和加强对司法体制的改革与完善，使司法制度和秩序趋于公正、正义。资产阶级启蒙思想家极为重视司法程序和司法独立问题，为了保证司法的公正独立他们提出了两个重要原则。一是法官职务固定制，二是法官薪俸固定制。前一原则主要用来防止政治权力对司法独立和公正的侵损，后一原则则是用以防止来自私人力量的金钱对司法公正的破坏。汉密尔顿在论司法部门的文章中说："最有助于维护法官独立者，除使法官职务固定外，莫过于使其薪俸固定。就人类天性之一般情况而言，对某人的生活有控制权，等于对其意志有控制权。在任何置司法人员的财源于立法机关的不时施舍之下的制度中，司法权与立法权的分立将永远无

---

[1]〔英〕罗杰·科特威尔：《法律社会学导论》，华夏出版社1989年版，第53~54页。

从实现。……法官的薪俸需由立法机关按照情况变化加以改变,但又需对立法机关加以限制,使之无权改变法官的个人收入,不能予以削减。如此则法官始得确保其生活,不虞其景况的变化而影响其任务的执行。法官的薪俸随时代的变迁得根据需要加以调整,但个别法官一经任命后其薪俸即不能再行削减。"[1] 作者的理论前提是人的生存与人的意志的内在相关性。当人的生存所需的财产来源由他人控制时,那么人的意志也会被他人所控制。因此为了避免法官的意志被来自法律之外的力量所控制,就需着眼于解决法官的生存、生活问题,使他们的薪俸能有固定性,不为办案所涉及的利害而变化,并随着时间的变化不断增加法官的薪俸。这样才能保证法官的意志能够如实地体现法律的要求,才能做到秉公执法。当然这只是解决法律独立于财权和金钱之外的方法之一。重要的是改革和完善司法体制,使执法行为受到法律的约束。社会学家威廉 M·埃文指出:"执法机关的行为必须绝对地受法律约束,即使不受法律所隐含的准则的约束的话,这一机构本身的腐败和虚伪将有损于法律的实施。"[2]

司法机构和法官的地位对于法律的独立性、超然性也有十分重要的作用。在西方国家的政体结构中,法院和法官有着相当高的地位,这种地位保证着法律自身的独立性,使法律可以不受或很少受法律之外的力量的干扰。资产阶级三权分立原则在西方国家实行以后,司法成为与立法和政府鼎足而立的一个方面,法院可同议会、政府相互抗衡。法官在西方社会中的地位是令人羡慕的。美国法学家亨利·梅利曼对普通法系国家法官赞美道:"生活在普通法系国家中的人们,对于法官是熟悉的,在我们看来,法官是有修养的伟人,甚至具有父亲般的慈严。普通法系中有许多伟大的名字属于法

---

[1] [美]汉密尔顿等:《联邦党人文集》,商务印书馆1980年版,第396~397页。
[2] [英]罗杰·科特威尔:《法律社会学导论》,华夏出版社1989年版,第69页。

官……普通法系的最初创建、形成和发展，正是出于他们的贡献。"法国比较法学家勒内·达维德说英国的法院具有真正的司法权，"就其重要性与地位的崇高讲，不下于立法权和行政权。"[1] 司法机构、法院、法官在政体结构和社会中的这种重要地位事实上保证着法律的地位，保证着法律有力量能够抑制来自法律之外的行政权力、金钱对于法律及其执行的干扰。法院、司法机关在中国政体结构中的地位还是相当低的。法院只是同公安、检察机关并列的处于同一层级的机构。它同立法、行政机构并不在同一个层级上，不能同其他两机构形成地位对等的制衡关系。这样也就难以保证法官和法律的地位。因此法律对财产权力的独立性、对行政权力的独立性、对各种法律之外的力量的独立性的实现还应依靠政体结构的改革和完善，增强和提高司法机构和法官在政体结构和社会中的地位。此外还应努力提高法官自身的主体素质，建立理性的法官文化等等。

其次，从法律和政权的矛盾看，法律与社会的变革与互动亦表现为两个层面：一是政权结构的分化是法律走向成熟并向社会起积极作用的社会前提；二是法律对政权的独立性的取得是法律真正成为现代法律的标志。

发展社会学认为，政治结构分化是政治现代化的主要标志。我国由于实行公有制的传统和计划经济等原因，政治权力高度集中，实行一元化的政治领导，导致政治一个结构单元同时承担着其他如经济、文化、教育、科技和法律等全部子单元功能。政治权力介入和支配其他社会体制，代替其他社会体制及其职能，政府成为"万能政府"。在此社会结构下，法律只是未分化出来的政治权力体制的一种附庸或工具。它自身所应有的性质、运行机制、规律、价值被政治权力的性质、运行机制、规律、价值所同化。因而在政

---

[1] 转引自《读书》1997年第12期，第75页。

权结构没有分化的时候，法律是不会有其独立地位和价值的。所以权力结构分化，即政治权力从法律体制里隐退回自己应有的领域和范围，是法律走向成熟并对市场经济社会发挥推动作用的社会前提条件。

　　政权结构分化是法律同政权矛盾解决的第一步，第二步便是法律必须获得对政权的独立性，即解决权大还是法大的问题。由于传统和现实的政治本位和官本位观念，"行政权力支配一切"的政治文化和计划经济的影响，无论是在人们的心理还是现实实践中，政权凌驾于法律之上的现象大量存在，如某些案件的立案、审判要由党政领导批准，执法司法人员的人事权力掌握在党政部门手里，维护法官"职务固定"尚无可靠保证等等。这些情况表现我国当前的法律和司法活动尚未完全从政权结构中分化中来，政治结构和社会结构的分化程度还较低，法律离"自治科学"、自治部门的要求尚有距离。因而法律要走向现代化，要公平、公正、有效地为市场经济和社会发展服务尚需进一步解决法律和政权的矛盾问题。

　　总之，法律和社会不会在各自独立于对方的状况下实现自己的现代化，而必须在着眼其深层矛盾的基础上通过各自的结构变迁而实现相互催动的过程中一体化地走向现代化。

第十一章 法律文化之人性根据

法律文化固然同社会物质生活条件、物质性社会关系，即社会客体方面有着内在必然联系，同时也同人性、人的本质、人的心理、人格等社会主体方面有着极为密切的联系。我们以往的法律学理论研究在基本方法上存在着两个局限：一是只重视法与社会客体的联系，忽略法同社会主体、人的联系；二是看重具体的人和人性，无视一般的人和人性。其实离开人，人的一般本性，仅从社会客体和人的特殊性方面研究法是难以全面深刻地把握法的本质和规律的，要理解法的内在价值就更难了。正确的研究方法应是把社会客体和社会主体统一起来，把具体人性和一般人性统一起来，这样才能全面深刻地理解法的本质和价值，把握其发展规律，弄清用纯客体方法难以说明的问题。

一、法律文化史上的人性预设

法无论是作为一种理论还是作为一种规范，都与人性以及人对人性的基本看法有着密不可分的关系。法总是针对人的，法的目的在于规范人、保护人、引导人、实现人，而法为什么和怎样规范人、引导人、保护人、实现人，应当用怎样的法律来达到法律的目的，这就要求了解和认识人、人性、人的本质。法是一套价值系统，而价值总是人的价值，脱离开人就无所谓价值。因此，E·博登海默在其《法理学——法哲学及其方法》一书的中文版前言中说："一个法律制度是否必须被视为仅是某一特定生产和分配制度的反映呢？我以为，任何值得被称之为法律制度的制度，必须关注某些超越某些特定社会结构和经济结构相对性的基本价值。在这些价值中，较为重要的有自由、安全和平等。"[1] 他认为自由、安全和平等的价值是植根于人性之中的，它表达着人性的某种性质和要求。法律不能不体现这些价值，这些价值构成法的内在规定，而这些价值是发自人性的。在此法和人性的关联是明显的。罗素也曾指出："自从人类能够自由思考以来，他们的行动在许多重要方面都有赖于他们对于世界与人生的各种理论，关于什么是善什么是恶的理论。"[2] 其实，马克思主义哲学并不排斥法和人性的关系问题。在马克思看来，人所创造的一切东西都是人的内在本质的对象化，是人的本质的实现和确证。法无疑是人所创造的东西，因而它也是人的内在本质的对象化，法也实现着、确证着人的本质，反映着人自身的特性。因而不从人性、人的内在本质角度去理解法就不能真正认识和把握法。中西方政治法律文化史充分地证实了这一点。

　　考察中西政治法律文化史，可见到这样一个普遍存在的文化事实：凡强调法的重要性的思想家大都把法同人性恶联系起来，以论证法的存在基础和必要性。承认人性恶与肯定法的地位之间成为一种必然因果逻辑。人性恶成为法的存在的不可或缺的哲学主体性预设。

　　柏拉图的理论和行迹甚为典型。因在人性论上柏拉图主张人性善，在国家管理形式上他认为应由最有善德的人来管理国家，不需以法律治国。他为了把不要法律的理想国家付诸现实曾三游位于南意大利西西里岛上的叙拉古城邦，劝说掌权的狄奥尼修斯一世实行他的政治主张。不幸的是柏拉图不仅未能说服一世还险些丧了性命。一系列惨痛失败促使柏拉图从人性善转向人性恶，因而从轻视

---

〔1〕〔美〕E·博登海默：《法理学——法哲学及其方法》，华夏出版社1987年版，第1~2页。
〔2〕〔英〕罗素：《西方哲学史》上卷，商务印书馆1963年版，第12页。

法律走向倚重法律。在后期著作《法律篇》中，柏拉图断定人的本性只考虑个人利益，而不谋求集体利益，因而必须有法律。他说："人类的本性将永远倾向于贪婪与自私，逃避痛苦，追求快乐而无任何理性，人们会先考虑这些，然后才考虑到公正和善德。这样，人们的心灵是一片黑暗，他们的所作所为，最后使得他们本人和整个国家充满了罪行。如果有人根据理性和神的恩惠的阳光指导自己的行动，他们就用不着法律来支配自己；因为没有任何法律或秩序能比知道更有力量，理性不应该受任何东西的束缚，它应该是万物的主宰者，如果它真的名副其实，而且本质上是自由的话。但是，现在找不到这样的人，即使有也非常之少；因此，我们必须作第二种最佳选择，这就是法律和秩序。""人类必须有法律并且遵守法律，否则他们的生活将像最野蛮的兽类一样。"[1] 柏拉图从不要法律到选择和强调法律的根据是对人性观点的转变，即由早期的人性善转向人性恶。这里的因果逻辑是明显的。柏拉图往后的西方思想家法学家大概记取了这位先哲在人性与法关系上的得失，均将人性的不完备性作为法律存在的前提性预设。柏拉图的学生亚里士多德把法律视为社会中的最高权威和国家的基础，所以如此是"与其师相比，他更尊重现实社会的实际情况，更为注重人和制度的不完备性。"[2] 亚里士多德声称："人在达到完善境界时，是最优秀的动物，然而一旦离开了法律和正义，他就是最恶劣的动物。"他认同他们老师柏拉图的论断："如果某人管理所有人类事务可以不承担责任，那么就必然产生傲慢和非正义。"因此必须对管理者予以法律约束和限制。

中世纪法律思想并未超出人性这一出发点。欧洲中世纪居统治地位的意识形态是基督教神学。基督教认为，人的本性是邪恶的，

---

[1] 柏拉图：《法律篇》，引自《西方法律思想史资料选编》，北京大学出版社1983年版，第27页。
[2] [美] E·博登海默：《法理学——法哲学及其方法》，华夏出版社1987年版，第9页。

人是有罪的。《圣经》上说，人类的始祖亚当和夏娃在伊甸园受了蛇的怂恿，偷吃了智慧树上的禁果，犯了罪，因此人类的历史是从罪恶开端的，人自幼年就是有罪的，是恶的。奥古斯丁断言，人类来世后其本性就被原罪所破坏，各种邪恶，如色欲、贪婪、激情和权欲肆行于社会。"我们一是不要幻想在我们自身没有恶心，因为如使徒所说的：'肉体所欲，反抗心灵'，我们在现世里无论如何不能够达到至善的。"[1] 因此理性不得不设计出政府、法律等制度。政府和法律在奥古斯丁看来都是罪恶的产物。圣·托马斯·阿奎那在总体上主张人性善，认为"在人身上存在着一种倾向于为善的自然习性"。但是性善论不能说明法的存在根据，为了解法律存在的基础和理由他不得不牺牲一点上帝的荣光和理论的完整性，补充说："人毕竟是倾向于纵欲享乐，年轻人更是如此。……有些青年由于善良的秉性或教养，或者特别是由于神的帮助，自愿想过有德行的生活；对于这样的青年，只要有父亲的指导和劝告就行了。但还是另外一些青年，他们性情乖戾，易于作恶，就很难为忠言所感动。必须用压力和恐吓手段使这些人不做坏事。……这种迫使他们畏惧处罚的纪律就是法纪。"[2] 阿奎那对要以法律来治理国家的原因的分析中也可看到对人性恶的假设。他认为亚里士多德提出的"最好的是一切事物都受法律的支配而不是留给法官去裁决"的观点是正确的。其原因是找几个能制定公正的法律的智者比找出许多必须公正地判决每一个案例的人要容易；因为立法者作判断时考虑了普遍的情况和未来的事件，而审案者审理目前事件时，要受到爱憎或某种贪欲的影响，从而使他们的判决颠倒了是非。就是说在法官中要找到大量的能公正执法的人是比较困难的，判案者总是有着自己的情感和贪欲。这都反映出人性中的恶的一面，所以有必

---

[1]《西方伦理学名著选辑》（上卷），商务印书馆1964年版，第356~357页。
[2]《神学大全》，引自《西方思想宝库》，吉林人民出版社1988年版，第931页。

要制定和遵守超越个人好恶和个人特殊性的普遍的法律。

　　西方近代法律思想不仅未能中断人性恶与法的因果联系链条，而且使其益显突出和系统化。古典自然法学派诸代表人物在理论上的共同点是从对人的特性的某种预设中来阐发自己的法理论。他们都预设在人类的某一个时期存在着一种自然状态。虽然他们对自然状态中人性性质的描述不尽相同，但在其理论深处都包含着人性恶的观念。

　　霍布斯认为，人的本性是自我保存，人都是一样，没有谁比谁好的问题，他们都在为利益、安全和荣誉而斗争和相互侵犯。原中世纪基督教观念有所不同。中世纪基督教认为人性的恶来自"原罪"，霍布斯以及其他人文主义者都摒弃了"原罪"说，而从人自身来说明人性，认为人性恶本就是人自身所固有的属性。人的本性就是追求无止境的欲望满足。他说："我们要认识到，今生的幸福不在于心满意足而不求上进。……欲望终止的人，和感觉与映象停顿的人同样无法生活下去。幸福就是欲望从一个目标铺平道路。所以如此的原因在于，人类欲望的目的不是在一顷间享受一次就完了，而是要永远确保达到未来欲望的道路。"[1] 人类的恶的本性使人类处于相互争斗，相互侵犯的战争状态。"最糟糕的是人们不断处于暴力死亡的恐惧和危险中，人的生活因孤独、贫困、卑污、残忍而短寿。"[2] 为了避免这种恶劣处境和状态，人们制定出自然律。"于是理智便提示出可以使人同意的方便易行的和平条件。这种和平条件在其他场合下也称为自然律。"[3] 这样就有了自然法。但自然法作为无形的规律和原则是需要有形的力量来落实的，于是人们需要订立契约，制定现实的法律。从而出现了国家和法律。从此可以看到霍布斯论证法的产生和存在的出发点是人性、人性恶。

---

[1] 霍布斯：《利维坦》，商务印书馆1986年版，第72页。
[2] 霍布斯：《利维坦》，商务印书馆1986年版，第75页。
[3] 霍布斯：《利维坦》，商务印书馆1986年版，第97页。

法国启蒙思想家、法学家孟德斯鸠关于法的产生和存在的思想逻辑和霍布斯是一致的。英国法者 M·J·C·维尔指出："孟德斯鸠是从一个相当灰暗的关于人性的观点开始论述的。他认为人显示了一种趋恶的普遍趋势，这种趋势体现在自私、骄傲、妒忌和对权力的追求上。尽管人是理性动物，但由于欲望，人的行为并不温和。在政治领域内，这有最严重的后果：'不断有经验告诉我们，每一个拥有权力的人都易于滥用权力，并尽其最大可能地行使他的权威。'然而这种滥用权力的倾向可以通过政府的政制和法律来加以节制。"[1] 人有趋恶的本性，特别是权力的持有者毫无例外地滥用权力的倾向，因此需要有法律来限制这种滥用权力的趋向。

像霍布斯、孟德斯鸠、普芬道夫、斯宾诺莎这些公开主张人性恶，并将其作为法的产生和存在的基础的思想家的观点是显而易见的，而有些法学家的思想逻辑并不像这样明显，但深入分析同样可以发现其中法与人性恶思想的内在关联。格老秀斯和洛克作为重视法的思想家在其理论的一般方面倾向于人性善，这似乎同上述逻辑有所不同，可当他们将自己的人性理论同法联系起来时，立刻发现二者之间的冲突，不得不改变原来的人性主张。格老秀斯承认，自然法的存在条件和法律的制定与人性中的脆弱、多欲以及功利倾向有着内在联系。格老秀斯之所以要重申自然法、创建国际法，是由于他目睹了人性恶在基督教世界里的展开情景。洛克也未能将其人性善的主张彻底贯彻到法律领域。他在论证法律存在的必要性时，同样承认在自然状态中人有偏袒、报复之心、侵权行为，认为"自然状态中有着许多缺陷"。他说："在这种状态中，由于人人有惩罚别人的侵权行为的权力，而这种权力的行使既不正常又不可靠，会使他们遭受不利，这就促使他们托庇于政府的既定法律之

---

[1]〔英〕维尔：《宪政与分权》，三联书店1997年版，第72页。

下，希望他们的财产由此得到保障。"[1]

当我们把视角转向中国法律文化史时，看到的是大致相同的情形。在先秦诸子中虽说主张人性恶的思想家不一定都是持以法治国观点者[2]，但凡倡导以法治国的思想家，在人性问题上都主张人性恶。法家的代表人物从管子、慎到、申不害、商鞅到韩非均肯定人性恶。他们认为人性"自为"、"好利"、"求乐"，并指出这是由人的基本需要决定的，是人所固有的普遍本性。既然如此，就不能用仁义道德来感化人心，必须以法来治理国家。法家的集大成者韩非认为，人的本性是"好利恶害"，正因如此，所以产生了法律。他说："人无羽毛，不衣则不犯寒；上不属天，而下不着地，以肠胃为根本，不食则不能活。是以不免于欲利之心。"[3] 韩非认为人与人之间的关系全都是利害关系。父子之间、夫妇之间、君臣之间都充满了利害和算计。由这种人性观他得出法制的主张："凡制天下，必因人情。人情者有好恶，故赏罚可用。赏罚可用，则禁令可立而治道具矣。"[4] 法家诸思想家的思维逻辑基本都是这样的。法家"因人之情"而知"赏罚可用"得出"不务德而务法"的结论。当然中西人性恶观念本身及其文化效应是有许多重要差异的，对此后文将要论及。

二、人性——法律文化中不容回避的问题

那么，中西法律文化史上的众多贤哲们何以要将人性、人性恶同法这样不可须臾地连结起来呢？究竟如何对待和评价其是非呢？笔者以为，仅就这一现象的历史持久性和广泛性计，也不应对其采

---

[1] 〔英〕洛克：《政府论》下篇，商务印书馆1964年版，第78页。
[2] 如荀子即是。在人性论上荀子主张人性恶："人之性恶，其善者，伪也。"（《荀子·性恶》）但在根本上，荀子是主张人治的："有治人，无治法。"（《荀子·群道》）
[3] 《韩非子·解老》。
[4] 《韩非子·八经》。

取轻易否定的态度，而应对其加以平实认真的具体分析。

首先，从逻辑角度看，法的基础是一多层次序列，人性即是基础序列中的一个层次、环节。作为法的基础的生产关系是一种社会关系。社会关系的主体是人，社会关系不能脱离人而存在，它是由人所创造所变革所体现的。同样作为社会关系的生产关系的主体也是人。生产关系中的所有制关系，分配关系等内容表面上看是人和物的关系，但其本质则是人和人的关系。譬如资本占有生产资料就体现着资本家（人）和工人（人）之间的剥削和被剥削的关系。马克思社会历史理论的深刻之处正在于从人和物的关系中发现了人和人的关系，从物中看到了人，从客体中看到了主体。因此绝不能离开人，离开主体来理解生产关系、经济基础对法的决定作用。社会物质关系、生产关系只有通过人才能对法起作用，人，主体构成社会生产关系通向法的一个不可或缺的环节。生产关系（经济基础）是由生产力决定的，生产关系表现为物质利益关系，物质利益关系必然作用于人，对人性发生强烈作用，人性制约人的行为，法是调整人的行为的。这样法的基础就不是一个单一的东西，而是一个多层次、多环节的序列：从生产力→生产关系（经济基础）→社会物质利益关系→人性→人的行为→法。

人性作为法基础序列中的一个层面，是指人在社会物质利益关系中所形成和表现出来的需要、欲望、冲动以及激情等意欲总体，其内容主要是利益，包括物质利益、政治利益和精神利益，其中物质利益是最基本的内容。人性的社会性质颇为复杂，一般而言，可依据为我和为他的不同指向来大体上规定。当人性的指向主要是为我时，可规定为恶的性质；相反，当其指向主要是为他时，可规定为善的性质。人性作为主体的内在规定和能量具有发动和支配人的行为的功能。

作为法基础环节的人性，其作用表现在把客观的物质利益关系转换成人的特殊具体的社会行为，并通过人的具体行为与法相沟通。马克思认为，法的直接的最切近的基础并不是生产关系，而是人的行为："除了我的行为以外，我是根本不存在的，我根本不是法律的对象。"[1] 而人的行为是在一定的主体需要、欲望即人性的驱动下进行的。从而人性便构成法基础中不可或缺的环节。特定性质的生产关系及其运动必然引起在此生产关系支配下的社会主体的需要、利益、态度和情感的变化，并由此引发主体相应的社会行为。这种行为同他们活动于其中的生产关系和上层建筑既可能是一种适合的协调的关系，又可能是一种不协调的甚至是冲突的关系。这种不协调的冲突的关系的存在产生了包括法律在内的社会规范体系。在此如果取消人性环节，就会消解这一矛盾关系，就是说人与既有的生产关系和上层建筑的矛盾就不会产生了，如此就会在法的基础和形成理论上出现逻辑缺环。

其次，从事实上看，同样可发现人性恶是法的基础环节。原始社会之后社会中为什么产生了法律，当然是因为生产力的发展，出现了剩余产品、私有制和阶级。然而这里的推论并非无懈可击。试问，有了剩余产品，社会成员不是可以平等地得到比以往更多的产品，各阶级不是可以更好地合作么？可是历史事实并非如此，剩余产品的出现和增加没有出现社会成员平等地得到比以往更多的产品，而是社会产品的分配越来越不平等了，并由此引发了新的社会冲突，从而产生了国家和法律。

那么生产力发展导致剩余产品的出现何以未产生平等秩序呢？这个问题仅从社会的客观方面是无法说清楚的，必须联系到社会主体、人和人性及其变化。剩余产品和财富的出现首先引起了人性的重大变化。马克思曾摘录了摩尔根如下一段话："财产对人类心灵产生了巨大影响，并唤醒人的性格中的新的因素，财产在英雄时代的野蛮人中已经成了强烈的欲望，最古老和较古老的习俗都无法抵

---

[1]《马克思恩格斯全集》第1卷，第16~17页。

抗它。""占有欲望依靠纯粹归个人使用的物品而哺育着它那初生的力量。"马克思在旁边写道:"请看欲望的作用。"[1] 就是说由生产力的发展所产生的剩余产品和财富首先引起了唤醒了人性中的新因素,人性中的初生力量,即人的占有欲、物欲等欲望。剩余产品的出现导致人性的变化。当具有开放性和无限性的人的欲望不能得到满足时,就出现了社会成员、阶级之间的争斗。正如恩格斯在《家庭、私有制和国家的起源》中所说:"财富被当作最高富利而受到赞美和崇敬,古代氏族制度被滥用来替暴力掠夺财富的行为辩护。所缺少的只是一件东西,即这样一个机关……而这样的机关也就出现了。国家被发明出来了。"[2] 由此可见,人性因素在国家和法的产生中起着不可忽略的作用。不考虑人性的地位和作用,只从生产力和剩余产品诸客观因素是难以说明问题的。

同样,撇开人性因素仅从私有制和阶级关系上诠解法的产生问题也是不尽合乎事情的实际过程的。私有制、阶级关系与人性处于密切地相互关联、相互作用之中。一方面,私有制和阶级关系会对人性发生重大影响;另一方面,人性及其变化也会对私有制和阶级关系产生巨大作用。社会规范、法律正是以这种社会主体和客体的相互作用为基础的。马克思认为,人的本质在其现实性上是社会关系的总和。因此人的欲望,需要具有社会性,是由社会关系决定的。作为社会关系表现的私有制和阶级关系是以不平等为基本特征的。这种社会关系决定和刺激着人的欲望、需要的不断变化,使其出现新的欲求对象、内容和指向。由于人的欲望、需要的普遍存在和起作用,使得现存的私有制度和阶级关系处于经常的不安甚至危机之中。统治阶级和被统治阶级都有得到和享用财产和财富的欲望和需要。被统治阶级的这种欲望和需要对统治阶级形成严重威胁。

---

[1] 《马克思恩格斯全集》第45卷,第393页,第380页。
[2] 《马克思恩格斯选集》第4卷,第104页。

为了保护现有的所有制关系和阶级关系，统治阶级制定了法律。显然法产生的实际过程是作为社会客体的私有制和阶级关系与作为社会主体的人性交互作用的过程及其结果。

又次，从理论上看，马克思历来肯定人性的存在及其在社会生活中的地位，承认人性恶是法的基础性环节。关于人性马克思说过一段带总括性的话，他说："薄鲁东先生不知道，整个历史也无非是人类本性的不断改变而已。"[1] 就是说，整个历史都是人性的发展变化史。马克思同抽象人性论不同之处不在于否定人性，而在于把人性同社会关系联系起来。大体上说，马克思是从应然世界和实然世界两个层面来理解人性的。马克思认为人类的本性是劳动。而对劳动可从两个层面来理解。就劳动所具有的自由自觉的性质而言，它体现着人的生命活动的意义，显示着人的应然性的存在；就劳动在现代的具体情境中只是被人们有意识地用作谋生手段而言，它获得的却是一种与它的本然意义或应然意义相悖的现实的存在，这体现着人的实然性层面。因此，马克思把人曾分为"现实的人"和"真正的人"两个层面："只有利己主义的个人才是现实的人，只有抽象的公民才是真正的人。"[2] 从应然性看，马克思肯定人的本质的善性，[3] 但从实然性层面看，他承认人的本质的恶性。马克思说："人们首先必须吃、喝、住、穿，然后才能从事政治、科学、艺术、宗教等等。""真正的社会联系不是由反思产生的，它是由于有了个人的需要和利己主义才出现的。"

马克思不仅承认人性恶，而且肯定了人性恶在人类历史发展中的积极作用。马克思和恩格斯都认为恶是历史发展的动力，对于社

---

[1] 《马克思恩格斯选集》第1卷，第138页。
[2] 《马克思恩格斯选集》第1卷，第443页。
[3] 马克思："关于人性本善……等等的唯物主义学说，同共产主义和社会主义之间有着必然的联系。"(《马克思恩格斯全集》第2卷，第166页）马克思提出的"真正的人"、"异化劳动"等范畴都表现着马克思对人性善的肯定。

会历史的进步和变革起着巨大的推动作用。恩格斯在评价黑格尔恶的历史作用的观点时指出:"在黑格尔那里,恶是历史发展的动力借以表现出来的形式。这里有双重的意思,一方面,每一种新的进步都必然表现为对某一神圣事物的亵渎,表现为对陈旧的、日渐衰亡的、但为习惯所崇奉的秩序的叛逆,另一方面,自从阶级对立产生一来,正是人的恶劣的情欲——贪欲和权势欲成了历史发展的杠杆,关于这方面,例如封建制度的和资产阶级的历史就是一个独一无二的持续不断的证明。"恩格斯接着还批评了费尔巴哈无视恶的历史作用的思想:"费尔巴哈就没有想到要研究道德上的恶所起的历史作用。历史对他来说是一个令人感到不愉快的领域。"[1] 恩格斯在阐述原始氏族社会解体,文明社会诞生的动力时表达了同样的思想。他说:"这种自然发生的共同体的权力一定要被打破,而且也确实被打破了。不过它是被那种在我们看来简直是一种堕落,一种离开古代氏族社会的淳朴道德高峰的堕落的势力所打破的。最卑下的利益——庸俗的贪欲、粗暴的情欲、卑下的物欲、对公共财产的自私自利的掠夺——揭开了新的、文明的阶级社会;最卑鄙的手段——偷窃、暴力、欺诈、背信——毁坏了古老的没有阶级的氏族制度,把它引向崩溃。"[2]

马克思和恩格斯并不是原封不动地用以往的人性理论来分析问题,而是对人性理论进行了历史唯物主义改造。他们从人性同社会关系特别是社会物质利益关系的相互关系中来理解人性。在对人性观进行了历史唯物主义改造后人性概念不仅仍可使用,而且可用之来分析实际问题。马克思和恩格斯正是这样做的。

如所周知,马克思是从阶级观点出发分析法现象的,但从马克思的具体分析过程中我们发现了马克思的思维过程并未滞足于阶级

---

[1] 恩格斯:《路德维希·费尔巴哈和德国古典哲学的终结》,人民出版社1972年版,第28页。
[2] 恩格斯:《家庭、私有制和国家的起源》第96页。

这一阶梯上，而是循此而入，用人性、人性恶来诠释法存在的必要性和价值等问题。

首先，从统治阶级看，统治阶级制定法律并通过法律进行统治的原因之一是阶级内部各个人之间存在着相互矛盾以及同这个阶级整体利益的矛盾，是这种矛盾及其所导致的人的内在冲动、欲望和行为。法律是统治阶级的意志，指的是法律是统治阶级整体的意志，而非统治阶级中的某一人、某一统治者个人的意志。同时统治阶级的意志也不仅仅是统治阶级内部各个成员意志的机械相加，而是体现这个阶级根本利益的一般意志。法国资产阶级启蒙思想家卢梭将这种一般意志称为"公意"，以区别于"众意"。当然不能因此说法律脱离了统治阶级各个成员的意志，它仍是以各个成员的意志为基础的。既然法律是统治阶级的意志，是"公意"，这就蕴含着法律是以统治阶级整体和各个成员的矛盾、统治阶级内部各成员之间的矛盾为前提的。假如没有这样的矛盾，法也就失去了产生的一个重要前提。马克思指出："这些个人通过法律形式实现自己的意志，同时使其不受他们之中任何一个单个人的任性所左右，这一点之不取决于他们的意志，如同他们的体重不取决于他们的唯心主义的意志或任性一样。他们的个人统治必须同时是一个一般的统治。……由他们的共同利益所决定的这种意志的表现，就是法律。"[1] 显然正是统治阶级内部各个人的任性、欲望及其相互间的冲突使制定一般性普遍性的法律成为必要。个人的任性、欲望从人性上看是人性恶的体现，因而没有这样的人性前提法律是无从产生的。

其次，从统治阶级和被统治阶级的关系看，统治阶级权力的基础是他们的物质生活条件，即他们拥有的生产资料、生活资料、生产手段等财富。而这些条件和财富不仅是统治阶级要求得到和占有

---

[1]《马克思恩格斯全集》第3卷，人民出版社1960年版，第378页。

的,同样是被统治者要求得到和占有的。既然不同的阶级、不同的社会成员都渴望拥有、占有同样的对象,这样他们之间的斗争就成为不可避免的事了,这种基于物欲之满足的相互斗争势必呼唤作为调节他们之间关系的规范——法律的出现。马克思这样写道:"他们个人的权力的基础就是他们的生活条件,这些条件是作为对许多个人共同的条件而发展起来的,为了维护这些条件,他们作为统治者,与其他个人相对立。……正是这些互不依赖的个人的自我肯定以及他们自己意志的确立(在这个基础上这种相互关系必然是利己的),才使自我舍弃在法律、法中成为必要。"[1] 在这段话中,"互不依赖的个人的自我肯定"指的正是这些个人的欲望、物欲、需要、要求以及利己心。有着这种人性倾向的各个个人在共同的社会生活中如无社会规范就会发生矛盾,社会秩序就会出现紊乱。人性恶的客观存在和作用构成法律存在的基础和条件。这里有必要纠正过去一种流行看法。这种看法认为只有统治阶级、剥削阶级才有贪婪、物欲、欲望,而被剥削阶级则与此相反,有高尚的利他之心,有善良的道德观念。就是说剥削阶级人性是恶的,被剥削阶级、被统治阶级人性是善的。我们认为这种人性观是偏颇的,它夸大了统治阶级和被统治阶级、剥削阶级和被剥削阶级的人性主体性差异,把被剥削阶级和人性说成是善的,具有民粹主义倾向。在我们看来统治阶级和被统治阶级、剥削阶级和被剥削阶级都有着强烈的欲望、物欲、需要和要求,他们的人性都有恶的倾向。因为剥削阶级和被剥削阶级、统治者和被统治者首先都是人,然后才是不同阶级的人,既然是人就都有着肯定和保护自我生命的客观需要和物质利益要求。同时在大体相同的生产力和社会文化背景下不同阶级的人的内在人性的差异是极小的,而基本的方面是共同的。他们都追求着共同的生活条件和对象。否则就无法解释统治阶级和被统治

---

[1]《马克思恩格斯全集》第3卷,人民出版社1960年版,第378页。

阶级何以会发生斗争和对抗。它们之间之所以会发生斗争和对抗恰恰是因为它们都有着共同的追求对象，有着相同的欲望。如都向往物质利益的满足，都向往拥有政治权力。美国人类学家萨林斯（Sahlins）认为，处于不同社会地位的人有着不同的"利益"，他们的行为是以这种利益为基础的，他们会试图在机会适合的时候提高自己的地位，但这决不意味着冲突和斗争，也不意味着有着不同利益的人世界观就根本不同。[1] 就是说不同社会地位的人的世界观大体是一致的。因此处于被剥削被统治地位的人并非人性一定就是善的，与剥削阶级和统治阶级根本不同的。在这个问题上我们必须克服长期以来的民粹主义倾向。

阶级是由个体的人组成的，个体的人是有感性自然性的，他有着同肉体感官相应的欲望、需求。阶级及其阶级观念应当反映和包含出于个体肉体感官需要的欲求倾向。阶级如果撇开个体主体的物质欲求，阶级就成为抽象的虚假的集体。以这样的集体出发来考察和认识社会和法律现象无论在理论还是实践上都是极端错误和有害的。这是被我国长期的实践所证明了的。

三、人性与相关理论问题的诠释

由于种种复杂原因，在很长时期里社会主义法学理论回避和否认马克思主义人性理论，几乎没有人从人性视野去思考和研究法律文化问题。然而由此忌讳所带来的理论和现实的吊诡和乖戾及其困惑则随着实践的发展日益显明地横在人们面前。譬如，社会主义初级阶段作为整体的阶级已经消灭，阶级斗争的范围、形式和趋势日见缩小、缓和和弱化，依现有的理论逻辑法律的地位和作用亦应趋于降低和弱化状态。可事实却恰恰相反，法律的地位和作用正在不断上升和强化，这究竟是怎么回事呢？这种带有根本性的问题不解

---

[1] 参见王海龙、何勇：《文化人类学历史导引》，学林出版社1992年版，第400页。

决，社会主义法治建设和法制现代化就缺乏坚实的理论基础。

马克思主义哲学是实践唯物主义。实践唯物主义认为，社会生活的本质是实践。一切社会现象都需从社会实践出发才能得到根本的合理的解决。实践既不是唯心主义所说的精神活动，也不是动物的无意识的适应环境的活动，实践是主观和客观、主体和客体、人和物的辩证统一。从实践出发理解和说明社会问题的一个重要方面就是从主体和客体的辩证统一出发理解和说明社会问题。从实践观点看问题，必须承认法的产生、存在和发展不仅有客体性基础，而且有主体性基础。就是说法的产生、存在和发展一方面以社会生产力、生产关系，经济基础这些客观的社会物质关系、物质结构为基础，要受客观社会关系发展规律的决定和制约；另一方面，法、法律又要以主体、人为基础，受人们需要、人的价值取向、价值观念、思维方式的制约。我们应从这两方面的相互区别和相互统一中来把握法和法制现象。这种方法论原则其实就是客观性原则和主体性原则在不否认其区别、对立前提下的统一。

关于法的主体性基础现行法学理论强调的是阶级意志的表现。阶级是主体，因而主张法是阶级意志的表现无疑是从主体角度对法的规定。问题在于现行法的理论对法的主体性的坚持并不彻底，甚至可以说是片面抽象地对待主体性问题。主体是一个有层次的整体系统，如果从这个整体系统中抽象一个层次使其同其他层次割裂开来，那么这个被孤立起来的主体层次就变得不真实了。用马克思的话说就成为虚假的主体了。主体的层次系统包括个体主体、集团主体、阶级主体、民族主体、人类主体。在这些主体形态中个体主体最为重要，它是其他几种主体形态的前提和基础。因为群体的人是由个体的人构成的；一般的"人"只能存在于个体的人之中。离开了个人，"人"不过是一个空洞的抽象，它只能在人们的思维中存在，或者在神学家的天国中存在。因此只有坚持个体主体的基础地位，才能坚持主体的现实性和具体性，才能坚持主体的自然物质性。列宁曾认为，"最初是个体的。"[1] 因此从研究方法上看，应将个体主体作为前提和出发点，在此前提下才能研究主体的其他形态，否则其他主体形态就成为空洞抽象的了。

以往我们在法学研究中所存在的方法论问题就在于只研究阶级主体，把阶级主体看作是脱离个体，不以个体为基础和前提的主体。这样自然无法真正提示法的主体性本质。这同马克思的真实思想相差甚远。

马克思和恩格斯在他们合著的《德意志意识形态》中曾表述过一个重要而不被人重视的思想："单独的个人所以组成阶级是因为他们必须进行共同的斗争来反对某另外的阶级；在其他方面，他们本身就是相互敌对的竞争者。"[2] 这段论述蕴含以下几层重要意思：（1）阶级是由个人组成的；（2）阶级内部的各个个人具有独立性，只是在一定条件下，即只是在反对另外的阶级，即阶级斗争时，才转让部分独立性而服从阶级的整体利益。对此马克思在其他地方也喻示过。他说个人把自我舍弃在法律、法中，"不过，自我舍弃是在个别场合，而利益的自我肯定是在一般场合（因此不是对于他们，而只是'对于自我一致的利己主义者'，自我伸张才算作是自我舍弃）"[3]。阶级中的个人转让个人的独立性，暂时舍弃自我的目的仍是为了个体自己，为了自己利益的更好实现；（3）各个个人为了实现自己的利益，满足自己的欲望进行着相互敌对的竞争。在这里我们可以窥见阶级内部各个个人的主体性质和基本倾向，这就是各个个人都是物质利益相互敌对的追逐者。人性的内容表现为物质利益，其社会性质表现为恶。个人总是以自我为出发点的，以实现自我利益为目的的，这就是现实的个人，现实的人性。

---

[1]《列宁全集》第38卷，第216页。
[2]《马克思恩格斯论人性、人道主义和异化》，人民出版社1984年版，第225页。
[3]《马克思恩格斯全集》第3卷，第378页。

正如马克思所说:"对各个人来说,出发点是他们自己"。[1]

社会主义社会占统治地位的阶级是无产阶级和广大劳动群众。既然是一个阶级,那么马克思上述关于阶级内部各成员之间相互关系的观点在此应是有效的,即是说人民内部仍然存在着矛盾,他们之间是"相互敌对的竞争者"。在现实社会中每个个人和团体都有自己的欲求和物质利益,为实现各自的欲求和利益进行着斗争。从社会主体和人性的角度看这种竞争是由人性和恶的倾向所引发的,至少是引发这种竞争的原因之一。只要我们稍微认真考虑一下,毛泽东同志关于人民内部矛盾的论述,特别是现实生活中市场经济和价值关系的实际运行,就会对这一结论逐渐清楚起来。

长期以来理论界对人民内部矛盾内容的理解存在着片面性,表现在只看到人民内部思想层面上的是非矛盾,即认识上的矛盾,忽视经济层面上的物质利益矛盾。这既不符合毛泽东著作原意,也与客观事实相悖。在《关于正确处理人民内部矛盾的问题》这篇谈话中,毛泽东不仅谈到人民内部的是非矛盾,特别谈到人民内部的物质利益矛盾。如毛泽东说:"在国家同合作社之间,在合作社内部,在合作社同合作社相互之间,都有一些矛盾需要解决","我们必须经常注意从生产问题和分配问题上处理上述矛盾。"[2] 这里所讲的就是人民内部的物质利益矛盾。刘少奇1957年4月27日在《如何正确处理人民内部矛盾》一文中指出:人民内部矛盾"大量地表现在分配问题上"。他举例说:"农民说工人分多了;小学教员说青年工人分多了,你房子住多了,我没有房子;评了你升级,不评我升级,这都是分配问题。""建议同志们要好好研究这个分配问题。"[3] 经济过程中的生产和分配上的矛盾主要是物质利益矛盾。这种矛盾从主体、人的方面看即是各个个人的欲望、需要和要

---

[1]《马克思恩格斯全集》第3卷,第86页。
[2]《毛泽东著作选读》下册,第775页。
[3]《刘少奇选集》下卷,第303页。

求及其满足过程的冲突,这种冲突是人性中的为我倾向的外部展开和表现。因而不从人性角度考察这种冲突,这种冲突就是不可理解的。诚然人民内部的物质利益矛盾是在根本利益一致基础上的矛盾,但必须看到这种一致性是在一个较长的客观经济过程中实现的,而在当下具体的经济活动和行为中人们的利益常常是不一致的、冲突的。因而不能用根本上的一致性来掩盖和抹煞矛盾和冲突的客观存在。人民内部物质利益矛盾的人格化表现,即是每个个人和团体都是从自己的欲望和打算出发追求自己利益和需要的最大限度的满足。这是人性中为我倾向的体现。

商品经济、市场经济的存在和运行以人们劳动的谋生性、利益差别以及需求上的内在联系为客观基础。需求上的内在联系要求商品生产者必须把自己的产品提供给社会和他人,但因利益差别的存在,这种提供不是自愿的、无偿的、尽义务式的,而只能是有偿的、被迫的,给他人提供产品的动机和目的是为了满足自己的利益。更重要的是,由于竞争机制的推动使人的劳动的谋生性向谋利性转化,人的谋利活动和动机朝着无限扩大和上升的方向发展。在商品生产和你死我活的激烈竞争中,经营者必须以谋利为目的,若不谋利就连谋生都无法保证。在此过程中存在着人的欲望、需求和利益的放大机制。由于这种放大机制,人们最初的生存愿望被日益膨胀的发财冲动所替代和强化。在此人性的社会性质及其发展已不言自明了。

我们认为,在作为整体的阶级已经消灭,阶级斗争总趋势日益式微的社会主义初级阶段,法制地位之所以升扬的根据即在于此。由现阶段劳动的谋生性质及谋生性向谋利性的转化,人们之间的物质利益差别,人们需要的有机联系和商品交换所蘖生的人性恶,乃是社会主义初级阶段法律存在和地位提高的主体性根源。应当指出的是,这里的人性恶同以往唯心主义或抽象人性论的人性恶理论有着重要的差异。唯心主义的人性恶理论将人性恶看成不依客观生产关系为基础和内容的人的自然的主观欲望,并将其视为决定一切社会关系的第一性的东西。相反,我们则认为人性恶是在物质社会关系基础上形成的,其基本内容是人的物质需要、物质利益,是由一定的社会客观关系和结构所规定的主体的一种特性。承认人性恶是法的主体性基础并不排斥和否认社会生产关系的基础地位,而毋宁说是更充实和完善了这一历史唯物主义观点。因为,包括法律在内的任何社会现象都是社会主体和社会客体相互作用的产物,只有社会客体没有社会主体是无法诠释法的存在根源的。

如果说任何一种法律规范和制度的设计和建立都事先存在着创立者的哲学主体性预设的话,那么今天法制建设中的人性预设就是人性恶。正是因为政治权力主体有滥用权力的主体性可能,法律才要限制权力,才有宪法、行政法;正因为人人都有无限施行"自由"的主体性可能,才要通过法律划定公民的权利界限和范围,才有民法、刑法等类法律规范体系。无论是从法律的起源、本质、功能,还是从法律的结构、类型去考察都会窥见其背后无处不在的人性恶预设。

应该强调的是,人性恶的主体域是包括国家管理人员在内的全体公民,是全称判断,而不是单指民众,甚至可以说主要不是指民众。明了此点相当重要,从中可以认识到现代法治的底蕴。中西文化史上都产生过人性恶的理论主张,但有三个重大差异:

第一,从主体范围看,西方主张人性恶的思想家大都断定人性恶的主体是包括统治阶级、君主以及政府官员在内的全体人。而中国文化史上人性恶的主体范围实质上是把统治阶级、贵族、官吏、特别是政治上最高权力的持有者排除于外的。法家一方面主张人"皆挟自为之心",自利多欲,同时又竭力圣化君主,倡导"以吏为师"。荀子说:"今人之性恶,必将待圣王之治,礼仪之化,然后皆出于治、合于善也。"[1] 这里他将圣王之性并不看作是恶的。法家认为圣王、君主是人类的拯救者,君与道同体,官吏是众庶百姓之贤师。圣人、贤师是超越一己之私的人,何来性恶之有。而西方人性恶理论则与此不同。西方思想家认为人性恶的主体域是全体人,尤其是政权的持有者。阿克顿断定:"权力使人腐化,绝对权力使人绝对腐化。"孟德斯鸠说:"一切有权力的人都容易滥用权力。"这种人性主张纵贯自亚里士多德以来的整个西方文化史。当代法国学者莫里斯·迪韦尔热写道:"领导者总是倾向于让他们的子女享受自己拥有的好处和威望,这是一种自然现象,任何社会制度中都将如此。马克思主义的缺点在于,它认为这种现象只存在于生产资料私有制的范畴内,只要消灭了私有制,这种现象就会随之消失。然而,所有的官僚阶层、领导阶层、比较富裕或有地位的阶层、特权集团和尖子人物都企图让后代子承父业。要想不让他们得逞,就必须建立一些制度机制来阻止他们这样做。但这些机制也难以实施,因为执行者通常正是这些机制所要限制的对象。马克思主义者由于相信阶级会随着资本主义的消失而消失,因而忽略了在社会主义国家中对这个问题给予足够的重视并始终保持必不可少的警惕性。"[2]

第二,从历史作用看,西方主张人性恶的思想家大都肯定人性恶有推动历史发展的积极作用,而中国思想家则认为人性恶乃恶之源,社会动乱之祸根,只能阻碍历史发展。亚当·斯密认为,个人利己心是促进和调节经济发展的根本动力和手段。黑格尔断言,恶是人类历史发展的动力借以表现出来的形式,恩格斯完全肯定这一思想。康德认为一群魔鬼可以建立天堂。在西方思想文化史上有一种"假私济公"的文化理论,就是说个人的私欲、利己心的充分

---

[1]《荀子·性恶》。
[2][法]莫里斯·迪韦尔热:《政治社会学》,华夏出版社1987年版,第157页。

发挥，其客观结果可以促进社会整体的发展进步。黑格尔的历史哲学就隐帅有这种文化观念。在黑格尔那里，"理性是理想的，它假现实以实现其理想。理性是无人格的，它假英雄豪杰的人格以实现其目的。理性是无限圆满的，它假有限的不圆满的事物以达到其圆满。理性是大公无私的，但它假个人之私以济天下之大公。"[1] 黑格尔把这种假恶济善、假私济公的苦心与手段，叫做"理性的机巧"。在中国文化史上，王船山批评秦始皇说："天假其私以济天下之大公"，杜甫诗曰："寂寂春将晚；欣欣物自私"。这些看法都肯定了私欲的积极作用，但这种观点在整个中国文化思想史上并不占主导地位。从总体上看中国人是否定人性恶的积极作用的。这同西方思想家形成鲜明对照。中国思想家声称，社会中的争夺、残杀、淫乱以及暴虐等弊害均由人性恶所致。如荀子说："今人之性，生而有好利焉，顺是，故争夺生而辞让亡焉；生而有疾恶焉，顺是，故残贼生而忠信亡焉；生而有耳目之欲，有好声色焉，顺是，故淫乱而礼义文理亡焉。然则，从人之性，顺人之情，必出于争夺，合于犯分乱理而归于暴。"[2] 如此更何谈其能促进社会发展。西人更多地着眼于人性恶的正面，加以利用，中国人则只执著其负面，予以彻底否定。

第三，从地位看，人性恶在西方文化史上一直占主流文化地位，在中国文化中则居次要地位。西方从柏拉图（晚期）、伊壁鸠鲁、中世纪基督教，直到近代的普芬道夫、霍布斯、洛克、休谟、孟德斯鸠、伏尔泰以及傅立叶等都主张人性恶。中国文化的主干是儒学，儒学主张性善，反对性恶，从而性恶论在中国不是主流文化。

英国著名哲学家罗素曾言："自从人类能够自由思考以来，他

---

[1] 贺麟：《文化与人生》，商务印书馆1988年版，第64页。
[2] 《荀子·性恶》。

们的行动在许多重要方面有赖于他们对于世界和人生的各种理论，关于什么是善什么是恶的理论。"[1] 文化作为主体和客体相互作用的产物，其创造及其性质受主体预设的制约，对人性的不同认识和预设，势必规约文化的特质。上述差异赋中国政治、法律以及经济等文化形式以鲜明特色。

由于中国文化中性恶的主体实质上不包含统治阶级及其政权代表者，所以在政治生活中开不出民主制度，无由建立制度上的权力制衡机制。民主制度的主体性前提在于承认人的本性的不完备性，而不在于肯定人是高尚至善的圣人。圣人治国、君子治国、道德治国只能导致人治而不是法治。因此在法律文化上，数千年来的中国社会一直是人高于制度，权大于法。君主口含天宪，法从君出。法在地位和功能上是"帝王之具"，而无法成为约束权力者的至高规范。在法律形式上无由产生真正的宪法和行政法。因为"宪法是控制权力活动过程的基本文件，其目的是在于提出限制和控制政权的范围，把规定的权力从统治者的绝对控制下解放出来，使他们在活动过程中取得合法的分享。"（卡尔·洛温斯坦）作为善的化身的君主、圣王，当然是无须制约和防范的。中西人性恶观念的差异可说是导致中西方的政治法律文化差别的一个关键。深谙中西文化精神的林语堂曾说过一段意味深长的话："余谓儒家之弊，正在蔑视法律，以君子治国，殊不知一国之中，那里有许多君子可以为部长为院长为所长为县长为校长乎？既为君子则不必监察也，向来中国政治只是一笔糊涂君子帐。"[2]

---

[1]〔英〕罗素：《西方哲学史》，商务印书馆1963年版，第12页。
[2] 1934年9月20日《人间世》半月刊第12期。

第十二章　法律文化与现代性社会

现代法律文化及现代法制的建立难以在自身范围内独立自足地得以实现。它的现实建构过程是同社会结构、人格结构以及文化结构交互作用，一体化发展的过程。不了解法制同这些因素的内在联系及其作用机制，断不可能自觉顺利地实现法治社会之理想。本章拟从社会结构因素出发，对现代法律文化及法制现代化的社会学前提和基础加以讨论，并提出物的依赖关系是实现现代法律文化及法制现代化的社会基础和前提条件之论点。

法的内容、形式及其历史发展决定于社会物质生活的生产方式，并直接受制于生产关系或经济基础。如前所述，马克思对生产关系范畴的规定包含着双重结构：一方面生产关系包含着生产者同生产资料的结合方式，即人对个别劳动的占有关系、财产所有制关系。这是生产关系的微观结构。另一方面生产关系包含个别劳动和社会总劳动的关系，或诸多个别劳动之间的关系。这是生产关系的宏观结构。此二方面相互融合、相互制约形成统一的生产关系体系。它们作为生产关系的两个方面都是认识和把握包括法在内的社会现象的重要支点。[1] 生产关系的宏观结构，即个别劳动和社会总劳动的关系，在物质生产发展的不同历史时期呈现出不同的历史变式或形态。以此为基线和尺度，马克思把人类历史划分为三大形

---

[1] 因之，以往法学界仅从生产关系微观方面研究和解释法是不尽全面的。生产关系宏微二方面对法的解释功能各擅其长，从微观方面着眼易于明了法的阶级实质、经济平等内容；从宏观切入则有利于提示法的社会性、主体性、自由等内容。二种视角互补为是。

态:"人的依赖关系(起初完全是自然发生的),是最初的社会形态,在这种形态下,人的生产能力只是在狭窄的范围内和孤立的地点上发展着。以物的依赖关系为基础的人的独立性,是第二大形态,在这种形态下,才形成普遍的社会物质变换,全面的关系,多方面的需求以及全面的能力体系。建立在个人全面发展和他们共同的社会生产能力成为他们的社会财富这一基础上的自由个性,是第三个阶段。第二个阶段为第三个阶段创造条件。"[1] 在这一社会历史形态的划分中,物的依赖关系乃是介于人的依赖关系和自由人联合体之间的第二大社会形态。物的依赖关系的经济形式是商品经济,严格地说是作为商品经济典型形式的市场经济。中国当前正在进入人类社会的第二大形态。

既然物的依赖关系是社会生产关系中不可分割的方面,是生产关系演进史的一个特殊形态,那么根据社会物质生产关系决定法及其他上层建筑的历史唯物主义原理,物的依赖关系是法的社会基础,当是一个合乎逻辑的理论命题。然而,物的依赖关系不是法的一般的社会基础,而是商品经济、市场经济普遍形成以来出现的法的基础。因而同物的依赖关系相联系的经济形式是商品经济、市场经济。商品经济、市场经济普遍形成于15世纪后期。比利时著名经济社会史家亨利·皮朗指出,商品经济及其主体最基本的两大需要之一是有别于传统的法律。检视自此以降所形成的法的观念和制度可以发现:(1)在地位上,法成为社会生活中的最高权威和最为普遍有效的社会管理和调控手段。政治权力受到法律的制约,行政组织依法建立和管理。(2)在内容上高扬个人权利、主体自由、民主和平等。(3)在形式结构上,法的门类、数量和范围空前扩大,法律形式之性质由非理性法律转换成理性法律。赋有这些结构特征的法恰是区别于传统法制的现代法制。直观地看,现代法制是

---

[1]《马克思恩格斯全集》第46卷上册,第104页。

商品经济的结果，而从社会关系的深层结构看，它是支配商品经济运动的特殊社会关系——物的依赖关系的产物。

那么，何谓物的依赖关系？物的依赖关系是生产关系体系中个别劳动和社会总劳动之间的一种特殊形式。在社会结构发展的不同历史时期，个别劳动和社会总劳动的关系是不同的。在自然经济中，个别劳动和社会总劳动是直接同一的，个别劳动直接就是社会劳动。在此，个人同他人、社会之间通过直接的人的关系联结起来。这种由直接的人的关系纽带结成的人与人之间的社会关系，谓之人的依赖关系。与此不同，在商品经济和市场经济中，个别劳动和社会总劳动发生分离，二者的联系须间接地通过物、商品的交换方能实现。这种由物的关系纽带结成的人与人之间的社会关系，叫做物的依赖关系。同人的依赖关系比较而言，物的依赖关系具有五个特征或表现：它是一种业缘关系而非血缘关系；是契约关系而非身份关系；是平等关系而非等级关系；是独立关系而非依赖关系；是开放关系而非封闭关系。

可见物的依赖关系是一种新质形态的社会关系。这种同传统社会关系具有质的差别的社会关系类型构成现代法律文化及现代法制得以建立的基本前提和基础，其中蕴含着现代法律文化及现代法制形成的具体机制。

一、从血缘关系到业缘关系

社会关系从人的依赖关系向物的依赖关系的运动，同时也是从血缘关系向业缘关系的转变。人的依赖关系是以血缘、血亲为纽带的人的直接关系，于此意义上人的依赖关系是一种血缘关系。相反，在物的依赖关系中，联合人与人的纽带是物、商品，物、商品是具有特殊使用价值的产品，有特殊使用价值的产品是在不同的生产部门和行业中生产出来的，从而它是相互区别的特殊劳动形式和专业化分工的结果。从事这些专业化劳动的人分属于不同的职业。

由于这种职业区别的存在，他们之间必然发生彼此交换自己劳动的活动。在此活动中形成的社会关系叫做业缘关系。业缘关系是由于人们之间职业的不同而又必须相互间交换劳动的结果。

业缘关系同现代法制有着密不可分的因果联系。

第一，业缘关系使维持社会关系和秩序的力量源泉从传统力量、人格权威转换为国家权力，从而使调整社会关系的社会规范由礼制转变为法制。任何社会关系和社会秩序都需要特定的社会规范和模式来保证。而社会规范的性质和形式是由规范发挥作用所依赖的力量源泉的性质所规定的。维持血缘关系存在和发展的力量是血亲尊长的身份权威和历史形成的文化传统。由此力量和条件所衍生的社会规范是具有浓厚伦理精神的礼制规范，如家礼、族规等。业缘关系消解了传统社会的人的依赖关系，因而维持其存在和发展的力量源泉转变为国家权力。而以国家权力为力量依托的行为规范不是别的，正是法律规范。社会规范的力量源泉从传统向国家权力转变的客观根源是社会关系的历史性变革，是社会关系从血缘关系向业缘关系的转化，而这种转化是社会关系从人的依赖关系向物的依赖关系转变的一个表现。

第二，业缘关系是理性化法律得以产生的前提。所谓理性化是相对于法的情感化、伦理化以及非形式化而言的。传统社会中的法律就是这种充满着情感、伦理性的非理性法律。与此相反，现代法律的特征是理性化，这样的法律要求在自身及其运行中排除诸如功利、价值、亲属、情面、情义、关系、职位等实质性特殊性考虑，一切以法律条文的形式涵义为准则。这种理性化形式化法律制度的形成和建立需要相应的社会基础，这一基础就是同物的依赖关系相联系的业缘关系。因为理性化法律重在清除具有感性特殊性的情感、人情、亲属关系以及伦理等因素。而这些因素又同血缘关系血肉相连，因而理性化法律的基础决不能是血缘关系，而只能是与此相区别的业缘关系。在业缘关系中人与人的关系不是血缘性质的，而是与分工和交换相联系的职业关系，其基本内容是劳动交换关系。因而在这种关系中排除了血缘情感关系的进入。从而业缘关系的调整对其调整规范也就不能是情感性的规范，而只能是理性化、形式化的法律规范。

第三，业缘关系为政治权力的法律限制和行政活动、行政组织的依法管理提供了现实可能。血缘关系的载体或共同体形式是家。家作为文化的常数在任何民族国家中都普遍存在。但由于血缘关系在不同民族中的地位不同，与之相联系的家的地位亦有所区别。中国社会结构是以血缘宗法关系为基础的，所以家在中国社会中的地位就比在西方社会中的地位高得多。西方社会从氏族社会进入文明社会的路径是从家族到私产再到国家，国家代替了家族；而中国则是从家族直接进入到国家，国家混溶在家族里面。因此血级关系在中国古代社会较之西方尤为隆烈。由此导致家在中国古代社会的地位殊为重要，家成为社会结构的基型，并形成了家国同构的特殊现象：家是国家的缩影，国是家的放大。这种独特的社会结构产生了同我们的论题相关的两种政治现象。一种是国家权力与特定人格身份合一，另一种是行政职务与管理手段合一。故此，权力便具有了不可分割性、不可转让性和神圣性。由此决定了对权力进行限制、制衡是难以做到的。相反，业缘关系从根本上瓦解了这种政治结构赖以存在的基础，使社会中的一切角色都成为一种具体职业和社会分工。国家管理人员及其职务也是一种普遍专业化职业。在这里掌权者职务与管理手段相分离，权力不复是一种人格化的身份，而还原为世俗化的社会管理力量和功能。在此条件下，政治权力和行政组织才有可能受制于非人格化的法律，才为现代法制的形成扫清了道路。

血缘关系基础上的家国同构社会政治特征所产生的第二个政治现象是：把修身和伦理作为治国之大法。中国传统社会是以血缘宗法关系为基础的，其特征是家国同构，因而思想家们把治理国家的希望寄托在掌权者的道德品质及其修养上。在这方面儒家最为典型。孔子说："文武之政，布在方策，其人存，则其政举；其人亡，则其政息。"[1] 就是说，是否有德性，从而道德修养，修身就成为政治的关键。因而孔子喻示说："政者，正也。子帅以正，孰敢不正。"[2] 孟子也说："君仁莫不仁，君义莫不义，君正莫不正，一正君而国定矣。"[3] 格言云："天下之本在国，国之本在家，家之本在身。"这种由国——家——身的路径所标帜的是"身修而家齐，家齐而国治，国治而天下平"的秩序模式。在此重点强调的是，只有修身才能治理国家。这就把国家的治乱兴衰完全托付于君主、官员和臣民的个人道德修养了。个人道德修养属于内在的观念活动，因而将注意力集中在道德修养上就势必将力量集中于人的内心世界，这样就会忽略、以至排斥外在制度、规范和法律在治理国家中的应有作用和地位。这一切都同血缘关系有着内在联系。相反，业缘关系则是不同于血缘关系的一种更进步的社会关系，在这种社会关系基础上道德将退居次位，法律将成为治国的基本方略。因为业缘关系是不同职业劳动者之间的物质利益交换关系，交换行为需要相应的条件，如财产的私人所有、意志自由、平等、等价、公正等。这些同交换活动密不可分的条件也可说是交换行为的内在要素。这些要素或条件构成现代法制产生的基础。现代法制的私产神圣观念、平等观念、自由观念、公正观念可以说都是以业缘关系基础上的交换关系为源泉的。因而同物的依赖关系相联系的业缘关系是推动从道德治国到法律治国的基本力量之一。

二、从身份关系到契约关系

已如上述，人的依赖关系表现为血缘关系，物的依赖关系则表

---

[1]《礼记·中庸》。
[2]《伦语·颜元》。
[3]《孟子·离娄上》。

现为业缘关系。而血缘是身份社会的基础，业缘是契约社会的基础。在以血缘关系为基础的社会里，个人的社会特色、地位由先天性的自然血缘关系所决定。血缘关系所决定的个人地位对个人来说具有先定性、既定性，个人是无法选择的。你是排行中的次子就不能成为长子，你自己再通过人为的努力也无法改变这个自然的先定现实。这种与个人自由和能动选择基本无关的人格状态，谓之身份。而物的依赖关系和业缘关系则同契约关系有着内在联系，从最一般的意义上说，契约关系是人们在社会活动和社会交往中普遍同意彼此尊重对方的权利。若从具体意义而言，所谓契约关系则是陌生人根据自由合意平等地做出的约定。

  契约关系同现代法制的内在联系表现在如下几个方面：

  第一，契约关系属于一种理性关系。理性化的社会关系必然表现为法律关系，必然需要以法律规范来调整，并赋予法以现代性质。从联系纽带看，社会生活中存在着三种互有区别的社会关系，即强制关系、契约关系和情感关系。它们分别以强制、契约、情感为纽带。契约关系既不以强制为纽带，又不以情感为中介，因而契约关系属于理性关系。这种理情特征表现在契约关系的缔结、运行和完成都建立在契约双方或多方清醒、冷静、功利、实用、平等的理智态度和考虑之上。著名社会人类学家费孝通说："契约的完成是权利义务的清算，须要精密的计算，确当的单位，可靠的媒介。在这里是冷静的考虑，不是情感，于是理性支配着人们的活动——这一切是现代社会的特性，也是乡土社会所缺的。"[1] 理性的契约关系在现代社会中不是一种偶然的居于次要地位的社会关系，而是现代社会中占据主导地位的社会关系。社会关系也是历史的发展着的，在社会发展的不同阶段，社会关系具有历史的性质。在传统社会中虽然也存在着一定的契约关系，但那时毕竟强制关系和情感关

---

[1] 费孝通：《乡土中国》，三联书店1985年版，第77页。

系处于主导地位,契约关系不占主导地位。进入现代社会契约关系跃居于主导地位。正如马克思所言,商品经济和资本主义制度的出现"无情地斩断了把人们束缚于天然首长的形形色色的封建羁绊",代之以"赤裸裸的利害关系",使"宗教的虔诚、骑士的热忱、小市民的伤感这些情感的神圣激发"荡然无存。[1] 虽然在现代社会中也存在着情感关系和强制关系,但这两种关系已不像在传统社会中那样的地位了,因而契约关系、人们之间的理性关系上升为占主导地位的社会关系。社会关系的革命性变革必然引起调整社会关系的社会规范性质的变革。就是说,不同性质的社会关系需要不同性质和形式的社会规范和准则来调节。契约关系作为理性关系不应也不能以情感型和强制型社会规范和手段来调控。契约关系的理性化性质必须由现代性的法律规范来调整。事实上契约关系的理性化特征只有在现代化的法律中才能得到体现和落实,换句话说,契约关系的本性要求避免和排除情感、特权、权势、关系、身份、暴力等非理性、非形式化的偶然力量的侵蚀和破坏,必须有发达形式的法制予以保证。这样契约关系及其理性化特征就为现代法制或法制现代化提出了必然要求,它成为法制现代化的基础和动力。

第二,契约关系是一种平等关系,平等关系须以法律为保证,并注入法以现代精神。平等是契约关系的内在规定之一。"除了强调自由之外,契约关系还隐含着交易各方地位平等的精神。这是合同区别于命令、服从为特征的行政管理的重要标志,是契约关系的内在要求,而且这一原则与自由原则是相辅相成的。由于没有双方地位的平等,就不可能有自由的意思表达,因此,契约双方地位平等是契约发生的一个重要理论假定。"[2] 契约关系是作为身份关系的对立关系出现的。身份关系的实质是人与人的不平等关系,它强

---

[1]《马克思恩格斯选集》第1卷,第253页。
[2] 苏力:《从契约理论到社会契约理论》,载《中国社会科学》,1996年第3期。

调辨贵贱、明亲疏、别父子、识远近、知上下，从而把人置于一种差等格局之中。契约关系是对身份关系、等级关系的否定，同时它又拒斥强制、命令和情感，追求理性，因而它具有内在平等精神的要求。这表现在契约关系从建立到完成都以契约双方自由合意、相互尊重为前提，双方都有相同的权利。契约关系的这种平等平权特征势必同缺乏法律面前人人平等原则的传统法律发生激烈冲突，而要求赋有平等精神的现代法制迅速诞生。实际上惟有在现代法律条件下，契约关系的平等性质和要求才能得到保障。没有以平等、公正为特征的法律就没有契约关系，就没有现代社会结构的实现。因此，"法律面前人人平等"成为近代世界政治和法律强烈且持久的历史呼声。

第三，契约关系的实际运行要求法律保护和导向。首先，契约关系需要法律保护和维持。契约和契约的外部环境之间、契约内部各种力量之间存在着复杂的矛盾关系。从契约与其外部环境的关系看，契约不可避免地要受到外部社会环境、条件、关系及其经常性变化的影响。为了使契约正常运行就必须通过法律手段来调节契约和外部各种复杂因素的关系。从契约关系内部看，它是一个矛盾体，一方面契约是对契约各方面自由和权利的认可和保障，另一方面又是对契约各方权利和自由的限制和规范。在契约中，限制和保障是既相对立又相统一的两个矛盾方面。没有限制就谈不上保障，限制的目的是为了保障。只有将此双方统一协调起来，契约关系才能顺利执行，契约的积极价值才能得以体现。然而，由于人性中非理性的自然冲动、欲望、利己心、激情等主观任性力量的作用，使统一关系经常受到威胁。为此就不能仅靠自律来保证契约的执行，而要对契约实施法律保护。其次，契约关系还需要法律导向。契约固然源于人的自由和理性，并赋予个人以最大限度的自由权利，自明的理性在从主观方面维系着契约，但人不光有理性，也有非理性方面，同时由于人们在认识上、利益上的差别，以及上述主观任性的存在和随时可能发作等原因,个人自由有可能沿着两种性质相反的方向发展。一是沿着同社会整体利益相一致的方向发展,一是朝着同社会整体利益和宏观效益相左甚至冲突的方向发展。因此,为了保证社会生活中无数具体微观契约同社会总体发展趋势保持和谐、一致,就必须有作为宏观契约的法律为其导向。因此,契约关系、个人自由必须同普遍正义、法制建设同步发展。在这个问题上有值得注意的历史教训需要我们记取。意大利和西欧诸国的近代化过程是我国现代化建设正反两方面的前车之鉴。曾首倡个性解放和自由的意大利人由于与此同时未能重视和建立新的社会组织理论和法制秩序,导致其未能最早进入近代工业化社会,政治和社会秩序陷于旷日持久的不安状态,至今黑手党还相当活跃。而西欧既继承了意大利的个体主义价值取向,同时又创造出了新型社会组织理论和法制秩序,个人自由和理性秩序同时共进,从而保证了西欧诸国能后来居上,稳步迈进近代文明。

三、从依赖关系到独立关系

人的依赖关系把个人紧紧地凝固在某种社会共同体(如家族)之中,导致个人的社会地位、命运和生命意义直接由共同体来决定,因而个体人无独立性可言。物的依赖关系瓦解了人的依赖关系,也瓦解了人的依附性、身份性。所以马克思把与物的依赖关系相联系的人的形态叫做人的独立性。用美国著名社会学家帕森斯的话说,人的形态的这种转变是个人命运从"先赋性"走向"自致性"。在物的依赖关系基础上,个人可以通过自己的能动劳动主动创造和选择自己的社会地位,个人从而获得了独立自主性。

人的独立性是现代法制建立的主体性前提。

第一,人的独立性使法律基本单位从家族、集体转变为个人。在前现代社会中,由于个人缺乏独立人格和独立地位,只是家或其他共同体中的分子、部分,因而政治统治和法律制度的基本单位是家族、集体。这在中西方法律文化史上都是相同的。中国西周时期的文化是人代替了神,在法律文化上"家本位"代替了"神本位",家族集体是法的重要单位和基础。西方古罗马早期由于人的依赖关系的存在,法律的单位也是家。[1] 在这种家族本位的法律体系中,国家和法律只赋权予家族(由家长代表),而家族之内的个体成员则毫无权利。个人的政治和法律命运不依自己而依家族家长的命运为转移。与此相反,与商品经济相联系的物的依赖关系赋予个人以独立自主性。获得独立自主性权利的个体必然要改变自己的法律地位,要求从政治和法律上肯定和确认自己的这一基本权利,并使之制度化、法律化。正是在这一强大的动力推动下,法律的基本单位才由家族转换为个人。无疑,这是一次具有历史性意义的转换。显然,没有个体独立地位的获得,这一历史性的法律形态转换实在难以实现。正像有的学者所正确指出的:"欲建立完善的民法体系,必须先自确认个人在法律上之独立地位始。而确认个人之法律地位,则需要个人对自己拥有独立之要求为前提。若每个人视家长为国君,而又视国君为家长,则无任何独立意识可言。无独立之人权,还论财政、财权、债权?"[2] 民法是现代法制结构体系中的主干。正如法国法学家达维德所言:"法的其他部门只是从'民法'的原则出发,较迟并较不完备地发展起来的,民法曾经长期是法学的主要基础。"[3] 没有现代形态的民法,就不会有现代法制的产生,而民法建立的前提是个人独立性、个人自由权利的获得。由此可见个人独立性、个人自由的确立对于法制现代化的决定性意义。

第二,个人独立性地位和价值的获得和拥有推动法律基本精神

---

[1] 参见〔英〕梅因:《古代法》,商务印书馆;瞿同祖:《中国法律与中国社会》,中华书局;武树臣:《中国传统法律文化》,北京大学出版社。
[2] 林剑鸣:《法与中国社会》,吉林大学出版社1988年版,第264页。
[3] 〔法〕勒内·达维德:《当代主要法律体系》,上海译文出版社1984年版,第25页。

和内容从以义务为主体转变为以权利为主体。这实际上是第一个问题的一个逻辑推论。既然法律以个体为单位,肯定和确认了个人的独立自主性,而人的独立性实际上乃是人的权利自我享有,所以对人的权利的肯定、确认和保护理所当然地成为法律的基本精神和功能。从事实上看,在人的依赖关系社会中,人的权利和义务处于分离状态,由不同的社会主体来分担,统治者、特权者享有权利,被统治者只尽义务。因此,反映这种社会关系的法律只能是以义务为主体的法律。而物的依赖关系把人的本然性权利还原给了每个人。在此条件下方可产生把人的权利制度化、规范化的现代法制。因此,如果说法律文明史是人的权利不断制度化的历史的话,那么,物的依赖关系的普遍形成才使法律文明实现了一次历史性的巨大进步。

四、从封闭关系到开放关系

社会关系的封闭性是人的依赖关系的固有特性。因为在人的依赖关系中,以血缘关系为基础的家庭是最基本的共同体和人的生活空间,同时在这种社会关系下,生产是在狭小和孤立的地域里进行的,个人可以在家庭范围内不断复制和再生产自己,所以其生存生活无须同外界发生物质和信息交换。这种生活和生产特征把自己同外界封闭隔离了起来,形成封闭性的社会关系和文化心态。封闭性是人的依赖关系和农耕经济的内在的必然性特征。与此相反,开放性则是物的依赖关系的本质特征。因为这种社会关系建立在劳动分工和交换关系上,任何具体劳动都是社会总劳动的一部分和环节,个人只有在同他人不断交换劳动的过程中才能生存和发展。所以人与人、人与社会呈现出无限开放态势。社会关系的开放性包括两方面内容,一是社会生活中一切个人、单位和共同体之间形成普遍的社会交往、物质交换和联系;二是个人可以通过自身能动活动和努力不断创造和进入新的社会关系。

物的依赖关系的开放性质是现代法制得以建立的重要基础和动力。第一，社会关系的开放性使社会及其主体对行动秩序、规则、标准等规范的要求日趋强烈和迫切，从而导致法律的社会地位空前升扬。社会规则、规范是社会交往、联系的结构形式，因而规则、规范的性质、类型、发达程度以及地位均受制于社会交往的发展程度。开放性社会关系中普遍的社会物质交换、交往和联系，是一种多因素、多环节、多层次的复杂性社会运动过程。它要实现有序化运行，没有与其相适应的高度严密科学的社会管理和控制手段是难以做到的。事实证明，在社会规范体系的众多形式中惟有法律形式能够在此有效地发挥作用。因此之故，"在近代世界中，法律成为社会的主要控制手段。"[1] 第二，社会关系的开放性使法律体系的主干从刑法转变为民法。普遍的社会联系和交往从内容上看，最基本的是经济和物质生产劳动的交往。而这种交往必须建立在一定的经济和社会结构前提之上。前提不同，交往的性质也就不同。马克思说："劳动和对自己劳动成果的所有权表现为基本前提，没有这个前提就不可能通过流通而实行第二级的占有，以自己的劳动为基础的所有权，在流通中成为占有他人劳动的基础。"[2] 因此，为使财产的交换和让渡成为平等合理的，经济前提必然提出相应的政治法律要求，即要求法律必须肯定和确认自然人和法人的财产权、债权等基本人权和权利。或者说这样的经济结构及其运作要求法律把人权、人的权利作为根本内容。当个人权利之保护成为法律的最基本内容和使命之时，法律也就实现了自身的现代化变革。因为现代法律和传统法律的一个根本区别就是传统法律以义务为本位，现代法律以权利为本位。在现代法律体系中最能体现权利本位精神的是民法。民法是私法，是权利法。因而民法成为现代法律体系的主

---

[1] 〔美〕庞德：《通过法律的社会控制、法律的任务》，商务印书馆1984年版，第10页。
[2] 《马克思恩格斯全集》第46卷，下册，第463页。

干。再者，在开放性社会关系中，个人可以通过自己的能动活动选择、创造和进入新的社会关系，改变自己的社会地位，这种选择、创造和进入活动当然包含着多方面内容，但其基本的方面是创造经济关系，改变经济地位。个人的这种开放性活动，从法律上看，首先是要求承认个人有经济行为自由、契约自由以及竞争自由等权利。反映这种权利要求的法律首推民法。近代以来民法的三大原则就是：契约自由原则；尊重个人财产亦即所有权绝对原则；自己责任亦即过失责任原则。民法的这些原则正是市民社会中个人权利要求的体现，因而民法自然成为现代法律体系的主干内容。而民法在法律体系中居于主导地位是现代法制区别于传统法制的重要标志之一。对于这一区别法国著名社会学家杜尔姆曾作过分析。他把类似我们所说的人的依赖关系的社会称为"机械"形态社会，把物的依赖关系的社会谓之"有机"[1]形态社会。在论及这两种社会中的法律时，他认为机械形态社会的法律是刑法或强制法，而有机形态社会的法律则是赔偿法或合作法。赔偿法的着眼点不是刑罚，而是用赔偿或归还等方式来处理当事人之间的利益冲突。

综括上述，现代法律文化及现代法制的建立有赖于社会关系结构的五大变革，即社会关系从血缘宗法关系转变为业缘关系；从身份关系转变为契约关系；从等级关系转变为平等关系；从依赖关系转变为独立关系以及从封闭关系转变为开放关系。这些转变从总体上又导源于从人的依赖关系向物的依赖关系的转变。

社会主义市场经济的实现是中国社会关系从未有过的一次深刻革命，它将从根本上扬弃人的依赖关系，建立起新型的物的依赖关系。因此虽说我们尚处于社会主义初级阶段，人的依赖关系的痕迹还一定程度地存在，但中国法治社会的曙光已经和将继续在社会主义市场经济的地平线上不断升起。

---

[1] 参见〔英〕罗杰·科特威尔：《法律社会学导论》，华夏出版社1989年版，第85页。

第十三章　法律文化与现代性政治

　　法制现代化或现代法制的建立不仅要有相应的经济条件，同时还依赖于适当的政治条件。因为经济关系和结构决定法律往往不是直接的，经济关系及其运动首先决定阶级关系，决定政治，政治集中表现着经济，然后由政治决定、制约和影响法律；从上层建筑自身看，上层建筑是由各种不同因素构成的，这些因素相互联系、相互作用构成上层建筑整体系统。政治和法都是上层建筑中的有机构成要素，政治在上层建筑系统中处于主干地位，对上层建筑中的其他要素有着很大的制约作用，从而其对法律也有强烈的制约作用。因此，法的性质和变化直接地受着政治的性质及其变化的制约。一定性质和特征的政治关系、政治结构必然形成一定性质和特征的法律。譬如在专制主义的政治基础上必然形成作为帝王之具的奴役和镇压人民的法律。传统的法对应着传统的政治。政治性质不发生革命性变革就不会产生现代法制。

　　那么，在什么样的政治基础和条件下才能形成现代法制呢？一般的观点是，在民主政治的基础和条件下才能形成现代法制。这是目前大部分研究者所持的看法。这种看法有其一定道理，但这种观点不好解释历史和现实中出现的有民主而无法制，甚至践踏法制的现象。如中国"文化大革命"中的大民主以破坏法制为特征，法国大革命时期出现的雅各宾派的民主也力主废除法制，希特勒是在民主选举中走向极权主义的。可见对现代法制的政治前提需要作进一步的具体研究。

其实，民主有着不同的形态。有以平等为本体和导向的民主，有以自由为本体和导向的民主。前者以平等价值为民主的前提和最高目标，后者以自由价值为民主的前提和最高目标。后者可称为以自由为体以民主为用的政治。在我们看来，现代法制的政治前提和条件是以自由为体以民主为用的政治。

一、现代民主政治的内涵

我们说法制现代化的政治条件和前提是以自由为体以民主为用的政治，那么，什么是以自由为体以民主为用的政治呢？这里我们引进了"体"和"用"两个传统哲学概念以体现自由和民主的不同地位和内在联系。"体"是指事物的本体、本质或一般原则，"用"是指表现、体现、形式。这样，自由为体民主为用的政治的含义就是，自由是这一政治的本质和一般原则，民主是自由的表现和形式。在一个事物中体和用是统一的，有体无用的事物和有用无体的事物都是难以存在的，政治中自由和民主应当是统一的。自由不能脱离民主，否则自由就只能滞足于一般的原则而无法通过具体社会组织形式落实到现实实践中去；民主也不能脱离自由，否则民主就有可能通向极权主义和专制主义。因此，以自由为体，以民主为用的政治是一个由民主和自由结成的有机整体。

在以自由为体以民主为用的政治中，自由和民主的统一性和不可分割性主要体现在三个方面。

第一，自由是民主的逻辑根据，自由和民主在本质内涵上具有相通性。什么是自由？自由就是自己决定自己，自己是自己的根据，自己是自己的主宰。黑格尔曾明确指出自由的这一最基本含义。他说："自由正是在他物中即是在自己本身中、自己依赖自己、自己是自己的决定者。"[1] 什么是民主呢？简单地说，民主就

---

[1] 〔德〕黑格尔：《小逻辑》，商务印书馆1980年版，第83页。

是"主权在民",用通俗的话说,就是"人民当家做主"。"主权在民"就是说在政治生活中人民拥有主权和权利,主权是人民的,人民可以自己决定自己的命运和行动。从自由和民主两个概念中我们不难看到二者在内涵上是一致的,各自都蕴含着自己是自己的主人这一基本内涵。从逻辑上说,自由这一范畴比民主更根本。因为自由是人的本质规定,是一个总体性的、最一般的范畴。民主只是自由在一种特定领域的表现。我们可以从洛克对民主的起源的论述中发现民主和自由在本质上的相通性。"主权在民"的观念用洛克的政治观念来说,就是我们在没有组织政府以前,是在自然状态当中,在自然状态中人爱做什么就做什么,你的身体好,你可以把我打倒,我的身体好,我可以把你打倒,没有法律也没有规定,我们从自然状态走向一个 civil society,就是由社会里产生一个政府。如何产生政府呢?就是放弃我们爱做什么就做什么的自由状态,大家签了一个契约来组织政府,选举政治领袖,制定法律。我们甘心受法制的限制,是因为我们大家愿意这样做。换言之,"愿意"这个观念本身蕴含着我有权利愿意。即我是愿意变成政府底下的一个老百姓,我愿意从自然状态走向有政府的状态。[1] 民主观念的发生是同我"愿意"这个主体意向内在相关的。这个"愿意"的主体意向的基础可以说是主体、人的自由本质。由此我们可以窥见民主同自由的相通之处。

第二,自由和民主的关系是一般和特殊,内在和外在的关系。自由是人类所追求的最一般最根本的价值系统,它也是人之所以为人的总体性规定。因此在人类文化的各个不同领域如艺术、科学、道德、宗教等之中都体现着自由。政治是文化体系中的一个部分,因而政治也要体现自由,民主就是自由这一一般价值原则在政治中的体现。所以自由和民主是一般和个别的关系,二者不可分割。

---

[1] 参见林毓生:《中国传统的创造性转化》,三联书店1988年版,第89页。

第三，民主政体是实现个体自由价值的最恰当的形式。近代启蒙思想家斯宾诺莎在《神学政治论》中说："在所有政体之中，民主政治是最自然，与个人自由最相合的政体。"[1] 林毓生指出："如何才能实现自由呢？在何种生活之中，我们才能有自由呢？一般而言，民主的社会与政治比较容易保障个人的自由。其他的社会对于自由的威胁更大，虽然民主的社会也可能产生'多数强迫少数'（tyranny of majority）的现象。但是，民主是我们人类经验中所能找到的最不坏的（the least harmful）制度。其他制度更坏，因此我们只好接受民主制度。"[2]

自由与民主的内在统一性在中国文化史上最早是由严复提出的。作为上个世纪对西方文化了解最深刻的人，严复指出西方文化模式是"以自由为体，以民主为用"。严复对西方文化模式的这一认识表明他自觉地把民主和自由联系起来了。在严复的思想中，自由、平等、自主、民主是不同层次的概念，但它们却有着逻辑上的内在关联，他从这种内在关联中指明了由自由到民主的逻辑："故言自由，则不可以不明平等，平等而后有自主之权；合自主之权，于以治一群之事者，谓之民主。"[3] 在严复看来民主说到底不过是作为人的根本价值的自由在"治一群之事"即政治中的对象化或实现。就民主只是自由在社会政治领域的显发而言，民主是用，自由是体。体用虽有差异对立，但不可割裂，故自由和民主应是相互统一的。[4]

我们还可以从一个相反的角度来说明民主不能脱离自由这一政治文化理致。当民主离开自由这一价值的时候民主就会同极权主义、专制主义相吻合。以色列耶路撒冷大学的塔尔蒙教授（J·L

---

[1]〔荷兰〕斯宾诺莎:《神学政治论》，商务印书馆1963年版，第219页。
[2] 林毓生:《中国传统的创造性转化》，三联书店1988年版，第91页。
[3]《严复集》第1册，中华书局1986年版，第118页。
[4] 参见黄克剑:《东方文化——两难中的抉择》，江西人民出版社1992年版。

·Talmon）在其《极权民主的起源》一书中就向人民喻示了这一问题。塔尔蒙教授告诉人们，民主并不像人们习常认为的那样是极权的死敌，二者水火不容。由民主走向极权，走向践踏法制的结局的事是中外都存在的。中国的"文化大革命"，法国大革命时期的雅各宾派专政都是由民主走向了极权和践踏法制。雅格宾派的终极理想是要实现平等和自由，但它在实践中却抹煞了人的自由和法制，走向了专制暴政。在实践中他们要求用人治代替法治。表现在，一是废除司法秩序，废除司法独立，只要救国委员会和治安委员会的命令就可以逮捕任何人，只要经国民公会多数决议就可以把任何人送交革命法庭，而革命法庭的审判只是一种形式。二是视宪政程序为无物，一旦国民公会不如其心意，他们就动员民众走进国民大会，干扰公会的正常议事活动，或者发动"广场短路"，也就是越过国民公会，越过宪政程序，敲响钟楼的警钟，直接召集民众集会，取得人民的支持，胁迫国民公会，或者干脆直接号召人民起义，用武装力量迫使国民公会就范，重新制宪。[1] 这样的民主所带来的是恐惧、内战和无序，所倚重的是人治而不是法治。这种结局的原因是什么呢？是脱离了自由的以平等为根本价值和导向的民主观。以平等为根本价值的民主观虽也追求自由、民主、平等价值，但在它那里这几种价值不是并列的，其中平等优于、高于自由价值。这种民主观正如有的论者所正确分析的那样："并不必然保护自由，而且很可能为了平等而牺牲自由。而自由一旦为平等所牺牲，民主就必然自趋灭亡。因为从逻辑上看，只有在人人皆有自由的前提下，人们才有发言权，人们才有可能自由地提出民主的要求，而没有自由就意味着没有发言权，而一旦没有发言权，又有谁

---

[1] 参见毛寿龙：《卢梭、雅各宾派与民主的转变》，载刘军宁等主编：《市场逻辑与国家观念》，三联书店1995年版。

能够提出民主的要求呢?"[1] 因此只有以自由为体以民主为用的政治才能实现真正的民主和法治。当个人自由作为民主之体的时候，意味着个人自由的价值要高于优于民主和其他一切价值，因而借口包括民主、多数人在内的其他一切价值都不能损害个人自由价值，都应为个人自由价值服务，这样，极权、专制、无视法制的现象就会避免。

以自由为体以民主为用的政治所倚重的是自由和民主的统一性。如果说民主有多种不同形态的话，那么这是民主的一种形态，一种最好的形态。谈论分析民主时一定要有不同民主形态的观念。有的人看到现实中的民主造成了极权和专制，就笼统地说民主这也不对那也不好，这显然是缺乏具体分析的。有的人一味强调自由和民主的冲突，似乎二者是不能统一的。如嘉塞特说："自由主义和民主政治是两件事，二者并没有关系。至于在趋势方面，演变的结果，二者的意义是互相冲突的。"[2] 伦纳尔也有类似的看法。这种看法给人一种模糊不清的印象。他们没有回答究竟什么样的民主政治和自由是冲突的。在我们看来只有那种以平等为导向的民主才和自由是冲突的，而以自由为导向的民主政治同自由是统一的，一致的。因而笼统地不加分析地认为民主和自由是冲突的观点是欠妥的。

法、法制同政治是密切联系的，但政治有不同性质和形式的政治，这些不同性质和形式的政治对法、法制有着不同的态度，会导致不同性质的法和法制。有的政治内在地需要人治反对法制，或者只需要那种抽掉民主的作为控制人、奴役人的法制；有的政治内在地要求超越法制，不管是民主的还是非民主的法制都不要，都要废除，它所需要的是人治、恐吓和暴力。以自由为体以民主为用的政

---

[1] 毛寿龙：《卢梭、雅各宾派与民主的转变》，载刘军宁等主编：《市场逻辑与国家观念》，三联书店1995年版。
[2] 转引自殷海光：《中国文化的展望》，中国和平出版社1988年版，第472页。

治是多种政治形式中的一种，这种政治是最需要法治的政治，离开法治这种政治就无法运作，离开法治这种政治就会走到自己理想的反面。

以自由为体以民主为用的政治所追求的根本理想和价值是自由、民主，以及自由和民主的统一，是这种价值在现实中的实现，而自由、民主以及它们在现实实践中的实现必然要通过一种最有效的形式和途径，这种形式和途径就是法治。以自由为体以民主为用的政治同法治的联系具有内在必然性。因而我们认为它是法制现代化的政治基础和条件。如果不能建立起以自由为体以民主为用的政治体系，真正的法治是很难实现的。

二、现代民主政治与现代法制

人类的政治生活是历史的不断发展着的。人的社会实践和主体性的发展变化必然导致政治的变化，使之呈现出不同的性质和历史形态。随着社会历史从第一大社会形态即人的依赖关系向第二大社会形态即物的依赖关系的演进，政治的性质和形态也发生了革命性变化。按照马克思的论述，在第一大社会形态中人不是以个人的角色和地位而存在的，人生活在相互依赖即人的依赖关系中，因而没有个人自由。在第二大社会形态中，人摆脱了人的依赖关系，成为具有独立性的个体的人，在此出现了个人自由。从这里我们可以看到，在以自然经济为基础的人的依赖关系中没有个人自由，在以商品经济为基础的物的依赖关系中产生了个体自由。以自然经济为基础的人的依赖关系的社会叫做传统社会，以商品经济为基础的物的依赖关系的社会叫做现代社会。因而很明显传统社会和现代社会的基本区别在于前者缺少个人自由，后者以个人自由为主导价值。传统社会和现代社会的这一区别马克思有明确的论述。[1] 英国法制

---

[1]《马克思恩格斯全集》第46卷上册，第104页。

史家梅因也把社会从传统到现代的演进概括为"从身份到契约"的运动。身份社会即传统社会缺少个人自由，而契约社会是现代社会，现代社会以个人自由为基础。

社会形态的变化必然造成政治形态的变化。因而传统社会和现代社会中的政治是有质的区别的。这种区别可以表现为许多不同方面，但一个基本的方面是传统政治不以普遍的个人自由为中心价值，而现代政治则以个人自由为中心价值。对于传统政治和现代政治的根本区别，黑格尔曾认为，划分二者的关键是有无"主体性"。什么是"主体性"呢？张世英先生说："黑格尔又往往直截了当地用'特殊性'这一术语来表达'主体性'：'特殊性'所强调的是'主体性'中的个性方面，也是个人自由、独立自主的方面"。[1] 可见黑格尔"主体性"是指个人自由。因而现代政治和传统政治区别的关键是有无个人自由。

以个人自由为中心价值取向的政治是现代政治，这也就是我们所说的以自由为体的政治。在这样的政治中个人自由是政治的基本原则、最终目的和基本精神。以个人自由为中心价值的政治是近代以来西方的政治发展的主流。近代启蒙思想家谈到政治的价值无不以人的权利而称说，谈到国家的起源无不以社会契约而论之，而权利的根本内容是自由，社会契约的订立是为了更好地保障个人自由。洛克、霍布斯、斯宾诺莎、卢梭、孟德斯鸠等人的政治理论的根本处，莫不是个人自由。斯宾诺莎说："政府最终的目的不是用恐怖来统治或约束，也不是强制使人服从，恰恰相反，而是使人免于恐惧，这样的生活才能极有保障，……实在说来，政治的真正目的是自由。"[2] 洛克在用社会契约说明政治的起源时认为，自由个人的缔约而产生的共同体，"只能根据它的各个个人的同意而行

---

[1] 张世英：《论黑格尔的精神哲学》，上海人民出版社1986年版，第203页。
[2] 斯宾诺莎：《神学政治论》，商务印书馆1963年版，第272页。

动,而它作为一个整体又必须行动一致,这就有必要使整体的行动以较大的力量的意向为转移,这个较大的力量就是大多数人的同意。"[1] 这是否可说在洛克的政治主张中"大多数人的同意"比"各个人的同意"更重要呢?不是的。这正如黄克剑先生所言:"'大多数人的同意'与'各个人的同意'总会有着相当的距离,但这距离本身也正意味着理致上的'各个人的同意'永远是现实中的'大多数人的同意'的最终依据。"[2] 霍布斯虽然很强调国家这个利维坦的作用,但在利维坦中我们仍可看到个人自由的深层存在。因为国家这一利维坦既不是源自上帝,也非自始就有,而是由自由个人通过相互约定而创造出来的。它的产生和存在的根据仍是个人自由。

当然在以自由为体的政治中,个人自由并不是唯一的要素,除此而外还有秩序、平等、安全等要素。但是所有这些要素的终极根据都是个人自由,它们的价值都要在个人自由这个总价值中来认取。

以自由为体的现代政治与现代法制有着密切的有机内在联系。以自由为体的政治是现代法制的基本条件;以自由为体的政治内在地要求现代法制;现代法制是以自由为体的政治的根本保障。

第一,以自由为体的政治是现代法制的基础和条件。它规定着现代法制的性质、根本价值取向、基本内容、基本精神和原则。

以自由为体的政治规定着现代法制的性质。现代法制之所以根本不同于传统法制固然有着多种因素,但二者之间一个根本性区别在于现代法制中注入了个人自由内涵,从而使现代法制获得了现代性质。在政府权力与公民权利、国家与个人、义务与权利、身份与契约、依附与自主、集体利益与个人利益、公法与私法、刑法与民

---

[1] 洛克:《政府论》下篇,商务印书馆1964年版,第60页。
[2] 《哲学研究》1997年第3期,第34页。

法等所面对和解决的矛盾关系中，传统法制所倚重和保护的是前一方面，即政府权力、义务、身份、依附、集体、国家、公法、刑法等，这体现了传统法的性质。与此相反现代法制所看重的是后一方面，即公民权利、个人权利、契约、个人利益、私法、民法等，这体现了法制的现代性质。而矛盾前一方面和后一方面的区别如果归宗到一点那就是有无个人自由的问题。正如有论者所指出的："近代以来政治法律思想家所关注的重要问题之一就是自由的法律化和法律的自由化问题。"[1] 事实上，法律的自由化和自由的法律化体现了近代以来法律和自由的不可分割的内在联系，这种内在联系规定了法制的现代性质。假如法律不以保障和扩大个人自由为根本宗旨，那这样的法就仍是传统的法制而非现代法制。

现代法制中的个人自由包含的内容一是个人，二是自由。在此自由是个人的自由，以个人为主体。传统法制有时也讲自由，但那主要不是个人自由而是国家自由，在中国就是皇家一族一户的自由。根据霍布斯的看法，传统社会和法律中的自由主要是国家的："古希腊罗马人的哲学与历史书以及从他们那里承袭自己全部政治学说的人的著作和讨论中经常推崇的自由，不是个人的自由，而是国家的自由，……当我们说雅典人和罗马人是自由的这句话时，指的是他们自由的国家。"[2] 自由主体的不同也是现代法制同传统法制的重要区别。有些人虽也讲法律要保护自由，但他们若把自由的主体看作国家而不是个人，这同样说明他们所谈论的法制不是现代法制而是传统法制。同时还要看到，现代法制中所讲的个人是自由的个人。自由是个人的内在规定，体现着个人的人格。现代法制中的个人不是作为集体中的成员分子的个人，而是独立的个人。自由和个人人格、人的资格是联系在一起的。卢梭说："放弃自己的自

---

[1] 孙国华主编：《市场经济是法治经济》，天津人民出版社1995年版，第179页。
[2] 〔英〕霍布斯：《利维坦》，商务印书馆1985年版，第166~167页。

由，就是放弃自己做人的资格，就是放弃人类的权利，甚至就是放弃自己的义务……这样一种弃权是不合人性的；而且取消了自己意志的一切自由就取消了自己行为的一切道德。"[1] 个人如果脱离了自由就仍然是传统社会中的个人而不是现代个人。法律对具有自由规定的个人的保护体现着法制的现代性质。因而有些人虽然也讲法律要保护个人，但若他们讲的个人不是自由的个人，这同样说明他们所谈论的法制不是现代法制而是传统法制。总之，在个人自由概念中，自由的主体是个人，个人的规定是自由，二者的结合构成现代政治和法律中的个人自由。

以自由为体的政治规定着现代法制的根本价值取向。根本价值取向的含义有三：一是说个人自由价值能够把现代法制的价值与传统法制的价值从根本上区别开来。现代法制的价值与传统法制的价值之间区别是多方面的，但最根本的区别在于现代法制以保障和扩大个人自由为最重要价值目标，传统法制则不是这样。二是说现代法制的其他价值能够从个人自由价值中得到解释和说明。如现代法制的秩序价值、效率价值、平等价值等都可从自由价值中得到说明。现代法制为什么要保障效率价值呢？因为经济效率高可以更好地改造自然界，创造更多的物质财富，这样就可以实现人在自然界面前的自由。同时，物质财富的丰裕可以使人在物质生活上得到幸福，而物质生活上的幸福是人的自由价值的一个侧面，即人在现象界中自由的实现。现代法制为什么要保障秩序价值呢？因为个人自由只有在有秩序的社会生活中才能得到实现，失去秩序的混乱的社会中个人自由是无法得到保障的。现代法制为什么要追求平等价值呢？因为在等级、特权盛行的社会中个人自由也是无法实现的。当然这不是说个人自由以外的其他法制价值没有自己的独立意义。事实上个人自由是不能代替其他法制价值的。三是说现代法制所追求

---

[1] 〔法〕卢梭：《社会契约论》，商务印书馆1980年版，第16页。

的其他价值都受个人自由价值的制约。譬如说现代法制所追求的平等价值应主要是机会平等还是结果平等，平等要掌握到什么程度等这都要以个人自由为尺度来判断。我们现在强调机会平等，这个价值取向就是由个人自由决定的。因为机会平等比起个人平等能更好地实现个人自由价值。

以自由为体的政治规定着现代法制的基本内容。翻开近代以来各现代化国家所制定的各种人权宣言和法典，我们所看到的是对公民的种种权利的确认和保护。1789年8月26日公布的法国《人权和公民权宣言》共有17条，其中心内容是确认"人和公民的权利"。其他各资本主义国家公布的权利宣言和法典也都是以人权为中心的，是对权利的具体展开。在一定意义上可以说人的权利就是人的自由，权利即自由。确定人有某种权利也就是确定人有某种自由。因此，法制以权利为基本内容也就是以人的自由为基本内容。现代法制的理论基础是洛克等启蒙思想家指出的法制理论。洛克认为人的权利有三项，这就是生命、财产和自由。这里的自由是狭义的自由，广义的自由还包括生命、财产的自由。后来资产阶级法律实际上是把这三项权利作为基础性内容的。现代法制体系的主干是民法，其他部门法都是在民法及其精神的基础上发展起来的。而民法作为私法、人法、权利法是以个人权利的保护为核心内容的，换句话说也就是以个人自由为核心内容的。

第二，以自由为体的政治内在地要求现代法制。

自由政治这个概念本身对自由是一种规定，即这里所说的自由主要不是精神自由或心灵自由而是政治自由。政治自由与精神自由虽有联系同时也有重要区别：精神自由是人的本体领域的、内在的、超越的自由，政治自由是现象界的、世俗的、外在的、经验的自由。这两种自由对法制的态度和要求是不同的。精神自由、心灵自由，特别是中国传统文化中道家所言的精神自由是排斥法制的。在道家看来，包括法律制度在内的一切制度都是形式、虚无、外在的东西,要达到心灵自由(不是儒家说的道德心灵,而是心境)就要彻底否弃这些外在的制度和规范。所以老子说:"故失道而后德,失德而后仁,失仁而后义,失义而后礼。夫礼者,忠信之薄而乱之道。"[1] 庄子说"中国之君子,明乎礼仪;而陋于知人心。吾不欲见也。……昔之见我者,进退,一成规,一成矩;从容,一若龙,一若虎。"这些外在规范都妨碍人的心灵自由,必须去掉。而政治自由则不同,它是经验中、世俗中、现实中的自由,因而它内在地需要一定的制度、规范和法律。政治自由同社会物质利益、权力、人的欲望、冲动有关,政治自由就是要在这些现实的利害关系中实现个人的自由。面对利害关系及其其中存在着的现实力量,必须以法制才能有效调节这种现实关系,人的自由才能得到保障。因此政治自由不同于心境自由,它内在地需要法制。

　　这是从政治自由的政治层面说的,从自由本身来说,自由也内在地需要法制。一方面,自由需要法制来保障,另一方面,自由需要法制来限制。自由的保障手段不止一种,如政策、某种观念、道德规范都有保障自由的作用。但是,保障自由的最有效最有力最好的手段是法制。因为法律和其他规范比较起来,它具有明确性、确定性、稳定性,其背后有现实的力量。个人自由包含着个人任性、冲动这一环节,自由的这个环节的展开和见诸行动有可能侵害有着同样自由权利的其他个人的自由。为了不使其他人的自由权利受到侵害,有必要用法律把个人的自由限制在一定范围内。法国1789年《人权和公民权宣言》规定:"自由就是指有权从事一切无害于他人的行为。因此,各人的自由权利的行使,只以保证社会上其他成员能享有同样权利为限制。此等限制得由法律规定之。"[2] 从法律限制的可能性来说,自由的主体个人是有理性的,他知道在自己

---

[1] 《老子·三十八章》。
[2] 董云虎编著:《人权基本文献要览》,辽宁人民出版社1994年版,第41页。

的周围存在着同他一样有自由权利的人，他知道他如处理不好同他们的关系就会对自己也对他人带来伤害。这种理性判断和推理能力是自由主体——人的固有本性，因此他能够把自己的一部分权利转让出去，听从法律的指示，接受法律对他的自由的限制。所以法律限制的可能性在于自由的主体是有理性的人。

　　从历史上看，自由如果脱离了理性和法律，社会就会陷入紊乱，政治就会出现动荡不安。只有自由和理性、法律携手共进，整个社会生活才能既充满生机和活力，又能稳定有序。个人主义和自由主义最初是在意大利兴起的。其时个人自由价值和主张成为全社会普遍重视的价值，它标志着西方近代启蒙思潮的开始。但是从政治和社会实践中看，意大利并未建立起既有活力又有秩序的政治秩序，社会从此陷入长期的不安之中，至今仍有黑手党的猖狂活动，经济也落在了英法等后起的启蒙国家之后。这里的原因固然多种多样，但同意大利人只重视个人自由，忽视理性、社会组织结构的创新、法制的建设不无内在关系。后来的英、法诸国之所以比意大利发展得顺利，是因为这些国家既继承了意大利启蒙运动中的个人自由价值观，又与此同时发展出相应的政治组织和法律制度，把个人主义、自由主义同理性主义、法制有机地结合了起来。这种结合集中体现在洛克、霍布斯、卢梭等人的"社会契约"理论和实践中。从"自然状态"向"公民社会"的转化是经由"社会契约"实现的。在"社会契约"中，既有个人自由，又有保证和限制个人自由的规范；既有个人意志的自主独立，又有体现全体个人意志的公意，把人的生活中的两个基本对立方面统一了起来。在社会契约基础上发展出现代政治结构、国家组织，如议会制、分权制等政治组织制度。这样在英、法诸国的政治生活中就把个人自由和理性、法制有机地统一起来了。这是西方近代以来政治和社会发展取得伟大历史性成就的真正秘密所在。

　　政治自由之所以内在地需要法制保障，是由政治自由的本性所决定的。英国自由主义大师伯林把自由分为两种类型，一种是"消极自由"，一类是"积极自由"，近代以来的自由主义者所看重的是柏林所说的"消极自由"。正是这种"消极自由"使自由同法制内在地连结起来。什么是"消极自由"呢？"消极自由"又可称为"防卫的自由"。柏林说："这种'消极的自由'，和针对以下这个问题所提出的解答有关，亦即：'在什么样的限度内，某一主体（一个人或一群人），可以或应当被容许，做他所能做的事，或成为他们能成为的角色，而不受到别人的干涉？'"[1] 什么是"积极自由"呢？柏林说："'自由'这个字的积极意义，是源自个人想要成为自己的主人的期望。我希望我的生活与选择，能够由我本人来决定，而不是取决于任何外界的力量。我希望成为我自己的意志，而不是别人意志的工具。我希望成为主体，而不是他人行为的对象；我希望我的行为出自我的理性、有意志的目的，而不是出于外来的原因……"积极自由和消极自由的区别在于，前者是一个道德伦理概念，后者是一个政治哲学概念。前者是理想，后者是现实。消极自由作为政治哲学概念其基本含义是要划定"一个人能够不受别人阻扰而径自行动的范围"[2]。消极自由的这一内涵或本性使其内在地要求法治、宪法、行政法、分权、权力制衡等现代法治内容。当他人或社会组织"在我本可以自由行动的范围内，对我横加干涉"[3] 时，我就失去了自由。因此要实现自由就要有法治。为此要用宪法来限制政府权力、用行政法来约束行政权力，用法律来划定人的自由的界限，使其他人的自由不干扰我的自由。西方近代以来的经济制度、政治制度、法律制度的设计都同对"消

---

[1]〔英〕柏林：《两种自由概念》，载刘军宁等主编：《市场逻辑与国家观念》，三联书店1995年版，第200页。
[2]〔英〕柏林：《自由四论》，台北联经出版社1986年版，第230页。
[3]〔英〕柏林：《两种自由概念》，载刘军宁等主编：《市场逻辑与国家观念》，三联书店1995年版，第210页。

极自由"概念的理解和接受有关。亚当·斯密在经济领域提出的"看不见的手"理论,"管得最少的政府就是最好的政府"的理论,限制国家权力干预经济的理论等都以"消极自由"为理论前提。洛克、孟得斯鸠等思想家提出的政治和法律上的分权理论、法治理论、制衡理论、限制国家权力理论等现代政治法律理论及其制度设计都同"消极自由"理论内在相关。因此,没有"消极自由"理论就很难提出具有现代特征的一系列经济、政治、法律理论和制度设计。鉴于此,我们在实现中国法制现代化的过程中应充分重视作为世俗的政治自由的"消极自由"。近代以来中国思想家在接受西方自由主义观念时所偏重的是"积极自由"而非"消极自由",因此他们过多地把自由作为一种道德概念,作为一种理想、期望,而很少从现实的、世俗的层面,从利害关系的层面理解自由。由于这个缘故中国近代以来的思想家就和西方近代思想家有别,他们不去从技术的、现实的、经验的角度去研究和设计同自由相适应的具体政治制度、法律制度,而是采取一些非理性化的手段,把自由作为一种工具来实现特定的政治目的。我们发现"五四运动"以来的中国启蒙思想家们虽然不遗余力地提倡民主和自由,但却在民主和自由制度的具体设计上极少用力。这一令人注目的现象在今天的政治和法制现代化进程中值得深长思之。

总之,作为政治自由而非道德自由的"消极自由",是现代法制的重要政治前提,现代法制以自由为基础主要是指以"消极自由"为基础。

第三,现代法制是以自由为体的政治的根本保障。

自由政治与现代法制的关系有两个方面,一方面是自由政治决定、派生现代法制,为现代法治提供基础和前提,另一方面,现代法制对自由政治具有保障作用。前一方面决定了后一方面的必然性。换句话说,现代法制对自由政治的保障作用和必然性在于它是由自由政治所决定和派生的。既然以自由为体的政治内在地要求现代法制，并在自由政治这种现实力量的作用下产生出对象化的现代法律制度，因而这种法制就会必然满足以自由为体的政治及其发展需要。关于自由政治与法制的统一性，卢梭在《山地来信》中指出："自由与法律同命运：它要么因法律而兴，要么随法律而亡。没有什么能比这一点更使我深信不疑。"[1] 的确，自由政治不能脱离现代法制的保障，否则这种政治就不可能存在。

现代法制对以自由为体的政治的保障作用表现在：

首先，现代法制能够限制政府权力，并通过法律限制达到保护个人自由的作用。以自由为体的政治的根本目的是保护个人自由，而个人自由最易受到政府权力的侵犯，因而自由政治的一个要义在于限制政府权力。而限制政府权力的最好形式和手段是法制。现代法制认为政府权力不仅要来自法律，权力的行使要以法律为基础，更重要更根本的是政府权力及其权力的持有者要由法律来限制。因为只强调权力来自法律、依法办事并不能克服权力的无限性和绝对性问题。权力持有者可以借口他的权力来自法律和人民而无限地滥用自己手中的权力侵害人民、个人自由。对此龚祥瑞先生指出："只提'以法治国'就远远不够了，只提君主权力来自法律也远远不够了，这是因为即使最专制的皇帝，他们同样可以宣称自己是受命于法，比如路易十四、拿破仑、希特勒、墨索里尼、蒋介石，都曾把自己的权力宣称为来自'人民'的意志。而其所谓的'法'只有一条，即他代表上帝或者'人民'，所以他就是最高的政权，他的话就是法律"[2]。著名法国政治思想家托克维尔曾尖锐写道："没有比以人民的名义发号施令的政府更难抗拒的了，因为他们可以假借大多数人的意志形成的道义力量，坚定地、迅速地和顽固地去实现独夫的意志。"[3] 这些事实和认识都表明现代法制的要害在

---

[1] 龚祥瑞：《比较宪法与行政法》，法律出版社1985年版，第75页。
[2] 龚祥瑞：《比较宪法与行政法》，法律出版社1985年版，第75页。
[3] [法]托克维尔：《论美国的民主》上卷，商务印书馆1988年版，第252页。

于限制政府权力。现代法制中强调人治和法治的区别，这种强调的实质意义在于表明"法"大于"权"，在于政府权力要受法律的限制。法治的核心内涵是法律权威高于政治权力和个人意志。正如潘恩所说："在专制政府中国王便是法律，同样地，在自由国家中法律便应成为国王。"[1] 现代法制强调私法和公法的区别，其意义也在于防止和限制国家权力向私人生活领域的延伸，在于保护个人自由权利不受国家权力侵害。现代法制强调宪法、行政法、民法在法律体系中的重要性，其意义在于限制政府权力，保障个人自由权利。现代法制强调法律的理性化、形式化，其意同样在于限制政府权力，保障个人自由权利。如国家要给人定罪就必须实行罪刑法定主义原则。这一原则要求任何人非经法律明文规定，其自由的范围不受国家干涉。这就限制了国家权力的滥用。

现代法制对政府权力的限制作用，是现代法制保障自由的一个最关键难度最大的一个问题。中国人对法制的这一关键作用是极其陌生而隔膜的。中国传统文化中的性善论、道德主义、权力至上等观念是导致法律难以对政府权力及其官员进行限制的观念上的原因。西方人，特别是近代以来的西方人则从人性恶、世俗的角度来看待政府和政府权力及其权力持有者。在西方人看来，统治者，最高权力持有者和自己一样都是有着罪恶本性的，都是可以作恶的，因而他们对于政府权力和官员抱着一种怀疑心理，因此他们要求法律要限制政府权力以防止它干坏事。与此相联系，自由政治认为对个人、公民自由威胁最大的因素是政府权力。这些有别于中国人的观念和认识，导致了西方现代法制的功能主要在于限制政府权力。

其次，现代法制能够确认、保护、限制个人自由和公民权利。个人自由和权利在未经法律确认的情况下也是存在的，但这时的自由和权利是尚未理性化、合法化的自由和权利，因而这是不巩固的

---

[1]《潘恩选集》，商务印书馆1981年版，第35～36页。

难以保证顺利实现的自由和权利。现代法制的基本任务就是从法律上确认个人自由和权利。经过法律确认或上升为法律的自由和权利就获得了合法性、确定性、权威性，就可以在强力的保护下得以实现。法律能够把个人自由和权利制度化、法律化。自由和权利通过制度化、法律化从自在的、不自觉的状态转化为自觉自为的状态。将权利和自由用法律形式确立下来并予以保护和实现，这是人类自由和权利发展史上的伟大革命。因为这意味着人的本质、人的主体性的实现上升为人类社会发展的自觉的价值追求，意味着人类所创造的制度文化同人的发展更为紧密和有机地联系了起来，成为从积极方面推动人的本质实现和价值实现的工具和条件。西方自文艺复兴以来把人的地位和价值提升到文化的中心地位，西方近代以来的文化创造都是围绕着人这个中心的，其中西方人对作为文化要素的法制的倚重正是为了实现人的本质和价值。法制是西方人找到的最好保证人的自由本质和权利要求的社会规范形式。因此马克思盛赞法律说："法典是人民自由的圣经。"[1] 柏拉图说："法律是自由的保姆。"[2] 罗伯斯比尔说："用法律使人幸福和自由。"[3] "法律是肯定的、明确的、普遍的规范，在这些规范中自由的存在具有普遍的、理论的、不取决于个别人的任性的性质。"[4]

"法律使人幸福和自由"这一命题是说法律可以保护和扩大人的自由。"保护"是"扩大"的前提。只有"保护"人的自由，才能"扩大"人的自由，不"保护"人的自由，人的自由就会"缩小"以至消失。譬如，人的自由创新精神就只有在"保护"中才能"扩大"，否则就会消失。经济学家汪丁丁认为，中国社会在

---

[1] 《马克思恩格斯全集》第 1 卷，第 71 页。
[2] 转引自《司法》1986 年第 3 期。
[3] 转引自《资产阶级政治家关于人权、自由、平等、博爱言论选录》，世界知识出版社，第 115 页。
[4] 《马克思恩格斯全集》第 1 卷，第 71 页。

从传统社会向现代社会的过渡过程中需要自由精神，也就是允许一切人在一切方向上创新的精神。但这种自由精神在现在中国社会中还极为缺乏。原因是什么呢？他认为是法律问题。他说："中国的企业家权益很难得到宪法保护。试问，如果你的探索，你的尝试，突然幸运地成功了，你发财了，而宪法并不保护你的权益，正相反，你的财富很可能会被认为是'暴利'，是'不义之财'，或者不符合成本与价格的'合理关系'的，应当被课以重税的收入。在这样的社会里，你会认为你有自由创新的权利吗？"[1]当一个社会的法律不保护人的自由创新精神时，人对这种精神也就失去兴趣了，这种精神就萎缩了，甚至消失了。法的一个重要价值是正义，休谟在《人性论》第三卷"道德学"里喻示人们说，正义的核心就是保护人民的财产权利，认为有正义才有人的财产权利。古典自由主义思想大师都把自由作为目的，把正义和保护正义的法律作为实现自由的手段。

现代法制对以自由为体的政治的保障作用还在于它能够限制个人自由和公民权利。现代法制的根本目的是保护个人自由和公民权利，但为了保护个人自由和公民权利必须限制个人自由和公民权利。这有两方面原因。从个人自由自身来看，个人自由中包含着任性、非理性的本能冲动。自由中的任性因素作为盲目的非理性因素并不顾及他人和社会的利益，一味要实现自己的欲望。它有如弗洛伊德深度心理学中所说的本我。本我只遵循快乐原则，不理会社会规范和原则。个人自由中的任性因素若无限制地伸张和发展势必损害他人和社会利益，使其他个人的自由和权利得不到实现。个人自由的这一特点构成了现代法制对个人自由予以法律限制的必要性。现代法制对个人自由进行限制的可能性在于自由本身又具有理性和社会性。自由的主体是人，人区别于动物的不同之处在于人有理

---

[1] 汪丁丁：《永远的徘徊》，四川文艺出版社1996年版，第164页。

性。人通过自己的理性，能自觉地意识到他人和自己一样有着同样的自由和权利，自己自由的无限伸张能够损害他人自由。因而"己所不欲勿施于人"就成为人的理性的声音。人的自由中的理性和社会性落实在法律上就是法律必须限制个人自由和权利。

所以，正像美国法学家H·W·埃尔曼所说："今天大多数法律制度都在试图对不受约束的个人主义表现加以控制，控制的方式是通过法院判决或立法发展出一种广泛而略失雅致地称作'滥用权利'的概念。"[1] 其实不光是强调社会性和整体性的20世纪如此，就是在古典自由主义时代个人自由和权利也是受法律限制的。这种限制不仅表现在古典自由主义思想家的著作中，而且也表现在现实的法律规范之中。如1789年法国《人权和公民权宣言》第四条写道："自由就是指有权从事一切无害于他人的行为。因此，各人的自然权利的行使，只以保证社会上其他成员能享有同样权利为限制。此等限制仅得由法律规定之。"[2] 古典自由主义时代的其他法律也都对个人自由范围有所限制。

从法律自身来看，法律既保护个人自由，又体现着公众意愿。法律所体现的公众意愿同个人自由有对立的性质，它要求对个人自由有所限制。法律不是针对特殊的个人的，而是针对群体的个人的，它代表着具有同样权利的个人所构成的群体人的群体意志。这种群体意志或公众意愿同每一个人的特殊意愿并不完全重合，因而它总是构成对个人权利的某些控制、限制。这里必须指出的一点是，对个人自由的限制也应是有限制的。对个人自由的限制应有合理的根据和尺度。这种根据和尺度究竟是什么？直接地看是社会的、集体的利益，但深入一步看仍是个人自由。就是说，为了更好地实现个人自由而要对个人自由予以适度地限制。对自由的限制本

---

〔1〕〔美〕H·W·埃尔曼：《比较法律文化》，三联书店1990年版，第76页。
〔2〕 转引自董云虎：《人权基本文献要览》，辽宁人民出版社1994年版，第41页。

身不能不受限制是从古典思想家直到当代思想家大都承认的一个原则。英国牛津大学社会和政治学说教授柏林指出，古典思想家们认为：虽然应对自由加以限制，但是，这种限制不能漫无边际，应该给个人保留一定的绝对的不受侵犯的自由领域。因为如果过分侵犯自由的范围，不能发展他的最基本的自然能力，而这种能力是个人追求其理想的必须条件。柏林所提出的"消极自由"或"免于……的自由"的一个重要意图就是要求任何干预都不应超过虽是可变的，但总是可以确定的边界。[1]

现代法制既可保障个人自由，又可限制个人自由，这就使政治和社会生活既充满生机与活力，又保持必要的秩序，这样的政治和社会状态是社会健康发展的标志。显然法律在此起着十分重要的作用。近代以来不少向西方学习的落后国家总是不明白西方政治何以会充满活力地有序向前发展。美国学者马文·佩里等人指出："一般地说，人们不理解西方文化怎样创造了这样一个传统，即人民能和平地、自愿地与政府实现大规模的合作。生活在西方民主制度下的人民在承认自由与个人主义的同时，维护着一个能像钟表一样准确地提供生活必需品的社会。在他们的政治生活中，随时准备服从法律和秩序是普遍现象，而这一点是与自愿服从大多数意见相联系的。很明显地，自由和个人主义并不否定社会合作和有组织的工作，他们甚至鼓励公民责任和对公共福利创造性的贡献。虽然人们确认他们自己是自由的个人，但是仍然使自己适应日益复杂的各种规章以及现代生活的精密组织。他们这种无意识的自觉纪律使民主政府、爱国主义的忠诚以及生产力发达的经济成为可能。由于这种成就，西方人取得了凌驾于非西方人之上的优势。"[2] 西方政治生活能把个人自由和社会秩序较好地结合起来，重视法治是其中的重

---

[1] 张文显：《二十世纪西方法哲学思潮研究》，法律出版社1996年版，第526页。
[2] 〔美〕马文·佩里主编：《西方文明史》下卷，商务印书馆1993年版，第591~592页。

要原因之一。

再次，现代法制能够使政府和国民之间的政治关系、经济关系法律化、理性化、形式化，从而保障个人自由。在以自由为体的政治关系中，公民要服从政府的合法权力，即政府要管理、控制公民，同时公民作为政府权力的基础和来源又有赋予政府权力、监督政府权力、控制政府权力功能。现代法制要求政府和公民的这种政治关系必须法律化、理性化、形式化。这就是说政府必须通过法律形式实现自己对公民的管理和控制，公民也要通过法律的形式对政府进行授权、监督和控制。只有这样公民的权利才能得到保证。因为如果政府对公民的管理不通过法律形式就会走向人治的统治方式。在人治社会中，人、权力高于法律，情感的、道德的等非理性因素左右着各种政治关系，实践证明这种统治方式不能有效地保证人的自由。而非人格化的、理性化的法律则能够化解非理性的统治，使人的自由得以实现。同时，公民如果不以法律的形式监督和控制政府，就会陷入一种非理性的群众运动，使常规的社会政治秩序遭到破坏，在这种情况下公民的自由权利同样难以得到充分保证。

三、几个值得探究的问题

自由之"体"必须外化为相应的"用"才能在现实中得到落实或实现。民主政治就是自由之"体"在政治中的"用"，因而，民主政治是自由的对象化、具体化、现实化。

民主政治作为一种政治制度或国家制度，其实质是一种国民与国家之间、公民个人与政治集体之间的一种特殊关系。

首先，任何一种政治都是国民和国家或国民和政府之间的一种特殊关系。国民和国家的关系是政治的常项，这种常项在不同的特殊政治中有其具体的变项。如在专制政治中，国民与国家的关系表现为国民是国家、政府的奴隶、工具，国民不是国家权力的主体和来源，君主自己是国家权力的主体和来源。在民主政治中，国民与国家的关系发生了根本变化，国民成为国家的主人，国家权力的主体和来源是国民，即主权在民。主权在民是民主政治的实质。民主政治的其他原则和制度都是由主权在民这一实质所派生的，是对这一实质的延伸和展开。

其次，任何政治都要以不同的方式解决个体与集体的关系。个体和集体的关系也是政治的常项，这一常项在不同政治中有特殊的变项。如在专制政治中，个人是隶属、依附于集体的。集体是本，个人是末；集体是主，个人是从。在这种政治中个人的独立性、自主性被集体所压制、所吞没。在民主政治中，个人是本体，是基础，集体是在个人基础上建立起来的，集体是个人得以实现的条件，是为个人服务的，而不是一味地压制、控制个人的。马克思把这样的集体叫做"真实的集体"。在民主政治中个体和集体的关系体现为个人意志和集体意志的关系。民主政治从根本上看是实现个人意志、个人自由这一核心价值的政治，但政治活动是一种社会性、集体性活动，因此需要有统一的意志或"共识"。卢梭把这种统一意志或"共识"称为"公意"。"公意"体现着"普遍正义"。民主政治内在地包含着个人意志、个人自由和"公意"这两个不无乖戾的方面。民主政治试图把它所包含的这两个方面在不无张力的态势中统一起来。统一的基础仍是个人自由，当然又不能以个人自由吞没作为"普遍正义"的"公意"。卢梭说："'要寻找出一种结合的形式，使它能以全部共同的力量来卫护和保障每个结合者的人身和财富，并且由于这一结合而使每一个与全体相联合的个人又只不过是在服从自己本人，并且仍然像以往一样的自由。'这就是社会契约所要解决的根本问题。"[1] 这话说明卢梭所述的社会"结合形式"、"共同的力量"、"公意"的价值理想仍是个人自由，

---

[1] 〔法〕卢梭：《社会契约论》，商务印书馆1980年版，第23页。

而不是那种作为集体的共同体及其"公意"。可以说民主政治是"被公意所约束着的社会的自由"。[1]"公意"作为一种认识,其形成方式从认识论上看是通过归纳法得到的,因此"公意"只具有相对的真理性、正确性,而非绝对的普通正确的认识。

民主政治中的主权在民,人民当家作主,个人自由与普遍正义的统一等价值可说是民主政治的内在方面。这些内在方面要获得此岸性、真实性,必须通过民主政治的外在程序,即需要程序意义上的民主政治。所以民主政治还包含外在的程序意义上的内容。

程序意义上的民主政治是民主自我表现和实际运行的原则、形式和制度。民主精神、民主原则、民主制度是程序民主的主要内容。民主精神是民主之体所拥有的民主观念、民主理想、民主意识。它包括民主主体的自主意识、参政意识、政治责任意识。民主原则是民主政治在建构和运行过程中所遵守的方针、原理和思想,包括透明原则、合法原则、制约原则、正义原则、多数原则、尊重和保护少数原则等。民主制度是民主政治建构和运行中一整套可操作的具体规范、规则。它包括选举制度、决策制度、监督制度、弹劾制度、罢免制度等等。

关于民主政治和现代法制的关系各种法学论著和教科书已论述得够多了,形成了定见。通常的看法是,民主是法制的前提和基础,法制是民主的体现和保障。但民主和法制的关系是个艰深而复杂的问题,仅滞足于一般的泛泛之论上这个问题是难以得到真正解决的。下面这些问题似乎很值得我们在理解民主和法制关系的时候予以思考:民主政治是现代法制的基础和前提,那么有了民主政治就必然会产生现代法制吗?民主能自然而然地产生出现代法制吗?怎样理解政治事实中有一定民主而无法制的现象呢?怎样的民主才能产生现代法制?在有民主的情况下一定会产生现代法制而不会产

---

[1] 〔法〕卢梭:《社会契约论》,商务印书馆1980年版,第30页。

生传统法制,即控制和奴役人民的法制吗?法制是不是对民主只有保障作用而无限制作用?

(一)民主政治必然产生现代法制吗

民主是现代法制的基础和前提,但是有了民主不会自然而然地产生出现代法制。如果说民主政治是原因,现代法制是结果的话,那么,这种因果关系属于社会生活中而非自然界中的因果关系。社会生活中的因果关系与自然界中的因果关系的区别在于,自然界中的原因引起结果的过程是不需要人参加的,是自然而然的发生的,而人类社会中原因引起结果的过程需要人参加,没有人的自觉加入和推动,原因很难引起结果。因此,民主政治这个原因要引起现代法制这个结果就要求人们自觉参与、积极活动。如果缺少了人、主体的积极参与和活动,民主政治和现代法制之间的因果关系难以成立。中国建设现代法制的努力从清末沈家本改法修律以来已近百年,中国1949年建立民主政治迄今也已近半个世纪了,但中国现代法制的建设则成绩不甚显著。起码从制度上来说我们已有了民主政治,但现代法制何以难以建立起来呢?其中原因之一在于国人的主体状态和特征。中国国民缺乏积极主动地争取现代法制的能动活动,没有进入到民主引起法制的因果关系中来。

中国国民的这一被动特征同西方人比较起来尤为昭然。韦政通先生指出,西方的法律,不论是西方的古老法典,或是罗马法,都是平民抵抗统治者的压迫、剥削,经过长期的流血斗争,一点一滴从统治者手中争取来的成果。因此之故他们的法律才具有民主的性质:保障平民的权利,限制统治者的权力。法律既然是人民争取来的,自然容易自动遵守,而培育出守法精神。中国法律则与此不同,中国的法律都是皇室自动制定的。皇室自动制定法律的方式被两千年中所有的朝代所沿袭。中国史上虽经过许多改朝换代和若干次的异族入主中原,在清末以前,从来没有过平民向统治者争取法律上的权利这类事实。法律既由朝廷制定，皇室自然不会作法自缚，限制自己的权力。在人民这一边，法律对他完全是被动的，所谓守法也是消极的，有被迫之感。[1] 从这个比照中我们可以体认到，光有民主政治制度，没有民主主体的能动努力、主动活动、权利争取，现代性的法制是不可能建立起来的。

　　从民主政治到现代法制的建立不仅要经过民主主体、人的能动奋斗，而且这里的民主主体应是同现代法制相适应的主体，即这一主体应是赋有自由和独立性的个人。中国近百年来现代法制建设成绩甚微的原因在于我们一直没有将个体主体及其自由、权利作为现代法制的价值中心和动力源泉。中国近代以来的所有改革和革命其价值中心和动力都是作为集体的国家或民族而非个人，这就是所谓由爱国而革命。法律的改革和革命是社会总体改革和革命的一个侧面，因而它的价值基础也是国家而非个人。中国法制现代化一开始就同国家主权及其命运息息相关。清末修律、改革法制是中国法制现代化的开端，而这一行动的动因是摆脱国家的耻辱、维护国家的主权。中国法律史家林永荣写道："鸦片战争使我国对外之关系发生急剧之变化。是役结果，我国与英国缔结1842年之南京条约，承认所谓领事裁判权与特别法庭，为不平等条约之始作俑者。光绪二十六年，义和团事变暴发，八国联军迫订辛丑条约；而中英两国所缔之追加通商航海条约，亦随之诞生。在该条约第十二条规定：'中国深欲整顿律例，期与各国同一律，英国允愿尽力协助，以成此举，一俟查悉中国律例情形及其断案办法及一切相关事实皆臻完善，英国当放弃其领事裁判权。'我国为摆脱领事裁判权之桎梏，固不得不谋自救。"[2] 这就是我国法制现代化的原因。它是为了作为集体主体的国家而非个人。虽然同沈家本一起改革法制的杨度提

---

[1] 韦政通：《中国的智慧》，中国和平出版社1988年版，第36页。
[2] 林咏荣：《中国法制史》，第65页。转引自梁治平：《寻求自然秩序中的和谐》，中国政法大学出版社，1997年版，第352~353页。

出个人问题，但其终极目的不是个人，而是国家。至此以后的法制现代化的主体在基本方面一直是集体。正如有论者所言："尔后，当中国人再次冲击家族制度和封建礼教时，便又一次拿起'个人本位'的长矛。而当思索现实政治法律问题时，传统的民族心理又顽强地抬起头来。在后来的国民党政府时期，'国家、社会'本位牢牢地统治着法律活动，而'个人本位'则一灯如豆，仅仅闪烁在某些学者的书案旁。"[1] 20世纪中叶之后，我国文化，包括法律文化的价值观一直是以否弃和批判个人权利为特征的。因此，在对民主的理解中始终是以集体主体为价值依归的。民主之"民"固然是整体、群体，但认识不能止于此，而应进一步去抓住这个群体的更根本的价值。这个价值就是组成"民"（人民）的一个一个的个体人。

上述分析表明，民主政治是现代法制的基础，但民主政治不会自然而然的引起、产生出现代法制。民主政治要能够产生现代法制，需要人的自觉的能动活动这一主体性条件，而且民主主体必须把个体主体作为争取法制的自觉活动的价值目标。因此，我们在理解民主政治是现代法制的基础和前提命题时，要从动态的、主体性的立场和角度来理解，而不能从静态的、机械的立场和角度来理解。我们这个观点或许也可作这样的理解：只有建立起完备的真正的民主政治，才能顺利地建立起现代法制。因为，（1）如前所述，民主政治中本应包含民主主体的民主精神，这个民主精神的内容正是民主主体的自主意识、参政意识。这种民主精神是民主主体争取法制的精神之源，有了这种精神人才会有争取法制的能动活动。我们现在所缺乏的正是民主主体的这种民主精神。正因缺乏这一主体性素质，所以产生不了争取法制的能动活动，所以法制难以建立起来。这一精神的缺乏表明我们的民主还是不完备的民主。不完备的

---

[1] 武树臣等著：《中国传统法律文化》，北京大学出版社1994年版，第546页。

民主产生不出完备的现代法制。(2)民主政治是国民和政府、国家的一种特殊政治关系。在此国民是主体，政府是客体。按照唯物主义的观点，主体和客体之间的关系不是静态的，而是动态的，就是说主体能够能动地改造和掌握客体。因而从动态角度理解民主，民主本应包含国民这一主体对国家、政府这一客体的能动改造和掌握，表现在法律上，就是法律是由主体努力争取来的，是源于自己的。这样得到的法律才具有民主性，而这一主体能动性在我国当前似乎也不具备。这同样说明我们的民主政治尚不完备。

(二) 民主政治下是否会产生传统法制

在民主政治下会不会产生奴役人控制人的传统法制或缺乏民主精神的法制？我们认为也是有可能的。原因是：(1) 在民主政治中也存在着权力所有者和权力的行使者，或终极统治者和直接统治者两种人。作为公民整体的人民虽然是政治权力的所有者和终极统治者，但不是权力的行使者和直接统治者。权力的行使者和直接统治者是政府及其官员。权力的所有者同权力的行使者是两个不同的社会阶层，两种不同的社会角色。这两个阶层虽然在利益上有统一性的一面，但同时也有对立的冲突的一面，或者说他们有着各自的特殊利益。权利的行使者和直接统治者作为社会角色，他们有制定法律和政策的权力。由于他们有自己的特殊利益，因而他们在制定法律和政策时便自然要考虑自己的利益，考虑自己所制定的法律和政策是否能满足自己的利益和需要。以此为出发点所立的法律自然会缺少民主性。(2) 法律和政治都属于世俗世界、现象世界之物，这个世界中的人都是有着自己的欲望、需要、利益的人，特别是权力在手的人其私欲更会愈益膨胀，为了满足私欲他们会把法律变成统治人民的工具，使法律异化为奴役人、控制人的东西。这些极简单的道理，资产阶级启蒙思想家早已喻示世人了。遗憾的是我们一直不懂得或不愿承认这个极简单的道理。由于这样两个原因的存在和发生作用，所以即或是在民主政治下法律也可能发生异化，成为传统意义上的法制。现在一些思想敏锐的学者提出法制民主化的问题，这是很有见识和针对性的。这个问题正反射出民主政治下会有不民主的法律。

那么，怎样才能保证在民主政治基础上产生和形成现代法制呢？这是一个复杂的问题，其中的制约因素颇多，如有社会权力发育不良问题，公共领域过于弱小问题，国民民主意识淡化问题，直接统治者人性之恶问题，权力使人腐化问题，权力的监督问题等等。但从大端处看，可注意以下几个问题：

一是民主政治的类型问题。上面曾谈到民主可分为以平等为导向或基础价值的民主和以自由为导向或基础价值的民主。前一种民主由于同自由价值相脱离因而不会必然导致现代法制，而有可能导致传统的压抑个人自由的法制。以平等为导向的民主所重视的平等是全体社会成员在分配结果上的平等，而不是机会平等。而要达到结果的均等就要压制个人能力的自由发挥，体现在法律上就是要通过法律来限制、控制人的自由。这样的法律不是现代性的法律。相反，以自由为导向的民主所看重的价值是个人自由，因此即便是由民主选举出的政府或权力机构，只要其制定出来的法律违背了个人自由价值，同样是不合理的。在这样的民主政治中，法律是否合理不在于是不是由民选的政府或权力机关制定的，而在于是不是同个人自由价值相一致。因而这样的民主政治有理由成为现代法制的政治基础。

二是合格的民主主体的培育和成长问题。没有合格的民主主体就不会有民主性的法制，即现代法制。合格的民主主体有多方面的规定，有经济的规定、政治的规定和心理的规定。从经济规定来看，合格的民主主体是广大人民群众以及同工商业相联系的人。这样的人是同现代法制有着必然联系的人，他们天然地需求现代法制，没有以自由、平等、民主为内容的法制这种人所进行的实践活动就无法发展。作为民主主体的广大人民群众以及工商人士的发展状况、成熟程度是制约现代法制建设成败的关键性、决定性因素。对此问题我们在下文将予以详述。

三是政府结构的合理化、科学化问题。政府是民主政治的形式载体,政府的内部结构是否合理科学,直接制约着民主政治能否产生现代法制和法治社会。政府结构是否合理科学,是否能体现民主的关键和要害是分权问题。事物的结构决定事物的性质和功能。政府的结构也决定政府的性质和功能,分权所涉及的是政府结构,因而分权是同政府的性质和功能联系在一起的。当政府的权力是高度集中的时候,意味着这个权力是绝对的,是至高的,既如此,那么包括法在内的其他东西都不能在这种权力之上。法不在权之上,自然是人治而不是法治。于此可见,未分化的、高度集中的权力之下不可能建立起现代法制。邓小平曾认为"权力过分集中"是党和国家领导体制的最大弊端之一,并将变革这一痼疾作为政治体制改革的首要目标。[1] 关于分权这个概念的含义,英国政治学家M·J·C·维尔作了这样的描述:"为了政治自由的建立和维护,关键是要将政府划分为立法、行政和司法三部门或三部分。三个部门中的每个部门都有相应的、可确定的政府职能,即立法、行政和司法的职能。政府的每个部门都一定要限于行使自己的职能,不允许侵蚀其他部门的职能。进而,组成这三个政府机构的人员一定要保持分离和不同,不允许任何个人同时是一个以上部门的成员。这样以来,每个部门将对其他部门都是一个制约,没有任何一群人将能够控制国家的全部机器。"[2] 分权概念喻示人们,只有建立分权的政府结构,法才能独立于政府权力,从而才能建立起现代法制。实行分权现在尚有许多观念障碍,如对"主权不可分割"的误解即是

---

[1]《邓小平文选》第2卷,第320~343页。
[2][英]M·J·C·维尔:《宪政与分权》,三联书店1997年版,第12~13页。

之一。对此误解有的论者指出:"主权不可分割之主权指人民主权,主权不可分割并不意味着政府权力不可分,更不意味着必须有一个最高的集中的国家机关;相反,人民可以将权力委托给一个人,也可以委托给两个人,三个人,这正是人民的权利,并不会伤害人民自身;而如果委托给一个人,这个人必然由于集权而反仆为主,结果只能是人治。"[1]

四是社会权力和公共领域的培育和发展问题。民主政治的完备和实行,以及民主政治对现代法制的积极作用离不开社会权力和公共领域的培育、提高和发展。社会权力不同于国家权力,它是不同的社会主体,包括人民群众及其各种社会组织对各种社会资源(物质的和精神的,经济的和文化道德的)支配力。[2] 在我国社会权力包括民主党派、工会、妇女联合会、青年联合会、各种学术团体、新闻舆论单位以及其他各种社会群体和社会组织的实际权力。公共领域是独立于国家政权干涉的群众自由发表意见、讨论问题、议论国家和社会生活事务的空间。社会权力和公共领域是政治民主和社会民主的重要体现,它构成国家政权的制约和抗衡力量。社会权力和公共领域发展了,政府权力才不会变成至高无上的力量,政府权力及其行使才有可能在法律范围之内活动,才能避免人治,建立法治。

(三) 现代法制对民主政治是否有限制作用

民主政治和现代法制关系问题中还有一个问题,即现代法制对民主政治是不是只有保障作用而无限制作用? 我们认为,现代法制对民主政治不仅有正面的保障作用,同时也有限制作用。保障作用体现在法制对民主的确认,对民主范围的规定,对民主实现方法的

---

[1] 《法律科学》1996年第3期周永坤文。
[2] 郭道晖:《国家权力与社会权力》,《法制与社会发展》1995年第2期。

规定，对危害民主的违法犯罪行为的惩罚等。

但是，这只说明了民主和法制关系的一个方面，仅有这一方面并不能体现出民主和法制的全面关系。民主政治有一个内在要求，这就是法律对人民所选举出来的管理者或领导者统治者进行限制。对管理者、统治者及其权力予以法律限制是民主政治的命题中应有之义，同时也是现代法制的体现。关于民主政治必然包含着对政府权力的法律限制问题，美国政治学家爱·麦·伯恩斯曾有正确的论述。他认为民主政治有双重涵义：一方面，它主要意味着一套以多数统治原则为依据的政府制度；另一方面民主政治又几乎同自由主义相等同。这个意思最初由斯多亚派提出，经过约翰·洛克的阐释而更加明确和具体。这种同自由主义等同的民主政治的涵义，是基于确信这一点：一切权力都有危险性，因此惟一公道的政府只能是一个权力有限的政府。多数人的绝对主权并不比专制君主的或贵族统治的权力更加可以信赖。为了使少数人和个人得到保护，一切政府都必须受到制约和限制。[1] 政府权力和领导者权力之所以要受到法律的限制，是因为在以自由为体的民主政治看来，国家权力的持有者、行使者具有恶的性质。对此波普尔曾有一段集中的论述，他说："国邦乃一必要之恶：国邦的权力不可扩张于必要限度以外。我们可以把这个原则叫做'自由主义的剃刀'。这个原则与奥康之刀类似。""我们所需要的国邦是保障一切人的权利之国邦。我们容易知道国邦乃一个经常的危险。或者像我们胆敢说的，国邦即令是需要的，但仍是一恶。因为国邦要发挥它的功能，那么它的权力必须比任何个人或公共组织为大。我们虽然可设法将国邦的权力之误用减到最低限度，可是我们并不能将这种危险完全消弭。刚刚相反，似乎最大多数的人常常为受国邦的保障而必须付出代价。他们所付出的代价不止是纳税而已，并且甚至要向国邦低头。比如

---

[1]〔美〕爱·麦·伯恩斯：《当代世界政治论》，商务印书馆1983年版，第6页。

说，当我们碰到恃强凌弱的官员，我们就不免受委屈。现在我们面临的问题是，即令为了得到国邦的保障，我们所付出的代价不可太大。"[1] 波普尔的担心是怕国家变成巨灵，即"利维坦"。这种担心不是多余的，从历史和现实看，国家常常可以变成压迫人奴役人残害人的巨灵。现代国家由于和空前发达的科学技术，先进武器的结合，更容易变成吞噬人众的海怪。有人把这种情况叫"软性专制"。为了防止这种情况的发生或减少国家权力对民众的侵害，必须通过法律对政府权力、领导者权力进行限制。

在是否要对政府权力和领导者权力进行法律限制问题上，人们的认识还不很自觉明确。不少人以为，法律已经确立了人民的各种权利，领导者也是人民选举出来的，因而没有必要对领导人进行法律限制。首先，这种观点对民主政治的理解是不全面的。民主政治本身包含着对政府权力和领导人权力的限制，特别是以自由为体的民主政治更强调此点。其次，这种观点对人性的不完备性、人性的阴暗面认识不够。儒家文化统治的社会中尤其忽略人性恶的一面。研究民主政治的学者曾正确地指出："尽管人们通过法律确立了自己的民主权利，并加以程序化，又规定了对于违法者的惩处条例，但是当处于社会管理机构顶端的某些个人掌握了过多的权力，即当他们拥有属于自己的强制力量时，以上各项的法律规定就对他们无效了。因此，民主制度化、法制化的另一层意义是，也必须是对领导者的权力的限制。"[2]

以上我们对民主政治是现代法制的基础和前提这一命题作了一些具体分疏，以图深化对这一观念的认识和理解。总之，只有以自由为体的民主政治，即完整意义上的民主政治才能真正成为现代法制的基础。要建立现代法制，使中国法制实现现代化就要着力准确

---

[1] 转引自殷海光：《中国文化的展望》，中国和平出版社1988年版，第520页。
[2] 万斌、薛广洲：《民主哲学》，浙江人民出版社1994年版，第152页。

系统地认识和理解民主政治，在完整的意义上按民主政治的本性实行民主，庶几中国法制现代化之日可待。

四、现代法制呼唤民主主体

人民群众是现代法制的主体。按照马克思唯物史观的基本理论，人民群众是历史的概念，随着社会生产方式的变化其内容会有所不同。中国近百年来法制现代化成绩不显的一个极为重要的原因是没有出现完全合格的主体、群体。法制现代化的实现一定要有一个对现代法制有着必然要求的社会群体。这个群体如离开现代性法律就无法从事其活动，无法发展，无法存在。这个群体、主体不是其他人群，正是同现代工商业联系的工商阶层。农民及其所从事的活动虽说也需要规则规范，但他们所需要的规则规范主要是道德和礼俗，而不是法律。农民的农业生产活动以家庭为单位，他们在家庭内部就可以重复地再生产，不需要和其他生产单位进行交易。从而他们并不内在必然地需要现代法律。工人是无产者，他们没有财产，没有什么东西可以和他人交易。因此他们既不需要以保护财产权为内容的现代法律，也对贸易自由的法律不感兴趣。看来这两个社会群体都无法成为现代法制的合格主体。当然这不是说农民、工人完全不需要现代法律，如工人为了保护自由的劳动权利和其他自由权利、人身权利也需要现代法律，但相对于商人对现代法制的需求，他们的这种需求显然是从属性的。因此，法制现代化的合格主体是商人。商人作为广义概念包括范围很广。它不仅包括流通领域的商品贸易者，而且包括制造商、银行家、自由职业者、律师、个体户、企业家等人群。

马克思主义唯物史观认为，生产力和生产关系的矛盾，经济基础和上层建筑的矛盾是社会发展的基本动力。当生产力发展到一定程度，原来的旧生产关系就不适应生产力发展了，于是就要变革旧的生产关系和与之相适应的旧上层建筑。但这个过程不是一个无主体、无人的过程，而是一个需要主体、人的能动参与的过程。因而生产力和生产关系的矛盾、经济基础和上层建筑的矛盾就体现为代表新的生产力、新的经济关系、新的上层建筑的群体、阶级与代表旧的生产力、旧的生产关系、旧的上层建筑的群体和阶级的冲突。这种冲突和斗争成为社会历史，包括经济、政治、法律发展变化的真正动力。这是经济、政治和法律发展的一般规律。从特殊性层面看，在历史发展的不同时代，代表新的生产力、生产关系、上层建筑（包括法律）的群体和阶级是不同的，是有其特殊的具体历史规定的。在物的依赖关系这样一个历史时代内，代表新的经济、政治、法律的主体、群体是哪部分人呢？是商人。

不同的社会群体和阶级有着不同的制度要求和法律要求。《法律与资本主义的兴起》的作者泰格和利维提出："法律变革乃是社会各阶级之间冲突的产物，这些阶级谋求把控制制度转变到适合于自己的目的，并将某种具体体制强加于社会关系之上以予以维护。"[1] 商人作为近代社会中逐渐取得社会主体地位的阶级，也有着不同于农民、地主阶级对社会制度和法律的要求。它所要求的社会制度和法律是同自己的本性相一致的不同于传统社会的具有新质的制度和法律。这样必然产生商人阶层与现代法制的必然联系，产生商人阶层与封建主义法律和其他一切传统法律的冲突和斗争。商人阶层正是在同封建地主、贵族及其他旧势力的斗争中使法制走向现代化的。

具体来说，商人之所以同法制现代化有内在必然联系，是由商人的本质及其本质性活动所决定的。商人在中国叫做买卖人，就是从事商品贸易活动的人。贸易活动是商人之所以为商人的本质活动。商人的贸易活动要能有序进行并不断扩展，就必然要求社会确认和建立同这种活动相关的权利和法律。贸易活动需要什么权利和

---

[1] 〔美〕泰格、利维：《法律与资本主义的兴起》，学林出版社1996年版，第1页。

法律呢？它需要贸易自由权利和法律、契约自由权利和法律、绝对性的财产权利和法律，当然还需要平等、安全等方面的权利和法律，但这些是他们最迫切要求的权利和法律。

关于商人阶层与现代法制的具体关系，泰格和利维认为有三个方面：

第一，商人阶层对贸易自由及其法律的要求。封建法律闭口不谈贸易自由问题，商人活动得不到封建法律的保护。因此，商人阶层同封建法律发生矛盾。"这阶级具有法律意识的人就谋求证明在平衡的封建体制之内，贸易有其正当地位。他们也还谋求与封建法律协调，和寻找其虚弱之点。"[1]

第二，商人阶层对土地所有权、财产所有权及其法律的要求。"商人扩大了活动领域，要创建一些商业机构——市镇、港市和港口、货栈、银行、制造厂等等，这样他便越来越在这片或那片领地上，同封建领主的经济和政治利益发生冲突。商人阶层同那些用以保护封建当权者而保持着的法律和习惯，继续不断地发生摩擦。从禁止或者限制向家族以外的人出售土地的规章——它有效地防止了土地成为商品——直到资产阶级政治和经济结社的大多数方式遭到禁止，冲突日益加剧和扩大，一直到资产阶级逐渐发现封建法律体制再也不能屈从他的意愿，便以某种付得起的代价来顺应迁就，或者逃避"[2]。

第三，商人自己为自己订立法律。他们"制订法律的过程包括在契约、所有权和诉讼程序等方面拟定和实施各种专门法规，这些法规乃是在下列法律意识形态的背影下形成的：它把商人活动的自由认同于自然法和自然理性"[3]。

这三点说明：商人阶层所需要的法律是同传统法律不同的现代

---

[1] 〔美〕泰格、利维：《法律与资本主义的兴起》，学林出版社1996年版，第5页。
[2] 〔美〕泰格、利维：《法律与资本主义的兴起》，学林出版社1996年版，第5页。
[3] 〔美〕泰格、利维：《法律与资本主义的兴起》，学林出版社1996年版，第5页。

性的法律；现代法律同商人阶层的阶级本性和活动形式有着天然的必然的内在联系；现代法律是商人阶层与地主、贵族斗争的结果，法律现代化是一个长期斗争的过程。

这是从商人的活动层面来说明商人与现代法制的必然性联系的。另外，我们还可以从商人的人性层面来分析商人与现代法制的必然性联系。前者是从外在方面看问题，后者则是从内在方面看问题。

从商人的人性层面看，其人性中显著的特征是，他们是现实物质利益的追求者，其所重视的是人的感性自然性，是人的感官欲求的满足，是人的种种物欲和享受的实现。商人也追求道德，但从主导方面看，道德在商人心目中是实现物质利益满足的工具，而非目的自身。经商者对顾客客客气气、和颜悦色往往不是出于内在的道德情感，而是为了促销，为了实现经济利益。支配商人行为的动力主要是物质利益。近代化或现代化的过程是一个从神圣到世俗的过程。世俗精神体现在主体身上就是商人们追求财富的强烈欲望被释放出来，这被美国哈佛大学一位经济史家大卫·兰德斯叫做"被释放的普罗米修斯"。斯特拉斯是英国工业革命中的两位主角之一，他的自我剖白颇能代表商人的普遍人性。他在给妻子的信中表达了他一生奋斗的目标："今天我顺齐普赛河而行，调剂一下，等等，竟不免立即联想到：那人类大潮流的唯一途径，他们的喧嚣与奔忙，他们表现在脸上的争切之情，就是弄钱，而尽管有些神学家说教起来正相反，但事实上这却是真的；弄钱是人生的主要之事……"[1]

商人追求物质利益，物欲的本性必然使他们对财产和财产权利极端重视，对生命极端重视，对自由贸易极端重视。因为这些都是物欲和幸福得到满足的基础、条件和途径。这些满足物欲和幸福的

---

[1] 转引自钱乘旦等：《在传统与变革之间》，浙江人民出版社1991年版，第109页。

基础、条件和途径自然成为商人阶层所追求的法律的中心内容。洛克这位新兴阶级的代表人将商人的愿望表达得最为真切准确:"人们参加社会的理由在于保护他们的财产;他们选择一个立法机关授予权力的目的,是希望由此可以制定法律、树立准则,以保卫社会一切成员的财产,限制社会各部分和各成员的权力并调节他们之间的统辖权。因为决不能设想,社会的意志是要使立法机关享有权力来破坏每个人想通过参加社会而取得的东西;所以当立法者们图谋夺取和破坏人民的财产或贬低他们的地位使其处于专断权力下的奴役状态时,立法者们就使自己与人民处于战争状态,人民因此就无需再予服从,而只有寻求上帝给予人们抵抗强暴的共同庇护。"[1] 洛克进一步把作为权利核心的财产权、自由权、生命权上升为自然法:"理性,也就是自然法,教导着有意遵从理性的全人类:人们既然都是平等和独立的,任何人就不得侵害他人的生命、健康、自由和财产。"[2] 以洛克为代表的现代社会法理理论是以商人阶层的内在人性为基础的,它反映着商人阶层追求物欲和幸福的本性。因此,没有商人阶层及这个阶级的特殊性格和要求,现代法制是不会产生的。商人阶层是现代法制的真正社会主体。

中西方法制现代化的历史事实证明了商人阶层是法制现代化的主体。根据泰格、利维、伯尔曼等学者的研究,西方法制现代化是从11世纪开始的。因为正是在11世纪,即公元1000年左右,被称为 Pies Poudreux ——"泥腿子"的商人在西欧初次出现。这是社会中出现的一批"新人"。比利时中世纪经济社会史家亨利·波朗指出,这批"新人"有两个最大需要:一是个人自由,二是现代性法律。[3] 这两大需要都是传统社会及其法律所不能满足的。因而出现了"新人"和传统社会及其法律的矛盾。这一矛盾的逐

---

[1] [英]洛克:《政府论》下篇,商务印书馆1964年版,第133~134页。
[2] [英]洛克:《政府论》下篇,商务印书馆1964年版,第6页。
[3] [比]亨利·波朗:《中世纪欧洲经济社会史》,上海人民出版社1964年版,第47页。

渐展开和解决的过程，就是法律现代化的过程。

传统社会中的法律处理案件的程序是使用神判法、司法决斗，其法律是一些惯例，其作用是处理以耕种土地和以土地所有权为生的人们的关系。这样的法律不能适应商人阶层的要求。于是在11世纪商人们制订了一种萌芽的商法，这是商人们在交易中所通用的一种国际惯例。商人们还成立了自己的审判所，来处理他们之间的争执。他们撇开了从农村居民中选拔出来的法官，而从高人中间选出能了解他们的争论的仲裁人。商人所建立的法庭叫做"灰脚法庭"，因为到法庭进行诉讼的人都是商人，脚上还沾着旅途的灰尘。不久这种法庭成为公众权威所认可的固定法庭。这是司法自治的萌芽。到了12世纪司法决斗被废除。意大利、法兰西、德意志、英格兰的一些城市获得了司法自治、司法独立。随着司法自治而来的是行政自治。这样从11世纪开始，商人阶层逐渐建立起适合自己需要的法律规范、制度和机构，到后来又产生了自己的理论家，创立了新的法观念和理论，并在这种理论指导下建立起了更完备的法律体系，使法制现代化得以完成。泰格和利维所写的《法律与资本主义的兴起》一书详尽地描述了从11世纪到19世纪初800年间商人阶层怎样使法制现代化得以完成的具体过程。商人阶层是在一个漫长的过程中通过逐渐积累，最终达到质变的过程使旧法制瓦解新法制建立。此过程可用狄德罗的隐喻予以描述："大自然和我圣三一之神的统治（地狱之门也不能反其道而行）……是静悄悄地建立的。异乡神来到本地神的祭坛旁，卑恭地屈居一角之地。他慢慢安顿得稳固了。后来在一个晴朗的早晨，他用手肘推了邻居一下——叭哒！那偶像便躺到地上了。"[1]

中国法制现代化的主体也是商人阶层。清末的立宪运动是法制现代化的重要环节。立宪运动是由立宪派推动的。立宪派主要由四

---

[1] 转引自泰格、利维:《法律与资本主义的兴起》。

种人士构成：官员、学者、商人、民众。而其中对立宪最热切的人是商人。当时工商业最发达的地区是江浙，江浙的立宪派声势也最大。根据侯宜杰在《20世纪初中国政治改革风潮：清末立宪运动史》一书中的分析，在预备立宪公会中商人的人数占绝大多数："据《预备立宪公会会员题名录》公布的358人的材料，其中有77人当过知县以上的官吏，约占25%，在各种工商企业、团体中任职的，约占22%。由于当时风气重官轻商，有官商双重身份者往往只登记官职而不登记商人身份。就这两个数字来看，工商资本家在会员中，已占明显的优势，何况会员题名录所列出的385名会员，只占上报会员人数1513人的23.6%，即不到会员人数的四分之一。"[1] 因此，商人阶层是立宪运动的主体和中坚。北洋军阀统治时期由于专制政权对商人的压制使一部分商人隐退了，但另一部分商人则有了更为自觉的政治意识、权利意识。他们要求参与政治，向政府争取权利。1921年在总商会一年一度的联席会议上，汤富福声称："现在是商人们面对现实，放弃不干涉政治的过时传统的时候了。他们曾拒绝涉足长期被认为是'肮脏的政治'之中。但如果政治是肮脏的，那也正是商人们允许它成为这副样子的。商会会员总是坚持一种摒弃政治的观点，但今天这种逃避已是可耻的了。"[2] 穆湘玥也发表了同样的观点："我们所坚持的商人应该仅仅关心商业的老观念，今天已不适用了。我们的责任是把商人们团结起来，设法用各种方式和手段来迫使我们的政府改进国内事务……我们相信，只有这样才能找到复兴我国商业的希望。如果我们迈不出这一步，结果便是整个商业的全面衰退。"[3] 当时商人阶层

---

[1] 侯宜杰：《二十世纪初中国政治改革风潮：清末立宪运动史》，人民出版社1993年版，见《清末商人的宪政情怀》，载《公共论丛》1995年第1期。

[2] 《华北捷报》1921年10月15日。转引自费正清主编：《剑桥中华民国史》，第一部，上海人民出版社1991年版，第815页。

[3] 穆湘玥：《花贵纱贱之原因》。

认为，工业企业不应受到政府的干预。"这不仅是因为工业的发展会因此而瘫痪，而且因为中央政府会由此处于具有抵押或出卖工业企业权利的地位。"[1] 因此，20世纪商人阶层政治活动的主要目的在于复兴1912年分省立宪所建起的共和的法制实体。1912年10月，商业工团联合会支持将各省会议以及商业、教育团体代表集中到一起召开立宪国民会议的主张。这个会议于第二年召开，并提出了宪法草案。

商人阶层的这些法治要求虽然失败了，但我们从中看到，对法制现代化有最迫切的内在要求的阶层是商人阶层而非其他阶层。可是，这个阶层在旧中国太弱小了，旧势力太强大了，以致他们的政治和法治理想一再化为泡影。20世纪中叶后，商人阶级又被摧折，因而与这个阶级相联系的民主、科学、自由、法治主张也就沉晦不显。70年代末以市场化为导向的改革开放使商人的生命再次复苏。这为法制现代化培育了主体。法制现代化的命运是同商人阶级的地位、状况、主体自觉性密切相关的。我们希望商人能够自觉地肩负起中国法制现代化的历史使命。

---

[1]《华北捷报》1923年1月6日。

第十四章 法律文化与现代性文化

在两种意义上法制必须受文化和文化形态的决定和制约：文化和文化类型是法制所从属的整体，法制是文化整体中的部分。部分的性质由整体决定；文化和文化类型是一内在的普遍的意义系统或"意义之网"，法制是这一"意义之网"的显现、体现和具体化。有何种文化"意义之网"，就有体现该种意义的法制。

现代文化和传统文化的根本区别在于：传统文化是以群体和非理性为本位和核心的，而现代文化是以个人和理性及其结合为本位和核心的。传统文化以维护群体利益为务，而这种群体往往是马克思所批判的"虚假的集体"，更有甚者则将此"虚假的集体"人格化为最高统治者个人。因而，作为文化一部分的法制，在为作为文化本位的群体服务时便转化为为最高统治者个人服务，于是权大于法、法是帝王之具的局面势所必至地出现了。因此，在传统文化基础上只能产生传统法制，不可能产生现代法制，不可能实现法制现代化。

这就是说，法制现代化必须有新型文化基础。这个文化基础就是以个人和理性为本位的文化形态。现代法制不过是这一文化在法律领域中的对象化和具体化而已。现代法制中的观念、原则、制度、规范及其特征，从归本的意义上讲，都源自个人和理性这个文化内核。离开个人和理性这一文化价值基点，现代法制根本无从理解，无从建设。

一、现代文化的价值意蕴

陈独秀在 1915 年所写的《东西民族根本思想之差异》中对中西文化的区别作了这样的描述:"西洋民族以战争为本位,东洋民族以安息为本位。西洋民族以个人为本位,东洋民族以家族为本位。西洋民族以法制为本位,以实利为本位;东洋民族以感情为本位,以虚文为本位。"[1] 在此传统文化和现代文化差异的根本方面是前者以家族为本位,后者以个人为本位。李泽厚对陈的看法评论道:"陈独秀当年所突出的西方的'个人本位主义'(现代)和中国的'家庭本位主义'(传统)的区别,至今仍不失为一种简单明白一目了然的解释。"[2] 现代文化以个人为本位是大家的一个基本共识。从现代文化发生的历史事实亦可看到这一点。瑞士历史学家布克哈特在论述现代文化的历史发生时说:"在中世纪,人类意识的两个方面——内心自省和外界观察都一样——一直是在一层共同的纱幕之下,处于睡眠或半醒状态。这层纱幕是由信仰、幻想和幼稚的偏见织成的。透过它向外看,世界和历史都罩上了一层奇怪的色彩。人类只是作为一个种族、民族、党派、家族或社团的成员——只是通过某些一般范畴,而意识到自己。在意大利,这层纱幕最先烟消云散;对于国家和世界上的一切事物做客观的处理和考虑成为可能了。同时,主观方面也相应地强调表现了它自己;人成了精神的个体,并且也这样来认识自己。"[3] 英国法制史家梅因把传统文化向现代文化的演进概括为"从身份到契约"公式,认为从传统文化到现代文化是人从团体到个体的转进过程。黑格尔把传统文化向现代文化的过渡视为是从"家庭"到"市民社会",家庭以集体为本位,市民社会以个人为本位。马克思把传统文化向现代文

---

[1]《独秀文存》,安徽人民出版社 1987 年版,第 28 页。
[2] 李泽厚:《走我自己的路》,安徽文艺出版社 1994 年版,第 487 页。
[3] 〔瑞士〕布克哈特:《意大利文艺复兴时期的文化》,第二篇:《个人的发现》。

化的演进看作是以人的依赖关系为基础的人的依附性到以物的依赖关系为基础的人的独立性的演进。这都说明现代文化是以个人为本位的文化。因此，理解和领会现代文化及其精神的关键是关于个人的问题。

个人作为现代文化体系的本体或本位价值，其含义和规定是什么呢？

个人的第一个规定是独立、自由和解放。独立性是说个人不再是原来的共同体中的一个部分、一个依附性因素了，他从集体中分离出来了，成为一个有自己内在独立价值的存在了。至此个人的价值不再从集体中来认取，他的价值就源自他自己，而不是他之外的他物。自由就是说个人可以自己决定自己，自己依赖自己，自己是自己的根据。个人的思想和行动是以自己为根据的。解放是说个人摆脱了外界的思想、制度的控制和束缚，也就是柏林所说的"消极自由"。具有独立、自由、解放特质的个人是现代文化意义上的个人，缺乏或没有这些特质的个人不是现代意义上的个人。

个人的第二个规定是世俗性、此岸性、此生性。就是说个人是一个有着正常感官欲望、需要、需求的人，是一个追求幸福和快乐的人。个人所追求的幸福主要是以物质需要满足为内容的幸福。这种幸福是此世的、此岸的，不是来世的、彼岸的。在这个意义上，个人不是神圣的个人，而是世俗的个人，是现实中的个人，而不是超越的个人。

个人的第三个规定是理性。个人有着理解自己、他人和社会的内在能力。他不仅理解到自己的独立、自由、需要，而且能理解到他人和自己有着相同的独立、自由、需要。理性使个人有能力去认识和把握个人与个人之间的合理关系，设计人们之间的合理秩序。

个人的第四个规定是个人的个性尊严。个性尊严作为一个反思性概念，是个人的自我意识，是个人对自我主体性的尊重、尊敬和珍视。个性尊严是个性中的超越层面，因而个性尊严具有神圣性、不可侵犯性、至上性，任何个人、集体不得以任何借口蔑视和践踏人的个性尊严。个性尊严具有坚定性、主宰性、一贯性特质。对于个人来说，个性尊严具有本体性意义。

这四个方面是分别从个人与社会、个人与自然、个人与他人、个人与自我诸方面对个人所作的分析规定。如果从整体上来看什么是个人，则可把个人看作是具有人格的个体人。人格概念不仅仅是通常所理解的道德性概念，人格是个人的，是和个人独立性相关的。人格包含个人的经验和超验两层次的含义。从经验层面看，人格是指个人的感性、独立性。个人是一个有着感性物质需要的人，具有世俗性、此岸性。从超验的局面看，人格是指个人的个性尊严，人格具有神圣性。赋有人格的个人既是经验的又是超验的，既是世俗的又是神圣的。赋有人格的个人就是现代文化中作为价值本位的个人。

个人是现代文化体系的本体价值，然而仅有个人价值没有理性势必造成文化和社会秩序的紊乱。因而现代文化同时又是理性文化。

什么是理性呢？理性是一个含义不确定的、多义的概念。在常识中，人们把适中的态度、量力而行的态度看作是合理的即理性的。一个老太太打扮得像少女一样，中国人认为是不适当的，不合理的，是不理性的。重视逻辑的人把合乎逻辑的东西视为合乎理性的，违反逻辑的便是违背理性的。有时我们认为公正的看法和态度是合乎理性的，不公正的看法和态度是不合乎理性的。实证主义者认为，得到事实证明的理论是合乎理性的，不能由事实得到证明的是不合理性的。西方哲学中比较流行的理性定义为理性是人生而具有的一种能力，一种发现什么是真理的能力，这种能力就是理性。如果真理出现在这里的话，我们的理性就知道这是真理。近代理性主义认为只有经过理性所创造的东西才是合理的。[1] 从理性的主体看，理性既可以是对象的属性，也可以是人的属性。就理性的对象属性含义看，理性是自然界、客观事物内部的条理、秩序。如《庄子·天下篇》："判天地之美，析万物之事。"王夫之："理者，天所昭著之秩序也。"[2] 就理性的主体属性含义看，理性是人所具有的能力，是人特有的认识真理的能力，是人分析、判断、推理的能力，也是人的主体创造能力。王国维说："由此类推，凡种种分析作用，皆得谓之理。"[3] 理性的对象属性含义和人的属性含义有相通之处。因为理性既然是人的发现真理和宇宙真实的能力，真理出现在面前人就能够知道它是真理，这件事实本身说明人的能力（理性）和对象、真理、真实具有相一致、相沟通之处。如果人的认识能力与对象、真理、真实没有任何相通之处，完全是两种东西，那无论如何人的能力是无法发现真理、真实的。这个道理和儒家的道心与人心同一的观点有一致之处。恩格斯曾认为，客观世界的发展与人的思维遵循着同一规律。理性在更多的情况下被视为逻辑思维能力。如有人认为：理性是人类意识的高级层次，是对由非理性方式获得的信息加以逻辑概括、推理的能力和过程。这是从认识论角度给理性所作的规定，在这里理性是同经验相对而言的，也就是说经验认识是不包含在理性概念之中的。但是，如果我们从另一角度看，感性经验亦可包括在理性含义中。理性是同愚昧和迷信相对立的，在理性与愚昧和迷信相对立的意义上，理性应包含感性经验在内。正如有的论者所言："如果取理性与宗教蒙昧主义对立的含义，则显然经验主义也应属于理性主义范畴。"[4] 把理性同经验结合起来，可以克服对理性的绝对主义的理解，从而做到既看重

---

[1] 参见林毓生：《中国传统的创造性转化》，三联书店1988年版，第48页。
[2] 《张子正蒙注》卷三，中华书局1975年版，第115页。
[3] 《静安文集·释理》。
[4] 陈宣良：《理性主义》，四川人民出版社1988年版，第2页。

理性、高扬理性，又不把理性推向极端。这样所理解的理性是一种可称为"有限理性"的理性，或用哈耶克或波普尔的说法叫做"批判式的理性论"。

在对理性概念的理解中，M·韦伯的卓越见解是不能回避的。M·韦伯在对理性的分析中提出了著名的形式合理性和实质合理性的区分。韦伯认为理性和非理性是一种因果关系判断，理性或合理性是相对的概念。理性和非理性所反映的是作为手段的一种行动与作为既定目的之间的因果联系的判断。例如，从成就的目的角度看，一个禁欲的生活方式是合理的、理性的，而换一个角度，从一个快乐至上的角度出发，它是非理性的。韦伯把这种合理性的因果相对性的概念运用于社会结构分析时，作出了形式合理性和实质合理性的划分。形式合理性具有事实的性质，它是关于不同事实之间的因果关系判断；实质合理性具有价值的性质，它是关于不同价值之间的因果关系判断。形式合理性主要被归结为手段和程序的可计算性，是一种客观的合理性；实质合理性则基本属于目的和后果的价值，是一种主观合理性。[1] 韦伯对理性的这一划分作为一种思维模式有利于我们分析和理解社会过程的客观性形式结构方面和人的主观的目的价值方面的关系，有利于我们从理性的角度了解传统社会和现代社会的区别。

从上面的分析可以看到，理性是一个多义而复杂的概念，因而人们在使用这一概念时也是视不同情形取其不同含义。如理性常与一些不同的概念相对使用：感性与理性、知性与理性、欲望与理性、情感与理性、意志与理性、信仰与理性。在这些不同关系中理性的含义不尽相同。但在这些不同的关系中我们可以看到感性、欲望、情感、意志、信仰等可用非理性概括，它们都属于非理性。在此意义上，理性是同非理性相对的概念，是指人的逻辑推理能力和

---

[1] 苏国勋：《理性化及其限制》，上海人民出版社1988年版，第227页。

过程。这可说是理性的基本含义。在本书中我们视不同的问题而使用理性的上述不同含义。

现代文化是个人和理性携手、统一的文化。个人和理性缺少其中任何一方便不能构成健康完整的现代文化体系。现代文化体系发生发展的历史事实清楚地说明了这一问题。个人价值首先在开文艺复兴先声的意大利得到觉醒和倡导。但意大利人的失误在于在重视和强调个人价值本位地位的同时轻觑了理性的地位。因而个人主义的炽烈在带来积极结果的同时也造成了消极的社会后果，如当时的意大利伦理混乱、道德败坏、追求混乱的爱情关系和性生活，轻视并否定城市法律。《意大利文艺复兴时期的文化》一书的作者布克哈特举例说，甚至当政府惩治一个罪犯时，人们的同情心都在罪犯一边，因为人们已经习惯于认为政府和官吏是社会非正义力量的代表者，所以反政府情绪、反法律情绪在当时颇为浓厚。[1] 这是导致意大利落后于后起的西欧各国现代化进程的重要原因。比意大利现代化过程起步稍晚的西欧国家一方面继承了意大利的个体主义价值，同时又强调人的理性的地位和作用，并将二者结合了起来，从而建构起健康的现代文化体系。在法国思想家让·布丹、荷兰政治法律思想家格劳秀斯、英国伟大诗人和思想家约翰·弥尔顿、英国哲学家霍布斯、洛克，荷兰伟大哲学家斯宾诺莎等现代文化体系的建造者的理论中，都可以清晰地发现个人本体价值和理性的巧妙结合。

在现代文化体系中，个人和理性是相互说明、相互依赖、相互促进的。一方面，个人是有理性的个人，无理性规定的个人不是合格的现代性个人，个人说明着理性；另一方面，理性的要求就是尊重个人人格、个人自由，保障个人权利，理性又说明着个人价值。因此，个人使理性赋有价值，同时理性及其对象化的社会组织体系

---

[1] 参见李鹏程：《商品经济的发展与人文主义思潮》，《哲学研究》1988年第12期。

使个人自由和权利得到有效保障。这种个人和理性相互结合的文化才是真正健康和完善的文化。日本启蒙思想家甚至认为把个人和理性割裂开来，单独重视一方面的做法根本不是一种文明。

二、现代文化与现代法的精神

法律的性质具有双重性：从现实的具体历史的层面看法律是安排社会关系和解决社会现实问题的工具和手段；从超越的文化价值意义上看法律是呈现和体现一般文化价值意义的符号。法律既是具有现实力量的工具，又是显现文化价值意义的形式或符号。就法律是一种符号体系而言，法律总是有着存在于其内部的文化价值和意义。法律内部的这种文化价值和意义即是法的精神。法的精神决定着法律的性质和形态。法的精神是整个法律体系的内在灵魂和运思神经。法的精神的变化决定着法律的变化。因此，法的精神的变革是法制现代化所涉及到的深层问题。法制要实现现代化首要的和关键的问题是法的精神的现代化更新。倘在法制现代化过程中只关注法律制度的现代化，而轻觑法的精神的现代化更新，那么这样的法律制度就是没有灵魂的、没有运思神经的外在化的东西。

法律文化作为普遍的整体文化价值意义的符号或显现系统，其内在精神是由文化的价值和意义系统所规定的。

因此，现代法的精神是由以个人和理性必要张力为核心的现代文化价值意义所决定的。或者说现代法的精神的意义之源是以个人和理性结合为核心的现代文化。

（一）现代文化与法的神圣精神

法和法律神圣是现代法治的基本精神。那么，法的神圣精神源于什么呢？源自以个性和理性为核心的现代文化。法的神圣精神是由个性主体性和理性在现代文化中不同寻常的地位和重要性所决定的。个性和理性在现代文化中的至高地位和神圣性质赋予法以神圣性质。

在任何一种文化结构体系中都有一种至高的、为人所珍视的、神圣性的价值。在现代文化中这个价值就是人的个性主体性。人的个体主体价值的神圣性在西方有一个特殊的生发过程。在中世纪上帝是西方文化的最高价值对象而上帝不能直接向人显现其价值，它要通过一个中介，此中介就是教会。因而教会在中世纪具有神圣的性质。但是教会是由地上的现实人所组成的，因而必然走向腐化，丧失其神圣性。事实也正是如此。因此近代宗教改革的中心任务之一就是反对教会。因为教会的腐化使它无法成为把上帝同人联系起来的中介了。宗教改革就是要取消这一中介，使个人直接和上帝勾通。因此在改革后的新教看来个人通过自己的内在心灵可以接近上帝。路德引述保罗的话说："人心里相信，就可以称义。"[1] 这样神圣的性质就从教会身上转移到了个人身上，个人及其内在主体性成为珍贵的神圣的存在了，成为现代新文化的核心了。回到个人、回到我自己是现代文化价值的最强音。霍尔巴赫在《自然的体系》中满怀激情地写道："啊，你要敢于挣脱那迷信的桎梏……痛斥那些篡夺了我们的特权的空洞理论；回来接受我的法则的管辖。……只有在我的帝国之中，才有真正的自由在接受统治。……那么，回来，我的孩子，回到养育你的慈母的怀抱里来！离我而去的人啊，让你游移不定的脚步，返回到自然之中。她将为你的痛苦而抚慰你；她将从你的心中，驱除那令人战栗的压倒你的恐惧。返回自然，返回人性，返回你自身来吧！"[2] 洛克也指出，教会和政府不许控制人的内在心灵，"掌管灵魂的事属于每个人自己，也只能留归他自己。"[3] 这些启蒙思想家所重视的是"我""我的""自己"。这意味着在现代文化中神圣的主体已由上帝和连接人与上帝

---

[1]《圣经·新约·罗马人书》第10章，第10节。
[2] 霍尔巴赫：《自然的体系》，第2部，商务印书馆1964年版，第14章。
[3]〔英〕洛克：《论宗教宽容》，商务印书馆1982年版，第18页。

的中介的教会转移到个人自己了。

　　个人、个体主体性是现代文化体系的普遍价值，作为普遍的当然价值，倘不具体化为特殊的理念和制度，只能滞足于超验的彼岸。个人、个体主体性价值具体化为法的理念或法的精神，就是要求把个人权利、个人自由视为法的最高价值。如上所述，由于个人、个体主体性在现代文化中具有至高的神圣的性质，那么当这种神圣价值具体化为法和法律时，法和法律也就赋予了神圣性意义。近代西方法虽然和上帝的关联不象过去那样密切直接了，法基本上不是上帝的命令了，但是，我们看到在西方人的心目中法并没有丧失其尊严和神圣性。其中原委即在于法的价值之源是作为现代核心文化价值的个人和个体主体性。法国《人权宣言》把人权看做是"自然的、不可剥夺的和神圣的人权"，认为"财产是神圣不可侵犯的权利"，权利是"不可动摇的权利"，这些称述语言都明确地表现出对个人权利神圣性的肯定和认可。这样的看法在几乎近代以来的所有人权或权利宣言、法案以及法律规范中都可以看到。法律是显现和体现这种神圣权利的符号或形式，由此法律在现代社会中也就赢得了至上性和神圣性。于此可见，法的神圣精神、法的至尊地位确乎来自现代文化核心意义的个体主体性。

　　法的神圣精神还源自作为现代文化又一重要基质性要素的理性。

　　已如上述，文艺复兴，特别是宗教改革把神圣性从上帝和教会身上转移到了人自身。那么，人、人性又是什么呢？人性即是人的思想、人的理性。笛卡尔所提出的标志着近代哲学和文化开端的命题"我思故我在"把"我思即理性"提高到人的存在的高度。人是神圣的，而人的本性是理性，因而理性是神圣的。另外，在近代文化中，上帝的自然化是文化发展的一个重要特征。"一切存在物的全体，斯宾诺莎称之为'神或者自然'（Deusive Natura）。'或者'（sive）一词没有特别的含义，它相当于数学上的等号。这样，

'神＝自然'就成了我们的出发点。"[1] 这样，神被自然化了，神的神圣意义也被自然化了。既然自然就是神，是神圣的，而人是自然的一部分，理性是人的本性，因而人和人的理性都是神圣的。

法和法律是自然和理性的体现，自然和理性是神圣的，从而法和法律也是神圣的。现代法律所确认和保护的核心价值权利是神圣的，也是因为权利是理性的、自然的（nature，中国人将 nature 译为天赋的）。理性和自然都是神圣的，因而权利是神圣的，不可褫夺的。

可见，现代法的神圣精神来自作为现代文化本体价值的个性和理性，或者说法的神圣性是由个性和理性所赋予的。因此，要建立法的神圣性观念就要建立以个性和理性为核心的现代文化体系。文化结构不能得到更新，人们还要把某种虚幻的集体视为神圣性的载体或主体，那么个体和理性就不可能是神圣的。法律不是神圣的，也就不会是至上的、最具权威的。如是，法治和宪政、法制的现代化也就难以实现。

（二）现代文化与个人利益正当观念

现代法制建立的前提之一是对个人利益正当性的肯定。现代民法所面对的主体、人是追求自己正当利益的人。法律所调节的行为主体是"经济人"、是现象界的人、是市场之地的人，不是道德人、不是本体界的人、不是教堂之地的人。如果法律所调节的行为主体是道德的人、毫不利己专门利人的人，那么就建立不起来平等的、公正的、可计算的法律关系，法律也就丧失了可预测性、形式合理性。而没有这些特征的法律根本不是现代性质的法律，它只能是专制主义下面的道德化的等级性的法律。因而只有承认个人利益的正当性，承认人是追求自己利益最大化的人，在此主体性前提下

---

[1]〔英〕罗斯：《斯宾诺莎》，山东人民出版社1992年版，第55页。

方能建立起现代法律体系，才能使现代法律具有平等性、公正性、可计算性、可预测性和形式合理性这样的现代特征。

作为现代法律基础的个人利益正当性观念只有在现代文化体系中才能得以成立。具体来说它是个人和理性价值所蕴含的逻辑结论。无论是在中国还是在西方传统文化中个人利益、欲求、私欲等感性欲望都被看成是恶。在中国传统文化中正常生存需要之外的利益追求更是为儒家文化所不容。孟子谒见梁惠王，梁惠王问孟子不辞千里辛劳前来对他的国家有何利益，孟子对曰："王！何必曰利？亦有仁义而已矣。"[1] 到了宋明理学时期这种思想则发展为"存天理灭人欲"的主张。朱熹特别反对人的生存之外的其他过多需要。《朱子语类》："问：'饮食之间，孰为天理，孰为人欲？'曰'饮食者，天理也；要求美味，人欲也。'"[2] 直到20世纪的"文革"这种思想发展为"狠斗私字一闪念"。欧洲中世纪基督教也是对人的欲求、利润、赚钱持否定态度的。传统文化这种贵义贱利价值观、人性观在现代文化中得到克服。以个人和理性及其结合为核心价值的现代文化首先肯定了个人的价值。这里的个人是完整的个人，他既是有个性尊严的个人，也是有自然欲求、利益和追求利益满足的个人。这样人的利益在价值观上取得了正当性。因此，文艺复兴后西方人对个人的世俗快乐和尘世幸福予以热情肯定。这样个人利益在人类文化史上被重新得到肯认。

但是，在现代文化中个人利益、自利不是无限制的，而是有限制的。就是说个人利益、自利，不能影响和伤害别人的个人利益和自利。这就是自利的界限。因此个人利益、自利和自私是有区别的。哈耶克在《通向奴役之路》中强调"自利"（Self-inter-ested）与"自私"（Selfish）的区别。他认为，后者发自人求生存的本能，

---

[1] 《孟子·梁惠王章句上》。
[2] 朱熹：《朱子语类》卷十三。

它是所谓"ego",强调私己的生命和享乐,并且为了私己的利益时刻准备侵犯他人权利,甚至可以把他人生命拿来作为谋取私利的手段。"自利"则是基于人的理性,它虽然强调自己的利益,但从理性出发,特别是从"己所不欲,勿施于人"的道德出发,时刻准备为了改善个人利益而与他人利益作某种妥协。只有自私的人还停留在野蛮人状态。[1] 个人利益有界限观念的产生是因为人的理性的存在。因此,如果说现代文化中的个人价值促成了个人利益正当性观念的形成,那么现代文化中的理性精神则产生了个人利益有界限观念。这正是个人和理性携手的现代文化在个人利益问题上的体现。

　　个人利益的正当性观念和个人利益有界限观念是现代法制建立的观念基础之一。正因为个人利益是正当的,因而法律要把保障个人利益的实现和满足作为自己的重要内容和基本任务;正因为个人利益是有界限的,因而法律要对个人利益作出限制,要防止个人权利的滥用。当然法律对个人利益的限制也是有限制尺度的,这个尺度和限制不是别的,是个人利益的实现不能侵害别人的个人利益。在这里,法律的更根本的价值尺度仍是个人利益。同时,法律也只有把这种追求个人利益的"经济人"作为法律主体,以这样的人为出发点,法律才能赋有现代化性质。具体来说法律自身和作为法律调整结果的社会秩序才具有平等性、公正性、形式合理性和可计算性、可预测性。社会关系的公正性究竟是怎样形成的呢?是通过道德的人还是通过自利的人形成的呢?我们认为主要是通过自利的人形成的。自利的人在交换和交往过程中总要和对方相互打量计较。双方在这种打量计较中就会形成一种对双方都有利的公正关系。在微观经济学中有一种理论,即均衡价格系统是唯一能引导资源最佳配置的信息系统。那么均衡价格是怎样形成的呢?这同自利

---

〔1〕 参见汪丁丁:《经济发展与制度创新》,上海人民出版社1995年版,第129页。

的人密切相关。出于自利的消费者在市场上总是寻求价格最低的供应者；而出于自利的生产者在市场上总是寻求价格最高的需求者，在竞争条件下达成的成交价格就是均衡价格。经济中的这种均衡价格所体现的是人与人之间的公平性关系，即谁也不吃亏，谁也不占便宜。这种公平性关系形成的原因是大家都是自利的人，是追求利益最大化的人。假如在经济过程中出现一批道德人，讲毫不利己专门利人，那就会出现一部分人吃亏一部分人占便宜的关系，这是一种不公平关系。因而作为法律来说必须把这种自利的人作为自己所调整的主体，这样方能形成公正的法律和社会秩序。因此自利人的观念或个人利益正当性观念对于法律现代化是极为重要的，它构成了现代法制的观念基础。

(三) 现代文化与权利观念

传统法律以义务为本位。现代法律以权利为本位，因而权利观念的产生和形成是现代法律产生和发展的观念条件。

权利是个复杂的概念。大体说来，权利的基础和内容是人的利益。这是德国法学家耶林所提出的在法学界得到大多数人首肯的观点。但权利作为表达和保护内容的形式又是由人自觉规定的。作为权利内容和基础的利益是现实的自在的东西，而权利自身或作为形式的权利则是自觉的自为的。人之所以要给自在的现实的利益作出自觉的能动的权利规定，是因为人有人格尊严和理性。如此看来，权利观念的产生和形成要有相应的文化价值前提。这个前提至少有三个要素：一是个人利益，二是个人人格尊严，三是理性。如果运用亚里士多德的"形式"和"质料"范畴及其关系来分析权利范畴的话，那么我们看到，个人利益相当于权利的"质料"，个人尊严相当于"形式"，理性则是把权利建立起来的能力。权利概念把"质料"即人的现实利益，"形式"即人的尊严，人的理性有机地统一于一身。因此可以说权利概念是近代文化在政治和法律中的结晶，现代文化的精华凝结于权利概念之中。在权利概念中个人得到了整体性的实现：人既成为实在的人，又成为真实的人。就人通过权利获得了现实的利益而言，人成为现实的人了；就人通过权利获得了人格尊严而言，人成为真实的人了。马克思说："在最直接的现实中，在市民社会中，人是世俗的存在物。在这里，即人对自己和别人来说，都是实在的个人的地方，人是没有真实性的现象。相反地，在国家中，即在人是类存在物的地方，人是想象中的主权的虚拟的分子；在这里他失去了实在的个人生活充满了非实在的普遍性。"[1] "只有在这里，这个成员才获得人的意义，换句话说，只有在这里，他作为国家成员、作为社会生物的规定，才成为他的人的规定。"[2] 明确一点说："只有利己主义的个人才是现实的人，只有抽象的人才是真正的人。"[3] 市民社会中的个人是追求权利内容的个人，即追求利益的个人，利益的满足使得他成为现实的个人；国家和法律中的个人是具有权利形式的个人，他有自由权利，平等权利等，因而在此他是真实的个人。因而权利体现了人的利益和尊严两大层面上的规定。

但在权利中只有利益和尊严还不行，还要有人的理性。人的理性在近代的成长和强大，使得理性能把权利从观念、政治和法律诸领域中确立和建构起来。从一个分析的意义上说，自在的现实中的人的活动是按照自然的本能欲求进行的，这样的自在的本能的人的活动必然造成力量的损耗和利益的伤害。这样的状况只有当事人的理性成熟到一定程度才能得到改变。随着理性的成熟，人们可以做到把人们之间的利益关系予以人为的自觉地规定和建构。权利真实就是人的理性对人们之间关系进行人为的自觉规范的结果。休谟引述的古代希腊的两个殖民团体如果正在寻找新的家园，而且都在远

---

[1]《马克思恩格斯全集》第1卷，第428页。
[2]《马克思恩格斯全集》第1卷，第345页。
[3]《马克思恩格斯全集》第1卷，第443页。

远的地方见到了一个废弃的城市时，他们就会选一名跑得最快的战士先去占领城门。如果双方的先锋都接近了城门，那么投出的标枪最早插在城门上的那名战士就算取得了城市。他们没有通过动干戈来解决问题，而是形成一种规则，即设计一种获得权利的规则。这显然是人的理性的作用。所以正如一位经济学家所言："权利这个概念是西方社会在兴起过程中发生的，是历史的概念，是把历史上的行为规范理性化的结果。"[1] 因此权利概念是理性所建构起来的。没有理性就不会有权利。

权利观念建立的前提是个人利益、个人尊严和理性三个文化要素，而这三要素恰恰是现代文化价值体系中的三个基本性要素，在此意义上我们说，没有现代文化就没有权利观念。权利观念的建立是法制现代化的前提，而权利观念又以现代文化为前提，因而中国法制现代化依赖于现代文化价值系统的建构，否则中国法制现代化是难以实现的。

（四）现代文化与怀疑精神

现代法制的合格主体应是在利益上斤斤计较的人，在思想认识上满腹狐疑的人。只有斤斤计较才能形成公平的秩序，只有满腹狐疑才能不盲从权力，对权力加以限制和制衡。满腹狐疑就是怀疑精神。

怀疑精神是现代法制和民主制度对公民心理和观念的一个基本要求。没有怀疑精神就不会有法治社会和宪政政治。

法治社会要求政府也要守法、依法行政，宪法的功能在于限制政府权力。这些法制基本要求的产生和实现的文化心理和观念前提就是怀疑精神。当公民对政府、对权力持有者抱一种怀疑态度，才有可能要求政府守法和限制当权者权力。人治社会之所以是人治社

---

[1] 汪丁丁：《永远的徘徊》，四川文艺出版社1996年版，第218页。

会，一个重要原因就是臣民缺乏怀疑精神。人治社会主张道德治国、君子治国，把当权者视为圣君贤相，民众要以吏为师，竭力圣化圣主，教育国民对权力和权力持有者要盲从、迷信。圣君贤相是达到内圣的人，是道德境界极高的人，因此对这样的权力者不能有丝毫怀疑。不能怀疑也就不可能想到对他们进行法律监督，让他们守法。法治社会反对以道德治国，要求扯掉罩在权力和当权者头上的道德光环，把权力和当权者拉回到世俗的、现实的领域。权力、当权者和国民一样都是世俗世界中人，都在追求自己利益的最大化，都会犯错误。怀疑精神存在的原因和作用也正在这里：从人性论上说包括当权者在内的所有人都是世俗之人，都是追求自己利益最大化的人；从认识论上说，当权者和大家一样都会犯错误。因此不能对他们盲从和迷信，而要用法律对他们加以限制和监督。美国学者科恩指出："民主国家公民必须相信错误难免。不仅仅是易犯错误，这是肯定无疑的，他们若非如此，就没有必要实行民主。"[1] 同样公民若非如此，也就没有必要实行法治。西方法治建立的历史事实也说明公民怀疑精神对建立法治社会的必要性。欧洲16世纪宗教改革后，否定了教会的权威，教会对个人的控制力被基本解除了。但在教会力量衰落的同时王权的力量却扩大了。王权、世俗国家（从15世纪后开始形成）代替教会企图对个人实行重新控制。然而世俗政权和教会比较，它没有上帝所赋予的神圣性，它同被控制的国民个人一样，都是世俗的。因而引起了人们的不信任和怀疑，起来反对与国民同样具有原罪和在精神道德价值上并不高于自己的世俗政权。所以16世纪在尼德兰、英国都爆发了反抗运动。这种从怀疑到反抗使得世俗政权不得不收缩自己的统治范围，把个人信仰、私生活、个人自由还给个人自己，并逐步开始接受法律的限制和监督。在这样的基础上才逐渐形成了西方的宪

---

[1]〔美〕科恩：《论民主》，商务印书馆1988年版，第175页。

法、行政法及法治社会。

　　看来国民的怀疑精神是法制现代化的重要文化心理条件，那么怀疑精神缘何形成呢？从文化角度看怀疑精神仍然是现代文化的产物，具体说是现代文化中理性精神的一种表现，或者说现代文化的理性精神本身就包含着怀疑精神。

　　现代文化的理性主义和怀疑精神是内在联系着的。理性同权威、迷信、蒙昧相对，尊重理性，相信理性，就是要对除了理性之外的其他一切东西进行怀疑、考问。就是说除了理性不可怀疑之外其他任何东西都是值得怀疑的。任何东西只有经过理性的怀疑、批判、考问之后才能相信它。近代西方理性主义的前驱是蒙田，之所以是蒙田是因为他的怀疑主义。怀疑是对一切旧权威、旧思想、旧观念的不信任，是对这些东西的否定。怀疑的主体是人自己的理性，所以怀疑意味着对人的理性的尊重和信任。笛卡尔就是直接受到蒙田的影响才在近代思想史上举起理性主义大旗的。笛卡尔理性主义的起点是普遍怀疑。在笛卡尔看来，一切都是可以怀疑的，但我的思想在怀疑这件事本身是不可怀疑的。所以"我思故我在"。"可是我究竟是什么东西呢？一个在思想的东西。什么是一个在思想的东西呢？就是一个在怀疑、理解、理会、肯定、否定、愿意、不愿意、想象和感觉的东西。"[1]"我"就是思想、理性本身。可见，"我"、"理性"之中就包含着怀疑精神在内。

　　可见，没有现代文化所建立起来的理性精神，就难以有怀疑态度，没有怀疑态度，人就只能在外在权威、迷信和淫威之下，人就没有内在能力去和权威抗衡。人不具有理性、怀疑能力，就根本谈不上对威胁人的自由和权利的外在权威进行限制、监督和制衡，因而现代法制也就难以建立起来。法制现代化必须呼唤怀疑精神，怀疑精神应成为现代法治精神的内容之一。要呼唤怀疑精神就要建构

---

[1]〔法〕笛卡尔：《第一哲学沉思集》，商务印书馆1986年版，第27页。

具有理性特质的现代文化价值体系。

当然现代法制所要求的怀疑精神与怀疑主义是不同的。怀疑精神的指向是新的东西的建构,而怀疑主义则是怀疑、否定一切,甚至连怀疑本身也怀疑。科恩在《民主论》一书中说:"如果'怀疑主义'指的是否定一切真理的存在,认为一切求真的努力都是徒劳的,那种态度就不是支持而是妨害民主……。但如果'怀疑主义'的意思是指对一切重要的信念均坚持要批判地加以审查,那就是错误难免论的要求,也是适合民主主义者的态度。"[1] 实行政治民主需要这样的怀疑态度,实行法治也需要这样的怀疑态度。

总之,作为现代法的精神的法的神圣精神、个人利益正当性观念、权利观念、怀疑精神都是以个体和理性为核心的现代文化价值体系的产物,或者说现代文化精神在法领域中的体现。当然,现代法的精神的内容不止这些,除此之外,如法的独立性观念、法所追求的秩序的观念、法的形式化、理性化观念等都同现代文化有着密切的有机联系。

三、现代文化与国家现代化及法制现代化

法和国家有密切联系,法制现代化和国家现代化有密切联系。被人们称为日本现代化理论三座并列高峰之一的法学家川岛武宜深刻地指出:"个人的主体人格与作为市民社会政治反映的近代国家,是近代法和伦理得以建立的两个基本要素。"[2] 没有近代化或现代化的国家就没有法制的现代化。

国家和人是联系在一起的,国家和人的关系,制约着国家的性质、功能、作用范围,从而也对法的性质、功能、价值带来重大影响。

---

[1] 〔美〕科恩:《民主论》,商务印书馆1988年版,第177页。
[2] 川岛武宜:《现代化与法》,中国政法大学出版社1994年版,第49页。

人有内在方面的存在又有外在方面的存在，前者是人的内在心灵，后者是人的外在行为；人有双重身份，他既是具有普遍性规定的公民，又是具有特殊性规定的私人，或者说既是政治国家的成员又是市民社会的成员。人的双重存在之间是有重大差别的。人的内在心灵属于本体世界，具有自由这一根本特征，它是人之所以为人的基本标志；人的外在行为属于现象世界。行为中的人是具体的感性的，他在此世界中要受客观因果关系的决定和制约，即人在此是受必然性支配的。人的双重身份之间也有性质的不同。人作为政治国家中的公民，具有普遍性、一般性、平等性，它反映着人的类特性；人作为市民社会中的私人则具有特殊性、个别性、差异性、实际的不平等性，它主要反映着人的自然性。思考国家、法律同人的关系必须注意人的双重存在、双重身份，特别是它们之间的重要差别。

国家的现代化表现为国家和人的关系的现代化。具体来说，国家的现代化表现为国家必须实现两个退出：一是国家从人的内在心灵世界中退出，二是国家从作为市民社会成员的私人世界中退出。这两个退出的完成为国家现代化的完成提供了社会结构条件。

国家从人的内在心灵世界中退出具有重大历史意义：国家因此成为现代国家，人因此成为真正的人，法律因此有了自己的对象——人的外在行为，从而实现了现代化。

人与物的区别在于物仅有其感性自然的外在存在形式，而人则除此之外还具有内在心灵世界，有自由意志，有自由选择权利，有自己承担责任的能力，人能自由、自律，这也就意味着人有人格。传统国家和现代国家，或专制政治和民主政治的重要差异就在于传统国家、专制国家要全面控制人的内在心灵、自由意志，而现代国家则要从人的内在心灵领域中退出。专制国家要全面控制、干预人的内在心灵，也就意味着它要扼杀人，把人变成物。正是在这一意义上，马克思说："专制制度的唯一原则就是轻视人类，使人不成其为人","哪里君主制的原则是天经地义的,哪里就根本没有人。"[1] 当国家把人的内在心灵、自由意志作为控制和干预对象的时候,它所处理的对象已经不是个人了,而是动物了。因而这样形成的秩序不是一种人的秩序,而是一种自然秩序。马克思把人类的这种状态叫做"人类历史的动物时期,是人类动物学。"[2] 无视人的内在心灵、意志自由而用强力控制人的心灵和自由的国家是传统的国家,不是现代国家。

　　传统国家的这种性质决定了传统法律的性质。因为国家对人的内在心灵、自由意志的强力控制是通过法律手段来实现的。而当法律以人的内在心灵、自由意志为对象的时候,法律只能成为戕害人的暴力工具了。也正因为法律对人的内心世界的干预使得法超越了自己应有的界限,法代替了道德,道德被法律化了,同时法律也道德化了。因为自由意志、人的内心世界本是道德的固有领域,而现在被法律所强占了。强占的结果是法律不成其为法律,道德不成其为道德。因此,黑格尔说:"中国人既没有我们所谓法律,也没有我们所谓道德。"[3] 道德的法律化,法律代替道德,表明法律和道德还纠缠在一起,法还具有抹杀人奴役人的功能,还不具有解放人使人自由的功能,同时在这种情况下,法也难以理性化、形式化。因而这种法律仍然是前现代性质的法律。

　　显然,法要现代化有赖于政治国家现代化,政治国家要现代化就必须从人的内在心灵世界中退出。完成了此一步骤,法律才能获得自己应该有的对象——人的外在行为。

　　现代文化是国家和法现代化的重要条件。现代文化是以独立的个人和理性为核心的。现代文化中的个人的根本规定性是他具有意

---

[1]《马克思恩格斯全集》第1卷,第441页。
[2]《马克思恩格斯全集》第1卷,第346页。
[3] 参见〔瑞士〕布克哈特:《意大利文艺复兴时期的文化》,商务印书馆1979年版,第350~351页。

志自由。而自由意志具是神圣不可侵犯的。因此，世俗的政治国家也就不能侵犯个人的自由意志。

现代文化正是以发现、贞认人的自由意志、自由选择的本性或主体性为开端的。文艺复兴时期伟大的人文主义者波科对人的自由意志和自由选择本性是这样论述的："最后大造决定每一种受造所私有的不论什么东西都公之于人，人是不能被赋予任何固有的东西的。所以大造把人作为一个没有区别的肖像作品来对待，并把他放在宇宙的中间这样对他说：亚当呀，我们不给你固定的地位，固有的面貌和任何一个特殊的职守，以便你按照你的志愿，按照你的意见，取得和占有完全出于你自愿的那种地位，那种面貌和那种职守。其他受造物，我们将他们的天性限制在我们已经确定了的法则中，而我们却给了你自由，不受任何限制，你可以为你自己决定你的天性。我把你放在世界的中间，为的是使你很方便地注视和看到那里的一切。我们把你造成一个既不是天上的也不是地上的，既不是与草木同腐的，也不是永远不朽的生物，为的是你能够自由地发展你自己和战胜你自己。你可以堕落成野兽也可以再生如神明。哦，天父无上的豪爽，和人的无上的惊人幸运呀！人被赋予了他希望得到的东西，他所愿意取得的为人。"[1] 人和"其他受造物"的区别在于人有意志自由。意志自由是人的根本规定，意志自由一旦被剥夺人就同"其他受造物"没有区别了。

这一新的文化价值观喻示人们，任何人和包括国家在内的组织、机构都无权干预、剥夺人的自由意志。因此，从近代以来自由意志在人们的文化意识中便成为个人的私人性规定。个人之所以是人，是主体，具有主体性恰在于个人具有自由选择善恶的意志和权利。这种文化价值观作为社会普遍的文化意识潮流渗透于一切文化领域。作为文化一个部分的政治国家在这种文化的影响下同样必须

---

[1] [瑞士] 布克哈特：《意大利文艺复兴时期的文化》，商务印书馆1979年版，第350~351页。

尊重人的主体性，为此国家必须放弃对个人内心生活的政治统治，把个人内在精神生活，如信仰自由、思想自由、选择自由还给个人自己。这一变化是国家性质变化的标志之一。另外，国家不可干预和控制个人内在精神生活，就西方来看也与其宗教传统密切相关。在西方中世纪存在着国家和教会分立的二元化权力体系。基督教把人理解为灵魂和肉体二重存在。灵魂是可以进入天国彼岸的，而肉体是此世的鄙俗的。由于人是两重性存在，所以人的生活也分为精神生活和物质生活或宗教生活和世俗生活。人的生活的两重化使得社会组织也分为教会和国家二重权力系统。国家和教会分别有其范围和职责，国家管理人的世俗生活，宗教负责人的精神生活。到了中世纪末期，教会的权利衰落。16世纪的宗教改革，否定了教会作为个人与上帝之间中介的作用。与此同时王权、国家的力量开始扩张并企图把教会放弃了的个人精神生活归于自己的统治之下。但在欧洲没有这种行为的文化传统根据，于是遭到人们的普遍反对，人们把个人意志自由权利从政治国家手中很快夺了回来。[1] 这也是国家从个人内在心灵世界退出的一个重要文化原因。

　　国家不再干预人的内在精神生活了，从而国家所制定的法律也自然从人的自由意志领域退出了。对此启蒙思想家卢梭认为："关于道德方面的事情，法律不能规定出一种相当精确的尺度作为官吏运用的准则，为了不使公民的等级或命运完全听凭官吏的支配，所以法律禁止官吏判断人本身的善恶，而只允许他判断人的行为的是非，这是很明智的措施。"[2] 马克思也说："对于法律来说，除了我们的行为以外，我是根本不存在的，我根本不是法律的对象。"[3] 人的行为是表现于外的、感性经验的、可观察、可精确统计和计算的对象。以行为为对象的法律在性质上同以思想为对象的

---

[1] 参见丛日云：《西方政治文化传统》，大连出版社1996年版，第503页。
[2] 〔法〕卢梭：《论人类不平等的起源和基础》，商务印书馆1962年版，第188页。
[3] 《马克思恩格斯全集》第1卷，第16~17页。

法律是根本不同的。

以上是从人的双重存在方面来考察国家和法律的。从人的双重身份方面来考察国家和法，国家的现代化则表现为国家权力从作为市民社会成员的私人生活领域中退出。

以私人为主体的私人领域或民间领域和以国家为主体的权力领域是两个不同的领域。二者有着不同的行为逻辑，有着不可忽视的边界。私人领域以经济生产、经营、交换为内容，它主要为社会和他人提供"私人物品"（在消费上具有"排他性"的物品），其所遵循的逻辑是个人权利的自由交易。国家权力领域则是为全社会提供"公共物品"（在消费上不具有"排他性"的物品），如产权保护、法律保障、国防、公安、环境等物品。这是作为公共机构的政府的本分，也是它的界限和边界。

传统国家和政府与现代国家和政府的区别就在于前者不守自己的本分和界限，总把触角伸向私人领域，直接干预私人领域的具体事务。如政府有权决定生产单位生产什么不生产什么，生产多少等具体问题。这样就破坏了私人领域逻辑或市场逻辑，造成经济效益下降，政府腐败。因此私人领域的具体活动是政府、国家不该管的事，政府必须从这里退出。因为在私人领域，"理论可以证明，个人与个人、企业与企业、企业与个人之间直接的市场交换，就可以实现私人物品生产当中资源的合理配置，实现供求的均衡，政府中间'插一杠子'，多此一举，是资源浪费；有时在短期内，市场可能会失衡，资源配置会出现无效率情况，但这时若政府出来管理，指示人们生产这个或生产那个，也不见得就能正确纠正市场的'错误'，政府管制本身又是件耗费资源的事（政府本身的运营成本），因此总的说来得不偿失，还不如让市场机制逐步地调整。因此，所谓市场经济，简而言之就是由民间自由交换实现'私人物品'的有效生产，而由政府负责安排公共物品的供给这样一种特殊的制度安排。"[1] 因此，国家和政府从私人领域或民间领域中退出是经济现代化的客观要求，同时也是政治现代化的客观要求。政府不从私人领域中退出，政企不分，经济和政治都无法实现现代化转型。

当政府从私人领域中退出去后，法制现代化也就有了可能性。因为当政府身在市场干预市场微观活动时，意味着民间领域的经济交往活动还受着政府和国家权力直接调节。而当政府退出时民间领域才能有法律的立身之处，具体来说才有私法、民法的立身之地。民法是调整私人领域里平等主体之间的财产关系和人身关系的法律部门。私人领域的物质生产和交换活动内在地需要平等、自由，要求建立法律关系，排斥和反对以不平等为特征的权力关系。作为私法、权利法的民法内在地适应着私人领域的社会关系本质。以民法为内容的法律关系取代以政府干预为内容的权力关系，是私人领域经济发展的客观要求。

可见，法制现代化的政治前提是国家从个人内在心灵世界中退出，从私人领域中退出。而这两个退出实现的文化条件是现代文化。现代文化的个体本位价值观是保证国家实现两个退出的文化观念条件。

就与法制现代化相关的角度看，国家现代化的内容和方面并不止上述这些。如国家的世俗性、有限性，对国家制约的必要性等都是国家现代化的内容。国家的世俗性是说国家不是道德的化身，它是个人在交易中为了减少交易费用，为了自己的安全和秩序而建立起来的公共机构。执行国家权力的人不是用特殊材料构成的，他们同市场中的普通人一样也是追求自己利益最大化的人。因而他们身上总是奔突着越出自己权限的冲动。就是说他们不是像儒家所说的

---

[1] 樊纲：《作为公共机构的政府职能》，《市场逻辑与国家观念》，三联书店1995年版，第13页。

道德人而是会作恶的人。因此就产生了法律限制政府权力的必要性,即实现法治的必要性。国家是有限的是说国家不是全能的,其权力触角不要伸到社会的各个方面和角落,因此需要通过法律给政府的权力划出明确界限。国家和政府要实现这样的现代性变革需要全体国民的国家意识、政府意识有一个根本的变化,而这又有待于全社会整个文化价值观念的变革。因而文化价值观念的现代化在法制现代化中起着十分重要的作用。

四、现代文化与法律和伦理的分离

法律和伦理的分离是法制现代化的重要内涵,而这种分离实现的观念前提是以个人和理性相结合为核心的现代文化体系的建立和普及。正如著名日本法学家川岛武宜所说:"在市民社会确立法的独立性存在的契机是近代国家的确立和自主的个人人格的确立。"[1] "自主的个人人格的确立",实为现代文化的根本。

如所周知,中国传统法律的特征是法律和伦理熔铸一体,法律被伦理化,伦理被法律化。法律占领伦理的地盘,执行起伦理的功能,与此同时伦理被法律化,伦理丧失了自己的独立性。这意味着法律和伦理不曾分化,法和伦理都没有独立性。法律伦理化实质上是法律的专制性、封建性和传统性的体现。因为当法律被伦理化,法律未从伦理中分离出来时,法律必然会带上如下特征:

1. 法律成为扼杀人、消解人的工具。人之所以为人,是因为人有自由意志、自由选择能力。人的这个内在方面本应是道德存在和发挥作用的领域,然而当法律伦理化后,法律就把这一领域据为己有了。它用一种外在强制力量来对付人的自由意志、自由选择能力。这实质上是把人的自由意志、自主人格摧毁了、消解了。实质上就是把人摧毁了、消解了。因此在法律伦理化的情形下真正的人

---

[1] 〔日〕川岛武宜:《现代化与法》,中国政法大学出版社1994年版,第20页。

是不存在的，这种法律所形成的秩序，"与其说是人伦的秩序不如说是自然的秩序，是还没有从习俗和权利秩序中分化出来的秩序。"[1] 它更不是现代法律秩序。扼杀人的法律实在难以说是现代化的法律。因为现代法律和传统法律的重大差别就是现代法律中有人，传统法律中无人。

2. 法律成为以义务为本体的法律。依现代观念，道德以义务为本位，法律以权利为本位。因而当法律被伦理化后法就以义务为本位了。中国传统社会中最重视法的是法家，但法家的法中根本没有个人权利，法只强调人民的义务，而且这种义务不是像今天说的来源于权利，而来源于国家权力。只有国家权力才是公，个人利益和权利是私。法的作用在于"去私"。韩非说："立法令者，以废私也"，"法令行而私道废矣。""私者，所以乱法矣。"可见，法和人的利益、权利是根本冲突的。这是典型的传统性、封建性的法律。

3. 法律成为随意性、主观性的规范。法律被道德化后，人们在处断案件时所依据的标准在实质上是道德，当然也有依据法律办案的，但因为法的内容是道德，从而引法实际上也是引道德规范为据。道德不同于明文规定的形式化的法律，它有很大的弹性、主观性，因而以道德为据，"引经断狱"必然导致法在实施上的随意性。一位研究中国古代法律的西方学者指出：中国的法律"仍是仁慈的和富有经验的统治者手中灵活运用的工具。它可以被扩大或者被修改以便去适应一种较高的公道的观念。在这样的制度下面，成功之道一半在官吏个人的娴熟与公正，另一半在法律的细则"[2]。现代化的法律与此相反，它所强调的是法律的确定性、准确性、形式化、理性化。因而由法律的道德化所决定的法律的随意

---

[1] [日] 川岛武宜：《现代化与法》，中国政法大学出版社1994年版，第20页。
[2] 转引自梁治平：《寻求自然秩序中的和谐》，中国政法大学出版社1997年版，第284~285页。

性是传统法律的特征。

4. 法律成为具体的、特殊的东西。道德的特点是具体性、特殊性，对于不同的人，不同的情形会有特殊的道德态度和行为。法律被道德化后，法也就带上了道德的特征，即法律也有了具体性、特殊性。法律对于不同的人不是平等对待，而是区别对待。同样一种行为，由于行为人的地位、身份不同，会有不同的处断，适用不同的法律。中国古代法律中规定的"八议"、"官当"等就是法律特殊化、具体化的表现。这实质上是法的特权化、等级化。现代法律的基本原则是法律面前人人平等，这与具体化、特殊化的法律是格格不入的。

于此可见，法律要摆脱专制性、封建性、传统性，实现现代转型，必须获得自身独立性，把自己从伦理中解脱出来。

法律和道德是既有密切联系又有重要区别的两种社会现象。大体说来法律和道德有以下一些区别：第一，法律主要属于现象世界，道德属于本体世界。现象世界是现实的受因果规律支配的世界，在此人的行为主要受物质利益、现实需要的驱使，除此以外的其他因素的力量在此都显得十分微弱。本体世界是超越现实利害的世界，在此人按照自由意志决定自己的行为。这两个世界在性质上是不同的，从而决定了法律和道德是不同的。第二，法律属于人的利己心世界，道德属于人的利他心世界。就是说法律的主体是"经济人"，即追求自己利益最大化的人，而道德的主体是"道德人"，是毫不利己专门利人的人。这两种主体在法律和道德之间是不可混为一谈的。若把法律的主体归为道德人，那法律可能就没有存在的必要了。第三，法律规范追求的是确定性、准确性、可知性，而道德规范则具有不确定性、模糊性，难以作到确切的可知性。第四，法律讲究理性和逻辑，注意推理、判断和逻辑严密性、一贯性，道德则讲究情感和非逻辑。第五，法律讲究权利和义务的对等性，道德则讲究权利和义务的不对等性。法律和道德的这些区别使二者各具自性，成为互有差异的两种社会现象。当法律与伦理熔铸一体，尚未分离时，法律只能是传统的法律，因而法律要实现现代化就必须使自己从伦理中分化出来。

那么，法律和伦理分离的条件和前提是什么呢？是现代文化价值体系的建立。

已如前述，现代文化价值体系的核心是个人及其理性。个体本位价值观要求肯定个人独立性、个人主体人格、个人意志自由、个人尊严。这一价值取向要求贯注和坐实于文化的各个领域和层面，无疑也要求贯注和坐实于法律文化和道德文化领域。现代文化价值在法律和伦理上的坐实自然要引起法和伦理性质的变革。这种变革突出地体现在法律和伦理的分离上。

1. 现代文化价值在个体自我身上的实现就是要求个人对自己自主独立人格的肯认和珍视。个体自主独立人格的存在，意志自由、选择善恶能力的存在是个人之所以为个人的根本所在。这意味着个人要从某种虚假的集体中独立出来，并看到自己内心世界的存在。这是法律和道德分离的前提和基点。因为个体意志既然是自由的，有自由选择善恶的能力，并且这是人之为人的根本，因而法律就不能以强制的方式取消、干涉这种自由，而应将自由意志还给以自律为特征的道德。这样法律和道德就可划出一条界限：道德面对人的自由意志，而法律面对人的外在行为。中国传统法律为了扬善抑恶，将其触角直接伸进人的自由意志领域，将人的选择善恶的自由能力也铲除了。其结果是造成了最大的恶：人成为物，而不成其为人。正如有的论者所言："人具有在善与恶中进行两者择一的选择能力，这是一切道德评价之所以可能的条件。只有以此为基础的道德评价，其标准本身才是道德的。现代法制完善的国家将道德与法律严格区别开来，不把道德的劝善罚恶要求明文载入法律条文，除了这些要求因标准的不确定而技术上难于实行的原因外，也正是看到了以道德原则作为法律原则去强制每个人的自由意志，将带来不可估量的恶果,它将使人丧失自己作道德选择的资格,使道德本身变得虚伪,最重要的是:它彻底否定了人作为一个自由存在者的尊严,因而也否定了一切道德。"[1] 因此,只有在现代文化把个人自由意志作为个人的基本规定确定下来时,法律与道德的分离才有前提,以保护个人自由权利的现代法制才有产生的前提。

2. 现代文化价值在个人和他人关系上的实现就是要求个人与他人之间相互承认对方的自主独立性,相互尊重对方的自由和人格。这种具有新质的个人与他人关系的形成是法律和道德分离,法律实现独立性的又一基础。川岛武宜指出:"在以商品交换为经济原理的市民社会,所有的人互相承认对方的自主的主体性。正是近代社会中的这种法主体之间的关系,才使法的独自存在有其可能。"[2] 因为只有个人与个人之间相互承认其主体独立性,才可能有权利的发生。权利只能在人与人相互承认对方的自主性的关系中才能发生。权利就是人们之间承认和肯定各自和对方有做什么和不做什么的资格。在人与人的主从关系中不可能有现代社会中的权利观念。权利观念在社会关系中的普遍形成导致以权利为本位的现代法律。这样法律和道德就区别开来了:法律以权利为本位,道德以义务为本位。与此同时,法律也赋有了现代性质。因为传统法律和现代法律的差异正在于前者以义务为本位,后者以权利为本位。

3. 现代文化价值体现在个人和国家关系上就是国家要以个人及其权利为基础,国家要以保护个人权利为根本价值目标。国家要保护个人权利须通过法律的制定和实施途径。由于国家的价值目标是个人权利,因而国家所制定的法律亦须以保护个人权利为本。就是说个人和国家关系的改变引起法律本质和价值的改变,法律不再以义务为本位,从而同道德区分了开来。

---

[1] 邓晓芒:《灵之舞》,东方出版社1995年版,第133页。
[2] 川岛武宜:《现代化与法》,中国政法大学出版社1994年版,第18页。

总而言之，只有在现代文化价值条件下，法律和伦理才能分离，从而法的现代化才能实现。

法律和伦理的分离是一个十分复杂而长期的过程。因为文化的变迁，人们思想观念的变革并不像制度那样迅速。个人的独立自主观念、自律观念的建立是很慢的。在人的主体性、自律意识未建立起来前，为了维护社会秩序，法律常常要代替道德执行道德的功能。我们期盼我国公民能在较短时间里形成个人自主主体性，把自己既看作追求利益的主体，又能自律的主体，能够尊重同自己一样的他人的自利愿望和行为。

法律和伦理应分离开来，但不应把二者的分离理解为二者毫不相干，事实上法律和伦理又是紧密联系的。我们所说的分离主要是说法律和伦理在本体上不能相互取代，但是在功能上我们认为二者又是相互联系的、互补的。譬如，出售假冒伪劣商品的商家侵害了消费者的利益，这违背了等价交换的经济伦理，也违犯了法律，因而法律要对这种行为进行制裁，保护经济伦理。法律在此起到了捍卫道德的作用。但是，法律不能因为商家有出售假冒伪劣产品的可能性，为消除这种行为连人追求自己利益的欲望也消除掉。法律如果这样做了，那它就在本体意义上把道德代替了。因为把人的内心的自利观念彻底消除了就意味着把人的自由选择能力、自由意志也消除掉了。而这也就意味着道德不存在了，因为道德存在的前提是人的自由意志。因此我们在认识法律和道德的关系时首先应把二者区分开来，然后在此基础上理解二者的联系。

五、现代文化与法律的理性化、形式化

法律的理性化、形式化是法律现代化的一个重要标志和要求。法律理性化、形式化的实现有其文化前提，即现代文化的个体价值观和理性精神。

法律的理性化、形式化的含义在马克斯·韦伯看来有五种：首

先，所有具体的法律判决都是抽象之法律判断"适用于"具体事实情态的结果；其次，在所有情况下，都可能借助于法律逻辑由抽象的法律判断得出判决；又其次，此种法律必须实际上或者实质上构成'无隙可寻'的法律判断体系，或至少被看成是这样一种严密的体系；再其次，凡不能够以法律术语作合理'解释者'，亦是在法律上无关者；最后，人的所有社会活动必须总是被想象为法律判断的'适用'或'实施'，要么便是对法律的'违反'，因为法律体系的'无隙可寻'必定产生包容所有社会行为的无隙可寻的'法律秩序'"[1]。就是说，合理性、形式性的法律是具有抽象性、一般性、普遍性的法律，而不是特殊的、个别对待的法律，它对所有的特殊的具体的事实和情态都同等地、一视同仁的适用。这种法律避免以非理性的，如道德、情感等成分来参与法律判决，而强调法律判决中逻辑推理的决定性意义。如韦伯批评古希腊的司法把非理性的因素用于司法判决："在希腊的'法庭'判决是以'实质的'正义为依据，实际上是基于情绪、阿谀和鼓动、嬉笑怒骂……结果则使罗马的形式法律和形式法学体系无法在希腊发展。"[2] 同时理性化的法律是有严密体系化特征的法律。

理性化法律是与非理性化法律相对而言的。传统社会中的法律是非理性、非形式化的法律。这种法律和理性化法律的差别不是一般性的差别，而是本质的、时代性的差别。非理性化的法律在中国古代以至整个亚洲都明显地存在着。非理性化法律的特征是：法律缺乏形式上的抽象性、普遍性，具有特殊主义特征；法律和道德规范、风俗习惯混为一体，以道德代替法律。韦伯对非理性化法律的描述是：在这种法律中"宗教命令与世俗规则无法区分……而且

---

[1] Max Weber：《on Law in Economy and Society》，转引自梁治平：《寻求自然秩序中的和谐》，中国政法大学出版社1997年版，第323页。
[2] 〔德〕M·韦伯：《经济与社会》，转引自苏国勤：《理性化及其限制》，上海人民出版社1988年版，第220页。

宗教命令和礼仪与法规的神权结合特点一直保持不变。在这种情况下，伦理责任和法律责任毫无区别地混合为一体，道德劝诫与法律命令没有被形式化地界定清楚，因而导致了一种特殊类型的非形式的法律。"[1] M·韦伯所描述的非理性化的法律在传统中国社会表现特别明显。如所周知中国传统法律的特征是等级法、特权法、法律道德化、道德法律化。这些特征都体现着法律的非理性化特征。中国传统法律是以礼为本的。礼的功能就是明贵贱、别亲疏、分上下，把社会成员都规定在差等格局之中。依中国思想家的解释，礼和理是相通的，礼是理在社会和法律中的体现。但这能否说明中国传统法律具有理性特征呢？不能，因为中国传统思想中的理在性质上是道德性的，道德的实质是意志、情感。意志和情感都是非理性的。而西方近代以来的理性主要含义是逻辑推理的能力和过程。因此中国传统法律在本质上是非理性的。这样一来就自然产生了意志、情感、道德高于法律的现象。这种现象体现在"经义决狱"（或"《春秋》决狱"）、"论心定罪"、"屈法以伸情"，具体情状分别对待等等做法上。

非理性法律是传统的前现代性质的法律，理性化、形式化的法律是现代性质的法律。所谓法制现代化，就是要以理性化、形式化的法律取代非理性化的法律。因为只有理性化、形式化的法律才能适应现代社会生活、经济生活和政治生活的特点及其发展，也只有这样的法律才能保障人的自由、平等、幸福等各种人的不可剥夺的权利。西方近代以来的法制现代化过程实质上是法律的理性化过程。按照M·韦伯的观点，西方整个社会现代化的过程的共同本质都是理性化或合理化的过程。如经济领域的理性化体现为复式薄记的出现；政治领域的理性化体现为官僚制的出现；伦理领域的理性

---

[1]〔德〕M·韦伯：《经济与社会》，转引自苏国勤：《理性化及其限制》，上海人民出版社1988年版，第222页。

化体现在获取利润与伦理责任统一的观念的形成；艺术领域的理性化体现为音乐中的调式体系和乐队建制等现象的形成。法律的理性化、形式化不过是整个社会理性化的一个侧面。由此可见，法制现代化就是法律的理性化。中国法制现代化在本质上应同西方法制现代化过程相一致，即用理性法律取代非理性法律。19世纪以来中国法制现代化的过程就是这两种法律冲突斗争的过程，是理性化法律逐步建立的过程。当然，法律理性化、现代化行程在中国是一个相当艰难的过程。因为，除了其他原因外，一个重要原因是我国文化现代化的任务尚未真正完成。

法律的理性化、现代化需要相应的文化价值体系前提，这在东西方社会都是无例外的。法律理性化所需要的文化前提是个体本位价值观和理性精神，这二者的结合及其在法领域中的贯彻必将形成理性化、现代化的法律。

现代文化的理性主义精神是现代法律理性化、形式化的观念基础。现代文化是在扬弃中世纪宗教文化的过程中形成的，所以它同宗教文化有着对立的性质。宗教文化的根本特征是信仰。虽然在中世纪人们也试图以理性来理解说明上帝，但信仰毕竟是处于统摄一切的地位的。信仰在性质上是非理性的。所谓扬弃宗教文化就是扬弃非理性文化，因而扬弃的结果自然是以理性为总体特征的文化。西方近代文化正是以理性主义为其总特征的。现代文化的理性精神突出地体现在人们对科学、科学的逻辑思维方法的赞美、尊崇和重视。以自然事物结构和规律（这也是自然中的理性）为研究对象的自然科学及其在工业实践中的运用取得了令人惊叹的巨大成功。这个事实使得科学家、思想家对科学所使用的逻辑思维方法产生了极大的信任和称许。因此人们以极大的自信希望用科学思维、理性思维来理解和认识一切对象，不仅是自然对象，而且社会对象也可以用逻辑思维方法来认识和把握。荷兰哲学家斯宾诺莎声称："我将要考察人类行为和欲望，如同我考察点、线、面和体积一样。"[1] 他的《伦理学》一书就是运用几何学方法写成的。他坚信，只有像几何学一样，凭理性的能力从最初几个由直观获得的定义和公理推论出来的知识，才是最可靠的知识。这种理性自信使他把人的思想、情感、欲望等等也看作几何学上的点、线、面一样来研究，先提出关于它们的定义和公理，然后加以证明，进而作出绎理。[2] 伏尔泰则说："如果全部自然界，一切行星都要服从永恒的定律，而有一个小动物五尺来高，却可以不把这些定律放在眼里，完全任性的为所欲为，那就太奇怪了。"[3] 拉美特利宣称："人是机器"。这都反映出理性在整个学术领域的压倒一切的主导性地位。

现代文化的理性精神以凝缩的形式体现在哲学理论之中。在哲学本体论上把理性看作人和世界的本体所在。上帝也被理性化。笛卡尔在哲学上的最重要的命题是"我思故我在"，就是说，思维、理性是人之所以存在的唯一根据。他把上帝看作是一个大数学家和高明的机器匠。在哲学价值论上近代哲学把理性视为最有价值的。科学是理性的最好体现，科学是有价值的，映现出理性是最有价值的。在哲学认识论上不仅重视思维活动，更重要的是看重思维自身，即思维形式。思维活动是思维的内容，思维自身是思维形式，形式比内容更重要。因此康德非常强调思维形式的地位和作用。思维形式在他那里就是"纯粹理性"，它表现为先验知性范畴。作为理性体现的先验知性范畴是把感性杂多的经验材料结构为系统的知识的关键和能动性力量。但这种"纯粹理性"本身是不包含感性经验内容的。它作为能动的超验形式可以整理、规范所有的感性经验材料。它使得同它结合后的经验成为具有普遍必然性的知识。启

---

[1]《西方哲学原著选读》上卷，商务印书馆1981年版，第440页。
[2] 参见〔荷〕斯宾诺莎：《伦理学》出版说明，商务印书馆1983年版。
[3]〔英〕W·C·丹皮尔：《科学史》，商务印书馆1979年版，第280页。

蒙思想家对理性的肯定和坚信，实质上是对人自身的能力和力量的肯定和坚信。人的主体性在什么地方呢？就在于启蒙思想家们所强调的理性，在于那种作为思维形式（而非思维内容）或先验结构的存在。人若无此结构性存在怕是与动物无甚区别了。

对作为理性的思想形式的肯定是现代文化的总体的根本的特征，由此必然引申出新的伦理观念、新的政治观念、新的经济观念、新的法律观念。理性精神在伦理观中衍生出道德的形式命令，在政治观中衍生出形式正义、形式平等，在经济领域衍生出形式自由、等价交换，在法律领域衍生出形式化法律。形式化或理性化的法律认为法律来源于人类理性，认为法是人的理性的能动创造，注重抽象的法律规则的重要性，主张相同相近的事实和情状须同样处断，法律面前人人平等，倚重法律的统一性、严密性、体系性，关注法律理想。法律的理性化在西方19世纪以前体现为人们对自然法的强调，在19世纪之后则体现为对司法程序理性化的重视。18世纪和19世纪之交在中欧和西欧产生并生效的影响深远的诸大法典，如《法国民法典》、《普鲁士国家普通邦法》、《奥地利普通民法典》等都是在启蒙精神和理性精神的基础上诞生的，是以一种理性的社会生活秩序为基础的。这些法律对于西方社会的发展、人权的保障起到了巨大的历史作用。

法律的理性化作为普遍的法律现代化趋势不仅体现在制定法中，同时也体现在西方近代习惯法中。法律体系是由一系列法令、规范所组成的。这些法令通常包括两种成分，一种是命令性成分，一种是传统性成分。其中命令性成分较多者，通常称为制定法，传统性成分较多者称为习惯法。制定法直接体现着立法者的理性创造，其中理性的作用和价值得到明显的表现。而习惯法是经验的产物，似乎体现不出理性的作用。但是，无论制定法还是习惯法都在谋求建立正义的秩序，都受法律理想的支配。因此它们都体现着理性精神。法律的理性化还体现在法学家和司法人员身上，法律规范和法律适用的理性化要求有经过专门法律知识训练的法学家和司法人员。从事法律职业的人仅有一些人文性、道德性的素养是不行的，必须具有训练有素的法律专业知识，掌握并熟练运用法律技术。司法人员要用专业的、技术的眼光来处理案件。在非理性化法律时代，执行法律的人员并不需要专门的法律训练，他们有一定的人文知识素养、道德、习俗、人情世故方面的知识就可以胜任司法工作了。传统中国社会就是这样。M·韦伯说："在中国受过人文教育的大官控制着局面，君主没有法学家可资利用，各种不同的哲学学派围绕着它们当中哪个学派培养着最优秀的国务活动家的斗争，反反复复，永无休止，直至最后正统的儒学取得胜利。"官员们所重视的是道德等人文知识而非专门性的法律知识和技术。

法律理性化、形式化是现代文化的理性精神的产物，同时也是现代文化的个人本位价值观的产物。

现代文化个人本位价值观在法律领域的体现就是要求法律保障个人权利、个人自由，要求法律能够保护自己追求利益创造幸福的活动，要求法律能够保护个人自我创造价值的实现。怎样的法律才能最好地满足这种价值要求呢？答案是理性化、形式化的法律。

因为理性化、形式化法律的本质特点有利于个人权利和个人自由的充分实现。如理性化、形式化法律的抽象性、普遍性、确定性、稳定性以及它所坚持的罪刑法定主义原则、无罪推定原则等都可以有效地保障个人权利和自由的实现。法律的抽象性特征是说法所面对的人是一般的人、抽象的人，而不是具体的人、特定的人，同样情况法可以反复适用，而非仅适用一次。这样的法律就保障了每个人的平等权利，否定了特权和等级。平等是自由的条件，从而理性法律也保障着人们的自由。理性化法律的普遍性、确定性也是个人自由、平等诸权利的保障。因为这样的法律使人的行为具有可预见性，可计算性，人们从法律中可以很确切地知道国家和他人对于自己行为及其结果的态度。假如一个人经过自己的探索、努力、劳动成功了，获得财产利益了，而法律并不确切地保护他的财产权，甚至将其以"暴力"、"不义之财"的名义掠夺了，那么在这样的法律条件下个人的自由和权利显然是难以得到维护的。在这种法律下人的自由创造的积极性就会下降，创造了财富的人也会养成挥霍无度、纵欲奢侈的习性。对此 M·韦伯分析说："在中国可能发生这样的事：有一个人把房子卖给另一个人，过些时候又去找买主，请求收留他，因为他在这期间变穷了。倘若买主置中国古老的帮助兄弟的戒律于不顾，神灵就会陷入不安；因此，落魄变穷的卖主作为强行租户又搬到房子里去住，不付房租。"他接着说："应用这种法，资本主义是不可能有经济行为的；资本主义所需要的是一种类似于一台机器让人可以预计的法；礼法的——宗教的和魔法的观点不许发挥任何作用。"[1] 法律有无可预计性对于个人自由权利的实现是极为重要的。法律有可预计性，个人自由就能得到保障和鼓励，否则个人自由就不仅得不到保障而且会被压抑、窒息。这个看法已成为法学中的共识。E·博登海默指出：理性化、普遍性的法律可以使"人们能够预见尚未被起诉的情况的法律后果，从而能够安排他们在变得较为确定的未来中的行为。如果法律只是或主要由适应个别需要的特定解决方法构成，那么就不能实现其使社会生活具有某种结构的职能，也不能实现其保障人类享有一定程度的安全、自由与平等的职能。"[2] 法律理性化、形式化的价值也就体现在这里。它能够确切地落实现代文化的个体本位价值。理性化、形式化法律所坚持的无罪推定原则认为，除非人触犯了法律而且证据确凿，人是无罪的。就是说，人可以做任何法律没有禁止的事。这种法律原则为实现个人自由创造出了广阔余地。

显然，理性化、形式化法律和现代文化的个体本位价值观念是

---

[1] 〔德〕M·韦伯：《经济与社会》下卷，商务印书馆1997年版，第723页。
[2] E·博登海默：《法理学——法哲学及其方法》，华夏出版社1987年版，第230页。

密切相关的。个体本位价值观的建立促使人们去探索能够实现这种根本价值的法律形式,而理性化、形式化的法律是人所找到的实现这种现代文化价值的最好形式。因此现代文化的个体本位价值观是法律理性化的基础。

将上述两方面综合起来,那就是:现代文化的个体本位价值观和理性精神及其结合、携手是理性化法律的文化基础。

当然法律理性化也同现代经济、政治具有内在相关性。经济生活是社会生活中最为理性的领域。在经济领域中,交换各方为了追求自己利益的最大化都以斤斤计较、计算打量的态度和方式处理问题。因此熊彼得说:"经济格局是逻辑性之源。"[1] 经济关系、经济活动中的逻辑性、理性特征反映在法律中使得法律也理性化了——因为法律是经济关系的反映。

同时政治的理性化也对法律理性化发生积极作用。如政治理性化在西方近代体现为三权分立制度的建立。其中立法权和司法权的独立对于法律理性化、形式化有重要意义:这种分立意味着司法人员、法官没有或极少拥有立法权,亦即自由裁量权。这就突出了法律规则的地位和作用。这就要求法官在法的适用中要充分尊重法律条文。这正是法律理性化的重要体现。

因此,完整地看,法律理性化、现代化是法律同经济、政治、文化等因素的相互作用、相互催动的过程,法律现代化需要这些相互制约着的因素有一种积极健康的互动。经济、政治、文化、法律在互动中实现理性化,有着深刻的统一性基础:它们都有一个共同的价值趋赴——实现个人的自由和权利。这种内在价值统一性要求它们在相互作用中整体化地协调地实现理性化、现代化。

论及法律的理性化、形式化,有人会产生一种担心:法律过分地重视制定法、成文规则,会忽视习惯法、新的社会经验和法律规

---

[1] 熊彼得:《资本主义、社会主义和民主主义》,商务印书馆1979年版,第154页。

范所不能包括的特殊情状,从而造成法律的僵化和不公正。从作为理性化法律文化基础的理性范畴及其要求来看,理性范畴并不排斥经验的感性的东西。正如我们在上文所说,理性范畴有多意性:在同经验相对待的关系中理性指逻辑推理过程和能力;在同迷信蒙昧主义相对待的关系中理性又包含着经验,即对现实感性经验的尊重就是理性的态度。现代文化理性精神对法律理性化的作用应当包含这两种含义上的影响。因此理性化的法律同尊重经验、尊重习惯法并非绝对对立。

理性化、形式化的法律的确重视制定法、成文化,重视罪刑法定主义原则,但是这并不同重视特殊经验相排斥。因为成文法中的高度概括性、一般性的规则能够大量地容纳社会生活中出现的种种特殊经验行为和事件。以自然法为基础具有理性化特征的《法国民法典》中的条文是很概括的,但长期以来面对社会生活的发展却保持了它的有效性。德国法学家 K·茨威格特和 H·克茨说:"180 多年以来,尽管有经济和技术的变革,但《法国民法典》的这些规定却几乎一如既往地有效。"[1] 同时,作为理性化的《法国民法典》的立法者也明智地考虑到对法律条文所不能预见到的情况予以灵活处理。《法国民法典》的"编纂者们清楚地意识到,立法者即使尽其最大想象力也不能认识到所有问题的案件类型并予以判断,因而必须要给司法判决留有余地,即法律在不可预见的个别情况下的具体化和它对变化的社会需要的适应。"因此,"制定法和普通法特点的案例法之间的对立绝对不像一种颇为教条的法律渊源理论一再要蒙惑我们的那般深刻。"[2] 这种对立的相对性是同现代文化中理性的内在精神密切相关的。

---

[1]〔德〕K·茨威格特等:《比较法总论》,贵州人民出版社 1992 年版,第 168 页。
[2]〔德〕K·茨威格特等:《比较法总论》,贵州人民出版社 1992 年版,第 167 页。

第十五章　法律文化与现代性价值

价值和价值取向的根本转换是现代法律文化和法制现代化的核心问题。法律的内在价值取向是外在的法律制度的生命和运思神经。如果说蕴含着现代价值精神的法律制度是一个充盈着生命活力的有血有肉的人的话，那么那种失却了现代价值的法律制度就好似一个工匠所做的木头人，它虽具人形，但无人的生命。因此，法制现代化不仅是法律制度、法律规范、法律设施的现代化，更根本、更关键的是法律价值观念的现代化。我们必须让全体国民的法律价值观念实现彻底转型，并将现代价值观灌注于法律制度和法律活动中去。如是才能真正实现法制现代化。

那么，现代法制的价值祈求是什么呢？我们认为是个人自由和普遍正义在不无张力中的统一。个人自由和普遍正义及其统一是对中国传统价值取向的翻转，是现代社会基本价值在法律中的折射。这两种价值也是中国人和中国法律最为陌生和缺少的东西。法律只有以个人自由和普遍正义的统一为基本价值追求，才能对现代人和社会的发展起到积极的推动作用。美国著名学者丹尼尔·贝尔在《资本主义文化矛盾》一书中认为，现代西方社会的基本价值是由洛克、亚当·斯密和康德三个伟大的思想家所建构的："洛克思想的核心是关于个人财产的学说。财产是一个人自己劳动的延伸；它为劳动者提供了免受他人剥削的保护；它是自卫权利的必然结晶。在亚当·斯密看来，在个人交换中，每个人都在追求着自身的利益。个人交换是自由、自足和互利的基础。当个人交换能够通过劳动分工得以理智地进行时,它也是积累和财富的基础。对康德而言,公共关系法则的特征首先是程序性的而不是实体性的,它的目的是要厘定竞争的规则。在竞争中,人们可以自由地决一雌雄,争取获得他们所想要的东西。"[1] 洛克和亚当·斯密所建构和倡扬的是个人自由价值,而康德所倚重的则是普遍正义,现代社会的价值结构是这些价值要素的统一。因此作为一定社会价值符号的法律自应以上述价值为根本价值祈求。

一、价值与法的价值

要理解现代法的价值须先对法的价值有所理解,而要理解法的价值又须先对作为一般的价值范畴有所领会。

价值是与事实相对而言的一个范畴。因此只有在同事实的差异中才能了解和把握价值的性质。

价值与事实大体有以下一些差异。

1. 价值具有属人性,事实具有属物性。价值是源自于人,发自于人的,它是规范意义上的人性自身,它是人的主体性的有向度的表达,用马克思的话说,价值属于人的内在尺度。而事实则是属物的,它是一种客观存在着的事件和过程。事实概念具有多义性,人们通常在三种意义上使用事实概念:一是指客观存在的事物、事件和过程。如毛泽东说过,事实是客观存着的事物。苏联《简明哲学辞典》对事实的解释是:实际存在着的事物的属性、关系以及它们的变化过程。二是指对客观存在的事物、事件或过程的描述、判断。如科学家所说的事实多指这一种事实。三是对客观存在的事物、事件或过程的正确描述、判断,即真实的陈述,相当于正当的、真实的。事实的这三种含义虽有差别,但也有共同之处:它们都是以客观性、实存性、实然性为规定的,并不带有人的、主体

---

[1] 丹尼尔·贝尔:《资本主义文化矛盾》,三联书店1989年版,第312~313页。

的好恶迎拒的意向性的参与。所以,事实的性质是属物的,而非属人的。事实是物性的,价值是人性的。

2. 价值是非中性的,事实是中性的。价值是从人的自我完善、自我优化的立场出发对对象所作的"好"与"坏"、"善"与"美"的衡判,它有方向性、意向性,是非中性的。而事实则是中性的。事实是撇开人的态度的对事物客观情状的如实描述。

3. 价值体现着人的自觉的能动性、目的性,而事实则是人自觉的、自在的事件和过程。价值是自觉地从人的立场出发对事实的有向性的强调、规范、引领,使之朝着"好"的方向发展,而事实只是受客观的能量、力量的支配,它走着自己的路,并不顾及人的主体性要求。

从价值与事实的这些差异中,我们看到价值不是某种属物的、中性的、自在的存在,而是属人的、意向性的、自觉能动的存在。价值和事实是两种性质不同的存在,是两个不同的世界。人的价值世界的自觉和开显在西方文化史上最早由柏拉图形诸哲理规模:他把世界分判为感性世界和理念世界。感性世界是具体可感的事实世界,而理念世界则是价值世界。柏拉图的学生亚里士多德虽批评了他老师的理念世界,但他对形式和质料的分判可以说是他老师感性世界和理念世界划分的回归。中世纪有"上帝之城"与"世界之城"的两分,到康德那里则提出现象界和本体界的两分。这些都体现着西方文化对事实世界与价值世界的区分,体现着西方文化对价值世界的贞认、持守和自觉。两个世界的分判为我们提供了理解价值是什么这一难题的思维构架。从感性世界和理念世界,质料和形式的分判构架中看价值,价值是理念、是形式,而客观的感性物质世界、质料则不是价值世界。但从两个世界的关联上看,感性经验事物和质料可以成为价值的载体。超越的一般的价值要通过人的现实社会活动过程及其结果来实现。在此意义上可以说"道"(价值)不离"器"(感性现实事物)、"理"(价值)不离"事"。正如宋代理学家所说，理若离了事，便无挂搭处。

因此，在这个意义上价值和事实又是关联着的。所有人的行为、规范、制度、规则、事件都可在思维中离析为价值和事实两个性质不同的层面。如一个法律规范既蕴含、体现着一定的意义、价值，又是制约人的行为的现实力量。因而它是价值和事实、形式和质料的结合。

在这里我们可以体悟到什么是价值，但要给价值范畴下一定义则是件十分困难的事。甚至有的人，如英国的伦理学家摩尔认为价值是不可定义的。但为了思考方便，我们可勉为其难为价值范畴作这样的界定：价值是源自生命本性的对"好"的极致状态的贞认和永恒祈求。价值源自人的生命本性，表明价值与主体、人内在相通，而不像西方文化那样将价值之源归摄于神，也不像自然主义者所主张的那样源自自然。这体现了价值的人文性质。价值是向着"好"的极致状态的祈想和追求，表明价值的指向性，同时也体现着价值的自觉能动性。可见，价值是有别于物、事实、质料的人文主体性规定。

法的价值是什么呢？法是一种具体文化现象。根据上述思维构架，任何文化现象都有价值和事实、意义和实际、形式和质料两个不同性质的层面。作为文化现象的法无疑也存在着这样两种不同性质的层面：法律价值和法律事实、法律意义和法律实际、法律形式和法律质料。正如有的论者所言："包括法律在内的社会制度就不仅仅是安排社会生活和解决社会问题的工具和手段，它们同时也是特定人群价值追求的某种显现。换言之，法律并不只是解决纠纷的手段，它也是传达意义的符号。当然这并不是说，一个社会中法律的内容和形式与这个社会的物质发展状况毫无关系，而是说法律从来都不是物质发展状况的简单反映。归根到底，法律是人创造出来的，而人对于世界的反映必得通过文化这一中介。法律因此而兼有

'客观'与'主观'、'反映'与'创造'两重性质。"[1] 我们应从法的这样两层不同质的层面的区别上来理解和把握法的价值。首先应当肯定的是，法的价值、意义、形式是与法的事实、实际、质料有别的一种存在。它一定是一种属人的、主体性的、自觉能动性的存在，而不是那种属物的、客体性的、盲目被动的东西。

包括法律在内的所有社会规范的形成和有效运作都不是受一种单一因素决定的，而起码需要两种因素：一是客观存在着的物质利益、力量及其对比；二是源自人的对意义的祈求。当社会规范、法律受着纯粹客观的物质利益和力量支配而形成和运作时，这种法律是一种客观的实然性的法律，在此法律和人、社会之间只存在一种功能关系，而不存在价值和意义关系。与此相别，只有法律的形成和运作同时基于人的意义祈求，人站在意义立场上对法所追求的利益有所自觉、肯定和范导之时，法律才被赋有了价值之意。法的价值是人赋的，或说是源自人的。这里的人——赋法律以价值的人，不是本能的、自然的、偶然的，而是理性的、具有主体性的人，或是作为人文本体的人。正如黑格尔所说："精神从自身中吸取出来的东西，对精神有效准的东西，必须是从作为共相的精神中，从作为共相而活动的精神中，而不是从精神的欲望、兴趣、爱好、任性、目的、偏好等等中来的。"[2] 赋法律以价值的人正是"作为共相而活动的精神"。这"精神"即是主体，或人文主体。不过这"精神"是有着人类历史实践基础的"精神"，而非完全凌空蹈虚之"精神"。这样的主体保证着价值的合理性和可靠性。因此，从人赋法律以价值不能得出法律的价值就是为所欲为的结论。

法的价值是价值层次体系中的属于下位的特殊价值，在法的价值之上存在着属于上位的一般的价值。处于上位的一般价值是处于

---

[1] 梁治平：《寻求自然秩序中的和谐》，中国政法大学出版社1997年版，第3页。
[2] [德]黑格尔：《哲学史讲演录》，第2卷，商务印书馆1960年版，第66页。

下位的特殊的法的价值的根源、基础和前提；处于下位的特殊的法的价值则是对处于上位的一般普遍价值的体现、显现和实现。关于前一方面，台湾学者方迪启指出："如果规范与价值判断之间有任何联系的话，在我们看来，这种关系全在下列事实：规范若要有效，必须以相关的价值判断为基础。因此，价值研究应先于规范的研究。"[1] 法律是一种规范，因而一般价值是法的价值的基础。法学家沈宗灵曾认为："法的价值可以有不同的含义。第一，它指的是法促进哪些价值；第二，指法本身有哪些价值；第三，在不同类价值之间或同类价值之间发生矛盾时，法根据什么标准来对它们进行评价。"[2] 根据笔者的看法，这里的"第一"、"第三"意义上的价值实际上就是处于上位的一般的普遍价值，而"第二"意义上的价值实际上就是处于下位的特殊的法的价值。人类的一般的普遍价值不仅是法的根源和基础，是法所要促进的价值，同时，当法的不同价值发生矛盾和冲突时仍须运用一般价值要求来判断和选择。正如有的论者所言："不同的行为规范之间也时常发生矛盾和冲突，这同样需要运用价值观念去判断和选择规范，以确定哪些规范是合理的，哪些规范是不合理的。"[3] 关于后一方面，是说法的价值是一般价值在人的现实社会活动中的落实。一般价值要通过法的价值具体化。一般价值必须被引申和具体化为现实经验情境中的规则，这种规则是具体的、可操作的。这样一般价值才不会成为仅仅高悬在空中的理想。

　　法的价值的特殊性正在这里——它是现实的经验情境中的规范价值。就是说，法的价值是进入了现实经验情境中的价值，是人与人的对待关系中的价值。当价值未进入现实经验情境时，价值是非对待性的。在此价值是人的内心世界对好的对象的自由期待和向

---

[1] 方迪启：《价值是什么——价值学导论》，台湾联经出版公司1986年版，第97页。
[2] 沈宗灵主编：《法理学》，高等教育出版社1994年版，第46页。
[3] 袁贵仁：《价值学引论》，北京师范大学出版社1991年版，第390页。

往，这种价值是不受现实客观条件限制的。但是当这样的非对待的价值进入现实社会生活情境时，它就要受到种种复杂的主客观条件的限制，从而成为有对待性的价值了。在此意义上法的价值是具有相对性，即它是有条件的，而不是无条件的。法的价值的这种相对性表现在判断形式上就是法的价值是以规范判断、命令判断而非价值判断的形式出现的。法的价值作为规范判断和命令判断虽然也贯彻和体现着价值判断，但规范判断和命令判断与价值判断严格说来又不完全相同。价值判断只回答对象对于人是否有意义，表达人的一种态度、意向，其常用的价值词是好坏、善恶、益害等。价值判断并不表达人当下就如何如何做。规范判断和命令判断则是指示人当下应当怎样做和必须怎样做。规范判断和命令判断是已进入现实社会经验情境之中的价值，它要考虑各种现实的主客观条件。法的价值主要属于规范判断和命令判断层面上的价值，虽然它源自一般价值。

人的思想似乎有种对定义的偏好，但要给法的价值下一确切的定义并非易事。笔者认为：法的价值是基于和源于一般价值的法在存在、作用和发展中对一般价值的促进意义。

一般价值是源于人性（规范意义上的人性）并同于人性的"好"的极致状态及其对好的极致状态的追求。在此，价值和人性是一致的。在中西方文化史上，当人们把人性规定为什么时什么同时就是价值。中国传统文化中的儒家对人性的规定是："仁者，人也。"[1] 就是说仁是人之所以为人的本性。与儒家对人的本性看法一致，儒家认为仁即是一般价值。近代西方哲学家笛卡尔对人性的规定是："我思故我在"。就是说思维、理性是人之所以为人的本性，与此相一致，近代西方文化认为理性即是一般价值。马克思在《1844年经济学——哲学手稿》中对人的本性的规定是："一个种

---

[1]《中庸》《孟子·尽心下》。

的全部特性、种的类特性就在于生命活动的性质，而人的类特性恰恰就是自由自觉的活动。"[1] 就是说人的本性是人的"生命活动的性质"——自由。与此相应自由即是一般价值。因此，我们上面所说的一般价值即是自由。自由就是"由自"，而非"由他"，是自己依赖自己、自己是自己的根据、自己决定自己，是"在他物中即是在自己本身中。"[2] 正因为自由是依自不依他，所以自由是与责任内在相关的，而不是为所欲为。自由的内容包含与人性不同侧面或向度——欲、群、信、知、情、意——相应的利、义、圣、真、美、善诸价值要素。这些都是人类所追求的基本价值。法律正是基于和源于这些人类的基本的、一般价值的，其目的是促进这些价值。法的价值的特殊性在于，它能够以法律的方式将这些基本的、一般的价值引申到现实经验情境之中，使一般价值能以法律的特殊方式在现实社会中得到落实。法自身的价值正在于它能将一般价值带入现实的对待性社会关系和生活之中，从而不使一般价值仅停留在哲学形而上层面，而使其变为形而下的具有严密技术性的规则系统和操作系统。

历史上有不同的法律类型。"现代社会具有与古代社会不同的法律类型，它只是在西方的法律传统基础上发展起来的，但已逐渐成为一个普遍化的标识。"[3] 自然，法的价值也具有不同的历史类型。现代法的价值不同于传统社会法的价值。

现代法的价值是个人自由和社会普遍正义不无张力的统一。现代法的基本、核心的价值是追求和保障个人自由。现代法律把个人自由上升为一种最基本最重要的权利，并贞定这种权利是神圣不可侵犯的，法律是为了保障这一神圣权利而设置的。但是，个人自由是在现实社会中，是在人与人的对待关系中实现的，因而为了使每

---

[1]《马克思恩格斯全集》第42卷，第96页。
[2]〔德〕黑格尔:《小逻辑》，商务印书馆1980年版，第83页。
[3] 刘小枫:《现代性社会理论绪论》，上海三联书店1998年版，第120页。

个人的自由都能得到实现，法律又须将普遍正义作为与自由不同的另一价值目标。现代法的价值就是实现和促进个人自由和普遍正义，使这两种价值在矛盾中保持一种相对平衡。法制现代化的价值追求在根本上正是个人自由和普遍正义的动态协调。

二、现代法的价值——个人自由和普遍正义的统一

把个人自由和普遍正义在张力中统一作为法的价值是法制价值的现代性标识。法律的现代性和现代化是有其特定的文化价值内涵的。其文化价值内涵在我们看来就是个人自由和普遍正义的结合。法律在认可和体现这一价值结构时标志着法律是现代性的，而法律不能认可和体现这一价值结构时它就不是现代性法律。法制价值的现代性意味着现代法制的价值既不同于传统法制价值，也有别于后现代法制价值。或者说我们只有在同传统法制价值与现代法制价值的区别中，在后现代法制价值与现代法制价值的区别中才能正确认识现代法制价值。

（一）现代法的价值与社会文化现代性结构的一致性

个人自由和社会正义的结合之所以能成为法的现代价值，是因为这一价值与整体的社会文化的现代性结构是一致的。

整体社会文化的现代性结构包蕴的内容很多，但其中的核心内容和价值是个人自由和社会正义问题。"特洛尔奇把现代结构的本质归结为两个主要原则：世俗——理性化的个体主义和神性的内在论。新教塑造了宗教的个体主，它对现代结构的品质之构成，才能说是决定性的。"[1] 个体主义这一决定性的现代性价值无疑是指个人自由；而个人主义是理性化的，这体现出了个人自由内在地要求正义原则。因而理性个人主义这一现代性结构的实质是个人自由和

---

[1] 刘小枫：《现代性社会理论绪论》，上海三联书店1998年版，第89页。

普遍正义的统一。

英国著名法制史家亨利·梅因从法制史角度揭示了现代性的实质价值是个人自由和社会正义的统一。梅因声称，所有古代文明虽形态各异，但有一个近乎相同的起点："人们不是被视为一个个人，而是始终被视为一个特定团体的成员。"[1] 社会文化的现代性结构的出现是对个人的这种不自由地位的翻转。这体现在他提出的被人誉为："匹夫而为万世师，一言而为天下法"的那句不朽律则："所有社会进步的运动，到此为止，是一个'从身份到契约'的运动。"[3] 契约的内在精神是个人自由和正义的统一：建立契约的人是自由的，同时他们又是平等的，前者体现着个人自由价值，后者则体现着正义价值。现代国家和现代法律都是以社会契约为基础的，体现着社会契约的内在精神和价值祈求。因而现代国家和法律的根本价值是个人自由和普遍正义的统一。这种统一在洛克那里就是，由契约所产生的共同体，"只能根据各个人的同意而行动，而它作为一个整体又必须行动一致，这就有必要使整体的行动以较大的力量的意向为转移，这个较大的力量就是大多数人的同意。"[2] 在此，"各个人的同意"体现着个人自由价值，而"大多数人的同意"则体现着正义价值。因而个人自由和普遍正义的统一是洛克社会契约论的真精神，从而也是国家和法的真精神。个人自由和普遍正义的统一体现在卢梭那里，是认为契约是"被公意所约束着的个人自由。"[3] 在此"公意"概念所体现的是正义精神。

比利时著名经济史家亨利·皮朗从经济史角度揭示了现代性的实质价值是个人自由与普遍正义的统一。他认为中世纪自然经济下个人的臣民地位从11世纪开始逐渐转型。因为在此时欧洲社会生

---

[1]〔英〕梅因：《古代法》，商务印书馆1959年版，第105、97页。
[2]〔英〕洛克：《政府论》下篇，商务印书馆1964年版，第60页。
[3]〔法〕卢梭：《社会契约论》，商务印书馆1980年版，第30页。

活中悄然出现了两个新因素,即商业和城市。与商业和城市相伴出现了一批"新人"——市民阶级。市民阶级与庄园臣民是完全不同的两种社会主体。这种不同在根本上体现为价值观的不同。正如皮朗所说,市民阶级最迫切需要的是两种价值——个人自由和现代法律。"市民阶级最不可少的需要就是个人自由。没有自由,那就是说没有行动、经营和销售货物的权利,这是奴隶所不能享有的权利,没有自由贸易就无法进行。"[1] 与此同时,这个阶级还需要新的法律。这样的法律不仅保障自由,同时也实现平等、公平,即正义。可见,这里所体现的价值现代性仍然是个人自由与普遍正义的统一。

　　瑞士著名文化史家布克哈特从文化史角度揭示出现代性价值是个人自由。[2] 黑格尔从社会哲学和政治哲学视野提出现代性价值是个人独立和自由。他认为现代性价值是在"客观精神"从"家庭"向"市民社会"的过渡中形成的,而"市民社会"是以个人自由为基本原则的。[3] 马克思从哲学和社会形态演进的总体宏观角度揭示出现代性价值的基本精神。他认为现代价值取向是以物的依赖关系为基础的人的独立性。[4] 人的独立性也就是人的自由。总之,现代性所蕴含的核心价值是个人自由与社会普遍正义的统一,这基本上是思想家们的共识。

　　有人会说个人自由和正义在古代希腊、罗马政治、法律中就出现了,因而将其作为现代性的标识并无根据。如哈耶克说:"人们常说,古人并不知道'个人自由'意义上的那种自由。这种说法的确可以适用于古希腊诸邦及某些时期,但却绝不适用于巅峰时期的雅典(甚或亦不适用于晚期的共和罗马);它也可能适用于柏拉

---

[1] [比]亨利·皮朗:《中世纪欧洲经济社会史》,上海人民出版社1964年版,第46页。
[2] 参见[瑞士]布克哈特:《意大利文艺复兴时期的文化》,商务印书馆1978年版,第125页。
[3] 参见[德]黑格尔:《法哲学原理》第三编第一、二章,商务印书馆1961年版。
[4] 参见《马克思恩格斯全集》第46卷,上册,第104页。

图时期的衰败的民主政制，但是对于雅典人民的自由民主制来说则否。"[1] 我们以为在古代希腊罗马的确有自由和个人自由存在，这是不同于古代东方国家的。但是，古代的自由和现代的自由有两个重要区别：一是古代的自由主体更多的或居主导地位的是集体、城邦的自由，而非个人的自由；二是古代的自由尚未真正上升为个人权利，而现代个人自由则变成个人的权利了。即使是哈耶克所说的雅典，我们也会看到自由并未成为真正的个人权利。典型的例子是哲学家阿那克萨戈拉和苏格拉底所遭到的迫害。阿那克萨戈拉因为宣传"太阳是炽烧的石头"而犯了"不敬神罪"。苏格拉底的罪名一是不承认城邦原有的神而信奉新神，二是腐蚀青年使之堕落。从此罪名中我们可以看到，他们都是因思想和言论而获罪的。而在现代自由观看来思想自由是自由的核心。同时思想自由也是个人性的。更值得注意的是苏格拉底在法庭上的申辩中并不否认这两种罪名本身，而是证明他自己未犯有这两种罪，也就是说在他的思想中他是认同因思想而获罪这件事的。这就意味着在那时个人自由尚未真正上升为个人权利。因而正像有的论者所正确指出的那样："事实上，在民主制的雅典，诚然没有教会或专制君主统治思想言论的权威，但有着权力非常之大的公民集体的权威。如果公民集体决定干预个人生活的某一方面，它的干预被认为是天然合理的。人们可以评判具体的干预行为是否公正合理，但干预权利本身是普遍被默认的。人们可以依据法律，依据事实来为自己辩解，但不能借助个人权利来抵御'多数的暴虐'，在城邦集体权力面前，个人没有权利。"[2] 现代性自由和古代自由的根本区别正在于：现代自由的主体在根本上是个人、个体；个体自由是个人权利，任何个人、集体、组织都无权剥夺个人自由权利。当个人自由上升为权利的时

---

[1] 〔英〕冯·哈耶克：《自由秩序原理》上卷，三联书店1997年版，第205~206页。
[2] 丛日云：《西方政治文化传统》，大连出版社1996年版，第174页。

候，正义的基础和性质也发生了变化。此时的正义是建立在个人自由权利基础之上的，是以促进个人之间的自由的更好实现为依归的。此时的正义同个人间性相关，它要在个人间性中维持一种公平、公正。因此正义理念也随着个人自由理念的现代化而现代化了。

从上面的论述中我们可以看到，现代社会中的自由是上升为权利的个人自由。现代法律是同权利内在关联的。当现代法律将个人自由作为权利肯定下来，并使其成为法的核心价值的时候，就在更深一个层面上贞定了法的价值的现代化。

因为当现代法律把个人自由作为权利对待时，说明：（1）个人自由不仅是一种事实、实然的东西，而且是一种价值、应然的东西。（2）个人自由本身是一种"好"、一种价值，而不是实现某种东西的工具、手段。个人自由本身是一种"好"，是一种价值，这对中国人、中国法律现代化来说极为重要。因为中国自"五四运动"以来虽然也提倡个人自由，但即使是在自由主义者那里也都把个人自由看成是一种实现其他目的的工具、手段，而不是本身就有"好"的规定的价值。

当个人自由成为权利，从而成为"好"和价值的时候，以个人自由权利为基本内容的法律也随之成为一种"好"和价值。质言之，法律不仅仅是工具、手段，更重要的是价值。传统社会中的法律主要是作为手段和工具而存在的，而现代法律不仅作为工具而存在，更重要的是作为价值而存在的。现代法律之所以如此，主要是因为现代法律把作为权利的个人自由贞定为自己的核心价值。因此，把作为权利的个人自由视为现代法律的根本价值是法律价值现代性的标识。

是否保护作为权利的个人自由应当是传统法律价值与现代法律价值相区别的标志。传统法律也有其价值，但传统法律价值的内容不是作为权利的个人自由，而是与经济必然性相联系的某种特殊的等级秩序,如中国传统法律将体现等级秩序的礼作为价值内容。这种法律价值反映的主要还不是现代意义上的人的主体性和现代人文价值。E·博登海默指出,从个人权利和正义的角度看,奴隶制和农奴制都不应受到法律的保护,不应成为法律的价值的内容,但传统法律在事实上是以保护它为价值内容的。在此法律价值的历史合理性是不能从个人权利和正义中得到解释的,而只能从其他意义上解释。依 E·博登海默的观点,奴隶制和农奴制"这两种制度只能按照可能存在的或很有可能存在的经济必然性来加以解释,而且只能被解释为人类在努力创造更宏大的更有意义的文明的进程中的历史发展之阶。亚里士多德很清楚地指出,奴隶制是一个不能令人满意的解决生产问题的、技术不发达的社会的一种伴随状况。"[1] 这表明,传统法律价值的内容是经济、生产、生存问题,而不是个人自由问题。这里明显地体现出现代法律价值和传统法律价值的区别。当然这并不是说现代法律价值不以保护经济发展为内容,而是对经济发展的意义应作不同于传统社会意识形态的理解:现代经济发展的意义应同肯定人的个体自由价值相联系。

(二) 现代法的价值与现代经济结构的一致性

以上主要是从理论上来论证把个人自由和普遍正义作为法律的价值是法律价值现代性的标识。如果从法律价值与现代经济结构的关系上看,同样可以发现法律价值的现代性在于法律对作为个人权利的个人自由和正义的肯定和确认。

现代性结构中的一个基本子结构是现代经济结构。法律价值的现代性与现代经济结构有着极为密切的相互关系。表现在现代法律价值与现代经济结构是相互规定,相互促进的。现代经济结构规定

---

[1] [美] E·博登海默:《法理学——法哲学及其方法》,华夏出版社 1987 年版,第 275~276 页。

着法律价值的现代性,而法律价值的现代性又极大地促动着现代经济结构的发展。在现代法律价值与现代经济结构的关系中,我们可以更为深刻地体认到法律价值的现代性规定。

现代经济结构的主要部分是市场经济。关于市场经济的基本构成内容,德国波鸿大学经济学教授维利·克劳斯指出:"社会市场经济设计方案的基本组成部分是:个性自由、社会公正和经济效益。"[1] 个性自由、社会公正和经济效率是现代市场经济普遍必然的内在要素。在这三者中间,最重要的是前两者,可以说有了前两者也就有了经济效率。一个没有个人自由和社会公正的市场经济模式是不可想象的。社会经济基础决定社会上层建筑,市场经济决定法律,市场经济的价值必须反映到作为上层建筑的法律之中。因此既然市场经济是以个人自由和社会公正为基本要素和要求,那么现代法律就自然应将其上升为法律的基本价值。于此可见,现代法律的基本价值是由现代经济结构所决定的。法律价值的合理性和现代性与现代经济结构密切相关。因此,我们把个人自由和普遍正义及其统一作为现代法律价值的根本内容并非主观任意之抉断和主观好恶之所致,而是有着历史性、现实性根据的真理性判断,是契合历史潮流发展的客观趋向和本质的价值判断。

把作为个人权利的个人自由和正义视为现代法律价值的核心的现代性不仅在于它是对现代经济结构的本质的反映,而且还在于这种法律价值对于现代经济结构的产生和发展所具有的巨大推动作用。这后一方面是以往囿于对唯物史观的片面理解而不曾注意到的重要问题。但正是这一方面突出地体现着把个人权利作为法律价值的现代性和重要性。

现代经济是追求效率、效益和资源有效配置为目标的经济。而

---

[1] 转引自李兴耕等编:《当代国外经济学家论市场经济》,中共中央党校出版社1994年版,第62页。

这种经济目标的产生和实现是同现代法律密切相关的。当法律把个人权利和个人自由作为其基本价值时，有效的经济目标才能出现和实现。美国经济学家罗纳德·科斯的"科斯定理"和波斯纳的经济分析法学理论充分地证明了这一问题。他们的理论都说明，作为法律价值的个人权利、财产权有极为重要的经济功能。只有当法律把个人权利、产权作为价值有效地确定和保护下来时，人们才会产生为维护自身利益而奋斗的积极性，从而才能提高经济效益。相反，当法律未能把个人权利、产权作为价值来确定和保护时就会极大地削弱人们追求利益的积极性，经济和社会就有可能倒退到野蛮社会中去。当人们经过辛勤劳动和投资所产生的劳动成果不能借助法律而占有它，而由人任意掠夺时，人们就可能丧失劳动积极性，就可能寻求不需预先投入许多资本的谋生方式，如狩猎、捕鱼。有人从"科斯定理"中引出这样的理论："保护产权的法律先于个人利益动机（获取利益或保障已有利益）；个人利益动机先于可能出现的侵权纠纷；从而最终使设计良好的法律制度导致经济上的高效率。"[1] 良好的法律就是把个人权利、个人自由和正义作为核心价值的法律。从这里我们可以认识到法律价值的现代性内涵究竟是什么。

法律价值的现代性不仅仅表现为把作为权利的个人自由和正义贞认为法律价值能够促进经济效率，更根本的是这种法律价值是现代经济结构、经济制度产生和存在的重要前提。

以往我们对现代经济结构的产生和形成原因仅从经济本身的因素加以解释。如认为现代经济结构和起源来自资本的原始积累，大量的人突然被强制地同自己的生存资料分离，被当作不受法律保护的无产者抛向劳动市场。这的确是现代经济结构形成的条件，但仅

---

[1] 罗肇鸿、张仁德主编：《世界市场经济模式综合与比较》，兰州大学出版社1994年版，第13页。

仅看到这种纯经济因素是远远不够的。从纯经济因素回答不了这样的问题：为什么大量的劳动者被强制地同自己生存资料分离，形成的是摆脱了依附关系的无产者，而不是历史上曾有过的各种带有依附关系的劳动者呢？为什么生产资料的掌握者只是购买雇佣者的劳动力从事经营活动，而不是依仗权势占有劳动者的人身权利呢？[1]我们认为，之所以如此是因为劳动者个人的身份已经先行地发生了变化，他们已从臣民变成了独立自由的个人，质言之，他们已经有了作为个人权利的个人自由。因此倘若没有作为个人权利的个人自由的产生，现代经济结构就不会产生。

这一思想我们从马克思对现代经济结构的起源和形成条件的论述中可以看得十分清晰。马克思说："货币和商品，正如和生产资料和生活资料一样，开始并不是资本。它们需要转化为资本。但是这种转化本身只有在一定的情况下才能发生，这种情况归结起来就是：两种极不相同的商品所有者必须互相对立和发生接触；一方面是货币、生产资料和生活资料的所有者，他们要购买别人的劳动力来增值自己所占有的价值总额；另一方面是自由劳动者，自己劳动力的出卖者，也就是劳动的出卖者。自由劳动者有双重意义：他们本身既不像奴隶、农奴等等那样，直接属于生产资料之列，也不像自耕农等等那样，有生产资料属于他们，相反地，他们脱离生产资料而自由了，同生产资料分离了，失去了生产资料。商品市场的这种两极分化，造成了资本主义生产的基本条件。"[2]"资本主义社会的经济结构是从封建社会的经济结构中产生的。后者的解体使前者的要素得到解放。直接生产者，劳动者，只有当他不再束缚于土地，不再隶属或从属于他人的时候，才能支配自身。其次，他要成为劳动力的自由出卖者，能把他的商品带到任何可以找到市场的地

---

〔1〕 参见周建明：《个人在经济中的权利》，人民出版社1989年版，第64页。
〔2〕 马克思：《资本论》第1卷，人民出版社1975年版，第782页。

第十五章 法律文化与现代性价值

方去,他就必须摆脱行会的控制,摆脱行会关于学徒和帮工的制度以及关于劳动的约束性规定。因此,使生产者转化为雇佣工人的历史,一方面表现为生产者从隶属地位和行会束缚下解放出来,对于我们的资产阶级历史学家来说,只有这一方面是存在的;但是另一方面,新被解放的人只有在他们被剥夺了一切生产资料和旧封建制度给予他们的一切生存保障之后,才能成为他的自身的出卖者。"对于现代经济结构中的有产阶级来说,他们也必须获得自由权利:"工业资本家这些新权贵,不仅要排挤行会的手工业师傅,而且要排挤占有财富源泉的封建主。从这方面来说,他们的兴趣是战胜了封建势力及其令人愤恨的特权的结果,也是战胜了行会及其对生产的自由发展和人对人的自由剥削所加的束缚结果。"[1] 同时有产者对生产资料的占有也必须成为权利,成为法律所承认的权利:"私有财产的真正基础,即占有,只是一个事实,是不可解释的事实,而不是权利。只有由于社会赋予实际占有者以法律的规定,实际占有才具有合法占有的性质,才具有私有财产的性质。"[2]

从马克思的这些论述中我们可以清晰地发现,现代经济结构的起源须有前提条件,这个前提条件就是工业新权贵和直接生产者都要摆脱旧社会的特权和人身依附的束缚,获得自由,获得权利。没有作为个人权利的个人自由和平等,现代经济结构无法形成。而个人权利、个人自由和平等是通过法律被确定和肯定的。从这里我们可以看到把个人自由和正义作为法律价值所反映的现代性质。换句话说,我们所确认的法律价值的现代性质深刻地体现在这种价值同现代经济的本质联系之中。

---

[1] 马克思:《资本论》第1卷,人民出版社1975年版,第783页。
[2] 马克思语。转引自张文显:《二十世纪西方法哲学思潮研究》,法律出版社1996年版,第219页。

（三）现代法的价值与传统和后现代法的价值的区别

以个人自由和普遍正义辩证统一为内容的法律价值的现代性，同时也是在同传统社会法律价值和后现代法律价值的区别中体现出来的。传统法律价值和后现代法律价值是同现代法律价值相对立的不同性质的法律价值。我们坚持现代法律价值就是要同前两种法律价值划清界限。因而只有在同前两种法律价值的对比和区别中，我们才能深刻具体地认识和理解现代法律价值所具有的现代性实质。

传统法律价值，尤其中国传统法律价值有四个特点：一是家族本位主义。法律以家这个集体为最基本单位和价值内容。法律的价值在于维护家庭内各种关系的和谐，保持家的稳固，并以此来维持整个国家的稳固。在此个人是没有价值地位的，个人只是家庭这一基本群体中的一分子，毫无独立性可言。"中国文化的最大偏失，就在个人永不被发现这一点上。一个人简直没有站在自己立场上说话的机会，多少感情要求被压抑，被抹杀。"[1] 作为传统文化载体之一的法律是不以个人及其独立性为价值的。二是等级主义。法律以维护等级制度为价值取向。主要表现在法律对明贵贱、别亲疏的礼的维护上。这样法律就把个人安置于等级秩序、差等格局之中了。因此个人的自由彻底丧失了。三是特权主义。法律以维护特权为要务，对于同样的现象区别对待，没有平等。这样也就没有自由。四是中国传统文化和法律否定个人的私利，强调无私无欲，"存天理，灭人欲"。在传统文化和法律看来，追求私利是没有价值的，不是人的权利。这样就否定了个人权利的基本内容。这些特点集中到一点，就是传统法律价值是对个人权利、个人自由和正义的否弃。现代法律价值是同传统法律价值根本对立的，因而现代法律价值的核心应是不同于传统法律价值的作为个人权利的个人自由

---

[1] 梁漱溟：《中国文化要义》，学林出版社1987年版，第259页。

和正义及其统一。倘若忘记了或看不到现代法律价值同传统法律价值的质的差别和对立，我们就不能理解现代法律价值的现代性特质，在认识和实践上就会导致严重错误。

后现代法律文化是同后现代文化相一致的。后现代文化是伴随着20世纪60年代西方后工业社会和信息社会的来临而出现的文化潮流。其价值特征是反中心性、反二元论，主张对传统价值进行解构，声称在上帝死了之后人也死了。后现代文化是反现代主体性的文化。这种文化反映在法律价值上就是对现代法律所维护的个人自由、理性等价值的全面质疑。后现代主义文化和法律价值也有其合理之处。但对于我国来说后现代法律价值则是不合时宜的。在我国也有少数学者认同后现代主义法律文化和价值，对个人自由价值抱怀疑态度，反对以个人自由为基础的社会契约论，同情家本位、家长制，认为应以"家"为隐喻建立国家学说。这种带有后现代特征的观点虽说也有主张者所说的种种理由，但在总体上是不适合我国法制现代化的客观要求和发展规律的。后现代主义法律价值观起码有两个错误：一是价值的迷失。价值迷失就是没有搞清楚植根于我们时代的符合中国当前社会发展需要的价值坐标或标准是什么，不能从这一坐标出发去衡量和取舍各种价值，而是带着一种随意性和主观好恶来取舍价值。这样其所选择的价值取向就是不确定的，也是无根基的，主观上认为哪种价值好就大肆张扬这种价值。二是主体的误置。主体误置就是把今天中国所处时代的主体误置到西方后现代那里去了。不是以中国现代主体为出发点思考问题而是以西方后现代主体来思考问题。这样就出现了在中国还未发展个人权利的时候就批判个人权利，在中国还未发展个人自由的时候就批判个人自由，在中国还未发展理性的时候就批判理性。这种主体误置的谬误胡适早就批评过："中国此时还不享有科学的赐福，更谈不上科学带来的'灾难'。我们试睁眼看看：这遍地的乩坛道院，这遍地的仙方鬼照相，这样不发达的交通，这样不发达的实业——我们哪里配排斥科学?"[1] 今天我们哪里配排斥个人权利,哪里配排斥个人自由?为了坚持现代法律价值否弃后现代法律价值我们必须区分两种时间:一是编年史时间,一是社会形态时间。按照编年史时间中国同西方发达国家都处在21世纪初期,是相同的,但是按照社会形态时间我们同西方发达国家要相差一个时代;人家已经现代化并向后现代化过渡,而我们正在努力从传统社会向现代社会过渡。倘若这两种时间观区分不清,我们就会出现价值迷失和主体误置。

因此,我们认为,坚持现代法律价值就意味着否定传统法律价值和后现代法律价值。

三、现代法的价值的内涵与地位

现代法的价值是个人自由与普遍正义在张力中的统一,那么怎样理解个人自由和正义及其关系呢,它在整个现代法律价值体系中处于什么地位呢?这些是必须接着讨论的问题。

个人和社会、个人和类的关系问题是全部人文社会科学中的核心问题。各具体人文社会科学中的基本问题都可归结为个人和社会、个人和类的关系问题,或者说都是从这个核心问题中引申出来的。如哲学上的个别和一般、感性和理性关系问题,经济学中的效率与公平关系问题、政治学中的民主和权威的关系问题,伦理学上的私和公的关系问题等等都是个人与社会、个人与类这一主旋律的不同变奏。因此对个人自由和正义范畴及其关系的理解应在此主旋律的总框架中来理解。

个人和社会关系的解决具有时代性。在前现代化社会和法律中人们对个人和社会关系的解决方式是社会本位的,用社会来说明个人;在现代社会和法律中个人和社会关系的解决方式是个人本位

---

[1]《胡适哲学思想资料选》上册,华东师范大学出版社1981年版,第285页。

的，用个人来说明社会。在由解决方式的不同而造成的两种不同质的价值体系中，个人和社会的含义及其二者的关系是根本不同的。

对现代法律价值核心内容的个人自由的理解应站在现代价值体系立场上理解。个人自由是指具有主体性的有生命的个人不受束缚的自主权利和状态。个人自由概念有以下三层涵义。

1. 个人自由的主体是个人。有生命有主体性的个人是自由的主体。通常我们说自由的主体是人，这是对的，但是抽象的。具体来说，人有集体的人，如家庭、民族、国家等，有个体的人。现代法律价值中自由的主体是个体的人，而非群体的人，即非家庭、民族、国家等。

把自由的主体确认为个人不仅是因为个人是各种主体形态中的最基本的主体，还因为这在法律价值观上有着极为重要的价值意蕴。

首先，把自由主体确认为个人同传统社会法律价值观划清了界限。西方传统法律价值观也讲自由，在中国孙中山等人也讲自由，但他们所说的自由的主体都不是个人，而是群体。西方法学家彼得·斯坦和约翰·香德谈到罗马人的自由观时指出："对于罗马人来说，自由与其说是个人属性，不如说是社会或群体的属性。罗马人在谈到这个话题时，多半是指属于自由人群体的自由。自由人群体不从属于任何最终权威，因此可以自己管理自己。即使罗马人谈到个人自由，他们也不是指保护公民不受国家或政府机构干涉。实际上罗马法对于罗马公民提供的、用以对抗国家的名义做出的行为的保护微乎其微。"[1] 只是到了现代，人们才把自由的主体从群体转移为个体。这意味着现代法律价值中的个人自由价值所关怀的人是个人而不是群体。这是传统法律与现代法律价值的分水岭。现代法

---

[1]〔英〕彼得·斯坦等：《西方社会的法律价值》，中国人民公安大学出版社1990年版，第174页。

律价值中作为主体的个人的出场为现代法律价值提供了人学本体论基础。就是说现代法律价值的本体基础是作为主体的个人。这是我们所应坚持的价值坐标。

其次，把自由主体确认为个人必须承认人的人格价值和财产价值等，或者说把自由之主体确认为个人是承认人的人格权、财产权等权利的主体性前提。因为只有个人才是有肉体、生命、人格和尊严的。人格权或人格价值包括人的生命、身体、健康、名誉、姓名、肖像、隐私、人格尊严等权利和价值。正如有的论者所言："人格权，这是作为一个人所应有的最基本的权利，是享有其他民事权利并进而享有政治权利的基础。没有人格权，就不能算是真正的人！"[1] 西方学者也十分重视人格权。布莱克斯顿曾强调，生命权是"不朽的自然法"赋予个人的绝对权利之一。"如果有人问道，西方法律最为重视的个人权利是什么？大部分法学家都会回答：'生命'。原因十分简单：'如果可以随意谋杀别人而不必受到惩罚，社会必将四分五裂。'"[2] 财产权或价值也是十分重要的，因为没有财产，人的自然生命就不能继续存在下去，人的自由人格就难以保障。而人格权或人格价值、财产权或财产价值都是以个人的存在为前提的，没有了个人也就没有了其他权利和价值。因而把自由主体确认为个人具有极其重大的价值论意义。

2. 个人自由是指把个人从种种束缚、控制下解放、解脱出来。在此个人自由主要是一个政治哲学、法律范畴，而不是一个道德范畴。这里的自由主要不是指人的内心的自由，而是指人在现实的对待关系中行为的自由。用英国自由主义理论大师柏林的理论看，这里的自由是指"消极的自由"，而不是"积极的自由"。"这种'消极的自由'，和针对以下这个问题所提出的解答有关，亦即：

---

[1] 梁慧星：《民法总论》，法律出版社1990年版，第71页。
[2] 〔英〕彼得·斯坦等：《西方社会的法律价值》，中国人民公安大学出版社1990年版，第199页。

'在什么样的限度以内，某一个主体（一个人或一群人），可以或应当被容许，做他所能做的事，或成为他所能成为的角色，而不受到别人的干涉？'"[1]哈耶克也强调消极意义上的自由。他认为自由是这样一种态度："在社会中，一些人对另一些人的强制被减少到最低限度"，人们免受他人"专断意志的强制"或"独立于他人的专断意志"。[2]

从政治和法律的意义上看，消极的自由是最重要、最有价值的自由。因为政治和法律所要解决的问题主要是现象界的问题，而不是本体界的问题。他所要解决的问题是处于人与人的现实的对待关系中的人的行为和自由问题，而不是人的内在道德中的自由问题。奴隶之所以是奴隶主要是因为他在行为上是不自由的，而不是指他在内心上是不自由的，其实奴隶在内心上、道德上是可以自由的。可见摆脱奴隶状态获得自由在政治法律层面上主要是指获得消极的自由。哈耶克十分重视他讲的个人自由与内在自由的区别，认为个人自由是与强制相对的，而内在自由是与道德相对的，内在自由和个人自由并不是一回事。因此，法律价值所要承认和保障的主要应是消极的自由。强调这一点对于中国人来说是极为重要的事。因为中国自近世以来虽也引进了自由价值，但他们主要不是在消极自由意义上理解自由的。因而导致政治法律制度建设落后，长期不能上轨道。

消极意义上的个人自由价值并不考虑个人是否有能力获得自由。只要个人的束缚解除了，从被控制中解脱出来了就算获得了自由价值。彼得·斯坦等认为："无力实现自己想做的事并不一定不

---

[1] [英]I·柏林：《两种自由概念》，转引自刘军宁等主编：《公共论丛：市场逻辑与国家观念》，三联书店1995年版，第200页。
[2] 转引自张文显：《二十世纪西方法哲学研究》，法律出版社1996年版，第258页。

自由，因为这可能是由于个人自身能力不足。"[1] 这种看法在西方由来已久，爱尔维修就曾说过："所谓自由人，就是指不戴手铐脚镣、也不受监狱关押、也不会因为害怕惩罚而像奴隶一样只限于在某一个地域之内活动的人……不能像鹰隼一样飞翔、像鲸鱼那样遨游，这并不是不自由。"[2] 看来这里的自由主要是社会和法律为人所提供的东西。

3. 个人自由是个人的自主性、积极性、能动创造性。个人从束缚中解脱出来，无人干涉他，但他可以不努力做事，不去能动创造，这样的人也难以获得另外一种意义上的自由，即积极的自由。因而自由价值也应当包含积极自由的价值。柏林说："'自由'这个字的积极意义，是源自个人想要成为自己主人的期望。"[3] 积极自由也就是自我实现。这种自由强调人的积极性、能动性和创造性，要求人去主动地认识客观事物的规律，在此规律性认识的指导下去实现自己的理想，使自己成为自己的主人。法律所追求的个人自由价值应当包括这种意义上的自由。就是说法律应肯认和保护人的积极创造及其成果。倘若人的积极创造及其成果不能成为法律肯认和保护的重要价值，那么人也就不去创造了，从而社会也就失去活力和生机了。

一如上述，个人自由主要是指现实的人与人的对待关系中的自由，而不是内心的道德性质的自由。如此一来就会发生关于正义的问题。

首先，对待关系中的个人自由必然涉及到他人的自由。这样个人自由的行为就有可能影响和损害他人的个人自由，因此产生了个

---

[1]〔英〕彼得·斯坦等：《西方社会的法律价值》，中国人民公安大学出版社1990年版，第173页。

[2]〔英〕彼得·斯坦等：《西方社会的法律价值》，中国人民公安大学出版社1990年版，第173页。

[3] 转引自《公共论丛》Ⅰ，三联书店1995年版，第210页。

人自由行为的正当性问题。行为的正当性问题就是正义问题。其次，对待关系中的个人自由必然是相互合作中的个人自由，即社会关系中的个人自由。要在合作的社会关系中实现个人自由，就自然会产生人们之间权利和义务的正当分配问题。权利和义务的正当分配问题也是有关正义的问题。再次，每个个人都有着不同的个人自由和选择，但个人在进入到对待关系、合作关系中之后都不可能完全按照自己的意志去活动，而必须通过不同方式达成一个大家都能接受的共识和公意。公意同样是有关正义的问题。

可见，要在人与人的对待关系中更好地实现个人自由价值就必须处理好正义问题。只有坚持正义才能实现对待关系中的个人自由价值，因此之故，正义便成为价值，成为同个人自由价值内在相关的另一种法律价值。

从上述正义价值和正义范畴的缘起和产生过程中，我们可以看到正义价值是要解决自由的个人与个人之间关系的正当性、合理性问题，解决个人和由个人所组成的社会之间关系的正当性、合理性问题。因此，E·博登海默在谈到正义价值的目标时指出："满足个人的合理需要和要求，并与此同时促进生产进步和社会内聚性的程度——这是维持文明社会生活方式所必要的——就是正义的目标。"[1] 正义的目标是要合理地调整个人和社会的关系。这应当成为我们正确地理解正义价值和正义范畴的方法论。美国思想家摩狄曼·J·阿德勒理解正义的方法同我们的看法是一致的。他说："正义的范畴可分为两个我们关心的主要领域：一个是关于个人相对于别人以及个人相对于国家这个有组织社会的正义；另一个是关于国家（它的政府形式和它的法律，它的政治机构和经济结构安排）相对于构成它的人口的人而言的正义。"[2]

---

[1] 〔美〕E·博登海默：《法理学——法哲学及其方法》，华夏出版社1987年版，第238页。
[2] 〔美〕摩狄曼·J·阿德勒：《六大观念》，团结出版社1989年版，第194页。

正义价值首先可以分为两个层面：一是精神的、观念的层面，一是现实的对待性社会关系的层面。

正义在精神层面上是指人类普遍的崇高价值，是人类的一种永恒不变的意志和意愿，是人的一种美德。古罗马法学家乌尔比安给正义的定义是："正义乃是使每个人获得其应得的东西的永恒不变的意志。"[1] 西塞罗对正义的界说是："使每个人获得其应得的东西的人类精神意向。"[2] 这些定义都是精神的、观念的、超越意义上的正义。这种正义是人所具有的一种永恒意志结构。在不同历史和不同民族的文化中我们可以看到正义观是不同的，正义的内容和范围也是变化的。正义内容的可变性说明正义理念所指涉的内涵已从特殊的具体的历史现象提升为抽象的理念和价值形式了，或者说正义已成为人内心稳定的意志结构了。这种作为意志结构和超越价值的正义是高于要求落实和体现正义价值的实在法的。它实际上构成衡量和批判实在法和具体法律活动的标准和尺度。根据这个标准我们可以判断现实中的哪些法律是正义的，哪些法律是非正义的，哪些是良法，哪些是恶法，并由此决定是遵守这些法律还是反抗这些法律。如根据正义理念我们可以判断美国南北战争以前的黑奴制法律，我国古代的严刑峻法、纳粹德国法律是非正义的法律，是恶法。在法律适用过程中有时也可以把法律规定放在一边，运用更高的公正原则来判案。正义的价值作为人的超越的精神态度和尺度对于法律具有极其重要的批判和范导意义。法制现代化的内容之一就是要自觉地在国民中间建构和培养这种正义精神、正义价值理念。

但是仅有正义价值的精神层面、主观层面是不够的。单纯的主观正义至多是一种道德哲学，它尚不能使正义价值在现实的人与人的对待关系中得到体现和坐实。观念文化需要制度文化来将其对象

---

[1]〔美〕摩狄曼·J·阿德勒：《六大观念》，团结出版社1989年版，第194页。
[2]〔美〕E·博登海默：《法理学——法哲学及其方法》，华夏出版社1987年版，第253页。

化、物化，因此有必要建立正义的社会制度和法律制度。正像 E·博登海默所言："很明显，仅仅培养一种公正待人和关心他人的精神态度，其本身并不足以使正义处于统治地位。公平对待的善意，必须通过被设计来实现正义社会的目标的实际措施和制度上的手段来加以实施。"[1] 法制现代化的一个基本任务就是要建立正义的社会制度和法律制度，使正义价值理念制度化、法律化。

要使正义价值制度化、法律化，就要对正义范畴作具体分析。当我们这样作的时候我们立即发现正义范畴是个相当复杂的问题。"正义具有着一张普洛透斯似的脸，变幻无常、随时可呈不同形状，并具有极不相同的面貌。当我们仔细查看这张脸并试图解开隐藏其表面之后的秘密时，我们往往会深感迷惑。"[2] 正因如此，不同的思想家对政府提出了各自不同的看法，观点纷呈，很难统一。但是我们认为，两千多年前亚里士多德所提出的正义的概念及其内容仍然是正义价值的基础性观念，我们应以此为基准来理解和阐释正义的概念，建立我们的正义制度。西方学者彼得·斯坦和约翰·香德发表了和我们相同的看法："迄今为止，亚里士多德的公平概念具有最大的影响力，因此，应作为一切有关探讨的出发点。"[3]

亚里士多德把正义分为两类：一是"分配的正义"，一是"矫正的正义"。前者是指利益、财产、荣誉、责任、义务、地位等在社会成员之间的分配；后者是一种平等或均衡，要求在社会成员之间重建原先已经建立起来，又不时遭到破坏的均势和平衡。分配的正义是根据每个人的功绩、贡献、价值来分配财富、官职、荣誉。它所考虑的是参与分配的人们功德方面的差别。如果每个人的功德

---

[1] 〔美〕E·博登海默：《法理学——法哲学及其方法》，华夏出版社1987年版，第253~254页。
[2] 〔美〕E·博登海默：《法理学——法哲学及其方法》，华夏出版社1987年版，第238页。
[3] 〔英〕彼得·斯坦等：《西方社会的法律价值》，中国人民公安大学出版社1990年版，第75页。

都一样，那就应当进行平均分配，如果功德不同，那么分配应与功德大小相对应。如一人的功德和贡献大于另一人二倍，那么他所分配的东西也应是另一人的二倍。

在此又可以分出两种正义。一是比较性正义，一是非比较性正义。非比较性正义是指，在某些情况下，个人的功德、贡献和权利就能决定他能得到什么和多少东西。这种分配并不需要和他人进行比较。美国学者J·范伯格说："当我们的任务是对大量个体中的每一个进行非比较性正义的判断，我们并不将他们彼此拿来比较，而是将他们中的每一个人依次与某种客观标准来进行比较。"[1] 在此种正义中所考虑的并不是平等对待，而是有差别的对待。惟有如此才是公平正义的。另一种正义是比较性正义。"比较性正义的基本原则就是：情况相同就得相同对待，情况不同就得不同对待。"[2] 相同情况相同对待，不同情况不同对待，属于"形式上的正义原则"。与这种正义相对的是"实质上的正义原则"。范伯格认为，实质正义是"根据人们贡献的大小来分配社会财富的原则（或者按他的能力、需要、地位或德行中任选一种作为根据来分配社会财富）……"[3] 罗尔斯则认为，实质正义是制度本身的正义。正义还包括程序正义。程序正义是正义原则在法的适用、司法程序中的贯彻。程序正义的第一个原则是，任何人都不得在与自己有关的案件中担任法官。其第二个原则是，必须给予诉讼当事人各方充分的机会来陈述本方的理由。

"矫正的正义"是人们在私下交易中所发生的正义。如人们在买卖、租赁、借贷、存储等契约中所发生的正义即是这种正义。这种正义事先假设了一种冲突或不平衡状态的存在，即在交易中一方得，另一方失。正义就是要求恢复原来的平衡状态。在案件处断中

---

[1][2]〔美〕J·范伯格：《自由、权利和社会正义》，贵州人民出版社1998年版，第142、143页。

[3]〔美〕J·范伯格：《自由、权利和社会正义》，第145页。

法官要求由于违反契约或因不正当行为而获利的一方向遭受损失的一方作出数量相等的赔偿。"矫正的正义"所考虑的不是双方的贡献、功绩、地位和价值，而是平等。[1]

现代法律价值所追求的基本内容是个人自由价值和正义价值。同时这两种价值也是法制现代化过程中所要着力建构的核心价值。但是，这两种法律价值是一种相反相成的关系，它们既有相成的、一致的一面，也有相反的、冲突的一面。如个人自由价值所考虑的主要是个人，而正义价值所要考虑的是个人之间关系的和谐，集体和社会的和谐；个人自由要求个人需要的极大满足，个性的充分展开，而正义则要求对其作出必要的限制。但正如古今中外严肃的思想家所认为的那样，个人自由和普遍正义都是有价值的。没有个人自由，价值体系就失去了根荄和灵魂，社会就失去了生机和活力；相反，没有普遍正义，社会就会陷入紊乱无序，社会就会从文明倒退到野蛮，个人自由也因而无法实现。因此，法律就是要同时肯定和促进这两种价值，在二者的张力中保持其统一、和谐。

事实上个人自由和普遍正义价值及其统一是贯穿于整个现代法律体系、法律活动过程和法律部门的轴心性价值。以现代民法为例，民法属于私法，私法是以个人权利为目的的。私法观念认为私人权利或个人权利是神圣不可侵犯的，非有重大正当理由不得予以限制或剥夺。个人权利的价值本质是个人自由价值，个人的各种权利，如人身权、财产权都是个人自由的体现，或者说是实现个人自由的条件和手段。民法又强调个人权利不能滥用，要坚持公平正义原则，体现出民法所内蕴的正义价值。因而民法的私法性质体现着个人自由价值和正义价值的统一。从民法的功能看，民法既要为人权提供基本保障，又要维护社会正义。在此个人自由和社会正义价

---

[1] 参见〔英〕彼得·斯坦：《西方社会的法律价值》，中国人民公安大学出版社1990年版，第77页。

值的统一清晰可见。从民法的基本原理看，其最基本的原理是私法自治原则。私法自治是指个人得依其意思形成私法上权利义务关系。它的实质是个人自由。它包括所有权自由、遗嘱自由、契约自由。这里所着重强调的是个人自由价值。同时私法自治原则又是有限制的，以体现社会正义。从民法的本位或基本目的看，现代民法以权利为本位，其体现为契约自由原则、尊重个人财产权原则和过失责任原则。这些原则所蕴涵的价值实质是个人自由。总之，个人自由和普遍正义价值的统一体现在现代民法的各个方面和环节。

不仅作为民法的价值是个人自由价值和普遍正义价值的统一，而且作为公法的刑法的价值也是个人自由和普遍正义二价值在张力中的统一。刑法有两种相反相成的机能，即保障个人自由和权利的机能与保护社会的机能。传统社会中的刑法实行罪刑擅断，刑罚具有无节制性，因而对个人自由和权利形成巨大威胁。社会文明进化到近世之后，人们认识到刑法对个人自由价值的漠视，因此主张刑法必须以保障个人自由和权利为目的。要求把自然法的价值精神贯彻到刑法中去。这样近代以来的刑法就具有保障人权和保护社会的双重功能。近代以来刑法中所出现的罪刑法定主义原则便是刑法的这种双重功能的承担者。正如有的论者所言："罪刑法定主义的基本精神就在于，国家不仅拥有运用刑罚、惩罚犯罪的权力，同时还负有保护公民和受刑人权利和自由的责任。"[1] 这种新的刑法观所体现的价值精神正是个人自由价值和普遍正义价值的统一。倘仔细分析现代法律各门类我们都可以看到个人自由和普遍正义价值之统一在其中的存在和统治地位。

现代法制的价值除了个人自由和正义之外，还有秩序价值、效率价值、安全价值等。我们之所以强调和高扬个人自由和正义价值，其原因不仅在于它是法律价值现代性的基本标识，而且也在于

---

[1]〔德〕罗伯特·霍恩等：《德国民商法导论》，中国大百科全书出版社1996年版，第91页。

它相对于其他法律价值具有根源性、本原性。现代法律的其他价值都蕴含于这一根源性价值之中，可以从根源性价值中产生或引申出来。

譬如安全价值便可从个人自由价值中引申出来。个人自由的主体不是无血肉之躯的集体而是有感性生命的个人，因而保护个人生命安全便是保护个人自由的题中应有之义。法律所追求的秩序价值也可以从个人自由和正义价值中推衍出来。个人自由不是无限制的自由，自由有其合理界限。个人在实现自己的自由的时候要想到他人同自己有着相同的自由，不能损害他人自由，人人都要做到己所不欲勿施于人，这样社会就能形成秩序。同时秩序和正义是形式和内容的关系，秩序是实现和表现正义的形式。内容决定形式，追求正义必然要追求秩序，因而秩序价值同正义是内在联系着的。法律的效率价值也是由个人自由和正义价值所派生的。个人自由是个人束缚的解除，是个人的自我实现和自我创造，因而有了个人自由也就有了活动效率，有了自由个人的积极性和创造性就能最大限度地发挥出来。民法中肯定和保护订立契约的自由和决定契约内容的自由，"正是这种自由，使人的创造性得到最大限度的发挥。"[1] 当人们在社会生活和经济生活中经常可以得到和自己的贡献、功绩、能力相当的利益、荣誉、地位，即实现了正义的时候，人们的劳动积极性和劳动效率势必大大提高。相反当人们所获得的利益与其的贡献、功绩经常相差甚远，即不能实现正义时，人的劳动积极性和效率必然下降。在既有个人自由、又有正义的状态下人的活动效率最高，在没有个人自由和正义的状态下人的活动效率最低。

总之，在现代法制价值结构中个人自由和正义价值处于根源性、核心性地位。法制现代化中的现代法律价值建设，应着力进行个人自由和普遍正义价值及其统一关系的建设。

---

[1]〔德〕罗伯特·霍恩等：《德国民商法导论》，中国大百科全书出版社1996年版，第91页。

四、重视现代法的价值之意义

中国人法制现代化的努力已有百年之历史,但却成效甚微,长期难上轨道,这其中一个极为重要的原因是未能找到既符合历史发展客观趋势,又体现现代文化精神的合理的法律价值取向。人们总是偏离开现代性法律价值方向,根据以往的集体经验或文化传统所规定的价值偏好进行法制现代化建设,这样便抽掉了现代法制的内在灵魂和运思神经,因而其现代化努力的受挫也是势所必至的。

当我们把个人自由和普遍正义及其在张力中的统一贞认为现代法制的核心价值时,我们以为寻找到了法制现代化的内在运思神经,这将对法制现代化起到极其重要的积极作用。

第一,把个人自由和普遍正义及其统一贞认为现代法制的核心价值,树立起了法制价值的现代性坐标,克服了长期以来法制现代化建设中存在的价值迷失和主体误置之弊。长期以来在我国的法制现代化建设中存在着价值迷失和主体误置的严重缺陷。价值迷失表现在我们一直不曾有过一个清晰明确的符合现代性的价值坐标。价值坐标也就是价值尺度,由于坐标和尺度不明确因而在评价和取舍传统法律和西方法律时,便陷入一种价值尺度混乱。人们不知道用什么尺度来评判和取舍传统法律文化和西方法律文化。虽然我们在一般原则上也说对待古今中外法律文化要取其精华,去其糟粕,但由于评价和取舍尺度不明确,因而这个原则其实是非常抽象的,事实上我们弄不清什么是精华,什么是糟粕。由于没能建立起现代性法律价值坐标,因而在更多情况下自觉不自觉地沿着我们所十分熟悉和习惯的传统法律价值坐标,以此来评判和取舍各种法律现象和理论。如长期以来我们的法律意识所倚重的是专政、刑法、公法、安全、秩序、政府、国家,而不是民主、民法、私法、权利、自由、私人、个人等价值。我们经常把某种抽象的集体作为价值坐标评判法律,从事立法和司法活动。由于这种集体同个体之间没有近代所建立起的那种新质关系，因而这种集体带有浓厚的传统价值特征。这种价值迷失现象严重地阻碍了中国法制现代化的进程。当我们把个人自由和正义的统一作为法的核心价值时，这种价值迷失之弊始得克服，从此我们有了一个现代性法律价值坐标，我们可依此坐标为尺度来认识、评判、取舍种种法律现象，推进法制现代化。

法制现代化中的主体误置就是不知道自己的历史位置在哪里，经常出现的情况是或把自己置于前现代或者置于后现代，而使自己离开现代和现实。传统、现代和后现代是有质的区别的不同文化阶段，三个阶段上人的主体性质是很不同的。我们只能把自己置于现代这个位置上，站在这个基点上来认识和处理问题，否则你所谈论的问题就叫游谈无根，不知所云，更不切实际。主体误置之弊是同价值迷失之误内在相通的。由于价值迷失而常常在导致主体误置，而由于主体误置又使得价值迷失更为严重。只有在法律现代性价值在人们的心灵中建立起来之后，主体误置才能真正克服。

第二，把个人自由和普遍正义及其统一贞认为现代法制的核心价值，找到了突破传统法律文化的真正武器。法制现代化是对传统法律文化的否定和扬弃，而真正能和传统法律文化形成尖锐对峙和分庭抗礼的是个人自由和普遍正义价值。因此只有坚持这种现代性价值我们才能真正走出传统法律文化的泥沼，进入现代法治社会。中国传统文化及其所从属的法律文化的最根本缺陷是没有个人权利和个人自由。上个世纪对中西文化理会最深的严复说："夫自由一言，真中国历古圣贤之所深畏，而从未尝立以为教者也。"[1] 中国传统法律文化中也讲"义"、"直"等观念，但同现代正义内涵有很大差别。因此我们必须找到同传统法律文化价值形成异质对峙的价值，并以此取而代之，才能使传统法律文化发生历史性转型。

第三，把个人自由和普遍正义及其统一贞认为现代法制的核心

---

[1]《严复文选》，上海远东出版社1996年版，第4页。

价值，能够克服清末以来法制现代化过程中的价值偏枯。清末制宪修律以来的法制现代化过程经历了辛亥革命、北洋军阀、国民党时期和新中国以来的社会主义时期。各个时期的具体情况虽有差异但其中有一个一以贯之的价值偏好，就是看重整体秩序和稳定，偏离个人自由和正义。清末制宪修律虽吸收了西方现代法律制度，但其价值取向仍然是传统的。法律仍以控制国民，限制个人自由为基本倾向。辛亥革命作为资产阶级革命当然不能不张扬自由价值，但它所理解的自由不是个人自由，而是群体自由、国家自由。孙中山认为中国"个人自由太多"，要求"个人不可过多自由，国家要得到完全自由。"[1] 其群体本位的价值取向显而易见。北洋军阀时期的立法较多但其中的价值内涵和清末立法没有根本变化。国民党时期法律价值仍是国家本位的。新中国建立以后情况发生了很大变化，但在法制现代化的价值取向问题上仍带有群体本位的性质，这是同相应的经济结构相匹配的。值得注意的是，改革开放以后我国的法制现代化建设在价值观上仍然存在着以往所固有的问题，即相对忽略个人自由价值，强调整体秩序和稳定。正如有的学者所言："为改革颁布的大量经济法规对自由的考虑远逊于对秩序和稳定的关注，至于政治性立法更是如此，即使是关于公民基本政治权利的立法，对秩序的维护也远重于权利自由本身；刑事立法中的'重惩罚，轻保护'和司法中的畸重倾向，常常是在维护国家利益和整体秩序的名义下强化的；由计划经济体制向市场经济体制转换的困厄和艰辛更多的来自缺少制约的政治权力几乎无所不在，以至强化权力的立法的肥肿化与监控权力立法和公民政治权利立法的容颜瘦损形成鲜明对照。"[2] 据这位学者统计，1979年至1989年经济和行政立法（含法律、行政法规和部门规章）占立法总数的79%

---

[1] 孙中山：《民权主义》，《孙中山选集》，人民出版社1981年版，第722页。
[2] 孙莉：《偏好与疏离》，《天津社会科学》1997年第6期。

以上，而民主政治方面的立法仅占4.3%，其中关于公民政治权利的立法只占0.78%；1990年至1997年的经济和行政立法（含法律、行政法规）占立法总数的69.5%，而民主政治立法只占8.1%，其中关于公民政治权利的立法也只占2.5%。1979年至1989年的立法（含法律、行政法规和部门规章）中，强化管理的立法占立法总数的80%以上，而监督权力的立法只占0.78%。1990年至今的立法（含立法和行政法规）中，强化管理的立法占立法总数的70%左右，而监督权力的立法只占1.9%。这些情况说明我们目前的法制价值观尚未实现真正转型。我们的法律价值神经还被历史的集体经验死死地攫住不放。这种价值偏枯虽有着某种历史的由头，但毕竟和法制现代化的价值祈求相乖戾。因此倡扬和坚持现代法律价值对于矫正这种价值偏枯便具有不可轻觑的意义。

第四，个人自由和普遍正义相统一的现代法律价值为现代法律体系的建立提供了本体论基础。法律体系是一个规范和制度体系，规范和制度是表现某种内在本体的形式。法律的内在本体决定着法律体系的性质，有怎样的内在本体就有怎样的法律体系。内在本体的实质是一种价值观念。现代法律体系的内在本体是个人自由和普遍正义的统一。因此整个现代法律体系及其构成部分都必须是个人自由和正义这一内在本体价值的外在具体体现和展开。宪法是现代法律体系的统帅，给其他法律部门提供指导原则。宪法应首先体现和展示作为现代法律本体价值的个人自由和普遍正义。因此宪法应将确认、保障个人权利、个人自由和限制国家权力作为自己的根本任务和使命。民法是现代法律体系的基础和主干，它也必须以自己的方式实现作为本体价值的个人自由和正义。现代民法的体系表现为人、人权、所有权、债权、契约等内容，其中隐含的价值神经正是个人权利、个人自由和正义。刑法的任务是规定什么行为是犯罪和对不同犯罪应给予什么刑罚。在现代法律价值本体的范导下刑法观念必须加以相应变革，其原则、制度、规范应更好地体现个人自由和正义相统一的核心价值。诉讼法是关于诉讼程序的法律规范，是保障实体法得以正确迅速贯彻执行的操作性手段。它的原则、制度和规范也应体现法律本体价值，要保护当事人的权利、自由、平等，实现程序公正。法律体系中其他所有构成部分都必须以自己不同的方式实现统一的现代法律本体价值，庶几整个法律体系现代化可期。

第十六章　本土传统法律文化之特质

社会历史发展有其连续性、继承性。特定社会民族的历史发展，是与其传统分不开的。因而社会历史呈现出由其历史传统贯穿其中的从过去、现在向未来发展的过程。中国当今社会的发展，是其历史发展的继续。中华民族在其历史发展的长河中，塑造出了其民族个性和文化传统，显现出不同于世界其他民族的特征。社会历史发展的不同阶段、不同文化形态的形成，包含着对传统的接受、保留和克服、抛弃，即扬弃。也就是说，中华民族在其历史发展中，由于保持、发扬了其历史传统，而使之形成了中华民族的个性，使中华民族从过去、现在、向未来一以贯之地发展；而历史发展过程中，对民族传统的克服、抛弃、改造则使这一历史发展过程呈现出阶级性来，表现出某一历史阶段的时代特征。而对历史传统的取舍、抛弃，则成为摆在社会历史发展的特定阶段人们面前的课题。中国目前的发展就是如此。中国社会的发展需要步入现代化，中国要建立市场经济体制，这意味着中国的发展要进入一个新的历史时期，这同时意味着中国必须对其历史传统进行反思和选择。这种反思和选择之所以必要，是由于它关系着中国前进的步伐能否顺利地迈进，能否把中国带入现代化。

法律文化传统也是如此。对历史的考证可以说明，从华夏文明发端之初，就开始了中国古代法的历史。张中秋在其著作《中西法律文化比较研究》中认为，中国古代法萌芽于史前时期的原始部落征战，而形成于夏商周三代部族之征战。[1] 即使从人们公认的成文法《法经》开始，中国法的历史也有 2000 多年。中国古代法的形成，意味着带有中国传统色彩的法律制度的衍生，由此开始伴随中华民族的历史发展的中华法系的形成和完善。虽然历史发展到 19 世纪中叶，在列强的坚船利炮和异族文化侵略之下，中国的传统法制受到了冲击，甚至出现了清末的法律改革，但从文化学的角度审视这一现象，它又使中国传统法律文化有多少触动？近现代的中国一直面临着一种法律文化的选择：继承传统，还是"西化"。历史说明，这种选择，这种法律文化的冲突，使近代的中国人陷入了困惑。在选择的徘徊中，中国传统法律文化在中国人的法律文化观念中仍是占主导地位的，诸如对法律的地位、法律和国家、法律与权力、法律与意志、法律的价值、法律的功能等的认识和态度，仍基本上是传统的。中华民族有其悠久而灿烂的历史，中国的传统法律文化作为其灿烂文化的一部分，其历史作用是不能抹煞的。反思历史，研究传统法律文化，并非妄自菲薄，而是面对中国现代化这个大课题，客观地、历史地、科学地回顾和总结中国的传统法律文化，并将其置于中国现代化、法制现代化这个基本点上予以评判。在此前提下，再去对法律文化进行选择，是继承传统，还是"西化"，抑或两者的结合，这才是客观的、公正的态度。

我们试图从中国古代法律文化的本位、价值取向、功能选择、结构形式及中国传统法制的根本精神等方面对中国古代传统法律文化进行回顾和反思，进而结合法制现代化的要求对中国传统法律文化作出评价。

一、本土传统法律文化之立足点

关于中国古代传统法律文化的本位，学者们的观点虽有一些差

---

[1] 参见张中秋：《中西法律文化比较研究》第一章，南京大学出版社 1991 年 6 月第 1 版。

异,但基本结论是一致的。即无论是国家本位也好、集体本位也好、抑或集团本位也好,中国传统法制的立足点却始终不是个人,不是对个人利益的维护,而是强调国家利益、集体利益或集团利益。张中秋先生在其研究成果中认为,中国传统法律文化的本位是集团本位,其经历了一个从氏族到家族、又从家族演变为国家与家族并存的过程。中国上古时代的法是氏族或部族集团本位法。氏族或部族到夏禹后期时,逐渐朝着宗族或家族的方向发展演变,而宗族——宗法制度的建立则是发端于商朝后期,而形成于西周。这种制度与国家制度紧密地糅合在一起,成为中国奴隶制国家最重要的基本政治制度和法律制度。集团本位,在战国至清代,则演化为宗族(家族)和国家本位,在家与国并存的一体上,家是基础,孟子云:"天下之本在国,国之本在家,家之本在身";而家与国之间,国家本位优于家族本位,这在封建社会的律例中就可以看出,在涉及到封建国家的政治制度和根本经济利益时,国家本位是优于家族本位的。[1] 国、家本位之结合作为中国封建社会的法制基本特征,实质上是中国封建自然经济土壤上生长的宗法家族制度与集权专制政体的密切结合,是维护宗法家族秩序的儒家"礼治",同维护集团专制政体的法家"法治"的结合,从而形成了"国家"与"家族"的统一,"礼治"和"法治"的并用。[2] 在中国古代传统法律文化这样的氛围下,更多的是国家、宗族、家族的权威,是其权威之下的专制,是统治者的意志借以泛滥的温床,是社会正义、理性无以滋生和倡导的社会环境。在这样的法制氛围之下,作为社会成员的个体,更多的只是服从之下的义务和责任,其私权利被侵夺,其创造性被扼制,其主体意识不能得以觉悟,其个性被淹没,个人存在的价值依属于其所存在于其中的集团,个人的独立和

---

[1] 参见张中秋:《中西法律文化比较研究》,南京大学出版社,1991年版。
[2] 参见武树臣:《中国传统法律文化》,北京大学出版社,1994年版。

自由不能得到保证。中国传统法律文化这种集团本位，对于维护集权专制政体和宗法家族制度是极为有利的，然其负面效应却是对个人自由和解放的扼杀。从当前中国现代化、法制现代化对个体的心理素质、文化观点的要求来看，这个历史的代价不仅是太大了，而且是沉重的，对其矫正，以至塑造出适合现代化社会需要的人格品质，其所要付出的代价显然是不能低估的。

中国实现现代化，构筑和发展社会主义的市场经济，没有法制的现代化作为保证是不可能的，这是人们的共识。而中国法制现代化，需要确立什么样的法律文化本位，是国家、集团、社会、还是个人？这是研究中国传统文化本位的现实意义，也是实现法制现代化所必须回答的问题。勿庸置疑，我们需要确立"个人本位"的法律文化观念。

首先，市场经济要求个体的独立和自由。市场经济的目标是实现社会资源的合理配置，价值规律起着主导作用，它通过对商品生产和交换的自发调节来实现其作用。而商品生产和交换的主体是人，而且应当是独立、自由、自主的人。个体如果受制于权力的支配，受制于某种外部意志的左右，个体便不能充当自由、自主的市场主体。按照市场经济的观念，个体应是利益价值的最佳判断者和选择者，倘若个体不能独立、自主，就不能适应这种要求。在集团本位之下，个体是无独立、自由可言的，其人身依附于集团之中而不能获得自由，其行为受制于集团意志而难以自主，这是与现代市场经济对个体的要求不相适应的。

其次，市场经济要求个体平等。平等是个体人身自由和意志自主的保证，无平等则无自由和自主。在不平等的身份关系中，个体自由受到来自宗法等级的限制，个体意志被集团意志，甚至代表集团的个人意志所侵夺。在现代市场经济中，个体只有脱离了人身依附关系，获得了平等，成为独立、自主的主体，才能依其自由意志为获得其利益而设定权利，并承担义务，才能与其他的主体为自主的交易行为。西方社会在其发展过程中所实现的"从身份到契约"的转变，不仅为其法律文化中个人本位的确立创造了条件，而且为其商品经济的发展提供了前提。

最后，现代社会要求人的个性解放和全面发展。人的个性解放和全面发展不仅是现代社会对个体的要求，而且是人类本身发展的目标。在我国建设现代化的社会主义国家过程中，更应重视这一点。因为人的个性解放和全面发展本身是与社会主义的目标相一致的。传统法律文化中的国家、家族本位，使得个性的发展受到压制，个体的创造能力无以施展，个人的活动受到限制。而要实现个性的解放，则必须革除造成个性压抑的桎梏，建立一种重视个人，激励个性发展，使个体的创造活力得以充分施展的个人本位的法律文化氛围。

二、本土传统法律文化之价值取向

与西方法律文化的价值取向——自由和正义不同，中国传统法律文化的价值取向是无讼。无讼的价值追求，与中国传统文化追求和谐、大同的理想境界是一致的，无讼是这一理想境界在法律上的表现。作为一种价值追求，其最终实现的目的是使民不争。孔子说："听讼吾犹人也，必也使无讼乎"[1]，人以无讼为有德，以讼为耻，"无讼"是理想的社会目标。

"无讼"这一价值取向，始发于中国古代对"自然"的认识。老子云："人法地，地法天，天法道，道法自然"，而自然则是"和谐"，是天地万物的秩序。人作为自然的一部分，是与自然融为一体的，即所谓"天人合一"，人之道最终是发于自然的，自然是和谐的，人本身也应是和谐的。这一观念反映在司法上则是"无讼"，无讼是与和谐相一致的，否则就是对和谐的违反，是反

---

[1]《论语·颜渊》。

自然的。因之法自然、尚和谐、求无讼便顺理成章了。为了追求和谐无讼的境界，诸子百家设计了不同的途径，道家的"无为而治"，儒家的"修礼得仁"，法家的"以刑去刑"，最终都是为了实现"至德之世"、"天下归仁"和"至安之世"这一理想的和谐状态。"为了达于治道，孔孟之流从人性中发掘出礼义之道；法家从人性中找到的是'以刑去刑'；荀子儒法兼容，从人性中导引出礼义和法度，从而为传统中国追求实现无讼的基本模式的形成指明了方向"[1]。这些思想、理念，在以后中国古代历史的发展过程中，渐臻成熟和完善，形成了"礼法结合"、"德主刑辅"的追求实现无讼价值目标的基本模式，对中国传统法律文化产生了深远的影响，形成了中国传统法律文化的个性色彩。

无讼的法律文化价值取向，是同中国古代的自然经济状态相适应的。自然经济使人寓于狭小的范围之内，自给自足是其主要经济特征。在这种经济生活的模式中，由于缺乏为实现一定经济目的而从事的商品交换活动，使得人们的交往、活动空间受到限制，而满足于日出而作，日落而息的生活节奏。如此一来，使得经济生活因缺乏激活因素而不能焕发出生机和活力，从而使经济发展受到制约。在这种经济生活模式中，个体的创造力因缺乏诱因不能得以焕发，个体的自由意志没有得以实现的机会，个体的全面发展亦是没有保障的。而无讼的法律文化价值取向，则是同这种自然经济状态相适应的，它正是这种经济制度的产物，是对自然经济状态的经验在法律制度上的反映。人们处身于以家族为单位的小农经济关系之中，这种关系突出的是其安宁、祥和、秩序，即和谐，其与外部关系则表现为封闭的特征。在这种封闭的体系中，仁义论常是其规范的手段和教化的工具，即使有纷争、有冲突、有越轨的行为，也多是采用道德教化的手段，使其运行礼义，忍让谦和，以达息事宁人

---

[1] 引文及上述内容详见张中秋：《中西法律文化比较研究》，南京大学出版社，1991年版。

的。于是调解的手段应运而生，并广为运用，以调解而结束讼争，消弭冲突的办法的确符合传统中国人的心理，并且是实现"无讼"的绝好途径。如前所述，古代中国的家本位和国本位，及其家国一体，治家和治国的一致性，治家方略与治国方略的相似性，就使得这种追求宁静、秩序、和谐，以道德规范教化人的观念反映在国家的法律制度上面，表现为"礼法结合"、"德主刑辅"的基本法律制度模式，其所内涵的精神及追求的价值目标就是无讼。正如梁治平所讲："……，所有这些都表明一个基本的立场：理想的社会一定是人民无争的社会；争讼乃是绝对无益之事，政府的职责，以及法律的使命不是协调纷争，而是要彻底地消灭争端。为做到这一点，刑罚是必要的，但更重要的是教化。要利用所有的机会劝导人们，以各种方式开启他们的心智，使之重返人道之正。"[1] 从西方法律文化价值取向的形成及发展可以从另一方面印证中国传统法律文化价值取向的这种社会经济根源。西方的文明源于古希腊商品经济的产生和发展。商品经济瓦解了以血缘为纽带的家庭组织，把个人从家庭的身份关系中分离出来，使其成为独立自在的个体，使其成为从其利益需要出发依其自由意志从事商品生产和交换的商品经济的主体，使其成为在其经济生活中得以不断锻造的全面发展的、其个性得以实现、其创造力得以施展的个体。而国家则演化为一个独立的政治联合体，个人和家庭成为组成这个联合体的民事主体，在国家的职能中，其最根本的是公正、平等地对待和保护组成联合体的每一分子的利益。以正义为法律文化价值的选择，正好反映和适合这种经济关系和政治制度的需要，它以法确定社会关系的规则，而法所体现和追求的是善良、自由、公正、平等、公平和秩序，即正义。法律所注重的是确认和维护主体的权利，以主体的权利为本位，而不只强调义务和责任，当然为确保权利的享有和实

---

[1] 梁治平：《寻求自然秩序中的和谐》，中国政法大学出版社，1997年第一版，第217页。

现，必须附之于义务，主体违反义务，而给他人的权利造成危机时，则应承担责任，以使他人的权利得以救济。在这里，权利的享有和义务的承担，都是以正义为衡量的价值尺度和追求的价值目标的。

讨论上述问题从其现实意义上是试图说明，中西方的传统法律文化价值取向，从其经济根源上是源于两种不同的社会经济模式，在中国传统的自然经济基础上产生的是以无讼为价值取向的法律文化，而在西方，则是在商品经济的基础上衍生了以自由和正义为最高价值追求的法律文化。两种法律文化传统，两种价值取向，对维护和促进其不同特性的经济发展都起到了其历史作用，同时，也造就了两种不同的人格特征和法律观念。面对我国社会主义市场经济的建立和发展，以及与此相适应的法制现代化的要求，对此两种法律文化价值取向的如何选择，孰优孰劣，从其历史的功绩中就能作出判断。我国实现法治现代化，从法的表现层面上是要建立一套适合市场经济体制和现代社会的法律规范体系；而从法的观念层面上，从法的文化意蕴上，从更深刻的意义上则是要求和塑造法的观念的现代化。而这种关于法的现代化观念是包含自由、平等、权利、公正、秩序、效率等法的观念在其中的。

当然，中国传统法律文化的"无讼"的价值取向也是有其积极意义的，追求和谐、秩序、稳定何尝不是法律的目标，中国古代的先哲们发现并高度重视了这一目标，反映出其对这一目标追求的执着。但目标不等于实现目标的手段和过程，目标本身不同于规则。和谐中有不和谐，有序和无序，稳定和变化发展从来就是既对立又统一的。过分强调和重视一个方面，而忽视另一方面，并不符合事物的辩证本性。变化和发展需要稳定，又能打破旧的稳定而实现新的稳定，稳定是在变化过程中实现的，绝对的、静态的超稳定是不存在的，它只能抑制和阻碍事物的发展。另外，中国古代在诉讼审判方式上为了平息争讼而实现无讼，多采取调解，从其负面效果而言，它淡漠了人们的权利观念，降低了法律的地位，但也不泛积极的因素，对其进行改造亦是可以继承的。在明确当事人权利、义务的基础上，通过调解，实现当事人自愿的和解，起码有利于减少讼累，提高效率。

三、本土传统法律文化之功能选择

刑罚，作为中国传统法律文化的功能选择是学人比较一致的观点，从诸多有关论述中就可以看出，"重刑而轻民"，法律的功能偏重对违法行为的惩罚，是中国传统法制的显著特征。而且，这种功能特征，从今人对法的认识、理解中就能反映出来，可见，这种传统观念的积淀何等深厚。

对于法的理解，古代中国人看到的是杀戮、刑罚。"杀戮禁诛谓之法"（《管子·心术》），"法者，刑罚也，所以禁强暴也"（《盐铁论·诏圣》）。从中国历史上看，今人所称之法，在三代是刑，在春秋战国是法，秦汉以后则主要是律。而刑、法、律三字的含义是相通的，正如梁治平先生在其《法辩》中讲到的："刑、法，法、刑可以互训，如《尔雅·释诂》：'刑，法也'，'律，法也'。《说文》：'法，刑也。'《唐律疏议·名例》：'法，亦律也'。"[1] 而刑、法、律的核心则是刑。所以有学者认为从《洪范》、《吕刑》、《法经》、《秦律》到《唐律疏议》、《宋刑统》等，都可以说是刑法典。刑是什么？《说文》："刑，国之刑罚也"；《玉篇》："刑，罚之总名也。"韩非子云："杀戮之谓刑"（《韩非子·二柄》）。直到明代，有人将法与刑的关系解释为："法者罚之体，罚者法之用，其实一而已矣"[2]。刑和罚是密切联系在一起的。《唐律疏议》中有关死罪的规定占了将近全部条文的一半。"沈家本先生作过统计：'唐斩罪八十

---

[1] 梁治平：《法辩》，贵州人民出版社，1992年第1版，第62页。
[2] 转引自张晋藩：《中国法律的传统与近代转型》，法律出版社1997年版，第139页。

九事，绞罪一百四十四事。按《唐律》每条中每该数事，死罪凡二百三十三事。内有斩、绞同条者，若以条计，无此数也。'"[1] 除此之外，还有笞、杖、徒、流刑罚，其法律的刑罚性是很明显的。中国古代刑罚的残酷性也很明显，死刑执行的方式繁多且严酷，肉刑占相当比重。更能说明中国古代法律的刑罚性是将民事关系也刑法化，承担民事责任的方式也是刑罚。如《唐律疏议·杂律》有："诸买奴婢、马牛、驼、骡、驴，已过价，不立市券，过三日笞三十；卖者减一等。"的规定，按唐律，凡负债违契不偿，"一匹以上，违二十日笞二十，二十日加一等，罪止杖六十；三十匹加二等；百匹，又加三等，各令备偿。"将民事契约关系，用刑罚的手段来调整，其他债的关系（保管、侵权等）以及亲属婚姻、继承等都统统被纳入到刑罚体系中去了。

　　与中国传统法律文化对法的理解和诠释不同，现代法治意义上的"法"却与权利、公平、正义相联。法被视为确定权利的标志和权利的有效保障，权利的内容是自由，自由的权利被法律所保障时，便获得了自由，正如西塞罗所说的那样，为了自由，我们作了法的奴隶。"法典就是人民自由的圣经。"同时，法也是支配和限制权力的，它是至高无上的权威；法体现着理性，是正义的表达，而不是任性的意志的工具。可见，法既是手段，更是目的，它是保障人民自由、权利的手段，也是控制和支配整个社会生活的非人格的重要主宰。

　　中国实现法制现代化，需要对法的观念的全面更新，应当把法放在其应有的地位，而不能把法仅仅理解为惩罚的手段。建立"法治国家"的立论，从指导思想上已解决了这一问题。一方面，传统法律文化对法的功能的设定及其历史经验，已经映射为观念形态而浓重地积淀在中国人的法的观念之中，其更新并非一朝一夕所

---

[1] 引自张中秋：《中西法律文化比较研究》，南京大学出版社，1991年第1版。

能实现，适应现代社会的法律体系建构及制度的创新，是可以在短期内实现的，而以此来影响乃至重构人们的现代法治观念则是一个潜移默化的过程；另一方面，建国以来，受传统法制观念和前苏联经验的影响，我们并没有把法律放在应有的地位，法律被视为"专政的工具"，真正需要法律解决的问题的确是"专政问题"，关于法的狭隘的刑罚功能的观念不仅未能消退多少，而且在新的历史时期里又使其厚重了几分，正如梁治平先生说到的："……，普通中国人在听人谈法时，首先想到甚至仅仅想到的却是刑法，是强制性的、暴力的、避之惟恐不及的东西。中国人习惯上把司法机关简称'公、检、法'（即公安局、检察院和法院），'公、检、法'又被习惯地等同于专政机关。相反，当涉及到最基本的公民权利的时候，几乎没有人提到法律。"[1] 这正是中国人对法律认识上的现实国情。正本清源，还法以本来面目，是中国建立现代法治国家和发展市场经济的迫切需要，它关系到法律的地位和权威；关系到法能否反映人民的意志；法能否对权力产生有效的制约，能否真正控制行政权力的滥用，以消除腐败的滋生；能否唤起人民的权利意识，实现人民民主权利；能否保障社会成员在平等、自主的前提下从事社会生产和商品交换活动，推动社会经济的发展等一系列重大问题，当然也包含着使人们明确哪些行为是被法律所禁止的行为，是应承担民事责任的违法行为，还是应受刑罚处罚的犯罪行为。总之，应使法真正成为确认、规范、调整社会生活各个方面的模式和评价标准。

四、本土传统法律文化之特征

中国古代法呈现出明显的伦理化色彩，是与其宗法制度密切联系的。宗法性的个体血缘家族本位又与等级制度、身份关系紧密结

---

[1] 梁治平：《法辩》，贵州人民出版社1991年版，第154页。

合在一起，而等级、身份关系表现出来的则是一种伦常关系。伦常是身份、等级的体现，又是对等级、身份的维护。因此，古代中国人设计出了许多伦常规范，以最终确保其宗法制度的稳固。不仅如此，古代中国人又把宗法制度与国家政治制度高度结合起来，造成家国同构的体制。儒家的治国治家方案融为一体就可以说明这一点，所谓"天无二日，国无二君，家无二尊"，"天下之本在国，国之本在家"，"家齐而后国治"，"修身、齐家、治国、平天下"，即是此理。有鉴于此，规范家族成员等级、身份关系的伦理纲常，也就与对政治国家的维护一致了。因而就有了所谓三纲，即"君为臣纲、父为子纲、夫为妻纲"。不仅如此，既然纲常伦理有如此重要作用，何不"以礼入法"，使之成为规制社会关系的强制手段。于是，在先秦儒法围绕礼与法，法与刑的争论之后，出现了汉代以后的儒法合流，"礼入于法"的趋势，汉儒董仲舒的"引经决狱"大大推动了这一进程。以后，晋武帝时代的《秦始律》，则以礼为本，严格名分，使宗法伦理原则在国家法中得以确立，规定依照服制定罪量刑，凡违犯法定的尊严关系者处以重刑，并将礼的内容纳入律中。[1]而《唐律》则使中国伦理法走向了成熟，其中立法精神、立法原则、法律条文、法律适用等方面都体现了宗法伦理色彩。《唐律》所确立的伦理法制度，对以后诸朝代也发生了深刻影响，而且还有增进和强化。这里引用张中秋先生所引清代名儒纪昀所说的一段话："论者谓《唐律》一准乎礼，以为出入得古今之平，故宋世多采用之。元时断狱，亦每引为据。明洪武初，命儒臣四人同刑官共讲《唐律》，后命刘惟谦等详定《明律》，其篇目一准乎唐。"[2]中国古代的伦理法，实质上是把伦理纲常的核心"礼"，奉为最高的价值判断标准的，礼支配着法，法服从于礼。

―――――――――
〔1〕 参见张晋藩：《中国法律的传统与近代转型》，法律出版社1997年版，第118页。
〔2〕 张中秋：《中西法律文化比较研究》，南京大学出版社1991年版，第123页。

而且,"礼往往直接转化为法律规范,'法'则不过是罚则。古人云:'礼之所去,刑之所取,失礼则入刑,相为表里者也'。'人心违于礼义,然后入于刑法'。伦理纲常因为附有罚则而变成了法律,它对于人心的要求因此外在化为强制性的制度。"[1] 由此,我们可以看到,中国古代法的伦理性是非常明显的。

中国古代法所表现出的伦理性特征,从其经济成因上分析,是与中国古代社会的经济结构分不开的。以小农经济为特征的自然经济结构是中国古代伦理法产生和存在的经济原因,也是根本的原因。以家庭为生产单位的小农经济,决定了家长在生产经营活动中的主导地位。正如张中秋先生所讲的:"小农生产经营的好坏除了难以预测的天灾人祸外,主要依靠生产的经验技术和劳动力,这就决定了富有生产经营的长者(小农生产的经验一般是和年龄增长成正比的)和拥有体力的男子在生产中的重要地位,也自然形成了长辈对下辈,父亲对子女,丈夫对妻子的领导和指挥。这种在农业生产中形成的关系转移到家庭生活中又因天然血缘因素的强化而变得更加自然而然和稳固了。"[2] 因此,以血缘为纽带的家庭生活关系同生产活动中生产者之间的关系一致起来了;家庭成员之间的尊卑关系自然地转化到以家庭为单位的生产关系之中,家长所拥有的地位和权威同样体现在生产中;家长所拥有的管理、监督生产和支配家庭财产的权力,恰恰是小生产经济存在和发展的要求。"可见,封建国家用法律确认家长制家庭,维护家长的特权地位,调整家庭成员之间的权利义务关系,不单纯是出于社会政治考虑,也有维系个体经济再生产的经济目的。"[3] 因此,中国古代法律的伦理化,是其经济结构和经济发展的必然要求。法律反映、确认和维护以家庭为生产单位的小农经济的生产模式,从根本上来讲是对整个

---

[1] 梁治平:《法辩》,贵州人民大学出版社1992年版,第32页。
[2] 见张中秋:《中西法律文化比较研究》,南京大学出版社1991年版,第138页。
[3] 张晋藩:《中国法律的传统与近代转型》,法律出版社1997年版,第130页。

国家占主导地位的经济基础的维护。既然生产是以家庭为单位进行的，而家庭关系又呈现为一种身份、尊卑的伦理关系，那么以这种伦理关系维系和规制经济关系，则更有利于保障这种经济关系的稳定和秩序。正由于此，封建统治者并不满足于使这种伦理关系流于自然而然，而使之成为国家意志，成为政治上层建筑，成为法律，成为统治的手段。这就决定了中国古代法律必然带有伦理化的色彩。从历史的经验看，封建国家的这种选择，是适合其经济结构的，并且事实上对中国古代经济发展起到了推动作用。

与自然经济的要求相反，商品经济所要求的却是个体的独立、自由、平等。中国古代的伦理法实质上是通过道德伦常规范所确保的身份、等级关系来维护以家族为社会基础的整个社会、国家的稳固和统一，是适应其自然经济的需要的。而商品经济的实现，则以个体的独立、自由、平等为前提，作为商品生产经营者的人（包括自然人和法人）在此前提下才能自主地从事其活动，才能自发地通过价值规律调节市场的供求关系，最终实现社会资源的优化配置。这就意味着，商品经济的建立和发展，必然要打破束缚个体自由的以人身依附关系为特征的身份等级界限，这就是梅因在其《古代法》中所讲的"……可以说，所有进步社会的运动，到此处为止，是一个'从身份到契约'的运动。"[1]"从身份到契约"的运动，可以说是一个社会进步的公式，从自然经济到商品经济的发展，必然发生这样一种运动，西方社会商品经济的发展足以说明这一点。契约是商品交换的法律形式，商品交换通过契约来实现。契约是合意，是个体之间意志的一致和契合，而合意的前提却是意思表达的自由、自主，自由、自主的前提却又是个体的独立和其相互之间的平等。契约自由使得商品的生产者、经营者能够从其利益需要出发，对社会供求状况作出判断，进而选择和安排其生产经营活

---

[1]〔英〕梅因：《古代法》，商务印书馆1959年版，第97页。

动,其交互作用的结果则可实现社会资源的充分、有效利用,即优化配置,并带来社会财富的增长。对于当今的中国来讲,建立和发展社会主义市场经济体制,其目标已经确定,发展的经济和社会条件已经具备,并且已取得一定的成效,但不容置疑的是,中国传统法律文化中的诸多不利于市场经济发展的因素在现实中并未完全消除。尤其在人们的观念当中,对法律应有的地位和权威并未得到普遍认同,等级、身份、"官本位"等封建伦理观念依然在一定范围内左右着人们的行为。在经济活动中,走后门,靠关系,希望通过掌握"权力"的官的神通来达到自己的利益目的,而这些官们也就利用其特殊身份以权谋私;在发生经济纠纷以后,不是通过正当的法律程序公正解决纠纷,而是通过疏通某部门或有职权的个人的关节以投机取巧。更为重要的是,在市场经济条件下,商品生产、经营者的市场主体意识并未得以充分树立,缺乏独立、自主、平等意识的自觉,而往往自觉或不自觉地把自己置于被动地位。这些观念上的陈腐,对于市场经济的发展是有害的。

  法治国家,意味着真正实现依法治国,它要求"法律面前人人平等"。中国传统法律文化中的法律伦理化观念是与此相背离的。伦理法将身份、等级等伦常关系作为法律规范,在不同的等级、身份关系之中,法律的运用和要求是不同的。现代法制的前提是承认平等的人格,即所谓人格平等,而非依身份、等级而赋予不同人格。在人格平等的基础上,人们真正独立、自主地从事各类社会活动,法律则以其行为规范的功能调整、引导、保障、制约人们的行为,行为违反法律规范时则受法律制裁,这种法律适用对人人都是平等的。可见,现代法制的精神、功能与中国传统的伦理法的精神、功能是大相径庭的,因而依法治国,建立现代法制国家,需要对中国传统法律文化的伦理色彩予以革除,尤其是缘于这种历史传统而塑造、积淀的人们关于法的观念的更新。

五、本土传统法律文化之结构

中国传统法律文化所体现出的公私法一体的结构形式,在前述中国传统法律文化将惩罚作为其法律的功能选择中已有实质性的涉及。法律对于其惩罚功能的突出,必然表现出其刑事法律地位的突出,而民事法律地位则相对弱下,即使有民事法律规范,其责任承担的方式,也多为刑事性的惩罚。说中国古代法律部门中根本没有民事性的法律规范,这与历史的事实不相符合,在其整个法律体系中,民事法律规范的比重相对少则是事实,并且被包容在庞大的刑事法律规范当中,使得其地位未能得以突显,形成其法律结构上的民刑不分、公私法一体的模式。

被认为最早将法律划分为公法和私法的是罗马著名法学家乌尔比安,他在其所著的《学说汇纂》中认为:"它们(指法律——作者注)有的造福于公共利益,有的造福于私人。"[1] 前者是有关罗马国家的法为公法,后者则是有关罗马人的法为私法;前者是有关公益的法,后者是有关私益的法。法的这种划分,及其所体现出的不同原则、规则、功能在历史的发展中对调整社会关系起了重要作用。依照沃克编著的《牛津法律大辞典》的解释,公法所规定的权利义务是通过国家的力量来保证实施的,公法领域内法律主体的地位是不平等的,如行政法、刑法等则为公法;私法的法律主体的地位是平等的,民法、商法则是典型的私法领域。[2]

依"结构——功能主义"的理论,结构体现着功能,功能通过结构而实现。结构之不同,预示着它由以产生的功能不同;而由功能之体现则可反衬出结构来。前述中国古代法律所追求的功能,即惩罚性功能,便可反证出其法律结构上的刑法性、公法性。重刑

---

[1] 参见〔意〕彼德罗·彭梵得:《罗马法教科书》,中国政法大学出版社1992年第1版,第9页。
[2] 参见沃克:《牛津法律大辞典》,光明日报出版社1988年版,第720页。

而轻民,这一中国古代法律传统的显著特征,法制史及法律思想史学家们已作了大量论证,一般来说亦为人们所公认。这里,惟从其典型意义上分析,被认为是中国古代第一部成文法的《法经》和被认为是中国古代法律之代表的《唐律》,其所涉及的民事法律规范及其所规范的方式又是怎样的呢?关于《法经》,《晋书·刑法志》载:"秦汉旧律,其文起自魏文侯师李悝。悝撰次诸国法,著法经。以为王者之政莫急于盗贼,故其律始于《盗》、《贼》。盗贼须劾捕,故著《囚》、《捕》二篇。其轻狡、越城、博戏、借假、不廉、淫侈、踰制,以为《杂律》一篇。又以《具律》具其加减。是故所著六篇而已,是皆罪名之制也。"可见,由"王者之道"而来的《法经》,其所涉及的乃"国家利益",皆为"罪名之制也",独不见有关涉及私人利益的民法、私法的规范,是一部以刑法为主,又包含诉讼法、行政法的法律。至于《唐律》(永徽律)十二篇,即名例、卫禁、职制、户婚、厩库、擅兴、贼盗、斗讼、诈伪、杂律、捕亡、断狱中"户婚","杂律"涉及民事关系的内容,对家庭、婚姻、买卖、债务、保管、侵权等作了规定,但违反这些规范者所承担的法律责任,即法律上的效果,却仍然是惩罚。就是说,在《唐律》中已事实上涉及到有关民事关系的内容,而从其效果上看却依然是刑罚性的。而从其两者的结合上看,则是将民事关系刑法化。正是由于此,有的学者从法律所涉及法律关系的内容上认为中国古代有民法、私法;有的学者则从内容和效果的一致性上,即从民事关系的法律效果亦应是民事性的,则认为中国古代没有民法。本书所称中国古代法律民刑不分、公私法一体,仅只从中国古代法律中涉及民事关系内容这一意义上来讲的,是指中国古代法律从其结构形式上将民事关系和刑事关系混为一体而加以调整。

中国古代法律民刑不分、公私法一体的结构形式,是有其必然性的,其经济原因、政治原因和观念上的原因都存在。从经济原因上讲,仍然是其自然经济的形态。自给自足的,以小农经济为特征的自然经济，决定了社会经济生活的基本单位是家族。而家族则是一宗法关系，突出的是身份、等级，经济生活完全由家长、族长的意志去支配，家庭成员则只能服从，没有独立的人格和自由意志可谈。在这种基本的社会单位中，看到的只能是家长、族长的权力，而不见有独立人格的个人，不见个人的权利，不见个人的意志自由和对其创造的财产支配。没有个人的独立、平等，没有个人的意志自由和财产支配的权利，也就谈不上个人之间为实现一定利益目的而在平等基础上依自由意志而创设社会关系的可能。这就决定了以主体平等、独立、自主为前提的真正民事关系及其与此相适应的民法、私法在古代中国是没有其所由以产生的经济土壤的。同时，家庭作为基本生产单位，它是一个封闭的系统，而非开放的，它制约、限制了生产社会化的形成，商品经济不能得以滋生和发达，即使是有商品交换，也被湮没在占主导地位的自然经济之中，并未能有效、充分地刺激商品生产的发展，商品经济作为一经济形态在中国古代社会并未形成。而民法、私法是商品经济的基本法，其产生的经济条件是商品经济的活跃和发达，这一点从罗马私法的产生中就可以看出。罗马法的产生，并形成发达的私法，正是以罗马奴隶制商品经济的发达为前提条件的，是其商品经济的法律化。经济关系的发展，需要反映并规制这种关系的法律，适合这种经济关系的法律也就产生了。中国古代的自然经济形态，并未对私法的产生提出这种需求来。

从政治原因上看，中国古代社会的家国一体的格局，表明家不仅是社会的基本经济组织，也是基本的政治组织，对家庭关系的维护，是国家社稷稳定的保证。而其中维护宗法家族和政治国家的却是以"礼"为核心的纲常礼教，"以礼入法"，又使礼成为国家的法律规范。"礼"与法是一致的，"礼"者法之本，法者"礼"之用。由此，对社会关系的调整、规制的手段终归是礼法纲常。对违"礼"者，轻之以道德说教，重之以刑罚处罚，并未有意识地将社会关系划分为"私法关系"和"公法关系",而分别用"私法"和"公法"予以调整。作为专制政体,中国古代统治者所能看到的也只是统治和被统治的关系,所看重的也只是政治国家的稳定。所以以"礼"作为准绳,违"礼"则是对政治国家的危害,而法律所采用的措施则是"出礼则入刑",用刑罚的方式制裁违"礼"的行为。再者,在统治阶级的心目中,要维护国家利益和社会秩序的稳定,则必须废私立公。《韩非子·有度》云:"能去私曲就公法者,则民安而国治;能去私行行公法者,则兵强而敌弱。"国家通过强力来干预私人事务以去私,进而实现国治兵强。把追求私人利益的行为都看作法律所禁止的行为,是应受刑罚处罚的行为,立法的目的就是为了"废私"。基于这种分析,为什么中国古代刑法发达,而民法不发达,即便其法律中有民事关系的内容,而责任形式,即效果却又是刑罚的,或许这就是答案之一了。

从观念角度分析,古代中国人从其追求"天下为公"的"大同世界"的终极目标出发,所看重的是"义"而不是"利"。"义"是其道德的基础,而"利"则是其反面。"义"表征着天理、人情、良知、习惯、礼教,是人们应守于其心而规于其行的道德准则;而"利"则为利益,是与"私"联系在一起的。要取"义"则必去"私利",这是中国古代人的信条。在这种观念之下,与利益相伴的权利观念便无由产生,因为在权利的后面往往是附之于利益的。私权利如此被轻视,决定了确认和保护私权利及私人利益实现的私法便失去了其产生的观念氛围。与这种去"私利"而存"义"的观念相适合,个人的私权利不能得以保障,个人的财产利益不能得到尊重。而且以追求财产利益为目的的商业活动也受到鄙视,重农轻商,视商事为末作的贱商、辱商心态在中国古代社会中顽固地存在着,它不仅抑制了商品流转的发展,而且使得商人阶层始终无以将其利益要求反映到社会意识形态领域,形成反映商事利益关系的商法来。[1]

　　综上所述，中国古代社会未能产生典型的民法、私法，而将私法的内容融于以刑法为其显著表现形式的公法中去，形成公私法一体的法律结构形式，从其经济、政治以及观念形态中可以看出其客观必然性。而现代的中国，建立市场经济体制和法治国家，创建适合市场经济的现代法律体系，其法律结构形式自然应予更新。不仅要承认、接受公私法的划分，而且要实现由"公法优位主义"向"私法优位主义"的转变。而其关键在于以民商法为内容的私法制度的建立，以及人们关于法的观念的更新，尤其是私法观念的塑造和成熟。此点不仅是对老百姓而言的，对于国家政府机关应更为必要。

六、本土传统法律文化之精神

　　人治与法治是两个根本对立的范畴，是两种截然相反的政治统治模式。两者的根本区别在于法与权力的地位关系，法服从于权力者，则为人治；而权力产生于法，法制约权力者则为法治。中国古代政治统治的传统模式中，是人治，抑或法治？这是法律史学者们议论较多且已经形成了一致结论的问题。中国传统社会是人治社会，在中国古代发展史中，并未出现过依现代法治观念所能认同的法治社会。这里需要说明的是，人治和法治本是两种并存而不能相互交叉的统治模式，而本书将人治置于中国传统法律制度、传统法律文化之中，作为其根本精神加以讨论，旨在说明人治、权力、统治者的意志在中国传统法律制度、法律文化中的地位，因为即便是在人治社会中亦非排除法律，只是法与权力、法与意志的关系呈现出不同于法治社会的特征。

　　在古代中国，立法、司法、行政权力集于君主一身。荀子云：

---

[1] 参见梁治平：《寻求自然秩序中的和谐》，中国政法大学出版社1997年版，第157页。

"法者治之端也，君子者法之原也。"（《荀子·君道》）视君主为法律的源泉，因而国家法律的产生取决于君主及其道德人格。《管子·任法》中讲到"夫生法者，君也。""法者，上之所以一民使下也。"亦是此意。韩非子说："君无术则弊于上；臣无法则礼于下。此不可一无，皆帝王之具也。"（《韩非子·定法》）王符云："……君立法而下不行者，乱国也，……是故民之所以不乱者，上有吏；吏之所以无奸者，官有法；法之所以顺行者，国有君也；……法者，君之命也。"（《潜夫论·衰制》）可见，古代的思想家们，虽有门派之分，儒法相争，但从维护君主专制权力的目的出发，认为法自君出，在这一点上却不仅一致，而且鲜明。在司法和行政方面，中国古代社会实行司法与行政的合一，行政长官兼理司法，从中央到地方，行政长官都拥有司法职权。行政权与司法权的合一，其极致的表现，意味着皇帝不仅拥有最高的行政权，而且是最高法官，拥有最高司法权。从汉代的"上请"，魏晋及隋唐的"三复奏""五复奏"，到宋代的"御笔断罪"，明清的"会审"都能说明这一制度。

皇权与立法权、司法权、行政权的这种关系，可以看出，在中国古代传统社会，皇权是凌驾于法律之上的。法律不是对权力的制约，而是从权力中流淌出来的，是维护君主专制的社会政治制度的。也正因为权大于法，因而皇权可以不受法律的制约，可以以权代法，以权破法，严复所说中国古代法"直刑而已，国君得以超乎法之上，可以意用法易法而不为法所拘。"[1] 指的就是这种情形。正如有学者所说："古代中国的基本政体形态是君主专制，皇帝处于统治结构的金字塔顶峰，维护皇帝的权力、地位及个人尊严，树立皇帝的至高无上的独尊地位，乃是中国古代社会一切法律制度的圭臬。不仅如此，在法律与皇权之间，法律成为皇权的附庸而丧失独立存在的

---

[1] 转引自梁治平：《法辩》，贵州人民出版社1992年版，第143页。

地位，法律的至高无上性被皇权的绝对神圣所代替。"[1]

　　人治，还是法治，如前所述，取决于法与权力的关系，而在其深层却蕴含着法与意志的关系问题。法是意志的体现，但法所体现的是什么样的意志，则使法具有不同的性质。法如果是统治者（如君主、或其代表的集团）的意志，那么这种法必然为专制的形成和权力的滥用制造了温床，统治者完全可以依其任性的、反复无常的意志去制定法律、改变法律、决定法律的命运，使法成为维护其专制权力的工具，成为执行其专横意志的强暴手段。这种法只能是恶法。在这种情形之下，所谓"法治"是不存在的，或者是虚假的，实质意义上的只能是人治。相反，法律所体现的意志，如果是一种合乎理性的意志，这种法律则应是合理的，公正的，是为良法。理性是什么？理性应当是对规律的反映。孟德斯鸠在其《论法的精神》中写道："以最广泛的意义来说，法是由事物的性质产生出来的必然关系。"尽管这是一个自然法的定义，但其把法看作是一种"必然关系"，实质上是从理性的角度看待法的，是把法作为规律的反映来看待的，来认识的。"……历史发展会有阶段性和差异性，社会形态也会因此有所不同，但是，人类生活的某些方面尤其是经济生活，确实有着某些一般规律可循。这些规律应该成为任何时代和任何社会的法律的基本素材，立法者不应随心所欲地加以取舍，否则就会遭到来自规律的惩罚。"[2] 这是对法应当是什么的精辟论述。回顾历史，中国社会走了一条人治之路，所带来的是政治上的专制，权力的滥用，人民自由、权利的失却，创造力被扼杀，经济和社会发展被扼制。面对现实，建国以来，我们对法及其地位的认识，在很大程度上也是不妥的。我们所认识的马克思主义的法的观点，不见得就合乎马克思的本意。马克思说道："法律不

----

[1] 公丕祥、夏锦文：《历史与现实：中国法制现代化及其意义》，载《法学家》1997年第4期。
[2] 江平等著：《市场经济：法治经济》，江西人民出版社1994年版，第13页。

是压制自由的手段，正如重力定律不是阻止运动的手段一样"，"恰恰相反，法律是肯定的、明确的、普遍的规范，在这些规范中自由的存在具有普遍的、理性的、不取决于个别人的任性的性质。法典就是人民自由的圣经。"[1] 法是"理性"的，而非"任性"的，马克思在这里讲得很清楚。今天，建立社会主义市场经济体制和法治国家，应清楚地认识到这一点，历史的教训应当吸取，对现实中的人们，尤其是掌握国家权力的一些部门和官员对法的认识的误区更应使其惊醒。腐败现象的滋生和泛滥，以权谋私的猖獗及其屡禁不止，无不与我们对法应有的地位和作用的认识及其建立相应的法治制度有关。依法治国，建立法治国家，应当是我们高扬的旗帜；而带有人治色彩的长官意志，缺乏制约的权力滥用，人民的权利和自由不能得到尊重，甚至被专横的权力所扼杀和压制，则必然会对我国社会发展贻害无穷。

市场经济有其客观规律性，对此规律的理性反映应当成为我们建立社会主义市场经济法律体系的根据，而其中应不乏对市场经济发达国家法律体系的借鉴和移植。依法治国，建立社会主义法治国家，其核心应是通过法律来规范和限制国家权力，确认和保护人民权利，使政府行为在法律规则之下运行。德国《布洛克豪斯百科全书》第15卷对于法治国家的要素的说明，对于我国实现法治国家的目标应是具有借鉴意义的："法治国家的要素有如下内容：颁布在法律上限制国家权力（尤其是通过分权）的成文宪法；用基本法规来保障各种不容侵犯的民众权利，法院从法律上保护公民的公共及私人权利不受国家权力的干涉；在因征用、为公献身及渎职而造成损失的情况下，国家负有赔偿的义务；法院独立，保障法官的法律地位；禁止刑法有追溯效力；最后，是行政机关的依法办事原则。"[2]

---

[1]《马克思恩格斯全集》第1卷，第71页。
[2] 转引自周小明等著：《法与市场秩序》，贵州人民出版社1995年第1版，第59页。

第十七章　本土法律文化转型之历程

事物的运动、发展是客观的、必然的、绝对的，静止和稳定总是相对的，要被运动所打破。在事物质的统一体中，由于其内外部因素的作用，促使其量的规定性的变化，这种变化必然带来事物统一体的分解，使得包含新质的统一体产生。这是事物变化发展的辩证规律，人类社会亦是如此。延续几千年的中国传统法律文化，如同中国社会的发展一样，其封闭的体系和稳定的结构最终也被打破了，并由此开始了中国近现代法律文化的孕育和发展过程。这一过程，孕育于西方法律文化的冲击，发端于清末法律改革；在民国时代获得了发展，亦出现了迂迴；新中国的建立，开创了中国法制现代化的新纪元，但其发展过程也出现过曲折，甚至灾难。面对中国社会主义法制现代化的新时代，回顾中国法律文化现代化的历程，理智地审视和反思其经验、教训，对于今天建立现代化法治国家是有裨益的。

一、中国现代法律文化的孕育

以自然经济、农业文明为其经济特征，以专制主义为其政治特征，以儒家宗法礼教为其文化特征，以天朝大国自居的中国古代社会，在世界的东方绵延了几千年，积淀塑造了其厚重的传统文化，包括法律文化。对此传统文化，我们的祖先不仅孤芳自赏，而且津津乐道。的确，这种文化确实不乏精粹，它曾孕育了灿烂的古代东方文明，是人类文化和文明发展史上的一笔重彩。正因为如此，我们的祖先傲慢了,守着这份文化家业,何不妄自尊大?天朝大国何须关注和学习异族的文化?这种心态,实际上也是我们的传统文化的特征,这种特征决定了这种文化的缺陷,这种缺陷就是其保守性和封闭性。以至到17、18世纪,当西方的一些传教士到中国来传播西方的科学技术和人文科学知识,中国的一些知识分子开始学习和接受西方的进步思想时,却受到了卫道者的反对。康熙以后,清朝为了实行限制和防范外夷的政策,还制定了一系列法律和章程,[1] 依然守着"天不变,道亦不变"的教条。而当我们的祖先守着自己的传统文化妄自尊大的时候,整个世界却在发生着迅速的变化。随着英、法等资产阶级革命的完成,带来了其资本主义经济的迅速发展。与此同时,资本主义生产方式的内在矛盾决定了其周期性的经济危机的发生,为了避免和转嫁危机,资本主义列强开始觊觎东方市场,发动了一系列掠夺殖民地的战争。幅员辽阔、物产丰富的中国,经济上危机、政治上腐败的清朝,则成为西方列强所吞食的对象,英国首当其冲,企图打开中国的门户,而其侵略手段则是鸦片贸易。

1840年鸦片战争爆发了。随战争的惨败而来的是大量不平等条约的签订。天朝大国开始动摇了。少数开明有识之士在震惊之余开始醒悟,意识到传统文化并不那么完美,于是产生了向西方学习的要求。而随着中国封闭的门户被打开,西方文化,包括西方的法律文化也传入中国,使得对西方法律文化的认识、接受、传播成为可能。这一时期,西方传教士大量流入中国,并创办刊物,将西方的人权观念、平等观念、法制观念传播到中国,起到了思想启蒙的作用。中国门户被打开,从而同外国发生较前要多的联系,这为西方法律文化进入中国也创造了条件。特别是在鸦片战争后,清朝政府在被迫签订的不平等条约中承认了外国领事裁判权,使得中国司

---

[1] 参见张晋藩著:《中国法律的传统与近代转型》,法律出版社1997年版,第339~340页。

法主权受到了践踏，同时由于各种法律的适用，也使得西方的法律传入中国。西方法律传入中国，引起了有识之士的兴趣，面对清廷的腐败和衰落，开始意识到中国法律制度的落后和缺陷，他们试图从西方法律制度中寻求改造中国，致力图强的途径。他们一方面在学习、引进和传播西方先进的法律文化，接受和倡导西方法律文化中的自由、民主、人权观念；另一方面，开始了致力于法制改革的实际行动，其中，洋务运动和戊戌变法是这一时期最重要的法制改革活动。

"中体西用"是洋务派将东西方两种文化相结合的方案。作为清朝政治集团中的一个政治派别，奕䜣、曾国藩、张之洞他们一方面看到了鸦片战争后的新情况、新变化，主张要"应世变"，在法律制度方面，主张要学习西方，吸收西方法律文化，制定一些法律，这与"宁可亡国，不可变法"的顽固派保守派的观念形成对立，使得中国封闭、保守的传统法律文化受到了动摇。另一方面，洋务派所倡导的"中体西用"，是"采西法以补中不足"，中法中的纲常名教是不可改变的，视孔孟之道为中法之根本，张之洞说"法律本原实与经术相表里，其最著名者亲亲之义，男女之别，天经地义，万古不刊。"[1]可见，洋务派对作为维护封建专制制度的封建礼教，仍是持肯定态度的，因而"中体西用"的改革方案，必然是反民主、反平等、反自由的。洋务派的观点，虽然有其进步意义，但从根本上而言，是不能与西方法律文化所蕴含的精神相契合的。

及至甲午战争失败，外国列强对中国威胁更加强化，民族矛盾进一步加深，中华民族面临着灾难。救亡图存，是摆在中国人面前的大事。有眼光的知识分子意识到，必须对中国的政治体制进行改革。以康有为、梁启超、谭嗣同、严复为代表的维新派走向了致力

---

[1] 转引自张晋藩著：《中国法律的传统与近代转型》，法律出版社1997年版，第369页。

改革的政治舞台，宣传西方资产阶级国家的"三权分立"制度，发动了戊戌变法运动。

维新派所倡导的改革方案，其核心是改革传统的君主专制政体，康有为指出："近泰西政论，皆言三权，有议政之官，有行政之官，有司法之官，三权立，然后政体备。"[1] 认为只有实行三权分立，才能限制君权，明确国会、政府、司法机构的职权，并使下情上达，君民同体，这样中国之治理，就指日可待了。维新派所设计的君主宪政的蓝图，包括以下内容："第一，设议院、开国会，公举方正直言敢谏之士参与国事，君主与国民共议国政；第二，制定宪法，定君主、官吏与国民的权利义务，全国人等均以宪法为最高准则；第三，行三权鼎立之制，以国会立法，法官司法，政府行政，三权各不统领，而由君主总之。"[2]

对法律制度的改革，维新派特别强调制定宪法，康有为认为"变法全在定典章宪法"，梁启超认为宪法是"立万民不易之宪典，……无论为君主为官吏，为人民皆共守之者也，为国家一切法度之根源"，"无宪法不足以为国。"[3] 除此之外，维新派认为实行宪政，就意味着改变专制政体，应以西方式的政治法律制度治理国家，因而除制定宪法外，应采用西方式的法律制度，建立西方式的法律体系。因之，维新派除主张修改清朝野蛮残酷的刑法外，还建议制定民法、商法、诉讼法。

戊戌变法，由于封建顽固势力的强大与中国民族资产阶级力量的薄弱，使得新政只维持了百余天便告失败。然其在中国法制和法律文化现代化进程中的意义却是不能低估的。首先，戊戌变法使得中国传统专制政体发生了动摇，而使西方资产阶级的以"三权分

---

[1] 康有为：《上清帝第六书》，载《戊戌变法》第2册，上海人民出版社1957年版。
[2] 武树臣等著：《中国传统法律文化》，北京大学出版社1994年第1版，第528页。
[3] 转引自张晋藩著：《中国法律的传统与近代转型》，法律出版社1997年第1版，第431～432页。

立"为核心的民主宪政为人们所认识，为以后的法制改革提供了思想准备。其次，初步提出了现代法制的法律体系，对中国传统法制诸法合一的格局提出了挑战。第三，维新派倡导法制，强调法治优于人治的观点，对"有治人无治法"的传统观念进行了批判。梁启超敏锐地指出："人治"是"恃人不恃法"，"人亡则其政息"，强调"法治主义，为今日救时惟一之主义"，认为中国要自强，非施行法治不可。第四，宣扬天赋人权、自由、平等观念，批判封建纲常名教。维新派在接受西方资产阶级的"天赋人权"观念的基础上，认识到"人人皆独立平等"，而三纲、名教则剥夺了人的平等权，限制了人的自由，压制了人的"生气"。严复进一步提出了具有现代意义的"以自由为体，以民主为用"的政治模式，认为法律应真正保护人的自由权。

当然，戊戌变法中的维新派是有其致命的缺陷的，君主立宪的提出，意味着其变革的不彻底性，"君权变法"说明了其保皇的用心。但从西方法律文化进入中国，引起中西方法律文化碰撞、冲突，以及法律文化的选择、变革，并由此引起的政治变革等全过程来看，君主立宪的提出则反映出这一进程中的阶段性，随着这一进程的深入和发展，民主共和的阶段也将出现。

从鸦片战争至19世纪末，西方法律文化对中国传统法律文化的冲击，特别是洋务运动和戊戌变法对中国传统法律文化进行的反思，甚至抨击，打破了这一封闭、保守的文化体系，使人们认识到了西方法律文化的价值精神，明确了中国要救亡图存，必须向西方学习，借鉴西方国家的法律制度，改革中国现存法律制度。这些理论、思想上的准备，为20世纪初清末法律制度改革提供了条件。

二、中国现代法律文化的开端

从1843年（道光二十三年）清朝政府同英国签订的《中英五口通商章程》中承认了英国在中国的领事裁判权起，美国、法国等西方列强也在中国取得了领事裁判权。外国在华领事裁判权的确立，严重破坏了中国的司法主权。怎样才能使列强放弃领事裁判权，恢复司法主权？清政府认为，造成列强在中国享有领事裁判权的原因，是因为清朝法律不良，如刑法苛酷，司法、行政不分等，因此，改革法律，采用西律，就会使列强放弃领事裁判权。通过交涉，英国首先作出了放弃领事裁判权的承诺，在光绪二十八年八月签订的《中英续议通商行船条约》第12款规定："中国深欲整顿本国律例，以期与各西国律例改同一律。英国允愿尽力协助以成此举。一俟查悉中国律例情形及其审断办法，及一切相关事宜皆臻妥善，英国即允弃其治外法权。"[1] 翌年，清政府与美、日、葡等国签订的条约中，亦有内容相同的条款。由此可以看出，废除领事裁判权，恢复司法主权，成为推动清末变法修律的契机。迫于国内外形势的压力，当年血腥镇压维新派的以慈禧为首的顽固派，现在又拾起维新变化的旗帜来推行变法革新。在慈禧于1901年1月29日下达的变法谕旨中讲道："世有万古不易之常经，无一成罔变之治法。大抵法积则弊，法弊则更。法令不更，锢习不破，欲求振作，须议更张。"从此开始，至1911年，清政府进行了一系列变法修律活动。光绪二十八年（1902年），清廷委派沈家本、伍廷芳为修订法律大臣，并设立修订法律馆。清廷颁发上谕要求："……将一切现行律例，妥为拟议，务期中外通行，有裨治理。"[2] 这一时期，先后制定了《钦定宪法大纲》、《大清新刑律》、《大清民律草案》、《钦定大清商律》、《破产律》、《保险规则草案》、《刑事、民事诉讼法草案》、《刑事诉讼法草案》、《民事诉讼律草案》等大量法典或草案，有些被颁布施行，有些则因爆发辛亥革命清王朝灭亡而未颁行。

---

〔1〕《光绪朝东华录》光绪二十八年八月。
〔2〕 转引自张晋藩著：《中国法律的传统与近代转型》，法律出版社1997年第1版，第436页。

清末修律以及相应的司法制度的改革，对中国法律制度和法律文化的现代化，具有重要的历史价值。其一，清末修律打破了延续两千年的中国传统法律体系，宣布了诸法合体、公私法不分的中华法系的解体，在借鉴西方立法经验的基础上，制定了许多独立的法典和单行法规，勾画出了带有现代法制特征的新型法律体系。其二，体现出了现代法制的一些原则和精神。比如，贯彻了"罪刑法定"原则，《大清新刑律》第10条规定："法律无正条者，不问何种行为不为罪。"规定了法律面前人人平等，限制了封建特权；明确了人民的权利，改变了中国传统法律文化义务本位的传统；在民事立法中，规定了诚实信用原则等。其三，在司法制度中，区分民、刑事案件，明确审级，建立回避、辩护、公开审判、陪审、律师辩护等制度。其四，标志着源自西方的大陆法系在中国开始确立。这是由于清末修律活动基本上是参照大陆法系的国家法律进行的，并且，中国传统法律表现为制定法，与作为成文法的大陆法系较易融合。这同时意味着，中国法律的发展摆脱了孤立封闭的状态，而与世界法律的发展有了衔接，使得法律文化的互动和交流成为可能。

清末修律是自鸦片战争以来，西方法律文化输入中国，在中国传播、积累，并被接受的结果，修律本身是以西方法律制度和法律文化作为借鉴的，因此，由它开始了对中国传统法制和法律文化的违反和背离，确立了一些具有现代意义的法律制度，在一定程度上体现出了现代法律文化的精神。因此，清末修律被看作是中国法制现代化的开端。

清末修律，毕竟是从法律制度和法律文化上与传统相背离，向现代法律制度和法律文化方向发展的第一步，因此，它不可避免地存在着其不彻底性的缺陷，其与传统还保留着密切的联系。从修律的过程和所制定的法律中就可以看出这一点。在修律过程中就体现出了中西两种法律文化相互碰撞和冲突，关于修律的指导思想的争论就明显表现出这一点。修订法律大臣沈家本认为修律的宗旨应为："折衷各国大同之良规，兼采近世最新之学说。"[1] 尽管沈氏的态度明确"仍不戾乎我国历世相沿之礼教民情，"但仍遭到了封建礼教派的反对，认为是破坏礼教。而宣统元年（1909年）关于修改新刑律的上谕中则明白不过地表明了清廷对修律的基本态度："惟是刑法之源，本乎礼教，中外各国礼教不同，故刑法亦因之而异，中国素重纲常，故于干犯名义之条，立法特为严重。良以三纲五常，阐自唐虞，圣帝明王，兢兢保守，实为数千年相传之国粹，立国之大本。今寰海大通，国际每多交涉，固不宜墨守故常，致失通变宜民之意，但只可采彼之长，益我之短，凡我旧律义关伦常诸条，不可率行变革，庶以维天理民彝于不敝，该大臣务本此意，以为修改宗旨，是为重要。"[2] 可见清廷虽迫于形势的压力而主张修律变法，但对涉及维护其统治的纲常名教的态度却是明确的，修改法律可以，但因此而毁灭纲常则大不可。正如当时大学堂总监督刘廷琛所说的："盖天下至大，所恃以保治安者，全赖纲常隐相维系，今父纲，夫纲全行废弃，则人不知伦理为何物，君纲岂能独立，朝廷岂能独尊，理有固然，势所必至。"[3] 虽然在当时修律过程中，主持修律的沈家本等人并不能完全摆脱礼教的束缚，在所修订的新律中仍保留了大量的有关礼教的条文，却仍不能满足清廷和封建礼教派的要求，迫使沈家本于宣统三年二月辞去了修订法律大臣的职务。可见，清末虽然进行了前所未有的，开启中国法制现代化的法制改革活动，但以纲常名教为核心的中国传统法律文化有其顽固性和排他性，与西方法律文化的冲突依然存在，而要克服这种冲突，真正走向现代法制之路，建立现代法律文化，并非一蹴而就的事情，还需经过艰苦的努力。

---

[1] 转引武树臣等著：《中国传统法律文化》，北京大学出版社1994年版，第532页。
[2] 《清末筹备立宪档案史料》（下册），中华书局1979年版。
[3] 《清末筹备立宪档案史料》（下册），中华书局1979年版。

三、中国现代法律文化的发展与迂回

20世纪初,以孙中山为代表的资产阶级革命派,提出了三民主义,确定了推翻清朝专制统治和建立民主共和国的政治纲领,并进行了大量的革命宣传活动及积蓄革命力量的组织活动。1911年10月10日,震惊中外的武昌起义爆发了。起义成功后,各省都督府代表会议通过了《中华民国临时政府组织大纲》,根据这部具有临时宪法性质的政府组织法,选举中国民主革命的先行者孙中山为临时大总统。1912年1月1日,孙中山宣誓就职,并在南京建立起中华民国临时政府。至此,在中国延续两千多年的封建君主专制制度被推翻,资产阶级共和国建立了。

由于辛亥革命的胜利果实被袁世凯所窃取,南京临时政府只存在了短短三个月时间。但尽管如此,以孙中山为首的资产阶级革命派,依据西方资产阶级法理,进行了法律改制活动。《中华民国临时政府组织大纲》虽是一部组织法,但它具有宪法性质,起到宪法的作用。《大纲》规定中华民国实行资产阶级共和政体,国家中央机关之间权力分配实行资产阶级三权分立的原则,实行总统制的政府体制。《大纲》规定这些制度,标志着它以资产阶级共和制的政治制度代替了封建君主专制制度,使得延续几千年的君主专制制度发生了变化。1912年3月11日颁布的《中华民国临时约法》作为取代《大纲》的宪法性文件则更为全面、具体地规定了资产阶级共和国的组织机构和人民权利、自由等内容。《临时约法》在第1条就规定:"中华民国由中华人民组织之",体现了"主权在民"的精神,是对"朕即国家"的君主专制制度的否定。依照西方资产阶级"天赋人权"、"平等"观念,规定了"中华民国人民一律平等,无种族、阶级、宗教之区别",明确了人民可以享有的各项自由权利和应尽的义务。《临时约法》规定了中华民国临时政府在中央政权国家机关间实行资产阶级的三权分立原则:参议院行使立

法权,国务院辅佐临时大总统行使行政权,法院行使司法权,政权组织形式采取责任内阁制。另外,南京临时政府还制定、发布了一些法令,如《内务部通饬保护人民财产令》,规定凡在民国势力范围之人民,所有一切私产,均应归人民享有,体现保护私有财产的精神;改革司法制度,颁布了禁止体罚、刑讯的法令,草拟了《中央裁判所官职令草案》、《律师法草案》,主张慎选法官,采用资本主义的陪审制度、辩护制度、公开审判制度等先进的司法制度。

南京临时政府时期所进行的法制创新活动,在中国法律史上具有重要意义,是中国法律制度和法律思想发展的质的飞跃。取得政权的资产阶级始终以建立资产阶级民主共和国为其政治目的,确认了资产阶级三权分立的政治组织原则,否定了封建君主专制制度;以西方资产阶级的民主、自由、平等和保障人权为价值取向和依归,并且在实践中切实贯彻执行,同专制、等级、身份伦常等传统法律文化中的弊端进行了决裂,从此"民主"、"共和"的观念深入人心,成为反对封建、反对专制的内在动力。

辛亥革命的胜利成果很快被以袁世凯为头子的北洋军阀窃取,民国法律发展的历史由此进入北洋政府时期。这一时期,是辛亥革命法制建设的成就被篡夺的时期,是中国法制现代化的进程受到阻碍,并向传统法律文化复辟的时期。北洋政府虽在形式上挂着"中华民国"的旗号,号称"民主共和国",而实质上则实行的是军阀独裁专制。正像孙中山先生所讲的:"失去一满洲之专制,转生出无数强盗之专制,其为毒之烈,较前尤甚。于是而民愈不聊生矣!"[1] 这一时期军阀混战,政局动荡不安,政权不断更迭。而取得政权的军阀往往要用法律的手段来维护其专制统治,为其政权服务,好使其披上"合法"的外衣。因而在立法活动中,制宪频繁

---

[1] 孙中山:《建国方略》,《孙中山选集》(上册),第104页。

成为这一时期的一个显著特点。如袁世凯统治时期的《中华民国宪法草案》（"天坛宪法草案"）、《中华民国约法》（"袁记约法"）；段祺瑞时期的《中华民国宪法草案》（"八年宪法"）；曹锟时期的《中华民国宪法》（史称"贿选宪法"）等。当然在这些宪法性文件中或多或少要罗列一些标榜"民主"和"共和"的字样，以愚弄广大人民群众。而实际上，却是对统治者权力的扩大，为专制独裁制度提供法律依据，如《中华民国约法》将国家各项权力集中于大总统一人之手，使得其权力同封建皇帝没有多大区别；而对所规定的人民的种种"自由权"却加以限制，使其在"法律范围内"或"依法律所定"才能享有。

　　另外，这一时期还制定和颁布了《中央行政官官等法》、《公司条例》、《证券交易法》、《暂行新刑律》、《刑事诉讼条例》、《民事诉讼条例》等法律及一系列单行法规。加之宪法性文件的制定，表现出这一时期的立法活动频繁，法律的形式化程度较高。但法律的外在形式同内在精神上却是矛盾的，法律的数量增多，然其所包含的现代法制的精神，现代法律文化的价值取向却并未提高或得以体现，而是出现了复辟和倒退，使得中国法制现代化进程出现了曲折。正如公丕祥、夏锦文先生所讲的那样："但从价值取向上看，北洋政府的法律制度是对辛亥革命法制的否定。县知事兼理司法审判恢复了司法行政不分的封建传统；县太爷坐堂问案，被告人跪地供认并施以刑讯的审判方式，则限制了诉讼的民主性，侵犯了当事人的诉讼权利；特别法的制定以及执行司法的专横，从实质上否定了人民的民主、自由、平等和人权，使载于法律形式的高调成为一纸空文，从而使其法制不断地向传统法律文化复辟。因此，在这一广义上说，北洋军阀统治时期，不仅没有推动反而大大阻滞了中国法制现代化的进程，并使中国法制现代化付出了巨大的代价。"[1]

---

〔1〕 公丕祥、夏锦文：《历史与现实：中国法制现代化及其意义》，载《法学家》1997年第4期。

扬，而出现了向封建的法律文化的复归。华友根在其所著《中国近代法律思想史》中讲到："颁布《六法全书》的国民党，虽也采用资产阶级法律原则，宣扬法治，实际上没有真正依法办事，还是实行人治。由总统独揽一切，总统可以随时发布命令以限制人民的自由和权利；可以公布或修正各种单行法、特别法；可以擅自设立特种刑事秘密法庭进行审判；可以组织特务和设立集中营进行恐怖统治者，这些都是十足的人治。"[1]

由此足见南京国民党政府的法律制度的专制性、人治性。

四、中国当代法律文化状况及反思

以马克思主义为指导的代表着中国法制现代化的新型法制，从中国共产党领导的新民主主义革命时期就开始了其生长和发展的过程。其中最主要的是苏维埃革命根据地时期和陕甘宁革命根据地时期这两个阶段。这一时期的立法，涉及到宪法、土地法、婚姻法、劳动法、刑法、诉讼法等法律部门。在这些法律中，反映和体现了广大人民群众的利益和要求，表明了反帝反封建和反官僚资本主义的立场。在其整个法律制度中，表现出了追求真正的平等、广泛的民主和充分保护人权等价值追求和内在精神，形成了一新型法律文化的品格。这些新民主主义的法制模式和其所体现的精神，成为新中国建立后社会主义法制建设的基础。

随着新民主主义革命的胜利，社会主义新中国诞生，中国法制现代化建设也进入了一个新的历史时期。建国之初，在废除旧法制的基础上，开始了创建中国新型法制的运动。在立法上，从1949年9月至1954年8月，先后制定了《土地改革法》、《惩治反革命条例》、《婚姻法》、《工会法》、《惩治贪污条例》、《人民法院暂行

---

[1] 潘念之主编、华友根著：《中国近代法律思想史》，上海社会科学出版社1993年版，第330页。

1927年，中华民国南京国民党政府建立后，进行了大量的[立]法活动，形成了内容庞杂的法律体系，其中以宪法、民法、商[法、]刑法、诉讼法和行政法即"六法"为主。《六法全书》采用了外[国]资产阶级的立法原则和法理，改变了中国传统的礼法不分、诸法[合]体的模式，是对清末修律、北洋政府和南京临时政府时期法律修[订]成果的发展和提高。

作为宪法性的文件，南京国民政府从1928年10月制定的《[训]政纲领》，1931年5月制定的《中华民国训政时期约法》，到19[36]年5月5日公布的《五五宪草》，1947年1月1日公布的《中华[民]国宪法》，都是体现和反映大地主、大资产阶级利益的。它以根[本]法的形式为国民党一党专政，进而实现蒋介石个人独裁统治制造[法]律依据。这些宪法性文件，虽然标榜所谓"全民政治"、"主权[在]民"、"保障公权"等，而实质上却是对人民自由、民主权利的[限]制和剥夺。而且还打着"尊重条约"的招牌，维护帝国主义的[在]华利益。所以这些宪法性文件，虽然打着继承孙中山的"三民[主]义"和"五权宪法"资产阶级的民主法制观念的旗号，实际上[只]是装饰门面而已，其所真正体现的却是封建主义的专制。这个特[点]在部门法中也有体现，如在民法中一方面强调改革封建宗法制度，另一方面却规定"男女婚姻，其主婚权在父母，惟须得祖父母[之]同意"，"父母之命，媒妁之言"的封建包办婚姻制度依然存[在]。在民法中，继续维护夫权，如规定妻在本姓之上冠夫姓，夫对妻[之]有财产有使用权，离婚后子女由夫监护。此点在刑法中也有体[现，]如判例所指出的："娶妾不得谓为婚姻，故有妻复纳妾者，不成[重]婚之罪"，丈夫就是取了三妻四妾，也不算重婚等。南京国民党[政]府时期的法律，虽然立法繁多，部门齐全，内容完备，规定详[细，]立法技术也较前有了提高，并形成了法律形式化程度较高的"[六]法全书"体系，但法律中所体现出的精神和追求的价值却出现[了]倒退，未能将现代资产阶级法律制度和法律文化进一步推动和组织条例》等一系列法律。为了巩固和发展新生的革命政权，镇压反动势力，因而这个阶段的法制特点是：专政、镇压与恢复发展国民经济相结合，没有进行大规模的立法活动。1954年9月，第一届全国人民代表大会第一次会议召开，会议通过了《中华人民共和国宪法》、《全国人民代表大会组织法》、《国务院组织法》和《地方各级人民代表大会和地方各级人民委员会组织法》等一批基本法，至1957年，还相继制定和颁布了一些重要的法律、法令。通过这些法律、法规，社会主义中国的基本政治制度、立法体制、司法制度以及社会主义法制原则得以确立，从而也标志着中国社会主义的新型法制的确立，新中国的法制现代化模式也由此展开。

至1956年，我国的社会主义改造基本完成，社会的主要矛盾已不再是工人阶级和资产阶级的矛盾，而是如何保护和发展社会主义的生产力，实现国家现代化，满足人民日益增长的物质和文化需要。党的"八大"对当时的中国社会状况作出了科学的论断；剥削阶级赖以存在的经济基础已基本消灭。对于法制建设，提出了逐步地系统地制定完备的法律的方针。但中国社会的历史并没有按照"八大"所确立的方向发展，由于各种复杂的主客观因素的制约和影响，中国社会的发展受到了阻却。法制建设也一样，从1957年的反右运动开始，阶级斗争被扩大了，"以阶级斗争为纲"冲击了社会各个领域，法制发展的进程被打乱了，群众运动的频繁，更助长了法律虚无主义的滋生和泛滥。这样，本来要制定的几部重要法律未能制定出来，司法独立原则被否定，使得社会主义新型法制的发展出现了停滞局面。

从1966年开始，至1976年结束的十年文革更使中国法制建设蒙受了重大灾难。这一时期，法律虚无主义更是登峰造极，社会主义的民主和法制遭到了严重摧残，"砸烂公、检、法"，使司法体制受到了严重破坏；有法不依，以言代法，党法不分，出现了"无法无天"的局面。客观地讲，这一时期中国法制不是一个停滞不前的问题,而是出现了倒退,是中国社会主义法制现代化建设的大灾难。

随着文化大革命的结束,1978年党的十一届三中全会召开,中国社会主义民主和法制建设又被提上了日程,迎来了法制现代化的春天。通过对十年文革给国家和人民带来的灾难,对社会经济和政治生活带来的挫折的反思,人们痛切地感受到,必须大力发展社会主义经济,建立和完善社会主义民主制度,加强法制建设,即通过经济体制和政治体制的改革来实现社会的发展。在改革的过程中间,法制建设占据着重要的地位,"法制建设必须贯穿于改革的全过程。"[1]邓小平指出:"必须使民主制度化、法律化,使这种制度和法律不因领导人的改变而改变,不因领导人的看法和注意力的改变而改变。"[2]使法制真正成为经济建设和民主政治建设的规范和保障。

1992年10月,党的十四大提出了建立社会主义市场经济体制的经济体制改革目标,并提出了建设有中国特色的社会主义民主政治的政治体制改革目标。而市场经济体制和民主政治体制的建立都离不开法制建设,改革的目标推动着社会主义现代法制的发展,法制的发展又会促进市场经济体制和民主政治体制的建立和完善。围绕适合社会主义市场经济体制和民主政治体制建立和发展的需要,这些年来,立法工作出现了快速发展的局面,一个部门齐全,内容丰富,调整范围广泛的现代化的社会主义法律体系已初步形成;司法领域也逐步朝着规范、合理的方向发展。

社会主义现代化法制建设任重而道远。我国法制发展的重要性日益引起全国人民和共产党人的重视。1996年3月17日,第八届全国人大第四次会议批准的《国民经济和社会发展"九五"计划

---

[1] 摘自党的十三大报告。
[2] 《邓小平文选》,第136页。

和 2010 年远景目标纲要》将"依法治国，建设社会主义法制国家"作为战略目标加以规定，江泽民总书记在党的十五大报告中又提出了"进一步扩大社会主义民主，健全社会主义法制，依法治国，建设社会主义法治国家的目标。"这个目标的确定，必将进一步促进我国社会主义现代化法制的发展步伐，朝着依法治国的目标迈进。

历史发展有其阶段性，也有其连续性、继承性。中国法制现代化的历程从其发端，曲折中的发展，到今天法制现代化的辉煌，经历了百年的漫长过程。在这个过程中，社会历史发展的每一个阶段，由于当时社会的经济、政治、文化等因素，使得各个阶段形成了其特有的个性，这个个性自然也反映在法制建设之中，反映到法律文化之中，因而也就形成了这一时期的法制和法律文化的个性特征。而这些带有时代烙印的不同历史阶段的法律制度和法律文化的承上启下，相互联接，则形成了中国法制现代化和法律文化现代化的整体过程。其间不乏有摒弃和批判，但也存在着接受和保留，由此也就形成了发展和进步。中国今天法制现代化的空前繁荣，法律文化的现代化塑造，一方面是百年来中国法制现代化发展的必然结果，是中国社会及其法律制度发展中的否定之否定的辩证过程所表现出的曲折发展道路的一个重要历程，另一方面，法制现代化的过程并未完结，其道路依然漫长、曲折。今天，法制现代化迎来了它前所未有的新时代，在新的时代里，法制现代化有了长足的发展；新的时代又为法制现代化提出了更新、更高的要求。

建设中国社会主义市场经济体制和民主政治体制，必然要求法制建设的现代化，这是历史对法制建设提出的新的使命，也是法制建设的动力。建立和发展现代化的社会主义法制，作为上层建筑领域改革的一个重要组成部分，社会的经济结构、经济体制依然是其赖以发展的基础。改变原有的计划经济体制，建立社会主义市场经济体制，就是当今社会的经济基础，它决定和要求着法律制度的变革，要求法律制度适合这种经济领域变革的新状况。确定、规范和维护市场经济体制建立和发展中的新的经济关系是当今法制建设的使命，也是法制建设的动力，法律必须对市场经济条件下的诸如财产的所有关系，财产的流转关系等作出规范，保障和促进商品生产和流通，维护交易安全，制裁经济违法行为等。就中国政治制度历史传统而言，人治、集权专制一直是占统治地位的，即便是在新中国建立以后，这种传统依然在一定程度上、一定范围内存在着。建立社会主义的民主政治体制，其意旨在于改变这种状况。而要使社会政治生活民主化，其保障则是法制化，民主和法制是相辅相成的。法制建设必须为政治民主化提供强有力的保障，必须对国家权力的行使作出规范，必须保障人民的意志得以表达，权利得以实现。

在中国历史上占统治地位的是自然经济体制和专制政治体制，新中国成立后，在大多数时间我们实行的是计划经济体制，政治生活中的非民主化色彩也较浓厚，而要改革这种状况需要法制的保障，同时也有赖于法制的引导。通过合理地、适合中国国情地借鉴和移植市场经济发达国家的现代法律制度和具体法律规范，发挥法律制度对经济的反作用，使其沿着法制的轨道运行，无疑会对市场经济体制，进而对民主政治制度的建立和顺利、健康发展起到积极的引导作用，以尽可能避免在这一过程中蒙受新的挫折。

法律文化依其结构划分为制度性法律文化和观念性法律文化。十一届三中全会以后，伴随经济体制和政治体制改革的不断深入，法制改革也在不断深入，法律文化在新的时期里，在一定程度上获得了新的内涵，得到了重塑。在法律制度方面，同现代化社会结构基本适应的诸如宪法制度、审判制度、诉讼制度、辩护制度、国家赔偿制度等法律制度体系已初步建立起来，现代法制的一些基本原则，如法律面前人人平等原则、罪刑法定原则、民事权利主体平等原则、契约自由原则等在法律制度中也得到了体现。它们共同构成了当代中国法制的基本框架。然而，在法律观念方面，人们在多大程度上树立了现代法律观念，却是一个值得引起重视的问题。虽然，现代形态的法律制度从其初步建立到现实中的运作经历了几十年时间，但人们是否从观念上接受了现代法制所包含的内在精神和价值取向呢？可以说，延续中国几千年的传统法律观念，在人们的心理、态度、生活方式中的积淀和凝聚是极为深厚的，以至于人们虽身处现代法制的氛围中，却难以引起改变其固有法律观念的自觉，其惯性之大已成为今天我国建立真正的现代法律文化的障碍。我们虽然进行了声势浩大的、前所未有的法律制度的改革活动，使现代法律制度在我们的社会中也得以存在并发挥其作用，但这些并没有使得人们所固有的传统法律观念改变多少。就像法国比较法学家勒内·达维德所讲的："立法者可以大笔一挥，取消某种制度，但不可能在短时间内改变人们千百年来形成的，同宗教信仰相连的习惯和看法。"[1] 这就是当今中国法律文化现代化中一个尖锐矛盾，即现代的制度性法律文化和传统的落后的观念性法律文化的矛盾和冲突。这种法律文化的冲突是我们今天发展社会主义法律文化的重要障碍，它使得蕴含于我们所建立的现代法律制度中的法律理想和价值追求不能被普遍认同和接受，不能形成普遍的社会心理和社会观念，当然也就不能有效实现。但事物从来就是在矛盾中发展的，对立和斗争本身就是事物发展的内在动力。通过积极克服法律文化中的这一尖锐矛盾和冲突，必然会带来法律文化的发展。因此，建立和发展中国现代法律制度和法律文化的正确选择和途径是，在进一步发展和完善以法律制度为核心的制度性法律文化的同时，应高度重视人们现代法律意识的培养，逐步形成对现代法治精神和价值取向的认同和接受，克服传统法制观念，实现向现代法制

---

[1]〔法〕勒内·达维德：《当代主要法律体系》，上海译文出版社，1984年版，第467页。

观念的转换,达到制度性法律文化和观念性法律文化的内在协调一致和功能的良性耦合,从而真正实现中国社会主义的法制现代化和法律文化的现代化。

第十八章　中国法制现代化之构想

同传统法制告别，向现代法制转型，中国法制现代化的步履从20世纪初起步，在崎岖坎坷的历史道路上，走过了近一个世纪的漫长历程。然而，现实分明地告诉我们，中国的法制现代化至今并未真正实现。20世纪后期，中国人确立了建立社会主义的市场经济和民主政治国家的体制目标。作为实现这一目标的制度保障，法制现代化的问题又被当然而明确地提了出来，并获得了前所未有的重视和倡导。中国迎来了法制现代化建设的新时期。而如何认识法制现代化，理性地把握中国实现法制现代化的关键因素，以及法制现代化模式、途径的选择，这是在理论上需要予以明确和回答的问题。

一、法制现代化的含义

法制现代化，是人类社会现代化的一个重要组成部分。如何认识和界定"现代化"，这是二战后，特别是从上世纪60年代起在世界范围内引起重视和探讨的问题。学者们仁者见仁，智者见智，从不同角度——经济发展的、社会结构的、政治结构的或者文化的——对现代化进行了解释。从辩证的角度看，现代化不应是一个绝对的概念，它虽表征着社会的经济、政治、文化，乃至心理、观念的等内容或因素的整体转变，但对其衡量的标准应是动态的、相对的，而不应是静止的、绝对的。因为就整个世界范围而言，所谓现代化总是与特定的国家、民族相联系，由于其历史条件的不同，决定了其现代化的内容和程度应是具体的，而非抽象的。因而试图确定一个抽象的、普遍适用的现代化标准或模式，似乎并不客观。现代化是相对于传统而言的，它体现为摆脱和告别陈腐的传统而向未来发展的这样一个过程，它应是动态的。因之，所谓现代化，可以笼统地理解为由传统社会向现代社会转型或过渡的历史过程，在这一过程中，社会的经济、政治、文化等要素发生了既适合特定国家的国情和民族个性特点，又适应整个世界发展趋势的社会整体性转变。

基于对"现代化"的这种分析，也基于法制的内容和特点，可以对法制现代化作这样的表述：法制现代化是由传统型法制向现代型法制的创造性转换过程，这个转换过程是伴随着特定国家的社会转型而发生的，它以该特定国家民族的法制传统为历史起点，同整个世界的法制发展趋势相协调，其所建立的法律制度及其动态运转机制能够适合发展着的社会实践的需要，其所蕴涵的内在精神体现出了现代社会的价值追求。

对法制现代化的这种表述中，包含着这样一些含义：

其一，法制现代化表现为一个历史的动态过程。

这一历史过程的形成，以整个世界的文明进步及法制的发展为其外在氛围，而以特定国家、社会、民族的发展和转型为其现实基础，以其民族的法制传统为历史起点。法制的现代化，作为整个世界的文明进步和现代化的重要因素，它必然受到整个世界人类文明进步以及与之相适应的法制发展的影响和制约，它不可能孤立地发展。同时，法制的现代化既是一个普遍的概念，又是一个特殊的概念，它既适应和反映出整个世界现代化发展的趋势，又有其现实的基础。就此而言，特定国家、社会的整体进步、发展乃至现代化，为法制现代化提出了必然要求，法制必须满足和适应整个社会现代化的要求，并作为社会现代化的制度保障。法制的现代化有其赖以生长、发展的现实社会基础，同时又有其相对独立性和特殊规律性，它同其特定国家、社会、民族的法制传统有割不断的联系，并以其作为出发点,既对传统法制以继承、延续,又对传统法制以变革和创新。这种变革和创新,表现为适应整个社会现代化要求的包括法律制度体系及其动态运作,和体现在其中的法律价值选择,法制观念的整个变革和转型。

其二,法制现代化既具有世界性,又具有民族性。

法制现代化作为一个历史的发展过程,必然包含着这一含义。人类社会的文明发展到今天,法制现代化已呈现为一种世界性的趋势,顺应这一趋势,体现和遵循人类文明发展的新的价值追求,变革法制,实现法制的转型,这是人类社会文明进步的必然要求,因而法制现代化具有世界性的意义。同时,法制现代化又具体而特殊地表现为特定国家、社会、民族的法制变革和转型,如前所述,它以特定国家、特定民族的现实状况为其基础,以其法制传统为出发点,因而诸如不同国家、社会、民族的经济状况、政治体制、文化传统、民族素质、社会心理、生活方式等及其法制传统的差异,这些因素就决定了法制现代化必然带有特定国家、社会的个性色彩,表现出民族性的特征。它不可能表现出一种普遍一致的、绝对的、刻板的模式,其中最为实质的当是在其法制的个性中体现出现代法制的基本内涵、普遍精神,及其表征当时人类文明程度的具有时代意义的价值追求。也正是基于此点,中国和外国,东方和西方,其法制现代化的道路、模式,甚至内容就有了区别。因此,法制现代化也就不能一概地理解为"西化",现代化并不等于全盘西化,对西方的现代法律制度的吸收、借鉴是必要的,但照搬则必然陷入误区。这里存在一个外来文化和传统文化的衔接和融合的问题,如果能够实现恰当、合理的融合,一方面吸收外来文化的优点,借鉴其法律制度中的现代因素,另一方面又照顾到本土文化的传统,使得传统的东西发挥得当,则会探寻到一种既体现现代法制的品格特征,又富有民族特色,既具有创造性,又切实可行的法制现代化的道路。

其三，法制现代化既有共同性，又有多样性。

就世界范围而言，法制现代化不存在一个统一的尺度、固定的标准和模式。但法制现代化的共同的、一致的基本标准或尺度却是存在的，它反映出了人类社会文明及其法律制度、法律文化发展到今天的成果，表现为制度安排和价值取向两方面内容及其内在的统一。这个标准或尺度，一方面成为评价、衡量一个国家法制现代化程度和水平的参照度，另一方面又是一个国家实现法制现代化所共同追求的目标，尤其是现代法制所蕴含的实体价值，则成为特定国家法制现代化的实现过程中所应追求的价值目标，是其法制现代化中所应体现的内容。同时，特定国家实现法制现代化，其社会政治、经济、文化状况存在着差异，尤其是其法制传统和本土法律文化的个性决定了其法制现代化的历史起点、实现过程、具体的制度建立等均有不同，由此也就决定了其独特的现代化发展道路。不同国家从其特殊国情出发，探寻适合本国特点的法制现代化的道路，就使得法制现代化具有了多样性。如果说，法制现代化的基本标准、目标是各国建立现代化法制的共同性、一致性的话，那么体现现代化法制的基本要求和准则，又结合本国客观国情和法制传统的法制现代化建设之路，则成为特定国家实现法制现代化的具体的、特殊的和现实的选择。因此，就特定国家的具体的法制现代化建设而言，它是共同性、一致性与特殊性、多样性的统一。

其四，法制现代化包含法制的结构形式和实体价值的现代化，及其和谐统一。

法制现代化要求法制的结构形式及其所追求和体现的实体价值都符合现代化的要求，而且两者应当是和谐一致的。法律制度总是通过一定的结构形式表现出来的，诸如法律规范及其体系结构、法律组织机构、法律设施、司法程序等都是法律制度的具体表现形式。法制现代化要求法律规范必须确定、严谨、周密，体现出法律的理性化特点；要求法律规范体系结构严谨、层次分明、前后照应、互相连贯、和谐一致；要求法律组织机构的精细化、专门化和法律职业者素质的现代化；要求法律设施的科学化、技术化；要求司法程序的规范化、制度化和有效化。作为法制的外在表现，法制的结构形式的现代化体现了法制的理性化要求，它使得法律的遵守、执行和适用获得了实证的依据，国家权力的行使得到了规范，社会主体权利的实现有了保障，对个人意志滥施之下的专断提供了防范和抵御的措施，总之，为实现法治，克服人治创造了制度条件。法制的结构形式的现代化只是法制现代化的一个层面，另一个层面则是实体价值的现代化，它表现为与现代法治原则相吻合的一系列法律价值取向，诸如正义、自由、平等、权利等价值观念，以及法律至上、法律统一、法律独立等原则。这些价值追求或价值取向，体现了现代社会文明发展的成果，是法制现代化所应追求的实质内容。法制的结构形式和实体价值的关系，从根本上讲，应是形式和内容的关系。现代法制所追求的价值，应是法制的结构形式的形成和建构的内在根据，而法制的结构形式则是以外在形式对现代法制价值的体现，两者之间应是和谐统一的关系。

二、中国法制现代化之模式选择

（一）法制现代化的一般模式

法制现代化作为由传统型法制向现代型法制的转换过程，呈现为一种世界性的趋势。正如前述法制现代化表现为共同性和多样性的统一一样，法制现代化的实现途径和模式也有其多样性和共同性。诚然，就特定国家而言，由于其社会经济、政治、文化状况及其历史传统的不同，决定了其走向现代化法制的道路的特殊性，但就整个世界范围来看，如同事物的发展有其规律性一样，法制现代化的实现途径和模式，在排除了其个性特征之外，还是有其共同性、一致性可寻的。因而，法制现代化的一般模式或途径应是存在的。

　　探寻法制现代化的一般模式或途径之所以必要，在于通过对法制现代化的先进国家的不同模式及背景（经济、政治、文化和传统等因素）分析，对其经验、教训的总结，藉以为法制现代化的后进国家选择和设计提供参照及范式，使其在经验凭藉的基础上顺利实现现代化目标。同时，也使法制现代化的后进国家在对经验模式的审视和参照中，类比出其法制现代化的基础背景的特殊性、差异性，以使其通过对模式的修正，预设、创制其法制现代化的具体而现实可行的起点、路径和目标。

　　作为普遍意义上的现代化的一个重要组成部分，法制现代化与现代化是特殊和普遍的关系，现代化理论所揭示的一般特点，对法制现代化是有指导意义的。同样，现代化理论中关于现代化的实现模式的观点，对我们认识和说明法制现代化的实现模式，也是可资凭借的。关于现代化的实现模式，国内外学者从不同角度进行了广泛考证和分析，形成了诸多观点。[1] 我国有学者通过对现代化的实际历史进程的考察，提出了现代化的两种模式，即内源性现代化和外源性现代化。"内源的现代化（modernization form within），这是由社会自身力量的内部创新，经过漫长过程的社会变革的道路，又称内源性变迁（endogenous change），其外来的影响居于次要地位。""外源或外诱的现代化（modernization form without），这是在国际环境影响下，社会受外部冲击而引起内部的思想和政治变革并进而推动经济变革的道路，又称外源变迁（exogenous change），其内部创新居于次要地位。"[2] 参照这一理论，理论法学者们对法制现代化的模式，也作出了基本一致的解释。吕世伦、姚建宗先生就认为："……法制现代化也可以作出如此的基本模式划分，内源的

---

[1] 参见吕世伦、公丕祥主编：《现代理论法学原理》，安徽大学出版社1996年版，第546～547页。

[2] 罗荣渠：《现代化新论》，北京大学出版社1993年版，第123页。

法制现代化,是在一国内部社会需要的基础上,通过自发的或自觉的对法律精神、法律制度和法律体系的渐进变革所实现的法制现代化,由于不存在外部压力,其动力源自社会内部,因而这是一种主动型或曰积极型法制现代化模式,西欧各国和美国的法制现代化可归入此类模式。相反,外源的法制现代化,则主要是在一国内部社会需求软弱或不足的情况下,由于外来因素的冲击和强大压力,而被迫对法律制度和法律体系所实行的突变性改革。一般说来,这种法制现代化根本没有或者很少在法律精神(观念或意识)方面实现真正的现代化转变,因而是一种被动型或曰消极型法制现代化模式,属于第三世界的各欠发达国家的晚近的法制现代化当是其典型,中国清末的修律和日本明治维新的变革亦可归入此类。"[1]

通过对这两类法制现代化模式的比较分析,可以看出,由于形成两类模式的社会历史条件的不同,决定了其在现代化的动力来源、变革的特点、顺序,以及法律意识在其中所产生的作用均有不同。在社会历史条件的诸要素中,居基础地位、起主导作用的是社会的经济因素。法制的进化、发展亦是如此,其最终的动力来源在于社会经济因素的增长。社会经济因素的增长以生产力的发展为最终根源,它决定着社会生产关系的内容必须与它相适应,并由此形成社会生产方式的转化和变革,法制作为上层建筑的重要组成部分,它必须反映和适应业已变革的生产方式,从而形成法制的变革。内源型的法制现代化模式就是这一规律的体现和反映,其动力来源从根本上来讲,来自于社会内部的经济因素的变化,具体表现为商品经济的发展。伴随着商品经济的产生和发展,作为商品经济的基本主体的市民阶级、商人、企业家,由其经济作用所决定,其在整个社会中的力量逐渐壮大,地位日益突出。他们的社会观念反

---

[1] 吕世伦、姚建宗:《略论法制现代化的概念、模式和类型》,载《法制现代化研究》(第一卷),南京师范大学出版社1995年版,第13~14页。

映了商品经济发展的要求，表现出了与传统观念的背离。在法制的观念和法的价值取向上，强调法必须体现正义、平等、自由、权利、秩序，法律应在国家和社会中占据统治地位，对权力的获得和行使作出限制，使得专制不得产生，政府的职能只是保证经济和社会的自由运转，实现政治民主化等，从而为商品经济的发展和繁荣营造一个理想的政治、法律环境。这些反映商品经济发展的要求，以新的法律价值观念为思想武装的阶层，成为推动法制现代化的基本力量。由此可以看出，内源型的法制现代化模式，是社会内部增长的经济因素起最终决定作用的，同时，这种法制现代化的实现表现为一个由下而上的渐进发展的过程。而在这个过程中，法律观念的变革和创新始终起着指导作用。因为，经济发展对法律的要求是一个渐进的过程，这个要求不可能随即就导致法制的变革，它首先引发的是法律价值观念的变革，当新的法律价值观念能够真正反映经济发展的要求，形成为一种法律意识形态时，才能够创新和变革法律制度，从而使法制现代化的过程不断得以推进。

与内源型法制现代化模式不同的是，外源型法制现代化模式的动力来源不是形成于特定国家、社会内部，而是来自外部。这种来自外部的异质法律制度和法律文化的冲击，导致了该特定国家、社会的本土法律制度，乃至法律文化的变革、转型。这种变革、转型实质上是不同国家间经济发展的水平和程度相互较量的结果。从世界范围来看，当英、美、法等内源型现代化国家，在启动现代化时，其商品经济发展到相当水平，社会经济已经实现了工业化和市场化，法制现代化的推进又进一步促使其经济的发展。而经济上落后的国家，其自身经济发展水平决定了它不可能从其社会内部形成推进现代化形成的力量。不仅如此，当伴随发达资本主义国家的武力进行征服和扩张而来的经济入侵时，落后国家由其经济发展水平决定了其无力与之抗衡，而只能成为外来先进国家扩张和渗透的对象。而其中较先进的法律制度和法律文化对较落后的法律制度和法律文化的冲击和渗透也是其中内容之一。落后国家在其社会内部不能自发形成推进法制转型、变革的因素或力量,而外来冲击力量又强大到足以摧毁该落后国家的经济、政治、军事防线,对随之而来的外来现代法制和法律文化也同样表现出无力抵御和抗衡。在这种情况下,被迫进行法制变革就成为可能的了。从日本和俄国的法制改革可以看出,其变革的目的是为了应付发达西方国家的挑战,避免被侵略和征服,是为防御而进行的变革;变革的样板是西方发达国家,变革的方式是以政治革命或改革运动为先导,自上而下地进行的,政府(包括政党)在这一变革过程中作为主导力量,起了主要的推动作用。从外源型法制现代化的模式中可以看出,它除了推动力量的外源性、实现过程的自上而下的突变性,以及权威(政府)强力推动的特征外,法律价值观念的滞后性也是其特征之一。仿照西方法制先进国家的具体法律制度在短时期内建立起来了,但与这种制度相适应,作为这种法律制度的思想基础的法律价值观念、现代法律精神却并未形成,更不可能在短时期内被人们普遍的社会心理所接受,并进而转化为普遍的社会意识。就是说,在关于法的观念、意识、价值评价上其本土性的色彩依然是浓厚的。这种特征往往成为法律制度发展的滞后因素,也可能成为特定国家形成自己独特的法制现代化发展道路的因素之一。

(二)内源和外源的结合——混合型模式

如前所述,中国法制现代化的进程,已走过了百年历史。从对这一历史过程的考察中可以发现,中国法制现代化的模式,既不能简单地归结为内源型的,也不能简单地归结为外源型的,而呈现为一种新的模式,即内源和外源结合、互动的模式,有学者将这种模式称之为混合型法制现代化模式。[1] 这种对中国法制现代化模式

---

[1] 参见夏锦文:《论法制现代化的多样化模式》,载《法学研究》,1997年第6期。

的认识和概括，准确地反映出了中国法制现代化的客观过程及其特征。

夏锦文对混合型法制现代化模式是这样表述的："混合型法制现代化是指因各种内外部因素互动作用的合力所推动的一国法制走向现代化的变革过程。中国以及韩国、新加坡等东亚诸国的法制现代化可以归入此类模式。混合型法制现代化国家的社会内部无疑存在着促使法制由传统向现代型转变的经济政治因素，但这种因素的力量非常薄弱，无法积累到成熟而实现自我转型，因而它不同于内发型法制现代化模式。西方法律文化的冲击是引起法制变革的重要原因，但这种外部因素和外来力量毕竟不是导致法制变革的主要动因，它终究要通过该社会内部各种复杂的经济、政治、文化变革发生作用，因而它又与外发型法制现代化模式有别。"[1] 可见，这种法制现代化模式表现为内源和外源的结合和互动，其动力源来自内外两个方面，是两种力量的合力所带来的结果。在这两种力量中，内源力量为基础，外源力量为条件，在其相互结合的动态过程中，外源力量只有通过内源力量才能发挥作用。

在这种法制现代化模式中，其内源力量是指特定国家的社会内部所存在的处于变动状态的经济基础和政治条件。在社会历史条件的诸要素中，经济因素是占主导地位的，它的发展必然对社会变革，包括法制变革提出要求。而商品经济的出现及其发展是引发法制朝现代转型的根本原因。中国自明末清初就出现了商品经济的萌芽，到了19世纪初已获得很大发展，带有现代因素的商品生产和交换的行为方式已被广泛采用，商品交换的规则在自发地形成。经济领域的这种变化表明了在自然经济基础上所形成的传统法律制度与商品经济发展的不相适应，它必然要求对传统法律制度进行修正以至变革，使之适应商品经济的发展要求。商品经济的发展虽然预

---

[1] 参见夏锦文：《论法制现代化的多样化模式》，载《法学研究》，1997年第6期。

示着要求变革传统的法制实现法制转型的趋势，但它毕竟只是一种趋势。当时以至后来一段时期内，中国商品经济并未获得长足发展，市场化和工业化的程度很低，它还未发展到足以使社会以至法制向现代转型的程度，还不能形成为导致法制转型的社会内生力量。除了经济因素外，政治条件的逐渐形成也为实现中国法制的现代化转型创造了条件。正如夏锦文先生所讲到的，近代以来，伴随着经济结构的变化，政治结构也出现了前所未有的新的变革。新政、仿行宪政、社会民主制、君主立宪制等政体形式相继涌现，从而激发了人们对现代民主政体的向往。[1] 这些都为中国的法制变革提供了政治条件。

然而，尽管在19世纪西方法律文化伴随着西方传教士的传教活动，中国知识分子的介绍引进，以及西方列强的政治、经济侵略进入中国时，中国社会的经济和政治因素的变化为实现中国传统法制向现代的转型提供了一定条件，预示着向现代法制发展的趋势，但它毕竟未能成熟到足以引发中国法制转型的程度，作为法制现代化实现的基础和条件，它并不充分。而西方法律文化的冲击，则作为一种外源力量，激发了中国法制迈出了由传统向现代转型的第一步。1840年以后，西方列强的武力打开了中国大门，随之而来的是西方资本主义的经济、政治、文化的全面侵入。而导致清末修律，促使中国走出法制改革第一步的却是清朝政府为了收回领事裁判权，恢复治外法权。从1843年起，以英国为首，美国、法国等西方列强随后，通过同清朝政府签订不平等条约，在中国攫取了领事裁判权。西方列强在中国领事裁判权的取得，是西方法律制度对中国法律制度侵略的结果，它严重破坏了中国的司法主权。而且，外国入侵者的势力扩展到哪里，其司法权就要扩展到哪里，在相应范围内，清廷的司法主权就要丧失。为了收回领事裁判权，恢复司

---

[1] 参见夏锦文：《论法制现代化的多样化模式》，载《法学研究》，1997年第6期。

法主权，经各列强承诺，清廷开始了仿行西律的变法修律活动，并由此启动了中国法制由传统向现代转型的第一步。由此可见，在中国法制现代化的启动方式上，西方法律文化的冲击起到了直接的催化作用，表现出了外源型法制现代化模式的特征，因此，外来法律文化的力量也就成为中国社会法制变革、转型的重要动因。但是，不能因此认为中国法制现代化的进程所遵循的就是外源型的模式，在这里，外源因素只是条件，而内源因素则是中国法制现代化的实在基础。外源因素对中国法制现代化进程的确起到了激发和推动作用，但"这决不能截然排却中国社会内部诸多因素矛盾运动对于中国社会法制现代化进程的决定性影响。实际上，中国法制现代化正是内部因素和外来影响相互作用的历史产物。离开了这一点，我们就无法科学地揭示中国法制现代化的历史运动规律。"[1] 随即而来的中国法制现代化的发展过程就说明了这一点。在这一过程中起决定作用的因素应是在中国社会内部的经济、政治、文化的变动过程中去寻找，而不能认为西方文化的侵入是导致法制变革及法制现代化发展的决定因素。

中华民国南京临时政府时期的立法活动是在以孙中山为代表的中国资产阶级革命派依据中国社会的经济、政治、文化的客观情势，提出三民主义，推翻君主专制制度的基础上，为巩固资产阶级政权而进行的。北洋政府时期的法制状况虽然是中国法制现代化进程受到阻碍，甚至出现向传统复辟的时期，但在当时中国社会民主、共和的观念深入人心，民主、自由、平等和保障人权的法律价值目标已经提出的情况下，北洋政府的立法中尽管虚伪，但也不能不罗列一些诸如"民主"、"自由"的字样，而且这一时期法律的形式化程度还是较高的。南京国民党政府时期的法制建设活动，虽

---

〔1〕 公丕祥主编：《中国法制现代化的进程》上卷，中国人民公安大学出版社1991年版，第381页。

然在其实质内容上体现了专制性、人治性，未能反映出广大人民的利益，但它毕竟是对当时中国社会大地主、大资产阶级利益的反映。这一时期的立法活动频繁，形成了以"六法全书"为核心的庞大的法律体系。与此同时，中国共产党领导的新民主主义革命时期的法制创建活动，则是广大人民群众利益的体现。随之而来的新中国建立以后的法制建设活动有过良好的开端，也经历了波折，甚至灾难，这是中国社会内部经济、政治、思想领域矛盾斗争在法制建设上的体现和反映。70年代末以来，中国人民通过痛切地反思过去，审时度势，认识到了发展社会主义经济，健全社会主义民主政治制度的重要性和迫切性，尤其是建立社会主义市场经济体制和民主政治体制，以及与之相适应的建立现代法治国家的目标的确立，为中国法制现代化的发展带来了春天，它已经并将进一步推动中国法制现代化的进程。

从上述对中国法制现代化发展历程的简略回顾和分析中可以看出，中国法制现代化的过程中虽经历了曲折、波澜，但其发展过程的每一步、每一个阶段都是当时中国社会政治、经济、文化诸要素的矛盾运动在法制领域中的反映，由此也就形成了中国法制现代化发展的活生生的实在过程。在这一过程当中所出现的进步也好、挫折也好、灾难也好，都是中国社会内在矛盾所导致的结果。中国社会法制现代化的发展进程的推进力量或者动因首先应在中国社会内部寻找，应在对中国社会的特殊矛盾的分析中探寻答案。

通过上述分析——将中国法制现代化的模式归结为内源和外源两种力量交互作用的混合模式，将内源力量看作起决定作用的基础因素，将外源力量看作是起影响作用的条件因素——我们试图表明这样一种观点：中国法制现代化的根本动力来自于中国社会本身，其基础是中国社会的客观历史条件，因而中国的法制现代化应立足于中国的现实国情，它一方面要依赖于中国社会发展的推动，另一方面也只有通过对中国社会的现实的考察才能把握哪些社会因素符合法制现代化发展的要求，是应当保留和发扬的，哪些因素是与法制现代化的要求不相适合的，应予改造或者摒弃。因此，在现代化中保持其民族传统中的积极因素，体现出其民族化的特色。同时，法制现代化作为当代世界范围法制发展的趋势，它以"法治"精神为核心构筑了其基本的制度体系和价值体系，是法制现代化的共同性、一致性，中国的法制建设应当顺应世界法制现代化的趋势，并在其法制现代化的建构中体现出法制现代化的基本精神、制度安排和价值选择。一味崇尚"西化"，或者一味抱守"传统"的态度都是不恰当的、片面的。既站立于民族本土之上，又对外来法律文化抱以达观的态度；既结合民族传统和客观国情，又体现现代法治的普遍精神，由此开拓出一条独具特色的中国法制现代化发展之路，使得中国法制现代化既具现实性，又富于创造性；既体现民族特点，又显示其世界性的意义。

三、中国法制现代化之途径探讨

（一）本土资源和法律移植

谈论中国法制现代化（其实质和目标是实现法治）的实现途径，必然涉及到本土资源和法律移植的问题，从法学界对这一问题的频繁讨论和争论中就可以看出这一点。关于这个问题，起码两种倾向是显而易见的：一种是中国要实现法制现代化，应对传统的东西予以革除，采用西方现代法制国家的法律制度来建立我们的法律制度，因为传统法律文化是在旧的经济、政治基础上生长起来的，它与我们今天所要从事的市场经济和民主政治体制的建立是不相适合的。这种观点，被认为是一种激进的、传统虚无主义的倾向。另一种是中国要实现法制现代化，需要借助传统，即本土资源，现代化必须从中国的本土资源中演化创造出来，认为移植西方法律制度是与中国的本土传统习惯不协调的。这种观点，被认为是一种保守主义的倾向。两种观点，两种倾向，孰是孰非不可妄下结论，它有待于学术界的进一步讨论，更有待于中国法制建设的实践检验。中国正在进行的建立社会主义市场经济和民主政治体制，以及与此相适应的法制现代化的活动，是一场伟大的实践活动。伟大的实践必然产生伟大的理论，而中国当今的发展，首先需要理论的指导。因而，对于如何推进中国法制现代化的进程的理论探讨应当是必要的。在这个过程中，人们从不同的角度，依据不同的材料，采用不同的方法对同一问题进行探讨、论证，可能得出相同的结论，也可能形成相反的观点。因而，认识的分歧、观点的相左是正常的、必然的，不同观点的争论更是必要的，真理越辩越明，通过正常的学术争论而获得的正确理论，正是法制现代化建设所需要的。

从唯物辩证法的认识方法出发，我们认为，对于中国法制现代化的实现途径问题，以及对于这一问题所形成的不同观点，应当辩证地看待，借助于本土资源，抑或借助于法律移植，对于中国法制现代化的实现来说，并非完全对立的、不可协调的路径。站立于中国社会的现实，以建立市场经济体制和民主政治制度为目标，以法治精神及其价值准则为尺度，审视中国社会的传统即本土资源，评价国外的法制现代化经验，从而探寻出一条中国通向法制现代化的独特的道路，应当是一种客观而公允的态度。传统的东西并非都是糟粕，关键是要从传统中发现适合法制现代化要求的资源；西方法制现代化先进国家的经验，也未必都是美好的，关键要看它是否体现了法治的共同性，是否适合中国的现代化要求，能否被接受、吸纳。对于传统、本土资源是否利用，取决于其是否可资利用；对于外国的法律制度、法律文化是否借鉴，取决于是否可资借鉴。两者之间，哪一个是主要的，哪一个是次要的，孰重孰轻，这些都取决于中国的现代化客观需要，取决于建立市场经济和民主政治体制的实际需要，取决于以法治的标准作具体分析、判断。

我们是在中国的土地上建构中国的法制现代化大厦，中国的历史传统、中国的现实国情，是法制现代化所际遇的给定条件，因而法制现代化的建立应从中国的历史和现实出发，对其历史传统和现实国情作出反思和评价。在前述中，我们对中国传统法制状况和法律文化从总体上已作了分析、评价。这个分析、评价是以现代法治的精神和价值准则作为标准或尺度的。其结论难免有偏颇之处，然其基本观点大致反映了近一段时期内学术界对中国传统法律文化的基本态度。这些观点中所反映出的内容，是中国传统法律文化的基本内涵、基本性格。当然，它也是构成中国传统法律文化的本土资源的主要内容。那么，这些本土资源是否是我们今天推进中国法制现代化的进程，建立现代法治国家可资借助的法制资源呢？我们始终认为，中国的法制现代化建设应站立在中国本土之上，应从中国的客观国情出发，其意是说：其一，中国法制现代化的推动力量主要来自于中国社会内部；其二，应对中国社会的传统和现实作出客观、公允地评价，对于适应并有利于推动中国市场经济体制的建立和民主政治制度实现的因素则予以保留、发扬，否则，就予以摒弃。同时，我们认为，法制现代化以实现法治为目的，法制现代化应体现出法治精神这一核心以及与法治精神相适合的一系列价值追求。这是法制现代化的共同性、一致性。

以法制现代化的共同性作为标准，来评判中国传统法律文化，来审视中国法制的本土资源，我们可以发现，其实传统的东西、本土资源中的许多东西是与现代法制的要求不相适合的。现代法制所追求的是法治，而我们的传统却是人治；现代法制体现的是权利本位，而传统法制却是义务本位；现代法制追求民主，而传统法制却是维护专制的；现代法制确认人的平等，崇尚个性自由解放，而传统法制却充斥着对以"礼"为核心的宗法等级制度的维护，是对个性的压抑等等。传统法制与现代法制在许多方面，或者基本上是不适合的。前面我们曾经论述过，中国传统法制和法律文化的形成，是有其历史的社会根源的，它是在中国延续几千年的自然经济和专制制度的产物；而现代法制所赖以产生的土壤却是商品经济、市场经济，这就从根本上决定了两种制度的不同性格。而中国社会当前的现实是要建立社会主义的市场经济，实现民主政治制度，在自然经济基础上产生的为维护专制制度而存在的传统法律制度，与它在总体上是不适合的。在总体上不适合，意味着还有适合的成份。在中国的传统文化中，与现代法治精神相适合的东西，也并非鲜见，这些传统文化的资源，完全可以被发掘、利用，作为建立法制现代化的有效资源，正如谢晖先生所讲到的："以中国文化为例，中庸之道所蕴含的与法治相关的宽容理念、诚实理念所表明的与法治相关的诚信精神，'民本'思想所具有的对法治的民主要求，大同理想所包容的对法治之合理秩序的要求等等，这些都可以是法治在中国借以搭桥的有效资源。"[1] 那种忽视中国传统文化，甚至对传统文化绝然排斥的观点和做法，对中国法制现代化的建设是不利的。而应尽力从传统的固有文化中发现和挖掘与法治精神适合或基本适合的成份、因素，以法治的要求加以阐释，加以改造利用，从而使得中国的传统文化、本土资源得以利用和发扬。

上面所谈到的，实际上已涉及到法制现代化的国际化与本土化的问题。公丕祥先生在谈到这一问题时讲到："……在法制现代化进程中，确乎存在着体现人类法律文明共同属性的普遍性的构成要素，而这些构成要素为国际社会所认同，并且反映在世界各国的法律制度之中，然而另一方面，法制现代化在不同领域或国度中不可避免地有其各自的表现形式，那些普遍的共同构成因素的实现方式显然要打上鲜明的民族印记，从而独具个性特征。"[2] 在特定的国家中，法制现代化的实现，在当今社会表现为这种国际化和本土化的统一。一方面，就特定国家而言，其法律制度中蕴涵着能够体现

---

[1] 谢晖：《法治保守主义思潮评析》，载《法学研究》1997年第6期。
[2] 公丕祥：《国际化与本土化：法制现代化的时代挑战》，载《法学研究》1997年第1期。

世界法律文明发展水平的共同的基本的法律准则，使各国的法律制度在某些方面彼此接近、融合，形成一个国际性的法律发展趋势。除了法治精神、正义、自由、人权等价值准则之外，在诸如立法技术、法律规范的要素和分类、法律的表现方式、体系结构、执法与司法机构的设置、法律适用程序等方面都呈现为一种趋同性的走势。在这种法制现代化的国际化趋势之下，中国的法制现代化建设自觉而积极地顺应这一趋势，体现法制现代化的基本精神和价值取向，借鉴、移植相应的法律制度，应当说是遵循了当今世界法制现代化建设的规律的。另一方面，"在不同国家和地区，法律发展从传统走向现代化的历史起点、过程、条件以及主体选择是各不相同的，因而法制现代化的基本的共同尺度和普遍性因素，在不同的民族或国度，不能不打上特定民族或国度的印记，从而具有特定的发展过程的诸多具体历史个性。"[1] 法制现代化的这种本土性，不仅喻含着法制的变革要与特定国家的政治、经济、文化、历史传统及风俗习惯密切结合，而且意味着只有这种本土化了的法制才能为该特定国家人们接受和认同，从而被自觉遵守。中国的法制现代化建设同样应从中国传统和现实国情出发，在法制现代化中体现中国传统文化、民族风格，以及当今中国社会的经济、政治和文化特点。法制现代化所表征的国际化与本土化协调一致，共同性和特殊性辩证统一的特征，为中国法制现代化指明了途径和道路，中国必将在这种协调一致和辩证统一中，走出一条独特的法制现代化之路。

上述观点表明，法律移植或者借鉴，对于中国法制现代化建设是必要的。在世界法律文化的交流中，法律移植是一种特殊的形式，是法律发展国际化的主要媒介之一。当然，对于法律移植和法律借鉴，学术界有不同的认识和界定，本书是在同一含义上来使用这两个词语的。关于对法律移植的解释，我们赞同这样的观点：法

---

[1] 公丕祥：《国际化与本土化：法制现代化的时代挑战》，载《法学研究》1997年第1期。

律移植是以被移植的国外法律和接受移植的本国法律之间存在着某种共同性,即受同一规律支配,互不排斥,可互相吸纳为前提的。它意味着在鉴别、认同、调适、整合的基础上,引进、吸收、采纳、摄取、同化外国的法律(包括法律概念、技术、规范、原则、制度和法律观念等),使之成为本国法律体系的有机组成部分,为本国所用。[1] 依此解释,法律移植表现为一种有目的的、有选择的活动,它以本国法律文化能够得以吸纳为前提,因此,它并不等于生搬硬套。它是在对本国的传统文化、现实社会生活条件及其需要认识的基础上,通过对外国法律的主动自觉地选择,进而移入本国相应的法律创设之中,使之成为本国法律体系的有机组成部分。

法律作为上层建筑的构成部分,一方面,它受社会的经济基础决定,反映和体现经济基础的要求;另一方面,法律又具有相对独立性,有其独特的发展规律。中国法律制度的形成和发展,首先要反映中国社会的社会经济结构和经济关系的特点,体现出中国社会经济状况的特殊性。而其中,中国目前经济领域的最大变革,是要建立社会主义市场经济的经济体制,改变过去计划经济体制的模式。法制的变革自然要适应并反映经济领域的变革要求。对中国来说,我们的传统法律文化是在自然经济基础上形成的,我们在上世纪80年代以前所建立的法律制度即便不是计划经济的产物,也是带有计划经济的因素的。如何建立一套适合市场经济建设,反映市场经济要求,体现市场经济基本规律的法律制度呢?通过对中国市场经济建立、发展过程中所形成的经验、习惯、规则等的摸索总结,从而形成规范市场经济的法律规范,这不失为一个实在而有效的途径,但这种纯粹的自然衍进方式,不仅缓慢,会使我们失去许多发展的机会,而且也不符合当今世界法制发展的趋势。而法律发展的相对独立性及其规律性为我们建立一套能够体现市场经济发展

---

[1] 参见张文显主编:《法理学》,法律出版社1997年版,第210页。

规律的法律制度体系提供了一个可资利用的途径，这个途径就是法律的移植或者借鉴。

"当今世界是市场机制统合世界经济的最主要的机制。尽管在不同的社会制度下市场经济会有一些不同的特点，但它运行的基本规律，如价值规律、供求规律、优胜劣汰的规律是相同的，资源配置的效率原则、公正原则、诚信原则等也是相同的。这就决定了一个国家在建构自己的市场经济法律体系和制定市场经济法律的过程中必须而且有可能吸收和采纳市场经济发达国家的立法经验。"[1] 市场经济是外向型、开放型的经济，与之相适应的现代市场经济法律制度体系的建立也应是如此，我们一方面不能无视自己的传统和现实国情，另一方面也不能对市场经济发达国家经过漫长的探索过程所获得和积累的法制文明报以漠视的态度，将自己封闭起来，从头做起，另起炉灶，那只能拉大我们同发达国家之间的差距，延缓法制现代化的进程，最终导致经济和社会发展的滞缓。李铁映在谈到社会主义市场经济法律体系的建立时指出："社会主义市场经济既要体现市场经济的一些共同特征，又要反映中国的国情特点。世界上的市场经济已有两三百年的历史，积累了大量的经验。因此，建立新的法律体系要正确处理好立足国情与借鉴吸收的关系。国际上成熟的市场经济体制及其法律制度，有许多是人类文明的共同成果。其中凡是反映生产力发展一般规律的，凡是符合国际通行惯例的，凡是符合中国国情的，都值得我们认真研究和借鉴。"[2]

法律的借鉴或移植包括具体法律制度的借鉴和现代法的精神、观念的借鉴。法律制度的借鉴可以是对法的概念、术语、法律规范或制度的借鉴，这种借鉴在中国以往的立法中已经存在，随着法制

---

[1] 张文显主编：《法理学》，法律出版社1997年版，第211页。
[2] 李铁映：《解放思想 转变观念 建立社会主义市场经济法律体系》，载《法学研究》，1997年第2期。

现代化的进一步推进，这种意义上的借鉴仍是必要的，特别是对于能够直接体现现代市场经济的共同特点，国际化特征明显，技术性、操作性强的有关法律制度，则应借鉴、移植；对于涉及规范现代市场经济的特定领域，中国又缺乏这方面的经验和习惯的法律制度，也是可以借鉴、移植的。对于现代法的精神、观念的引进、借鉴，于中国法制现代化的建立意义更为根本、更为深远。因为现代法律制度的最终建立，需要以作为这种制度的观念基础的现代法制精神为支撑和依托，现代法律制度的客观外在的形式所体现的内涵正是这一精神，如果现代法律制度——包括采用借鉴、移植的方式——建立起来了，但作为这种法律制度的观念基础却没有形成，而传统的法律观念又与这种法律制度不相适应，那么这种现代法律制度即使建立起来也是缺乏生命力的。所以，在借鉴国外现代法律制度的同时，相应地借鉴、移植其法制精神、法律观念是很有必要的。当然引进、借鉴、移植一种观念，使之真正被人们所接受，转化为一种普遍的社会心理和社会意识，是需要一个艰难而持久的过程的，但尽管如此，这个过程总是要经历的，因为：“相对而言，具体法律制度的借鉴由于基本上只是一种形式合理化的技术手段的借鉴，因而比较容易在短时期内完成，但其实际效果如何，则要看其相应的法的精神是否同时导入，以及它们与传统的法的精神的整合情况。”[1] 不仅如此，现代法制精神的引入、借鉴及其被国人接受、吸纳，最终关系到法制现代化的成败，关系到我们能否建设一个真正的法制现代化国家。

（二）法律制度与法律观念的互动

梁治平在《比较法与比较文化》一文中讲到："单就形式着

---

[1] 吕世伦、姚建宗：《略论法制现代化的概念、模式和类型》，载《法制现代化研究》（第一卷），南京师范大学出版社1995年版，第16页。

眼，法包括两个方面。首先是法律意识，包括一般人的法律观念和法学的各个门类；其次是法律制度。这两个方面有密切的关系。"[1] 形式意义上的法、现实的法是由法律制度和法律观念构成的，两者在和谐、统一、适应的关系之中，使得法的作用、功能得以充分实现。然而，法律制度和法律观念并不总是协调一致的，其间也会出现矛盾、冲突，出现不相适应的状态。在这种状态之下，法应有的作用、功能便不能得以正常地、充分地实现，法的实施由于缺乏相应的法律观念的认同、迎合和支持而受到阻滞，最终导致法制发展速度的缓慢。

中国当前的法制状况就是如此，法律制度和法律观念的冲突从中国法制现代化的发端到今天，始终程度不同地存在着。可以预计，在今后的相当一段时期内，这种矛盾冲突的现象依然会存在。法制现代化是一个特定国家的法制由传统向现代的转型、变革过程，在这个过程中，作为外在形式层面的法律制度的废旧立新可以在一个较短的时期内完成，而作为内在精神层面的法律观念的转换却往往要经历一个缓慢的过程。我们可以通过对法律制度的创新，可以通过移植、借鉴的途径迅速构架起一个新的法律制度体系来，甚至对法律观念中的理论形态——诸如法的理论、学说、知识——可以通过探讨、学习借鉴而获得，而要改变人们在固有传统基础之上所形成、积淀下来的法律心理、习惯、风俗、行为方式却并非易事，它是那么厚重和稳固，以至新的法律制度建立起来了，而人们关于法的心理态度却并未改变多少，它基本上还是依着惯性而恒长、持久地存在于人们的社会心理之中。说到底，这种法律观念变动的相对迟缓，对于一种新的法律制度的建立乃至使其效力得以实现，对于法制现代化进程的发展速率都起着一种阻滞作用，因而改变这种状态，则会使法制现代化的发展获得一种新的推力。

---

[1] 梁治平：《法辩——中国法的过去、现在与未来》，贵州人民出版社1992年版，第2页。

至于中国的传统法律观念，以及现实社会的法律观念中，尤其是社会心理中，哪些与现代法律制度不相适应的问题，在本书有关内容中已有涉及，在此不再赘述。这里，我们试图要说明的是，如何使得法律观念能够同法律制度相适应、相协调，以加速法制现代化的进程的问题。以现代法的精神、理念去培养、教育人，这当然是一个重要的方式和途径。除此之外，我们认为在法律制度和法律观念的相互关系之中也是有道路可寻的，法律制度和法律观念的相互作用、彼此互动本身就会产生一种效应。这种效应的基础、前提是，新的法律制度在新的法律观念指导下建立、形成。而这种新的法律制度一旦建立，尤其是在其动态的运行中，则会以一种外在的、客观存在的现实力量促使人们去认识它、反映它，使人们固有法律观念产生动摇，从而逐步认同这种法律制度，体验蕴含于这种法律制度中的法的精神，使得人们的法律观念发生转变，尤其是关于法的社会心理的转变。而这种通过对新的法律制度的接受、认同而改变了的法律观念，又会以一种观念形态的动因去支配人们的行为，从而有助于新的法律制度的确立，以及使其在动态的运作中获得观念的支持。如此一来，法律制度和法律观念便在其彼此互动的关系中形成推动法制发展的动力。

中国的法制现代化实现过程中，最为关键、最具深远意义的是法律观念的现代化。从历史的延续过程来讲，中国从清末修律开始至今，虽屡经坎坷，但无论采取了什么方式、途径，法律制度的构建从总体上讲却是呈现为上升的趋势的，法律制度愈益完善和严整。截至当今，从制度层面上而言，体现现代法制的制度安排目标的形式化的法律制度已基本形成，并在社会生活中产生了效果，发挥了作用。然而，无论制度本身，还是这一制度所应产生的社会效果并不能使人满意，以至于法制现代化仍然是我们的目标，以至于建立现代法治国家仍是我们的理想。究其原因，现代法律制度及其所体现的内在精神，未能被人们所普遍接受，即适应现代法律制度的法律观念并未真正建立起来，不能不说是一个带有实质性、根本性的原因。

美国法学家博登海默说："为了使行为规则能够有效地起作用，行为规则的执行就需要在这些规则得以有效的社会中得到一定程度的合作与支持。"[1] 我们所缺乏的正是这一法律观念上的合作与支持。"那些先进的制度要获得成功，取得预期的效果，必须依赖运用它们的人的现代化人格、现代品质。无论哪个国家，只有它的人民从心理、态度和行为上，都能与各种现代形式的经济发展同步前进，相互配合，这个国家的现代化才能真正得以实现。"[2] 英格尔斯在这里虽然是从一般意义上讲现代化的实现问题，但对法制现代化的实现而言也是同样的道理。由此可见，法律观念的现代化对于法制现代化的实现关系重大。

过去，我们国家在党和政府领导下，开展了一些以普法为主要形式的法制教育、宣传活动，姑且不论这种教育、宣传的内容是否完全符合现代法的精神，单就效果而言，可以说是虽有成效，但并不显著。观念的东西可以通过教育、灌输的途径让人们接受，但现实的客观存在更容易使人相信、被人们接受。在现代法制观念的指导下建立起来的法律制度体系，作为人们社会生活氛围的一个重要因素，必然促使人们去注意它、认识它，进而接受和认同它。而这种法律制度的规范化运作，则更能促使人们对它的信赖和认同，如果这种制度运作是成功的，是适合现实生活需要的，是公正的而不是偏私的，是体现理性正义的而不是任性专横的等等，人们就可以从其对这一制度的经验的获得中从心理上去接受、认同它，实现社会心理的改变，进而以新的法律观念代之以旧的法律观念。

夏锦文、蔡道通先生在谈到现代法律观念的核心——法律至上

---

[1]〔美〕E·博登海默：《法理学—法哲学及其方法》，华夏出版社1987年版，第373页。
[2]〔美〕英格尔斯：《人的现代化》，四川人民出版社1985年版，第5页。

观念的培养形成时，结合中国的现实，谈到了同样的道理，他们讲到："问题的关键在于，对法律至上的确信和观念的形成不可能只靠宣传和教育，对社会大众而言，更要靠具体的法律经验的感知。因为对于观念确信乃至信仰坚守而言，最重要的不是语言的说教，而是行为的感召；不是一般的倡导，而是具体的示范。而这种感召与示范在很大程度上取决于国家机关及其工作人员对法律自身的尊重、服从与遵守。国家机关及其工作人员必须以自己的行为才能获得感召和倡导的资格，这一点尤为重要。对一般公众而言，法律至上不仅取决于法律规定了什么，政府号召了什么，更取决于法律在政府那里被怎样尊重、服从和严格执行。因而政府守法程度从一定意义上关系着法律至上观念培育的成败。因为，完全缺乏对法律的经验，人们尚可以相信法律的价值及其作用，保留对法律的企盼；若是一种恶劣的'政府都不守法'的法律经验，将会从根本上摧毁关于法律的信念，甚至使人们丧失对法律的信心，更不必说法律至上观念了。"[1] 这段论述，虽然是讲法律至上观念的培育的，但推而广之，就整个法律观念的形成而言，在中国的现实情况下，何尝不是这样。要使人们接受这种法律制度及其所体现的现代法制精神，必须要求这种法律制度的规范运作。而法律制度的规范运作则有赖于政府执法部门、司法机关、及其它们的工作人员尊重、服从和遵守法律，严格适用法律。

因此，通过上述论述，可以得出这样的观点：法律制度和法律观念之间存在着互动的关系，通过这种关系，法律观念获得了更新，从而对法律制度的确立和动态运作提供了观念上的支持；而法律制度的创设，尤其是其规范化的运作，则使人们获得了关于这种法律制度的感性经验，这种感性经验正是导致人们法律观念转变、更新的素材和直接原因。法律制度能否规范运行，就我国目前的现

---

[1] 夏锦文、蔡道通：《论中国法治化的观念基础》，载《中国法学》，1997年第5期。

实状况而言，从根本上取决于政府部门、司法机关是否尊重、服从和遵守法律，正确执行和公正适用法律。法律制度和法律观念之间的互动所产生的合力，正是加速中国法制现代化进程的重要推动力量。

四、中国现代法律体系的建构

法制现代化，作为从传统法制向现代法制的转型过程，其中一项重要内容就是法律体系的变革和更新。法制系统作为动态的法制运转机制系统，包括立法、执法、司法、守法和法律监督等诸环节或者子系统。而其中就立法环节而言，它是以制定什么样的法律规范，建立怎么样的法律体系为目的的；而执法、司法、守法和法律监督诸环节的动态运作，则是以现行法律规范为依据的。因而，在法制系统中不仅内在地包容着法律体系，而且法制系统又表现为对构成法律体系的各个法律部门及其具体法律规范的动态运作过程。可见，法律体系的建构对于法制建设尤为重要，同样，对于中国的法制现代化事业而言，反映现代经济生活需要，符合现代法制要求的法律体系的建立，无疑占有重要的地位。

"依法治国，建设社会主义法治国家"，实现中国的法制现代化是我国所确立的既定目标。而要实现这一目标，则必须加强法制建设。加强法制建设必须以"加强经济法制建设"[1]为重点，而其中的"加强经济立法"[2]则又为经济法制建设中的重点。经济立法的目的在于规范社会主义市场经济秩序。因而建立和完善社会主义的市场经济法律体系，不仅是建立和发展社会主义市场经济体制的需要，而且是建设社会主义法治国家，实现中国法制现代化的需要。

---

[1] 中共中央《关于制定国民经济和社会发展"九五"计划和2010年远景目标的建议》。
[2] 《中华人民共和国宪法》第15条。

基于上述分析，我们试图从法律体系在法制系统以及法制现代化中的重要地位出发，从经济立法在社会主义法制建设中的重要性出发，集中讨论社会主义市场经济的法律体系问题。

(一) 法律体系的基本结构——公法与私法

第一，公法、私法划分理论的起源及其历史演变。

"法律体系是由一国现行的全部法律规范按照不同的法律部门分类组合而形成的一个呈体系化的有机联系的统一体。"[1] 法律体系之所以能够形成为一个统一的有机整体，在于其结构形式，法制规范、法律部门通过一定的结构形式而组合为一个具有层次性的统一的有机整体，形成了法律体系。结构不同所形成的法律体系也就不同，所表现出的功能也就有了差异，因为结构体现着功能，功能通过结构而实现。因此，探寻和选择一种合理的结构形式，对于法律功能的体现具有重要意义。在这个问题上，法制先进和市场经济发达国家的经验值得我们借鉴。它们将法律体系的基本结构确定为公法和私法的划分。对此，马克斯·韦伯曾指出："现代法律理论和实践中的最重要的划分是'公法'和'私法'的划分。"[2]

将法律划分为公法和私法，并将这种划分作为整个法律体系的内在结构，可追溯到古罗马时代。最早提出这种划分的是三世纪罗马五大法学家之一的乌尔比安，他在其所著的《学说汇纂》中讲到："它们（指法律）有的造福于公共利益，有的则造福于私人。公法见之于宗教事务、宗教机构和国家管理机构之中。"[3] 他认为有关罗马国家的法为公法，有关私人的法为私法。这一划分后又为六世纪查士丁尼钦定的《法学阶梯》所确认："学习法律分为两

---

[1] 张文显主编：《法理学》，法律出版社1997年版，第96页。
[2] 转引自王晨光、刘文：《市场经济和公法与私法的划分》，载《中国法学》1993年第5期。
[3] 参见〔意〕彼德罗·彭梵得著，黄风译《罗马法教科书》，中国政法大学出版社1992年版，第9页。

部,即公法与私法。公法涉及罗马帝国的政体,私法则涉及个人利益。"[1] 彼德罗·彭梵得在其《罗马法教科书》中进一步对罗马法中的公私法划分作了解释:"公法调整政治关系以及国家应当实现的目的,'有关罗马国家的稳定';私法调整公民个人之间的关系,为个人利益确定条件和限度,'涉及个人福利'。"[2] 当时作出这种划分,目的是将公共团体及其财产关系的法律和私人及私有财产的法律作出区别,而由于公法属于主权者意志范畴的产物,不允许法学家进行干涉,因此公法研究很不发达。法学家们所致力于研究的则是私法,因而也就带来了罗马私法的发达。形成这一局面的经济根源则在于古代罗马社会商品经济的发达,"因此平等自主型的社会关系成了最基本的社会关系,这正是私法的天然温床。"[3] 可见,私法从它产生时起,就表现了商品经济的要求,体现了调整商品经济关系的功能。

从罗马法开始的公私法划分,在中世纪的罗马法复兴运动中被注释法学家所继承;17至18世纪资本主义经济获得巨大发展,统一的中央集权国家的形成为公私法的划分奠定了社会基础,并使得公法获得发展。"19世纪,在以法、德为代表的法典编纂与法制改革过程中,公私法划分得到广泛适用。19世纪末,当法学家们开始认真研究现实的法律规范和制度时,公私法划分就成为他们重建法律制度的基础。"[4] "其实,不惟是大陆法系如此,英美法系也在很大程度上利用了公、私法观念来改造古老的普通法体系,而这一过程恰恰是普通法的现代化过程。"[5]

关于公私法的划分标准,在罗马法学家看来,其缘于社会关系

---

[1] 参见〔罗马〕查士丁尼:《法学阶梯——法学总论》,商务印书馆1989年版,第5页。
[2] 〔意〕彼德罗·彭梵得著,黄风译:《罗马法教科书》,中国政法大学出版社1992年版,第9页。
[3] 江平、文海兴、周小明著:《市场经济:法治经济》,江西人民出版社1994年版,第34页。
[4] 参见〔美〕约翰·梅利曼:《大陆法系》,知识出版社1984年版,第109页。
[5] 江平、文海兴、周小明著:《市场经济:法治经济》,江西人民出版社1994年版,第33页。

的基本归类：统治者与被统治者之间的关系和被统治者之间的关系。前者表现为一种权力—服从关系，所体现的是国家利益，由公法调整；后者表现为一种平等—自主关系，由私法调整。在其之后，西方国家对公私法的划分标准，大体上有四种观点：一是利益说，即以法所保护的利益为标准划分公 私法。凡是有关公益的法则为公法，凡是保护私人利益的法则为私法。二是主体说，即以法律关系的主体为标准。凡是规定法律关系的一方或双方主体为国家或公共团体的法律则为公法，而规定私人相互关系的法律则是私法。三是法律关系说，即以法律关系的内容和性质为区分标准。凡是规定国家与公民之间权力服从关系的为公法，规定公民相互间平等关系的法律为私法。四是生活关系说，即以生活关系的性质为划分标准。凡是规定有关国家组成人员—公民的国家生活关系的法为公法，而规定公民—个人生活关系的法为私法。[1]

20世纪以来，公私法的划分出现了新的情况。这种新的情况表现为社会主义国家将民法在内的私法统一于公法和资本主义国家出现私法公法化和公法私法化的局面。前种情况出现的原因缘于将私法认为是以私有制为基础的，社会主义实行公有制，私法的经济基础业已丧失；而且公私法的分类是资产阶级的法学理论，无产阶级不应效仿。这种观念对前苏联和东欧社会主义国家，以及中国都产生了影响，在社会主义国家法律体系的建立中留下了深深的烙印。后种情况则缘于资本主义国家对社会经济生活的宏观调控和干预力度的加大，改自由放任为国家干预主义，使得私法领域渗入了公权干预的成份，也使公法领域渗入了私法的成份，从而出现了私法公法化和公法私法化的趋势。

第二，强调公法、私法划分的意义。

公法、私法划分问题上所出现的上述两种情况，并不能否认公

---

[1] 参见葛洪义：《法理学导论》，法律出版社1996年版，第315页。

法和私法的划分。"因为,社会生活中确实存在两类不同性质的社会关系,两类不同的审判机关和两类不同的诉讼程序。区分公法和私法的实益在于,易于确定法律关系的性质,应适用何种法律规定,采用何种救济方法,以及案件应由何种性质的法院或审判庭审理,应适用何种诉讼程序。"[1] 至于认为公私法划分是资产阶级的法学理论,具有阶级性,这种观点是没有道理的。因为关于公私法的划分,资产阶级中持反对态度的也不乏其人,而且也没有哪一个国家的立法者在法律上明文规定公法、私法。对此李铁映曾撰文指出:"虽然没有哪个国家明文规定公法和私法,但在法学上认为这种分法是法律秩序的基础,有利于法律制度的建立。"并且指出,我国新的法律体系要兼容私法和公法。[2]

强调公、私法划分,对于我们在建立现代法治国家过程中,变革法律观念,摆正国家权力和人民权利的关系,建立社会主义市场经济的法律体系都有重要意义。

从罗马法而来的公、私法划分,被近、现代西方社会所普遍接受并获得了发展。这种对法律的划分,不仅有其法律结构形式上的意义,也有其内在精神的体现。其所体现和倡导的基本精神有三:一是私域独立。这是协调公法和私法相互间关系的精神原则。"私域是私法所调节的领域,公域是公法所调节的领域。'私域独立'的意思有二:(1)私域独立于公域,公法、私法分别而治;(2)私法优位于公法。私域是整个社会的基础,私法则是整个法制的基础。私法较之于公法居于优越地位,公法之设,目的在于保障私法上私权之实现。"[3] 二是私权神圣,强调人民权利、个人权利、民

---

[1] 梁慧星著:《民法学说判例与立法研究》,中国政法大学出版社1993年版,第54页。
[2] 李铁映:《解放思想 转变观念 建立社会主义市场经济法律体系》,载《法学研究》1997年第2期。
[3] 江平、文海兴、周小明著:《市场经济:法治经济》,江西人民出版社1994年版,第34、35页。

事权利不可侵犯,非有正当重大理由不得限制和剥夺。三是私法自治。公法规范不同于私法规范,公法关系也不同于私法关系,在公法关系中,由于至少有一方主体是代表公共利益的国家,体现国家权力,具有权威性,因而"公法不得被私人简约所变通",或者"私人协议不变通公法"。[1] 而在私法关系中则有不同,私法关系中的权利义务内容及其形式,由当事人自由决定,国家原则上不得干预,但法律对此则应予保护,只有在当事人之间的纠纷不能通过协商解决时,才由国家司法机关作出裁决;即使法律对私法关系规定了相关准则,也不具有强制性,是否适用应由当事人选择;"国家调节私法关系的准则,只有在当事人没有协议、协议无效或者当事人没有作出选择的情况下,才予以补充适用。"[2] 可见,公私法划分所包含的这些基本精神,实质上表明了对国家和人民、政府和社会、政治与经济、权力与权利相互关系的认识,说明了在其相互关系中各自的地位和作用。

在我国当前围绕规范社会主义市场经济秩序的经济立法过程中,重新认识和把握公私法划分的内在精神和理论根据,以及这种划分所赖以形成的社会经济根源就可以看出,公私法划分在建构社会主义市场经济法律体系中具有重要的地位和作用。

其一,公私法划分,反映了市场经济对法律的要求。

过去,在社会主义国家阵营里,由于受前苏联法学理论的影响,认为私法是私有制的产物,在实行生产资料公有制的社会主义国家,没有公法与私法的区分,经济领域中的一切都属于公法范畴。这种观念指导下的实践必然是国家权力的扩大,社会生活,包括经济生活完全被纳入到国家的控制体系之中,经济体制表现为一种权力高度集中的行政经济体制。其实,公私法的划分与公有制

---

[1] 〔意〕彼德罗·彭梵得著,黄风译:《罗马法教科书》,中国政法大学出版社1992年版,第10页。
[2] 江平、文海兴、周小明著:《市场经济:法治经济》,江西人民出版社1994年版,第34页。

或者私有制并无直接联系，它所涉及的仅仅是不同法律类别之间调整对象及调整方法上的差异。因为：第一，法的产生本来就是与私有制的形成不可分割的，无论私法，还是公法；何况并非所有的私有制社会都存在公、私法的分类。第二，如果说私法是以私有制为基础产生的话，那么在中国历史上延续几千年的封建的私有制社会为什么就没有产生出私法来？其发达的仍是以刑法为主的我们今天所认识的公法；更何况，如果说在公有制基础上的只能是公法，在私有制基础上的只能是私法的话，又如何去解释当今西方资本主义社会中不仅有发达的私法，还有发达的公法呢？因此，以所有制关系的差异来解释公私法的划分是难以自圆其说的。其实，对于公私法划分的根源应当从经济领域去寻找。从古罗马对公私法的划分开始，到这种划分被继承、接受，及至被当今世界所广泛采用，从这一历史的轨迹中可以发现，公私法的划分是适应商品经济的要求而产生的，也是适应商品经济、市场经济的发展的要求而被延续和广泛采用的。在古罗马之所以产生了公私法的划分，正因为罗马是古代社会商品经济最发达的社会，商品经济的发达促使了确保平等自主的商品经济关系的私法的发达，也导致了私法和以国家权力为象征的公法的划分。从近现代资本主义国家法制的发展也可以看出，公私法的划分与市场经济之间存在着一种天然的联系，这种联系实质上表现了法律对于市场经济关系的反映。

　　市场经济是以市场作为资源配置的基础的，它通过价值规律起作用来调节市场的供求关系，以此实现对社会资源的配置。价值规律对市场经济的自发调节性意味着，要求参与市场关系的商品生产者、经营者即市场主体必须具有意志的自由。市场主体既是其利益的追求者，也是怎样实现其利益的判断者。市场主体通过对市场供求关系的自主判断来决定其经济行为，安排其生产经营活动。而市场主体要实现意志的自由、自主，必须以其相互间的平等为前提条件，在存在等级、隶属、人身依附的关系中，是没有平等可言的。

所以，市场经济必然要求市场主体的地位平等、意志的自由，要求将自然经济条件下的人身依附关系转化为市场经济条件下的平等自主关系。市场经济的这种平等性、自主性特征，反映在法律上就是私法，它通过确定和维护主体的平等自主的民事权利，来调整社会的财产关系（经济关系）和人身关系，实现规范市场经济秩序，推动社会经济发展的目的。因此，在商品经济、市场经济条件下，以民商法为内容的私法，对社会经济关系起着一种基础的调整作用。私法直接反映了市场经济的规律和要求，对市场经济关系起着一种直接的调整作用，而国家依其权力，即通过公法手段对社会经济生活的干预，即宏观调控，虽是必要的，但只是辅助的。而对其他领域的社会关系，如政治关系，公法的调整则发挥着主要作用。在我国建立社会主义市场经济体制的条件下，正确认识公私法的划分与市场经济的关系，对于建立同市场经济相适应的法律结构是有重要意义的。"长期以来，人们对于商品和市场在社会主义国家中的地位和作用持否定态度，认为社会主义只能实行高度集中的计划经济体制，人为地抽空了私法存在的社会基础。整个社会关系都被纳入国家的控制体系之中，从而只能表现为权力与服从关系，平等与自主型关系难以从中分化出来并获得独立存在的意义。与此相适应，传统社会主义法只能表现为单一的公法结构。随着我国从社会主义计划经济向社会主义市场经济的转变，与市场经济相适应的法律结构也应重新建立。"[1]

其二，公私法划分，是建立社会主义市场经济法律秩序的基础。

王家福研究员曾谈到："区分公法和私法是建立市场经济法律制度的前提。""我国法学理论由于受前苏联理论的影响，在相当

---

[1] 张永志：《公法私法划分与我国构建社会主义市场经济法律体系的关系》，载《法学杂志》，1997年第5期。

长的时期,将我国一切法律视为公法,而否认有私法之存在。这一理论正好符合了权力高度集中的行政经济体制的要求,并成为在这种体制下实行政企合一、运用行政手段管理经济,及否认企业、个人的独立性和利益的法理根据。"[1] 不仅如此,这种现象所形成的惯性,在今天我国由计划经济向市场经济转轨的过程中依然有明显的表现,比如国家既作为市场主体,又作为管理者,以双重身份进入社会经济领域所引起的诸多弊端:企业缺乏自主权,难以形成真正的法人制度,政企不分等。而且国家需凌驾于社会之上,行使其权力,管理社会经济事务时,却又不能充分行使权力。如此以来,使得市场主体不能独立自主地进入市场,充分发挥其创造社会财富的作用;也使得国家不能摆脱经济关系的束缚,其宏观调控能力不能得以充分发挥。而要改变这种状况,则有赖于通过法律的手段,使得社会主义市场经济获得一种秩序,确认市场主体的独立平等地位,维护其自主的意志能力,使其充分发挥在市场经济中的主动性和积极性;同时,对国家权力对市场的干预、调控作出法律规定,国家依法对市场进行管理,而无法律规定时则无权干预社会经济生活,从而使得国家的宏观调控能力通过法律予以保证。通过法律手段对市场秩序的这种规范,实际上就是承认公私法的划分,运用公法私法两种手段、两种方法,发挥不同的职能,调整社会经济关系。也就是说,通过私法,确立和维护市场主体的独立平等地位即独立自在的法律人格,确认和保护其财产权利,保障其意志自主,使其在法律允许的范围内依其自由意志从事其生产经营活动,对违反义务而损害他人权利和利益的行为使其承担民事责任,改变国家统得太多、管得太死的做法。通过公法,明确国家权力,规范国家权力行使的范围及其程序,发挥其宏观调控的职能,保障社会交易的公平和安全,对严重侵害他人经济利益和破坏社会经济秩序的行

---

[1] 司法部法制宣传司编:《中共中央举办法律知识讲座纪实》,法律出版社1995年版,第90页。

为予以制裁。对于市场经济的法律体系作出公私法划分,在这样一个基本的法律结构创制的基础上,将具体的法律部门依类别进行安排、组织,从而形成一个结构合理、层次分明、规范协调的完整的社会主义市场经济法律体系。

其三,公私法划分,有助于对实现中国法制现代化的认识。

如前所述,在现代资本主义社会,随着国家对经济生活宏观调控能力的增强,国家对经济生活的干预日趋全面和深入,以至出现了公法和私法相互融合的现象。这种趋势或现象,是资本主义社会市场经济发展规模扩大,社会经济关系日趋复杂的现象在法律上的反映。但这种现象并非意味着公法和私法两种调整手段的差异性的消除,而是表现为两者在同一立法中的结合。法制现代化表现为由传统法制向现代法制转型的过程,在中国法制现代化的过程中,就法律体系的建立而言,首要的目标应是实现由传统的自然经济基础上所形成的诸法合一、公私法不分的状况,以及在社会主义的计划经济条件下所形成的行政经济体制中只承认公法而否认私法存在的状况向适应市场经济的规律和要求,承认公私法的划分,建立以公法私法为基本结构的市场经济法律体系的转变,实现从"公法优位主义"向"私法优位主义"的转变。应当适应中国社会经济发展水平的客观状况,营造良好的法律氛围,以充分调动和发挥市场主体的作用,提高商品生产和经营能力,逐步培育市场,逐步扩大市场规模。同时,学习和借鉴现代社会中国家对经济生活干预的有益经验,发挥社会主义制度在国家管理经济上的优越性,适时而合理地依法对社会经济生活实行宏观调控,从而走出一条既适合中国的传统和现实国情,又顺应现代社会的发展趋势的市场经济和法制现代化道路。对此,葛洪义先生曾讲到:"在经济生活范围内,严格规范国家权力,使其按照市场经济的规律运行,兼顾社会公平,即经济生活中坚持私法调整为主,公法调整为补充,应该就是法律现代化和建立社会主义市场经济法律体系的应有之义。"[1]

(二) 社会主义市场经济法律体系的构成

建构社会主义市场经济法律体系是一项法制建设的系统工程。如何来构筑这个体系框架,学者们从不同角度,提出了许多设想。这些设想主要有三类:一是设想按照一般的法律部门来构筑法律体系。但对这个体系框架的具体法律部门究竟包括哪些,除了民商法、经济法、社会法之外,对于其他法律部门是否应包容在里边,在观点上存在着分歧。二是设想按照经济立法的具体任务来构筑框架。大体上包括:企业法、工业产权法、经济合同法、产业发展法、产品经营监督管理法、财政金融法、税法、环境和自然资源保护法、劳动法、经济行政法共十类。三是按照市场经济体制的要求构筑框架。包括:规范市场主体的法律、规范市场行为的法律、维护市场秩序的法律、加强宏观调控的法律、建立社会保障的法律和促进对外开放的法律,共六大板块。对此,有学者认为既然列入了维护市场秩序的法律就没有必要再列入规范市场行为的法律,否则会造成重复,因为要维护市场秩序,必须规范市场行为。

李铁映在其《解放思想 转变观念 建立社会主义市场经济法律体系》一文中对第八届全国人大第四次会议批准的《中华人民共和国国民经济和社会发展"九五"计划和2010年远景目标纲要》所确定的我国社会主义市场经济体系框架进行了说明。这个框架由六大板块构成。根据李铁映的说明,这六大板块的大体内容是:(1) 关于规范市场主体的法律。主要是确认市场主体的资格,也可以说是市场准入法。明确市场主体法律地位一律平等。对企业的设立、变更、终止进行规范。其规范性法律文件包括公司法、独资企业法、合伙企业法、股份合作企业法、经纪人法、商业银行

---

[1] 葛洪义:《法理学导论》,法律出版社1996年版,第319页。

法、破产法。(2) 关于规范市场行为的法律。要求市场主体的行为必须遵循自愿、平等、等价、有偿和诚实信用的原则。对财产的管理、支配要依法进行。市场主体在行使权利的同时，还要履行相应的义务，承担相应的责任。其规范性法律文件包括：物权、债权和知识产权方面的法律法规，以及票据法、证券法、期货交易法、房地产交易法、保险法等。(3) 关于规范市场秩序的法律。目的是保证市场有效地配置资源，建立统一市场，保证正当竞争，维护消费者和社会公共利益。包括反垄断法、反不正当竞争法、消费者权益保护法、广告法、商品质量法、市场管理法等规范性法律文件。(4) 关于规范宏观调控的法律。为了实现保持经济总量基本平衡，避免严重的通货膨胀，促进经济结构的优化，保障国民经济的持续、快速、健康发展的目的，要求政府在转变职能的基础上，以经济、法律的方法，辅之以必要的行政手段，对宏观经济进行管理和调控，其规范性法律文件包括计划法、物价法、预算法、中国人民银行法、税法，还包括投资法、国有资产管理法、价格法等。(5) 关于规范劳动和社会保障的法律。要通过法律的形式健全社会保障体系，保护劳动者的权益。包括：劳动法、社会救济法、社会保障法等规范性法律文件。(6) 关于规范对外开放、涉外经济的法律。按照国际经济运行的规则，建立起统一规范的涉外经济交流合作的规则，建立起统一规范的涉外经济交流合作体制。其规范性法律文件应包括对外贸易法、关税法、海关法、外商投资法、反倾销法等。按照上述六大板块构筑社会主义市场经济法律体系的框架需要一个过程，其中涉及到的法律法规，有些已经公布施行，有些正在制定，标志着社会主义市场经济法律体系的基本建立，而且随着经济的发展，这个体系也将继续完善和成熟。[1]

---

[1] 以上参见李铁映:《解放思想 转变观念 建立社会主义市场经济法律体系》，载《法学研究》1997年第2期。杨紫烜:《论社会主义市场经济法律体系》，载《中外法学》1998年第1期。

上述框架是按照市场经济体制的要求，对社会主义市场经济法律体系的构筑，而从法律部门的角度来看，不同的法律部门在市场经济中所发挥的作用不同，有些法律部门对市场经济关系起着直接规范的作用，有些则起着间接规范的作用；有些起主要作用，有些起着辅助的作用。因此，有必要对社会主义市场经济法律体系的法律部门构成作以具体的分析，明确其规范的内容和功能，把握其在调整市场经济关系中的特殊地位和作用，使构成社会主义市场经济法律体系的各个法律部门相互协调一致，共同发挥调整和规范社会主义市场经济关系的作用。市场经济法律体系由以下法律部门构成：

第一，宪法。

宪法是国家的根本大法或建国治国的总章程，它规定国家的根本制度和根本任务。宪法对有关市场经济及其立法等问题的规定，既是我国发展市场经济的保证，又是我国建立市场经济法律体系的立法依据，因此，它在我国社会主义市场经济法律体系中居于主导地位。社会主义市场经济的法律体系的形成应以宪法为核心。宪法法律部门的主要规范性文件是《中华人民共和国宪法》，其他的较低层次的宪法性法律文件，诸如各类国家机关的组织法等，因其并不规范市场经济关系，因而不应纳入到市场经济法律体系之中来。1993年，八届全国人大一次会议根据党的十四大提出的建立社会主义市场经济体制的目标，对1982年宪法，即现行宪法进行了修改，明确规定了"国家实行社会主义市场经济"，"国家加强经济立法，完善宏观调控"，"国家依法禁止任何组织或者个人扰乱社会主义经济秩序"。这些规定为社会主义市场经济体系的建立提供了根本法律保障，同时也为社会主义市场经济法律体系的形成提供了根本依据。

第二，民商法。

民商法是市场经济的基本法，是构成市场经济法律体系的主要的、基本的法律部门。民法是调整平等主体之间的财产关系和人身关系的法律规范的总和;商法是民法的特别法,它是规制营利性主体的经营性活动,调整由其所生的商事关系的法律规范的总和,商法既规范商事主体,又规范商事营业行为。

民法和商法是适应商品经济的需要而建立起来的法律部门,是商品经济关系在法律上的反映,它"将经济关系直接翻译为法律原则"[1],"是以法律的形式表现了社会的经济生活条件。"[2] 从民商法的产生及其历史沿革就可以看出,它是适应商品经济的需要而产生的,也是随着商品经济、市场经济发展而不断发展和丰富其内容的,它始终发挥着调整商品经济关系的功能。民商法中所确立的原则、制度和规范为商品经济、市场经济活动提供了一般的准则和模式。

首先,民商法中所确立的平等、自愿、等价有偿、诚实信用等原则正是商品交换的规则在法律上的反映。它确定和保障市场主体在市场经济关系中的平等地位,排除不平等的人身依附关系、行政隶属关系对市场经济活动的干预,使市场主体获得意志上的自由,自主地根据市场供求状况和价格信号安排其经济活动,使通过市场来配置社会资源成为可能;它明确了商品交换关系的等价有偿性,避免依权力、地位或其他不正当手段对市场主体经济利益的侵害;它要求市场主体必须依诚实善良的心态进入市场,要讲公德、守信用,不为欺诈行为等。

其次,民法中的物权制度、债权制度、知识产权制度、民事责任制度等则具体体现了对市场主体的各项权利的尊重和保护,规定了权利实现的方式规则,以及权利失却的救济措施。物权制度,使得市场主体的财产权利得到了保护,物权主体根据其权能内容,可

---

[1]《马克思恩格斯选集》第4卷,第484页。
[2]《马克思恩格斯选集》第4卷,第248页。

以对财产进行支配，享受财产利益，而对处分权能的确认和保护，则为商品的生产和交换提供了前提条件。用益物权的设定，则意味着对充分利用社会物质资源，增加社会财富，提供了法律上的保障。在债权制度中，突出地体现出了鼓励商品交易，维护交易安全的宗旨。尤其是合同制度，则为商品交换活动创设了规则，合同是商品交换的法律形式，市场主体所进行的商品交换活动正是通过合同而实现的，而契约自由原则则充分体现出了市场经济的平等自愿性特征，它实质上是通过法律形式对商品交换中的价值规律的反映和遵循。社会经济发展到今天，知识产权作为一种特殊的商品日益进入流通领域，成为社会财富增长的重要来源，民法中的知识产权制度则为这种特殊商品的流转确定了规则。民法作为权利法，它素以权利为本位，通过对权利的尊重和保护以维护权利人的利益。而对权利的享有和取得，须辅之以义务的承担和履行为条件，义务不履行则意味着权利的失却和权利后面的利益的丧失和落空，因此民法为了确保权利能够得以实现和保持，而设立了民事责任制度，通过使违反义务而损害他人权利和利益的主体承担民事责任的方式来保障权利，使权利得到救济。另外，诸如民事主体制度、法律行为制度、代理制度、时效制度等民事法律制度，都是市场经济运行中的规范市场主体、市场行为等的基本制度。

商法作为商品经济发展到一定阶段的产物，是对商事交易关系的简捷性、安全性、公平性和国际性在法律上的反映。商法所特有的商事营业维持原则、商事主体严格法定原则、维护交易公平原则、保障交易迅捷原则、保障交易确定性原则、维护交易安全原则，以及商事主体制度、商事行为制度和商业登记、商业名称、商业帐簿制度，则是市场经济健康发展所应遵循的准则和规范。

我们之所以讲民商法是市场经济的基本法，正是因为它适应和反映市场经济关系的特点及其动态运行规律，全方位地规定了市场经济的基本原则。民商法，即私法，对市场经济关系起着直接的、基础的调整作用。

中国古代由于经济上的小农经济和政治上的专制主义占主导地位，因而缺乏民商法赖以生长的土壤，自然也就没有产生出现代意义上的民商法来，私法文化未能形成。新中国成立以后，又由于长期实行的是计划经济体制、经济生活主要通过行政手段来调节，表现为一种高度集中的行政经济体制，因而民商法并未受到重视。改革开放以来，围绕经济建设的要求，我国制定了一些民商事方面的法律法规，但由于在这些法律法规中还包含着不少反映计划经济体制的原则、制度和规定，也由于存在着立法指导思想和立法技术方面的原因，这就"使得现行民法包括民法通则在内，普遍存在着整体内容杂乱，缺乏系统性；规则过于原则、简单、缺乏可操作性，而且多有相互重复、矛盾之处等问题。随着市场经济发展对民法的规范和保障作用的需求不断增长，不仅民法本身所存在的上述弱点显得愈来愈突出，必须加以改进，而且大量新出现的经济关系、人身关系，也呼唤着民法法律部门的迅速健全。"[1] 民法是如此，商法则更不健全。虽然我国已制定颁布了一些诸如公司法、票据法、保险法、海商法等单行商事法，但在施行中也暴露出了其缺陷、不足，有待进一步完善。这些状况，很难适应和满足市场经济发展及国际经贸往来的迫切需要。因此，我国民法典的制定，以及其他配套的民事、商事法律的制定是健全我国社会主义市场经济法律体系，充分发挥民商法作为规范市场经济的基本法的作用的重要而急迫的任务。

第三，经济法。

经济法是调整国家从社会整体利益出发，对市场进行调控和干预而产生的社会经济关系的法律规范的总称。经济法也是市场经济法律体系中的主要法律部门，属于公法范畴。

---

[1] 陈世荣：《论我国市场经济法律体系的法律部门构成》，载《法学杂志》1996年第3期。

现代经济都是以市场经济为主体,以国家间接干预为辅助的"混合经济",纯粹的依靠市场自发调节或依靠国家计划干预的经济制度已失去了其存在的合理性。"现代经济的这种特色,出现了两类性质互异的法律现象。一类是配合市场自发调节的法律现象,它调整市场主体在市场领域发生的竞争性等平等经济现象,主要表现为财产在市场上的占有、支配、使用、处分和流转关系。这类法律现象传统上一直就称之为民法。另一类是配合政府干预经济的法律现象,它调整政府在组织和管理国家经济的过程中所发生的行政性的不平等经济关系。这类法律现象在德国最早被称为'经济法',以后为西方世界所普遍接受。"[1] 市场调节和宏观调控也是社会主义市场经济关系的两种调整手段,它符合现代经济的本质。在社会主义市场经济条件下,充分发挥市场调节的作用,这是发展和繁荣市场经济的主要保证。但仅仅依靠市场调节是不够的,由于市场主体追求利益的本能使然,市场自发调节这支"看不见的手"也会将经济引向错误的道路,其结果是给整个社会利益造成危害,因此对市场的调节还需要辅之以"看得见的手",即由代表整个社会公共利益的国家,依靠其权力,对市场经济进行必要的宏观调控和组织管理。在社会主义市场经济的建立和发展过程中,国家宏观调控能力的发挥是完全必要的,而且由社会主义制度本身的特点决定了国家在实现社会长远利益和眼前利益、整体利益和局部利益的结合上会做更多的工作,因而宏观调控也就显示出其应有的作用。"凡属政府实现管理经济的职能,解决市场经济的弱点和消极作用方面所运用的法律手段,都属于宏观调控的领域。包括基础设施建设,创造良好的经济环境,培育市场体系,监督市场运行,维护平等竞争,调节社会分配,保护自然资源和生态环境,管理国家资产和监督国有资产经营,以及实现国民经济和社会发展目标,制定国

---

[1] 江平、文海兴、周小明著:《市场经济:法治经济》,江西人民出版社1994年版,第56页。

民经济和社会发展计划等方面所运用的法律手段,都应属于国家宏观调控法的范畴。"[1]

历史的教训值得记取,我们强调国家对市场经济实行宏观调控的必要性和重要性的同时,要充分注意到宏观调控同计划经济条件下政府对经济生活的绝对管理的区别。前者运用的是法律手段,而后者运用的是行政手段;前者是国家从社会整体利益出发对市场经济的宏观调控,后者则是国家对社会经济生活无论宏观还是微观的全面经管,其结果是管不了,也管不好。为了避免和克服计划经济体制条件下出现的主观随意性等弊端,就应建立和健全宏观调控的法律制度,制定或完善宏观调控组织法、计划法、财政法、预算法、物价法、银行法、税法、审计法、统计法、会计法、产业政策法、国有资产管理法等一系列规范性法律文件。

第四,社会法。

社会法是指规范和保障国家和社会应维护劳动者的劳动权利、社会公平和稳定而产生的各种社会关系的法律规范的总称。社会法的作用目的在于尊重劳动者的价值,保护劳动者的劳动权利,充分开发和合理利用劳动力资源,以及维护劳动者的基本生活权益,给予丧失劳动能力或生活遇到困难的社会成员以物质保障,满足其基本生活需求,以维护社会稳定,促进经济发展。社会法也是市场经济法律体系的主要法律部门。它是介乎于公法和私法之间的一种中间性质的法律。

随着经济和社会发展,社会关系越来越复杂,社会问题也日益突出,诸如劳动就业、失业、工伤、患病、退休、医疗、住房、社会救济等,这些问题如不予解决,会引发诸多社会矛盾,甚至导致社会危机,使得社会失去稳定,经济发展也就不能得到保障。因

---

[1] 社会主义市场经济法制建设的理论与实践研究课题组:《构筑市场经济的法律体系》,载《当代法学》,1996年第4期。该文认为将所谓:"经济法"称"宏观调控法"更为科学。我们认为这种观点不无道理,它起码可以避免对"经济法"的认识上产生诸多歧义。

此，现代西方国家为了消除这些现象，使因经济发展而造成的社会矛盾及其后遗症得以缓解，日益重视社会立法，对保障市场经济的顺利发展起到了积极作用。对于我国社会主义市场经济的建立和发展来说，这些问题也是存在的。为此，国家应当通过法律的形式，对诸如劳动就业的规范和安排、劳动关系的建立和解除、劳动合同的签订和履行、工作时间和休息时间、劳动报酬、安全卫生、职业培训、劳动纪律和奖惩、劳动争议的处理，以及各种社会保险、社会救济、社会保障、社会福利、社会优抚等作出规定，予以规范。这些法律应包括劳动法、劳动保护法、工资法、社会保险法、社会救济法、社会保障法、社会福利法、优抚抚恤法等。通过这些法律的制定和实施，以使劳动者的权利和利益得以保障，社会矛盾得以消解，社会安定得以实现，从而为确保市场经济的顺利发展创造条件。

第五，行政法。

行政法是调整国家行政机关对国家事务行使管理职能过程中所产生的社会关系的法律、法规的总称。它调整的范围较为广泛，包括工商、税务、海关、财政、治安、民政、文教、卫生、环境、资源、交通等领域，遍及社会生活的各个方面。行政法的这个特点，决定了它很难制定一部较为系统的法典，而由许多单行法律、法规所构成。行政法为公法，它是市场经济法律体系中的相关法律部门，它通过管理活动为市场经济的正常运行提供安定的政治环境和稳定的社会秩序，还在其所管理的国家事务中，调整大量的经济事务，"因而可以认为行政法法律部门也应属于市场经济法律体系的主要构成部门。但近年来，我国法学界和立法界已将关于国家行政机关管理（包括宏观调控、组织和监督国家经济事务的法律、法规等）从行政法法律部门里划分出去，以经济法统称之，并当作独立的法律部门看待。其结果是经济法法律部门便单独作为构成市场经济法律体系的一个主要法律部门，行政法法律部门则成为相关部门。之所以相关，就在于规范和保障国家行政机关对关乎市场经济的环境事务、资源事务、海关事务等履行行政管理、组织、监督职能过程中产生的各种社会关系的法律、法规等，仍属行政法法律部门，且为市场经济体系的构成成份。"[1]

第六，刑法。

刑法是规范犯罪和刑罚的法律规范的总和。它是对严重破坏社会关系和社会秩序的犯罪分子进行定罪量刑的根据，它通过刑罚这一最严厉的制裁手段惩罚一切刑事犯罪行为，以保护社会关系，维护社会秩序，当然刑法对市场经济关系和市场经济秩序也发挥着有利的维护作用。因此刑法也是市场经济法律体系构成中的相关法律部门，刑法属于公法。

对市场经济行为的规范和对市场经济秩序的维护，除了其它法律部门起作用之外，刑法则是最后一道防线，对严重侵害他人人身和财产权利的行为，对蔑视市场经济秩序达到极端程度的经济犯罪行为，国家必须采取最严厉的强制手段即刑罚予以规范和取缔。同时刑法所规定的各种禁止性规范，惩罚性规范，也起到了预防各种经济犯罪行为发生的作用，客观上产生了维护市场经济秩序的效果。1997年10月1日实施的《中华人民共和国刑法》专章规定了"破坏社会主义市场经济秩序罪"，分为生产、销售伪劣产品罪，走私罪，妨害对公司、企业的管理秩序罪，破坏金融管理罪，金融诈骗罪，危害税收征管罪，侵犯知识产权罪，扰乱市场秩序罪，共80类89个罪名，其中相当部分是针对改革开放和市场经济建设以来所新出现的破坏经济秩序的犯罪而规定的，其立法目的就是对违反国家经济管理法规，破坏社会主义市场经济秩序，严重危害国民经济和市场秩序的行为予以刑罚制裁，以强有力的法律手段维护社会主义市场经济秩序，确保社会主义市场经济的顺利、健康发展。

---

[1] 陈世荣：《论我国市场经济法律体系的法律部门构成》，载《法学杂志》1996年第3期。

第七，诉讼法。

诉讼法是关于诉讼程序的法律规范的总和，其任务是通过司法机关所作出的正确、公平、合法的判决和裁定，确定社会关系参加者的法律责任，恢复正常的社会秩序，确认和保护社会成员的正当权益。它是保证各种实体法实现的必要条件，诉讼法法律部门的主要规范性文件有：民事诉讼法、刑事诉讼法和行政诉讼法。诉讼法为市场经济法律体系的法律部门中的相关法律部门，属于公法范畴。

实体法规定了市场主体应享有的权利和应承担的义务，赋予国家行政机关管理国家事务，包括经济事务的职权。而义务主体不履行义务，权利主体的权利便不能实现；权利主体滥用权利，权利主体不正当行使权利，都会使其他市场主体的利益，乃至社会利益遭受损害，于是就会产生纠纷和争议，使得实体法不能得以顺利实施，造成社会秩序的紊乱。而解决这些问题，开释这些社会关系的死结的途径则是诉讼。诉讼法规定了社会主体，当然包括市场主体的诉讼权利，进行诉讼活动的秩序，从而使得市场主体在寻找国家强制力保护时有章可循，使市场主体的权利得以恢复，最终达到保障市场主体的利益和社会公共利益，维护市场经济秩序的目的。因此，在市场经济法律体系中，不仅要有完善的实体法，而且要有健全的诉讼法，通过诉讼法来保证实体法的实施，在实体法和程序法的有机结合和协调运作中形成确保市场经济顺利、健康发展的法律环境。

主要参考文献

1. 〔美〕J·伯尔曼：《法律与革命—西方法律传统的形成》，中国大百科全书出版社 1993 年版。
2. 〔美〕昂格尔：《现代社会中的法律》，中国政法大学出版社 1994 年版。
3. 〔美〕E·博登海默：《法理学—法哲学及其方法》，华夏出版社 1987 年版。
4. 〔美〕爱·麦·伯恩斯：《当代世界政治理论》，商务印书馆 1990 年版。
5. 〔美〕埃尔曼：《比较法律文化》，三联书店 1990 年版。
6. 〔美〕丹尼尔·贝尔：《资本主义文化矛盾》，三联书店 1989 年版。
7. 〔英〕冯·哈耶克：《自由秩序原理》，三联书店 1997 年版。
8. 〔日〕川岛武宜：《现代化与法》，中国政法大学出版社 1994 年版。
9. 〔英〕彼得·斯坦等：《西方社会的法律价值》，中国人民公安大学出版社 1990 年版。
10. 〔德〕文德尔班：《哲学史教程》，上、下卷，商务印书馆 1987、1993 年版。
11. 〔法〕勒内·达维德：《当代主要法律体系》，上海译文出版社 1984 年版。

12.〔法〕勒内·罗迪埃:《比较法导论》,上海译文出版社 1989 年版。

13.〔美〕埃尔斯特、〔挪〕斯莱德斯塔德:《宪法与民主》,三联书店 1987 年版。

14.〔英〕M·J·C·维尔:《宪法与分权》,三联书店 1996 年版。

15.〔美〕路易斯·亨金等:《宪法与权利》,三联书店 1996 年版。

16.〔美〕约翰·罗尔斯:《正义论》,中国社会科学出版社 1988 年版。

17.〔美〕泰格·利维:《法律与资本主义的兴起》,学林出版社 1996 年版。

18.〔德〕马克斯·韦伯:《经济与社会》,上、下卷,商务印书馆 1997 年版。

19.〔德〕马克斯·韦伯:《儒教与道教》,江苏人民出版社 1993 年版。

20.〔德〕马克斯·韦伯:《新教伦理与资本主义精神》,三联书店 1987 年版。

21.〔德〕马克斯·韦伯:《文明的历史脚步》,上海三联书店 1988 年版。

22.〔美〕D·布迪等:《中华帝国的法律》,江苏人民出版社 1995 年版。

23.〔美〕J·范伯格:《自由、权利和社会主义》,贵州人民出版社 1988 年版。

24.〔美〕科恩:《论民主》,商务印书馆 1988 年版。

25.〔美〕乔·萨托利:《民主新论》,东方出版社 1993 年版。

26.〔德〕K·茨维格特等:《比较法总论》,贵州人民出版社 1992 年版。

27. 〔美〕乔治·霍兰·萨拜因：《政治学说史》，上、下卷，商务印书馆1986年版。

28. 〔苏〕A·莫基切夫主编：《政治学说史》，上、下卷，中国社会科学出版社1979年版。

29. 〔意〕朱塞佩·格罗索：《罗马法史》，中国政法大学出版社1994年版。

30. 〔美〕金勇义：《中国与西方的法律观念》，辽宁人民出版社1989年版。

31. 〔美〕诺思等：《西方世界的兴起》，学苑出版社1988年版。

32. 〔美〕吉尔伯特·罗兹曼：《中国的现代化》，上海人民出版社1989年版。

33. 〔美〕摩狄曼·J·阿德勒：《六大观念》，团结出版社1989年版。

34. 〔德〕拉德布鲁赫：《法学导论》，中国大百科全书出版社1997年版。

35. 〔英〕A·J·M·米尔恩：《人的权利与人的多样性——人权哲学》，中国大百科全书出版社1995年版。

36. 〔古希腊〕亚里士多德：《尼各马科论理学》，中国社会科学出版社1990年版。

37. 〔美〕戈尔丁：《法律哲学》，三联书店1987年版。

38. 〔美〕西里尔·E·布莱克编：《比较现代化》，上海译文出版社1996年版。

39. 〔德〕黑格尔：《法哲学原理》，商务印书馆1961年版。

40. 〔英〕马林诺夫斯基：《文化论》，中国民间文艺出版社1987年版。

41. 〔美〕汤姆·L·彼彻姆：《哲学的伦理学》，中国社会科学出版社1990年版。

42.〔美〕霍伊:《自由主义政治哲学》,三联书店 1992 年版。

43.〔罗马〕查士丁尼:《法学总论》,商务印书馆 1989 年版。

44.〔荷兰〕斯宾诺莎:《神学政治论》,商务印书馆 1963 年版。

45.〔美〕汉密尔顿等:《联邦党人文集》,商务印书馆 1980 年版。

46.〔法〕托克维尔:《论美国的民主》,商务印书馆 1988 年版。

47.〔英〕格雷厄姆·沃拉斯:《政治中的人性》,商务印书馆 1996 年版。

48.〔法〕孟德斯鸠:《论法的精神》,商务印书馆 1961 年版。

49.〔德〕康德:《法的形而上学原理——权利的科学》,商务印书馆 1991 年版。

50.〔法〕卢梭:《社会契约论》,商务印书馆 1980 年版。

51.〔英〕梅因:《古代法》,商务印书馆 1959 年版。

52.〔英〕洛克:《政府论》,商务印书馆 1964 年版。

53.〔英〕罗杰·科特威尔:《法律社会学导论》,华夏出版社 1989 年版。

54.〔古罗马〕西塞罗:《论共和国·论法律》,中国政法大学出版社 1997 年版。

55.〔美〕黄仁宇:《万历十五年》,中华书局 1982 年版。

56.〔以〕S·N·艾森斯塔德:《现代化:抗拒与变迁》,中国人民大学出版社 1988 年版。

57.〔美〕亨廷顿等:《现代化:理论与历史的经验的再探讨》,上海译文出版社 1993 年版。

58.〔美〕马文·佩里:《西方文明史》,上、下卷,商务印书馆 1993 年版。

59.〔法〕米歇尔·博德:《资本主义史 1500—1980》,东方出版社 1986 年版。

60. 〔法〕米歇尔·克罗齐等：《民主的危机》，求实出版社 1989 年版。

61. 《马克思恩格斯列宁斯大林论法》，法律出版社 1986 年版。

62. 〔奥〕冯·米瑟斯：《自由与繁荣的国度》，中国社会科学出版社 1994 年版。

63. 〔古希腊〕亚里士多德：《政治学》，商务印书馆 1981 年版。

64. 〔英〕霍布斯：《利维坦》，商务印书馆 1986 年版。

65. 〔美〕罗伯特·海尔布罗纳等：《现代化理论研究》，华夏出版社 1989 年版。

66. 〔瑞士〕布克哈特：《意大利文艺复兴时期的文化》，商务印书馆 1979 年版。

67. 〔美〕威廉·费尔丁·奥格本：《社会变迁——关于文化和先天的本质》，浙江人民出版社 1989 年版。

68. 〔意〕彼德罗·彭梵得：《罗马法教科书》，中国政法大学出版社 1992 年版。

69. 〔英〕戴维·M·沃克：《牛津法律大辞典》，光明日报出版社 1988 年版。

70. 〔美〕英格尔斯：《人的现代化》，四川人民出版社 1985 年版。

71. 〔美〕约翰·梅利曼：《大陆法系》，知识出版社 1984 年版。

72. 〔日〕千叶正士：《法律多元——从日本法律文化迈向一般理论》，中国政法大学出版社 1997 年版。

73. 瞿同祖：《中国法律与中国社会》，中华书局 1981 年版。

74. 黄克剑：《东方文化—两难中的抉择》，江西人民出版社 1992 年版。

75. 刘军宁主编：《市场逻辑与国家观念》，三联书店 1995 年版。

76. 刘军宁主编：《经济民主与经济自由》，三联书店 1997 年版。

77. 刘军宁主编：《自由与社群》，三联书店 1998 年版。

78. 梁治平；《寻求自然秩序中的和谐》，中国政法大学出版社 1997 年版。

79. 梁治平：《法辩—中国法的过去、现在和未来》，贵州人民出版社 1992 年版。

80. 梁治平：《法律的文化解释》，三联书店 1994 年版。

81. 孙国华主编：《市场经济是法治经济》，天津人民出版社 1995 年版。

82. 何怀宏：《契约伦理与社会正义》，中国人民大学出版社 1993 年版。

83. 顾准：《顾准文集》，贵州人民出版社 1994 年版。

84. 周建明：《个人在经济中的权利》，人民出版社 1989 年版。

85. 梁慧星：《民法总论》，法律出版社 1996 年版。

86. 苏国勋：《理性化及其限制—韦伯思想引论》，上海人民出版社 1988 年版。

87. 高道蕴主编：《美国学者论中国法律传统》，中国政法大学出版社 1994 年版。

88. 林毓生：《中国传统的创造性转化》，三联书店 1988 年版。

89. 丛日云：《西方政治文化传统》，大连出版社 1996 年版。

90. 张中秋：《中西法律文化比较研究》，南京大学出版社 1991 年版。

91. 罗荣渠：《现代化新论》，北京大学出版社 1993 年版。

92. 万斌等：《民主哲学》，浙江人民出版社 1994 年版。

93. 林剑鸣：《法与中国社会》，吉林文史出版社 1988 年版。

94. 龚祥瑞：《比较宪法与行政法》，法律出版社 1985 年版。
95. 汪丁丁：《永远的徘徊》，四川文艺出版社 1996 年版。
96. 沈宗灵：《现代西方法律哲学》，法律出版社 1983 年版。
97. 沈宗灵：《现代西方法理学》，北京大学出版社 1992 年版。
98. 沈宗灵主编：《法理学》，高等教育出版社 1994 年版。
99. 张文显：《二十世纪西方法哲学思潮研究》，法律出版社 1996 年版。
100. 张文显主编：《法理学》，法律出版社 1997 年版。
101. 武树臣等：《中国传统法律文化》，北京大学出版社 1994 年版。
102. 夏勇：《人权概念起源》，中国政法大学出版社 1992 年版。
103. 张学仁等：《西方法律思想史资料选编》，北京大学出版社 1983 年版。
104. 茅于轼：《中国人的道德前景》，济南大学出版社 1997 年版。
105. 王岳川：《后现代主义文化研究》，北京大学出版社 1992 年版。
106. 钱乘旦、陈晓律：《在传统与变革之间》，浙江人民出版社 1991 年版。
107. 李仁玉等：《契约观念与秩序研究》，北京大学出版社 1993 年版。
108. 张文显：《法学基本范畴研究》，中国政法大学出版社 1993 年版。
109. 费孝通：《乡土中国》，三联书店 1988 年版。
110. 梁漱溟：《中国文化要义》，学林出版社 1987 年版。
111. 刘再复、林岗：《传统与中国人》，三联书店 1988 年版。
112. 汪丁丁：《经济发展与制度创新》，上海人民出版社 1995

年版。

113. 王沪宁：《比较政治分析》，上海人民出版社 1987 年版。

114. 陈宣良：《理性主义》，四川人民出版社 1988 年版。

115. 金观涛：《西方社会结构的演变》，四川人民出版社 1985 年版。

116. 刘小枫：《现代性社会理论绪论》，上海三联书店 1998 年版。

117. 邓晓芒：《灵之舞——中西人格的表演性》，东方出版社 1995 年版。

118. 钱满素：《爱默生与中国——对个人主义的反思》，三联书店 1996 年版。

119. 高瑞全主编：《中国近代社会思潮》，华东师范大学出版社 1996 年版。

120. 王子琳主编：《法律社会学》，吉林大学出版社 1991 年版。

121. 武步云：《马克思主义法哲学引论》，陕西人民出版社 1992 年版。

122. 张宏生主编：《西方法律思想史》，北京大学出版社 1983 年版。

123. 刘作翔：《法律文化论》，陕西人民出版社 1992 年版。

124. 张晋藩主编：《中国法制史》，群众出版社 1982 年版。

125. 刘泽华主编：《中国传统政治思维》，吉林教育出版社 1991 年版。

126. 黄克剑：《人韵——一种对马克思的读解》，东方出版社 1996 年版。

127. 殷海光：《中国文化的展望》，中国和平出版社 1988 年版。

128. 陈建远主编：《中国社会——原型与演化》，辽宁人民出版社 1988 年版。

129. 周枏等：《罗马法》，群众出版社 1983 年版。

130. 张乃根：《西方法哲学史纲》，中国政法大学出版社 1993 年版。

131. 孙立平：《社会现代化》，华夏出版社 1988 年版。

132. 宋书伟等：《走向现代之路》，中国新闻出版社 1989 年版。

133. 杨春时：《中国文化转型》，黑龙江教育出版社 1994 年版。

134. 许苏民：《文化哲学》，上海人民出版社 1990 年版。

135. 张琢：《九死一生》，中国社会科学出版社 1992 年版。

136. 周谷城：《中国政治史》，中华书局 1982 年版。

137. 刘佑成：《社会发展三形态》，浙江人民出版社 1987 年版。

138. 俞吾金：《寻找新的价值坐标》，复旦大学出版社 1995 年版。

139. 萧功秦：《萧功秦集》，黑龙江教育出版社 1995 年版。

140. 张晋藩：《中国法律的传统与近代转型》，法律出版社 1997 年版。

141. 徐国栋：《民法基本原则解释》，中国政法大学出版社 1992 年版。

142. 董云虎编著：《人权基本文献要览》，辽宁人民出版社 1994 年版。

143. 启良：《史学与神学》，湖南出版社 1992 年版。

144. 李泽厚：《中国古代思想史论》，人民出版社 1985 年版。

145. 李泽厚：《中国现代思想史论》，东方出版社 1987 年版。

146. 陆学艺主编：《社会学》，知识出版社 1991 年版。

147. 江平、文海兴、周小明：《市场经济：法治经济》，江西人民出版社 1994 年版。

148. 周小明、宋炉安、李恕忠：《法与市场秩序》，贵州人民出版社 1995 年版。

149. 华友根：《中国近代法律思想史》，上海社会科学出版社 1993 年版。

150. 吕世伦、公丕祥主编：《现代理论法学原理》，安徽大学出版社 1996 年版。

151. 公丕祥主编：《中国法制现代化的进程》上卷，中国人民公安大学出版社 1991 年版。

152. 南京师范大学法制现代化研究中心编：《法制现代化研究》（第一卷），南京师范大学出版社 1995 年版。

153. 葛洪义：《法理学导论》，法律出版社 1996 年版。

154. 梁慧星：《民法学说判例与立法研究》，中国政法大学出版社 1993 年版。

155. 司法部法制宣传司编《中共中央举办法律知识讲座纪实》，法律出版社 1995 年版。

156. 殷海光：《中国文化的展望》，中国和平出版社 1988 年版。

157. 刘作翔：《法律文化理论》，商务印书馆 1999 年版。

后 记

拙著行将付梓之际，我们并无释然舒怀之感。本书只能看作我们的一个阶段性研究成果，其中疏漏之弥补、悖谬之矫正、内容之完善，还有赖于专家、同行们的指正。我们的研究还将继续下去。

本书的出版得到西北政法学院副院长贾宇教授、科研处长汪世荣教授和中国政法大学出版社的关键性推动，在此谨表诚挚的谢意。责任编辑为本书的面世付出了智慧和艰辛，实为感念；我们的硕士研究生杨德桥、葛峰同学为本书校对工作的尽心、尽力，亦为我们所感动。在此，对他们一并致谢。

作 者
2005 年 6 月 16 日

图书在版编目（CIP）数据

法律文化导论 / 刘进田，李少伟著.— 北京：中国政法大学出版社，2005.9
ISBN 978-7-5620-2820-8
Ⅰ.法… Ⅱ.①刘…②李… Ⅲ.法律-文化-研究-中国 Ⅳ.D909.2
中国版本图书馆CIP数据核字(2005)第111729号

书　名	法律文化导论	
出版发行	中国政法大学出版社(北京市海淀区西土城路25号)	
	北京100088 信箱8034分箱　邮编100088　zf5620@263.net	
	http://www.cuplpress.com (网络实名：中国政法大学出版社)	
	(010)58908285(总编室) 58908325(发行) 58908334(邮购)	
承　印	固安华明印刷厂	
规　格	880×1230　32开本　14.875印张　380千字	
版　本	2005年9月第1版　2010年11月第2次印刷	
书　号	ISBN 978-7-5620-2820-8/D·2780	
定　价	30.00元	
声　明	1.版权所有，侵权必究。	
	2.如有缺页、倒装问题，由本社发行部负责退换。	